TRAVESSIAS DIFÍCEIS

Obras de Simon Schama publicadas pela Companhia das Letras:

Cidadãos — Uma crônica da Revolução Francesa
O desconforto da riqueza — A cultura na época de ouro: uma interpretação
O futuro da América — Uma história
Paisagem e memória
Travessias difíceis — Grã-Bretanha, os escravos e a Revolução Americana

A marca FSC é a garantia de que a madeira utilizada na fabricação do papel deste livro provém de florestas que foram gerenciadas de maneira ambientalmente correta, socialmente justa e economicamente viável, além de outras fontes de origem controlada.

SIMON SCHAMA

Travessias difíceis

Grã-Bretanha, os escravos e a Revolução Americana

Tradução
Denise Bottmann

Companhia das Letras

Copyright © 2005 by Simon Schama

Grafia atualizada segundo o Acordo Ortográfico da Língua Portuguesa de 1990, que entrou em vigor no Brasil em 2009.

Todos os esforços foram feitos para determinar a origem das imagens deste livro. Nem sempre isso foi possível. Teremos prazer em creditar as fontes, caso se manifestem.

Título original
Rough crossings — Britain, the slaves and the American Revolution

Foto de capa
© Bettmann/ CORBIS/ Corbis (DC)/ LatinStock

Preparação
Leny Cordeiro

Índice remissivo
Luciano Marchiori

Revisão
Carmen S. da Costa
Thaís Totino Richter

Dados Internacionais de Catalogação na Publicação (CIP)
(Câmara Brasileira do Livro, SP, Brasil)

Simon Schama
    Travessias difíceis : Grã-Bretanha, os escravos e a Revolução Americana / Simon Schama ; tradução Denise Bottmann — São Paulo : Companhia das Letras, 2011.

    Título original : Rough crossings : Britain, the slaves, and the American Revolution.
    ISBN 978-85-359-1959-2

    1. Estados Unidos - História - Revolução, 1775-1783 - Afro-americanos 2. Estados Unidos - História - Revolução, 1775-1783 - Aspectos sociais 3. Escravos - Estados Unidos - História - Século 18 4. Negros - Inglaterra - História - Século 18 I. Título.

11-08923   CDD-326.09730933

Índice para catálogo sistemático:
1. Grã-Bretanha, os escravos e s Revolução Americana : História 326.09730933

[2011]
Todos os direitos desta edição reservados à
EDITORA SCHWARCZ LTDA.
Rua Bandeira Paulista 702 cj. 32
04532-002 — São Paulo — SP
Telefone (11) 3707-3500
Fax (11) 3707-3501
www.companhiadasletras.com.br
www.blogdacompanhia.com.br

Sumário

Dramatis personae 9
A promessa de Liberdade Britânica 13

PARTE UM — Greeny 31

PARTE DOIS — John 273

Fins, começos 419

Cronologia 445
Notas e referências 448
Bibliografia adicional 473
Agradecimentos 477
Créditos das imagens 480
Índice remissivo 483

*Para Lisa Jardine, que encarna
minha ideia do que é um historiador*

Dramatis personae

GRANVILLE SHARP, principal abolicionista inglês e patrocinador do primeiro assentamento negro em Serra Leoa.

WILLIAM MURRAY, lorde chefe de justiça Mansfield, responsável por decisões judiciais inéditas sobre a condição escrava.

JAMES SOMERSET, escravo afro-americano, objeto de uma das decisões do lorde chefe de justiça Mansfield.

BENJAMIN FRANKLIN, patriota, inventor, diplomata e abolicionista americano.

HENRY LAURENS, fazendeiro, senhor de escravos e político americano.

JOHN LAURENS (filho de Henry), ajudante de ordens de Washington, oficial abolicionista do Exército continental.

ANTHONY BENEZET, abolicionista americano.

THOMAS JEREMIAH, afro-americano livre enforcado por suposta conspiração contra os brancos.

JOHN MURRAY, lorde Dunmore, último governador britânico da Virgínia, responsável pela proclamação, que oferecia liberdade aos escravos em troca de serviços militares

LORDE WILLIAM CAMPBELL, último governador britânico da Carolina do Sul.

JOHN ADAMS, patriota de Massachusetts, segundo presidente dos Estados Unidos.

SARGENTO THOMAS PETERS, dos Pioneiros Negros britânicos, amigo de Murphy Steele, assentado na Nova Escócia e em Serra Leoa.

MARY PERTH, escrava fugida, libertada pelos britânicos, assentada em Serra Leoa.

MOSES WILKINSON, pregador metodista cego em Birchtown, Nova Escócia.

GENERAL SIR HENRY CLINTON, comandante-chefe inglês na América britânica.

DAVID GEORGE, escravo afro-americano e pastor batista, assentado com a esposa Phyllis na Nova Escócia e em Serra Leoa.

GENERAL LORDE CHARLES CORNWALLIS, comandante militar britânico na América britânica.

BOSTON KING e a esposa Violet, escravos fugidos, assentados na Nova Escócia e em Serra Leoa.

CORONEL TYE, ex-escravo em Monmouth County, Nova Jersey, oficial das tropas guerrilheiras negras.

STEPHEN BLUCKE, afro-americano livre, assentado na Nova Escócia.

SARGENTO MURPHY STEELE, dos Pioneiros Negros, amigo de Thomas Peters.

CAPITÃO LUKE COLLINGWOOD, mestre do *Zong*, responsável por uma controvérsia entre as atrocidades do escravismo.

GUSTAVUS VASSA (nascido Olaudah Equiano), abolicionista negro livre inglês.

SIR CHARLES MIDDLETON, MP, abolicionista e controlador da Marinha Real.

JAMES RAMSAY, cirurgião naval inglês que se tornou clérigo e abolicionista.

THOMAS CLARKSON, líder abolicionista inglês.

BENJAMIN WHITECUFFE, agricultor negro de Long Island, espião legalista para as forças britânicas.

JONAS HANWAY, abolicionista inglês, reformador e filantropo.

HENRY SMEATHMAN, cientista inglês, excêntrico defensor inicial de Serra Leoa como local para o assentamento negro.

ALEXANDER FALCONBRIDGE, ex-cirurgião de navios negreiros, agente da Companhia da Baía de São Jorge (futura Companhia de Serra Leoa); e a esposa Anna Maria, autora de *Narrative of two voyages to the river Sierra Leone...*

REI TOM, chefe temné em Serra Leoa.

O NAIMBANA, chefe supremo em Robana, Serra Leoa.

REI JIMMY, chefe temné em Serra Leoa, destruidor de Granville Town.

SIR JOHN PARR, governador da Nova Escócia.

TENENTE JOHN CLARKSON, oficial da Marinha britânica, mais tarde abolicionista e governador do segundo assentamento negro em Serra Leoa.

MICHAEL WALLACE, empreiteiro oportunista da Nova Escócia.

BENJAMIN MARSTON, ex-negociante formado em Harvard, agrimensor na Nova Escócia.

HENRY THORNTON, banqueiro e abolicionista evangélico, primeiro presidente da Companhia de Serra Leoa.

LAWRENCE HARTSHORNE, negociante quaker, amigo de John Clarkson na Nova Escócia.

DR. CHARLES TAYLOR, médico nomeado pela Companhia de Serra Leoa para acompanhar a frota negra à África.

CATO PERKINS, pregador metodista negro, assentado na Nova Escócia e em Serra Leoa.

STEPHEN SKINNER, legalista de Nova Jersey e assentado em Shelburne.

CAPITÃO JONATHAN COFFIN, mestre do *Lucretia*, a nau capitânia de John Clarkson.

ISAAC DUBOIS, legalista americano, fazendeiro de algodão na Carolina, assentado em Serra Leoa, amigo de Clarkson.

ISAAC ANDERSON, carpinteiro negro livre de Charleston, assentado em Serra Leoa, agitador e defensor dos direitos negros.

WILLIAM DAES, governador em exercício de Serra Leoa após John Clarkson.

ZACHARY MACAULAY, governador de Serra Leoa, pai do historiador Thomas Babington Macaulay.

PAUL CUFFE, negro livre, proprietário de terras, negociante, quaker e abolicionista.

FREDERICK DOUGLASS, escravo fugido que se tornou orador abolicionista.

A promessa de Liberdade Britânica

Dez anos depois da rendição do exército de George III ao general Washington em Yorktown, Liberdade Britânica ia sobrevivendo no continente norte-americano. Com mais algumas centenas de almas — entre elas Scipio Yearman, Phoebe Barrett, Jeremiah Piggie e Smart Feller —, ele cavava a vida no solo ingrato ao redor de Preston, poucos quilômetros a nordeste de Halifax, Nova Escócia.[1]

Como a maioria do povo de Preston, Liberdade Britânica era negro e tinha vindo de um lugar mais quente. Agora ele dava duro, enterrado num fundão de mundo batido pelo vento entre o oceano e a floresta de abetos azuis. Mas tinha mais sorte que muitos outros. Liberdade Britânica possuía o título de quarenta acres, e mais 1,5 "lote na cidade",[2] como os oficiais de cartório em Halifax gostavam de dizer. Não que parecesse muito uma cidade: não passava de uma clareira cascalhada, com umas cabanas rústicas no centro e meia dúzia de galinhas desfilando de um lado para outro, e talvez um ou dois porcos enlameados. Alguns que tinham conseguido arranjar uma parelha de bois para tirar do solo as pedras cinzentas e nuas plantavam umas leiras de feijão, milho e couve, que depois punham na carroça para ir vender em Halifax, junto com madeira de construção. Mas até os que prosperavam — pelos padrões de Preston — volta e meia tinham de ir caçar algumas perdizes no mato ou tentavam a sorte nos lagos salgados ao sul do vilarejo.[3]

O que estavam fazendo lá? Não era só uma questão de subsistência. Liberdade Britânica e os outros moradores não se aferravam apenas a um pedacinho da Nova Escócia; aferravam-se a uma promessa. Alguns até tinham aquela promessa *impressa* e assinada por oficiais do Exército britânico, em nome do próprio rei, firmando que o portador fulano de tal estava no direito de ir aonde quisesse e de adotar a profissão que bem entendesse. Para gente que tinha sido escrava, aquilo tinha certo significado. E a palavra de Sua Majestade certamente valia como penhor. Em troca dos leais serviços na recente guerra americana, os Pioneiros Negros e os demais receberiam duas dádivas de valor inestimável: a liberdade e um pedaço de chão. Nada mais que o devido, diziam a si mesmos. Tinham feito um trabalho perigoso, sujo, exaustivo. Foram espiões entre os americanos, guias pelos pântanos da Geórgia, pilotos de barcos em bancos de areia traiçoeiros, sapadores nos baluartes de Charleston enquanto canhonaços franceses arrancavam os membros de homens ao lado. Cavaram trincheiras; enterraram cadáveres cobertos de bolhas de varíola; empoaram as perucas dos oficiais; e, marchando em boa ordem, rufaram os tambores nos ataques e nas retiradas. As mulheres cozinharam, lavaram as roupas, atenderam os doentes; limparam cuidadosamente os orifícios do corpo dos soldados; tentaram proteger os filhos contra os perigos. Alguns tinham lutado. Havia dragões negros na Carolina do Sul; unidades fluviais de partidários negros do rei no rio Hudson; bandos de guerrilheiros negros que caíam em cima das fazendas dos patriotas em Nova Jersey e pegavam tudo o que podiam, até (se o Senhor lhes sorrisse na empreitada) prisioneiros americanos brancos.

Assim, tinham feito por merecer. Receberam a liberdade, e alguns até ganharam terras. Mas a camada de solo era fina, pedregosa, e os negros, a maioria deles, não tinham como limpar e trabalhar a terra a menos que vendessem seus serviços ou dos familiares aos legalistas brancos. Isso significava mais comida para cozinhar e mais roupa para lavar; mais mesas para servir e mais faces rosadas para barbear; mais pedras a britar para pontes e estradas. E ainda assim continuavam tão endividados que alguns reclamavam que aquilo não era liberdade coisa nenhuma, e sim outra forma de escravidão, que só tinha mudado de nome.

Mas o nome contava. O nome de Liberdade Britânica significava algo importante: ele não era mais uma mercadoria. Apesar de todas as suas dificuldades, Preston não era uma fazenda da Geórgia. Outros prestonianos — Decimus Murphy, Caesar Smith — tinham mantido seus nomes de escravos quando se tornaram livres. Mas Liberdade Britânica devia ter nascido, ou ter sido vendido, com outro nome. Pode ter se livrado dele, como se livrou das correntes nos tornozelos, num dos 81 navios que saíram de Nova York em 1783, os quais levaram 30 mil legalistas, brancos e negros, para a Nova Escócia, pois não há nenhum Liberdade Britânica na lista do "Livro de negros", registrando os que, como homens e mulheres livres, tinham o direito de ir para onde quisessem. Certamente outros também mudaram de nome, o que expressava a nova condição deles: James Lagree, por exemplo, ex-propriedade de Thomas Lagree de Charleston, na Nova Escócia, tornou-se Liberdade Lagree. Também é possível que Liberdade Britânica tenha chegado à Nova Escócia numa das primeiras evacuações de legalistas — de Boston, em 1776, ou de Charleston, em 1782. Nos assustadores meses entre o final da guerra e a partida dos navios britânicos, quando os fazendeiros americanos tentavam localizar o paradeiro dos escravos fugidos, muitos trocaram de nome para não ser identificados. Liberdade Britânica pode ter simplesmente dado um passo a mais, ao se atribuir um pseudônimo que também guardava uma ressonância patriótica. Seja qual for o rumo que tenha tomado e as provações enfrentadas, o nome escolhido por Liberdade Britânica mostra algo surpreendente: a convicção de que a monarquia britânica, e não a nova república americana, era mais propensa a libertar os africanos do jugo da escravidão. Na Declaração de Independência, Thomas Jefferson culpava "o rei *cristão*" George III por ter implantado a escravidão nos Estados Unidos, mas negros como Liberdade Britânica não o viam dessa forma de modo algum. Pelo contrário, o rei era inimigo do inimigo deles, e portanto amigo, libertador e protetor.

Considerar o rei da Inglaterra um benfeitor era tradição que vinha de longe. Em 1730, quando foram descobertos os planos de uma revolta escrava no condado de Raritan, Nova Jersey, um dos informantes negros disse a um certo dr. Reynolds que o motivo era "o bando de vilões" que tinham desafiado "uma ordem expressa do rei George, enviada ao G-(overnador) de Nova York para libertá-los".⁴ Uma geração depois, os negros claramente excluídos das bênçãos da liberdade americana ridicularizaram "aquilo que *chamam* de Livre neste País", nas palavras de Towers Bell, um "verdadeiro britânico", conforme ele se assinava. Bell escreveu às autoridades militares britânicas no final da guerra, contando que fora levado da Inglaterra para Baltimore contra a vontade, e "vendido como Escravo por Quatro Anos que eu sofri com a Maior Barbaridade neste País Rebelde". Agora, com o fim das hostilidades, a única coisa que ele queria era voltar "para casa na Velha Inglaterra".⁵

Dezenas de milhares de afro-americanos se prendiam à ideia sentimental de uma liberdade britânica, mesmo sabendo que os ingleses estavam longe de ser santos em matéria de escravidão. Até 1800, quando seus tribunais proscreveram em definitivo a escravidão, ainda havia escravos na Nova Escócia, ao lado de negros livres, além de outras centenas de milhares no Caribe britânico. Mesmo assim, em 1829 um dos primeiros abolicionistas afro-americanos militantes, David Walker, escreveu em seu *Appeal to the colored citizens of the world* [Apelo aos cidadãos de cor do mundo], em Boston, que os "ingleses" eram "os melhores amigos que as pessoas de cor têm na Terra. Embora tenham nos oprimido um pouco e agora possuam colônias nas Índias Ocidentais que nos oprimem *extremamente* — A despeito disso, eles [os ingleses] fizeram cem vezes mais pela melhoria de nossa condição do que todas as outras nações do mundo somadas". Os americanos brancos, por sua vez, posando de religiosos e com um palavrório falso e vazio, ele entregava aos mais baixos degraus da infâmia e da hipocrisia.⁶ A abolição parlamentar da escravidão em 1834 em nada ajudou a alterar essa generosa avaliação da magnanimidade britânica em relação aos africanos, como tampouco a perseguição da Marinha Real aos navios negreiros (alguns deles americanos) na costa africana ocidental. Entre 1845-7, o orador negro Frederick Douglass, ao percorrer a Inglaterra dando conferências sobre as iniquidades da escravidão americana, retomou a exagerada ideia de Walker dos "ingleses" como os libertadores. Em 1852, em discurso pelo Dia da Independência, ele fez a pergunta: "O que é o Quatro de Julho para o Escravo?", e respondeu que "sua excelsa independência apenas revela a distância intransponível entre nós [...] você pode se rejubilar, eu devo chorar".⁷

É no mínimo discutível que os britânicos merecessem essa fama de ser o império e a nação mais aberta do mundo em termos raciais. Durante a Guerra Civil americana de 1861-5, se a política e a população tomaram algum partido, foi mais em favor da Confederação escravocrata do que pela União, quando menos porque ela conteria a ameaça de expansão da república americana. Mas durante a Guerra Revolucionária não há dúvida de que dezenas de milhares de africanos, escravizados no Sul do país, de fato viam a Inglaterra como libertadora, a tal ponto que se dispunham a arriscar o pescoço e a vida para chegar às linhas do exército do rei. Para explicar devidamente esse fato surpreendente, temos de contar a história do conflito anglo-americano, durante e após a revolução, de uma maneira um pouco mais complicada.

Por certo também havia muitos negros que davam aos Patriotas o benefício da dúvida, quando liam e ouviam que aquela era uma guerra pela liberdade. Se existia Liberdade Britânica, também existia um Dick Liberdade — e um Jeffery Liberdade — lutando num regimento de Connecticut, do lado americano.[8] Negros combateram e morreram pela causa americana em Concord, Bunker Hill, Rhode Island e finalmente em Yorktown (onde foram postos na linha de frente — não se sabe muito bem se em tributo à coragem deles ou um sacrifício ditado por razões estratégicas). Na batalha de Monmouth, em Nova Jersey, soldados negros se enfrentaram dos dois lados. Mas, até o agressivo recrutamento britânico de escravos em 1775 e 1776, as câmaras oficiais, mesmo no Norte, bem como o Congresso Continental dos vários estados, evitavam alistá-los. New Hampshire se destacava em excluir loucos, retardados e negros de suas milícias. No outono de 1775, negros que já tinham servido nas milícias patriotas receberam ordens de dispensa. Apesar da hostilidade explícita dos colegas oficiais e dos delegados civis em seu acampamento em Cambridge, George Washington relutou em liberar os voluntários negros, e então propôs a questão ao Congresso. Lá, o horror manifestado por representantes sulistas como Edward Rutledge à ideia de armar os escravos prevaleceu sobre o apático reconhecimento dos serviços negros. Mesmo os negros livres armados eram uma preocupação. Podia-se confiar que não espalhariam as sementes da insurreição entre os escravos? Em fevereiro de 1776, o Congresso declarou a Washington que poderia conservar os negros livres, mas não deveria alistar outros. Os escravos, claro, ficaram totalmente excluídos do Exército continental montado pelo Congresso.[9]

Por outro lado, a declaração de John Murray, lorde Dunmore, o último governador colonial da Virgínia, falando do HMS *William* em 7 de novembro de 1775, prometia inequivocamente a liberdade a todos os escravos fugidos das fazendas rebeldes que alcançassem as linhas britânicas e servissem em alguma função no Exército. A promessa foi feita mais por razões militares que por motivos humanitários, e para cada Liberdade Britânica que viveu para ver a promessa cumprida, muitos outros foram traídos sem o menor escrúpulo. Mesmo assim, táticas oportunistas às vezes davam margem a alguma coisa boa. As palavras de Dunmore, sancionadas pelo governo britânico e reiteradas pelos generais Howe e Clinton (que estenderam a definição dos que seriam alforriados às mulheres e crianças negras), rapidamente criaram asas no mundo dos escravos, e eles mesmos, às dezenas de milhares, logo depois levantaram voo. Vista pelos olhos dos escravos, a Guerra Revolucionária adquire um sentido inverso. Na Geórgia, nas Carolinas e em boa parte da Virgínia, a alardeada guerra pela liberdade foi, da primavera de 1775 ao final do verão de 1776, uma guerra pela perpetuação da servidão. Os contorcionismos da lógica, embora frequentes, eram tão absurdos que George Washington foi capaz de descrever Dunmore como "aquele arquitraidor dos direitos da humanidade" por prometer liberdade aos escravos e servos, ao passo que os que os mantinham sob o jugo da escravidão eram heróis da liberdade.

Para os negros, a notícia de que Os Ingleses Estavam Chegando foi motivo de esperança, comemoração e ação. Henry Melchior Muhlenberg, um pastor luterano da Pensilvânia, sabia do que estava falando quando escreveu que a população negra "secretamente deseja que o Exército britânico vença, pois então todos os escravos negros ganharão a liberdade. Dizem que esse sentimento é generalizado entre todos os negros na América".[10] E muitas vezes a verdade conseguia atravessar a armadura da casuística patriota. Em dezembro de 1775, Lund Washington escreveu ao sobrinho George sobre os negros e os servos que estavam saindo às pressas das propriedades de Washington: "se julgasse poder escapar, não haveria um só deles que não nos deixasse [...] A liberdade é doce".[11]

Os próprios Pais Fundadores falavam sem rodeios sobre a quantidade de escravos seus que tinham desaparecido, quando menos porque muitos tiveram grandes prejuízos pessoais. Nas poucas semanas da primavera de 1781 em que os soldados de lorde Cornwallis estiveram perto da residência de Thomas Jefferson em Monticello, este, que vira derrotada no Congresso sua tentativa de incorporar à Declaração de Independência um ataque contra a escravidão, perdeu trinta escravos de sua propriedade. Ele achava — e a avaliação de muitos historiadores modernos, como Benjamin Quarles, Gary Nash, Sylvia Frey, Ellen Gibson Wilson e James Walker, está de acordo com isso — que pelo menos 30 mil escravos fugiram das fazendas da Virgínia, na tentativa de chegar às linhas britânicas.[12] O mesmo valia para o restante do Sul. Já em 1858 o historiador David Ramsey calculou que fugiram dois terços dos escravos da Carolina do Sul; muitos, embora certamente não todos, se bandearam para os ingleses. Ao todo, de 80 mil a 100 mil escravos abandonaram as fazendas durante a guerra.[13] Quanto mais sentenciosos eram os brados dos líderes patriotas contra a escravização americana sob o odioso tirano hanoveriano, mais seus escravos decidiam apostar nas próprias pernas. Ralph Henry, por exemplo, tomou a peito o teatral anúncio de seu dono Patrick Henry — "Dê-me a Liberdade ou dê-me a morte" —, só que não propriamente no sentido pretendido pelo autor, pois na primeira oportunidade escapou para as linhas britânicas.[14] (Ironicamente, esse mesmo lema seria adotado como palavra de ordem pelos abolicionistas negros do século XIX e por emancipacionistas negros como Malcolm X no século XX!) Outros signatários do documento que afirmava que "todos os homens nascem livres e iguais" que perderam escravos foram James Madison e Benjamin Harrison (pai do nono presidente, William Henry Harrison), que perderam vinte, inclusive Anna e Pompey Cheese, destinados a cumprir todo o périplo por Nova York, Nova Escócia e Serra Leoa. O signatário sul-carolinense Arthur Middleton perdeu cinquenta; Pompey e Flora, do governador John Rutledge, se bandearam para os ingleses; e Edward Rutledge, o mais jovem signatário da Declaração e ardoroso adversário do alistamento de negros no Exército americano, também perdeu escravos. O general Francis Marion, a "raposa do pântano" da Carolina do Sul, cujos escravos aparecem na fantasia cinematográfica de Mel Gibson, *O patriota*, ansiosos em acompanhar o dono na luta pela liberdade, teve pelo menos um, Abraham Marrian, que passou para o lado dos ingleses. Ele pode ter participado do pequeno destacamento de Dragões Negros montados, mobilizados no verão de 1782, que combateu (mais plausivelmente) *contra* Marion, e não a seu lado, na Fazenda Wadboo, na Carolina do Sul.[15] E, não menos importante, enquanto George Washington estava acampado nas Terras Comunais de Cambridge, debatendo-se com argumentos a favor e contra o interesse de recrutar negros, seu próprio escravo Henry Washington, nascido na África Ocidental, arrepiava caminho para as linhas do rei. Exilado com outros legalistas negros em Birchtown, Nova Escócia, Washington se autodefiniu, de modo comovente, como "fazendeiro", mas era a Union Jack, o pavilhão do Reino Unido, que protegia sua liberdade e seus quarenta acres.[16]

A história dessa fuga em massa, que Gary Nash bem caracterizou como o "segredinho sujo" da Guerra Revolucionária, é chocante na melhor acepção do termo, na medida em que obriga a uma reavaliação honesta e devida da guerra, envolvendo em seu cerne um terceiro partido.[17] Essa terceira parte de afro-americanos, ademais, respondia por 20% de toda a população de 2,5 milhões de colonizadores, chegando na Virgínia a 40%. Quanto aos negros apanhados em plena luta, nenhum dos lados, nem o inglês nem o americano, se comportou muito bem. Mas no fim das contas, segundo a avaliação de Liberdade Britânica e legiões de outros que chegaram à mesma conclusão (mesmo quando já eram livres), era a estrada monárquica, e não a republicana, que parecia oferecer uma chance mais segura de liberdade. Embora a história que se desenrolou a partir do emaranhado de desespero negro e paternalismo britânico muitas vezes tenha se revelado cruelmente trágica, mesmo assim foi um momento constitutivo na história da liberdade afro-americana. Ela gerou a figura do sargento Thomas Peters, o primeiro líder político afro-americano identificável como tal.[18]

Nascido como príncipe egbé, Peters foi escravizado pelos franceses, levado para a Louisiana, açoitado e marcado a ferro por várias tentativas de fuga, então vendido a um fazendeiro de Wilmington, na Carolina do Norte, de onde escapou e se juntou aos ingleses. Jurou bandeira nos Pioneiros sob o capitão George Martin, foi ferido duas vezes em combate e promovido a primeiro-sargento. Depois se assentou na costa norte da Nova Escócia, e mais tarde em New Brunswick, apresentando petições à Coroa em Londres em favor dos irmãos de cor. Peters era um autêntico líder de seu povo: persistente, corajoso e, embora analfabeto, com boa capacidade de expressão, conforme se depreende de sucessivas provas indiretas deixadas por vários brancos, todos ofendidos com sua presunção. O fato de Peters estar visivelmente ausente (afora poucas e honrosas exceções) do panteão de heróis afro-americanos, nome de todo estranho aos manuais de história nas escolas dos Estados Unidos, é um escândalo que só se explica pelo incômodo detalhe de ter lutado no Lado Errado. O mesmo acontece com negros de Boston que, em vez da causa americana, optaram pela causa britânica. Crispus Attucks foi canonizado como um dos tombados no Massacre de Boston, quando soldados britânicos atiraram nos revoltosos em 1770. Mas, como era de esperar, a história de Newton Prince, o barbeiro negro que depôs em favor dos soldados ingleses, é muito menos conhecida. Por sua ousadia, patriotas enfurecidos o besuntaram de alcatrão quente e o cobriram de penas, de forma que, naturalmente, em 1776 ele optou pelo general Howe e foi evacuado com os britânicos. O mesmo se deu com Black London, outro barbeiro que em 1776 declarou aos membros do comitê de reivindicações legalistas que fora obrigado pelo patrão a entrar na milícia patriota, desertou logo que pôde e serviu durante quatro anos com Sir Henry Clinton, e depois a bordo em dois navios de guerra.[19]

Portanto, por mais estranho que seja para a história ortodoxa dos Pais Fundadores e sua revolução, a gênese da liberdade afro-americana é indissociável da ligação britânica durante e após a guerra. E se a política negra livre nasceu dos fogos desse conflito, do mesmo modo nasceram muitas de suas formas específicas de congregação cristã. Foi entre os africanos legalistas que surgiram algumas das primeiras igrejas batistas e metodistas livres em Shelburne e redondezas, na Nova Escócia; foi lá também que os primeiros *brancos* convertidos por um pregador negro foram batizados pelo ministro carismático David George, nas águas daqueles rios vermelhos. As primeiras escolas criadas expressamente para as crianças negras livres foram abertas pela diáspora legalista da Nova Escócia, onde elas tinham aulas com professores negros como Catherine Abernathy, em Preston, e Stephen Blucke, em Birchtown. Em Serra Leoa, onde desembarcaram mais de mil "nova-escocianos" depois de cruzar de volta o Atlântico, dessa vez como pessoas e não como mercadorias, os negros americanos sentiram pela primeira vez (e de maneira muito efêmera) um grau significativo de legislação e autodeterminação política local. E outro começo se deu quando um policial negro eleito pela comunidade, o ex-escravo Simon Proof, ministrou pena de açoitamento a um marinheiro branco condenado por descumprimento do dever.

Mas a história do legalismo negro vai muito além de um catálogo de "começos". Também desmente o estereótipo dos africanos como peões passivos e crédulos na estratégia americana ou britânica. Quer optassem pelo lado dos patriotas ou dos legalistas, muitos dos negros, analfabetos ou não, sabiam exatamente o que estavam fazendo, mesmo que jamais pudessem prever a magnitude dos perigos, reveses e decepções que resultariam de suas decisões. Muitas vezes se fazia a escolha ponderando que um país livre seria obrigado, mais cedo ou mais tarde, a honrar o princípio da Declaração de Independência de que *todos* os homens tinham direito de nascença à liberdade e à igualdade; ou que (sobretudo no Sul), à visão do espetáculo de caça aos fugitivos, então enviados aos trabalhos forçados nas minas de chumbo ou de salitre, as belas promessas muito provavelmente seriam adiadas por tempo indeterminado. Não era um bom sinal do que vinha pela frente quando um dos incentivos ao alistamento de recrutas brancos na Geórgia e na Carolina do Sul consistia na promessa de receber um escravo de graça ao término da guerra.

Deve-se reconhecer que alguns líderes patriotas, muito antes da revolução, já haviam admitido a incômoda discrepância entre a retórica da liberdade e a realidade da escravidão. A "escravização" dos americanos sob os governos britânicos era um clichê nos mais bombásticos ataques dos patriotas (sobretudo em Boston) contra o Imposto do Selo em 1766 e a taxação do chá em 1773. Um panfleto típico da época da "Festa do Chá" [Tea Party] estrondeava que as "nocivas arcas [de chá] trazem dentro delas [...] algo pior do que a morte — as sementes da ESCRAVIDÃO".[20] James Otis, o mais impetuoso dos advogados agitadores de Boston, não era exceção ao esbravejar contra a malévola insídia de tais ardis de escravização, mas foi o único dos patriotas de Massachusetts a estender a lógica de seu argumento aos negros, sustentando de modo um tanto sinuoso que a liberdade não era racialmente divisível. "Os colonos são, pela lei da natureza, livres por nascimento, como de fato o são todos os homens, brancos ou negros. Segue-se daí que é certo escravizar um homem por ser negro?", escreveu ele em seu incendiário *The rights of the British colonists asserted and proved* [Os direitos dos colonos britânicos afirmados e demonstrados]. "Pode-se extrair alguma inferência lógica em favor da escravidão a partir de um nariz chato, de um rosto curto ou comprido? Não se pode dizer nada de bom sobre um tráfico que é a violação mais chocante da lei da natureza, e que tem uma tendência direta a menosprezar a ideia do valor inestimável da liberdade..."[21] E Otis alertava que "aqueles que diariamente negociam com a liberdade de outros homens logo se importarão muito pouco com a própria".[22] Mas a franqueza desabrida de Otis apenas confirmava aos espíritos menos aventurosos sua fama de estouvado ou mesmo de instabilidade mental. John Adams, mais jovem, mas muito mais moderado (e, claro, não igualitarista), comentaria depois: "Eu me arrepiava com a doutrina que ele professava e durante a vida toda me arrepiei e continuo a me arrepiar com as consequências que podem ser extraídas de tais premissas".[23]

Outros patriotas americanos, inteligentes demais para não perceber a contradição e honestos demais para para pôr-se de parte, tentaram desarmar as acusações de hipocrisia tratando-as de frente, embora sempre lançando a culpa pelo pecado original da escravidão nos próprios ingleses, em particular na Companhia Real Africana de Sua Majestade, que recebera em 1662 a concessão do comércio de escravos, metais preciosos e madeira. A pueril desculpa do "Bem, foram vocês que começaram" se converteu com muita ousadia em acusação na Declaração de Independência de Jefferson. Mas, muito antes de seu *tour de force* de maliciosa insinceridade, outros já tinham adotado a prática de transformar a defensiva numa fingida indignação por estarem sendo tão insultuosamente mal-entendidos. Ninguém superou Benjamin Franklin nisso, o qual fez saber aos amigos dos escravos, como o quaker Anthony Benezet na Filadélfia e Granville Sharp em Londres, que pessoalmente não via com bons olhos o iníquo tráfico de seres humanos e o que mais desejava era acelerar seu fim.[24]

Em 1770, em seu último ano em Londres como militante da causa dos colegas americanos independentistas, sentindo-se visivelmente magoado pelos ataques de Granville Sharp à hipocrisia americana, Franklin publicou "Uma conversa entre um inglês, um escocês e um americano sobre o tema da escravidão", no *Public Advertiser*. "Vocês, americanos, fazem um grande Estardalhaço sobre qualquer pequena Infração imaginária do que consideram suas Liberdades e, no entanto, não existe Povo na Terra tão Inimigo da Liberdade, tão absoluto Tirano", diz o inglês de Franklin, recomendando que o americano injuriado lesse o tratado de Sharp. A acusação, claro, era exagerada, permitindo que o americano respondesse que Sharp cometia o erro crasso e ofensivo de pôr todos os seus conterrâneos no mesmo saco, pois havia muita gente nas colônias, na verdade até mais que na Inglaterra, que abominava de coração o iníquo tráfico de seres humanos e trabalhava para acabar com ele. A acusação de que dois pesos e duas medidas atingiam com frequência seu alvo, porém, ficava evidente no tom de mágoa com que o americano reclamava: era "particularmente *ofensivo* para nós nesta Época se empenhar em nos tornar odiosos e encorajar os que nos oprimem, apresentando-nos como indignos da Liberdade pela qual agora estamos lutando".[25] O constrangimento transparente da defesa não melhorou quando o "americano" passou para o contra-ataque, acusando o inglês de infligir uma espécie de servidão a seus "trabalhadores pobres" que, se não eram "totalmente Escravos, o caso parece um pouco com a Escravidão, em que as Leis os obrigam a trabalhar para seus Senhores tantas Horas a um certo Preço e não lhes deixam Liberdade de pedir ou negociar mais, mas os prendem numa Casa de Trabalho [*workhouse*] caso se recusem a trabalhar em tais termos". E quando o inglês invocou a desumanidade das leis escravistas, em especial os castigos estipulados, o americano respondeu que em colônias como a Virgínia, onde os negros eram em número muito maior do que os brancos, não havia alternativa: "Talvez você imagine que os negros são um Tipo de Gente tratável e de índole meiga [...] alguns de fato são. Mas a Maioria é de Índole conspiratória, são perversos, taciturnos, malignos, vingativos e cruéis no mais alto Grau". De modo ainda mais insólito, o americano respondeu às críticas do "escocês" dizendo que na Escócia *também* havia escravos, que trabalhavam nas minas de carvão e eram "comprados e vendidos junto com a Mina e não têm mais Liberdade de sair de lá do que nossos Negros de sair da Fazenda de seus Donos. Se ter o Rosto negro de fato sujeitasse os Homens à Condição de Escravidão, podíamos ter alguma leve pretensão de manter os pobres Carvoeiros naquela Condição: Mas lembre que, debaixo da Fuligem, a pele deles *é branca*".[26]

É espantoso que Franklin pensasse que o preconceito de cor redobrado iria realmente fortalecer seus argumentos. Mas esse tipo de raciocínio contraditório era moeda corrente, mesmo entre os que reconheciam sua falácia, e ninguém o utilizou com desfaçatez maior do que o virginiano Patrick Henry. Em Hanover, Virgínia, em carta a Anthony Benezet de janeiro de 1773, Henry armou uma impressionante onda espumejante de indignação contra a atrocidade da escravidão, sobretudo porque perdurava "numa época em que os Direitos da Humanidade são definidos e entendidos com precisão num País amante, mais que todos, da Liberdade". Mas, tendo se desincumbido de manifestar seu assombro perante a persistência de tamanho mal numa era esclarecida, Henry prossegue com uma desarmante sinceridade: "Alguém acreditaria que sou dono de Escravo(s) que eu mesmo comprei?". No entanto, como razão para violar os princípios que professava, Henry não conseguiu arranjar nada melhor do que a desculpa esfarrapada, embora honesta, de que "sou compelido pela Dificuldade geral de viver sem eles. Não quero, não posso justificar isso; por mais condenável que seja minha conduta, até agora tenho cumprido meu dever ao reconhecer a Excelência e a retidão de seus preceitos [da Natureza] e ao lamentar minha falta de conformidade a eles". Henry rezava para que viesse um tempo em que tudo isso mudaria, mas, enquanto não chegava essa grande reforma, esperava ao menos tratar seus escravos "com clemência". Assim, não admira que, escorregando na lama da própria má-fé, a única maneira como conseguiu concluir a carta a Benezet foi escrevendo, com uma teatralidade nada convincente, que "não sei como terminar, poderia dizer muitas coisas sobre esse Assunto, cujo exame sério abre uma perspectiva sombria para os tempos futuros; desculpe a letra e creia-me, com estima etc.".[27]

Como era de se prever, o rigoroso senso moral de John e Abigail Adams não se permitiriam o mesmo tipo de ligeireza displicente de Patrick Henry quando se tratava do pecado da Grande Contradição. Ao contar ao marido uma das várias histórias que circulavam em 1773 e 1774 sobre uma insurreição negra sufocada logo no início, e ansiosa em não jogar mais lenha numa fogueira visivelmente perigosa, Abigail confidenciou a ele que desejava "com toda a sinceridade que não houvesse nenhum escravo na província [de Massachusetts]", pois "sempre me pareceu uma coisa muito iníqua [...] lutar para termos para nós algo que estamos roubando e pilhando diariamente daqueles que têm direito à liberdade igual ao que temos nós".[28]

O nervosismo de Abigail Adams, achando que os negros americanos podiam se fincar na berrante incongruência entre as declarações patriotas de liberdade para todos e a relutância em estendê-la aos escravos, não era infundado; os anos de 1773 e 1774 tiveram nada menos que cinco "humildes" petições redigidas por negros aos últimos governadores coloniais de Massachusetts, Thomas Hutchinson e o general Thomas Gage. Vários artigos nos jornais exigiam, em tons vários de urgência e indignação, que se fizesse alguma coisa a respeito do tratamento dos africanos como bens móveis. Em ensaio apaixonado publicado no *Essex Journal and Merrimac Packet* em agosto de 1774, Caesar Sarter, um liberto que carregou "o jugo esfolante da servidão por mais de vinte anos", insistiu que a escravidão era "a maior, e portanto a mais temível, de todas as calamidades temporais", ao passo que era "seu oposto, a Liberdade, o maior bem temporal com que se pode ser abençoado". Impedido de verter uma lágrima pela separação de amigos queridos "a quem éramos apegados, devemos nos dobrar àquele argumento irretorquível, o chicote de nove pontas, para reconduzi-lo ao que seus donos desumanos chamam de razão". "Então", indagava Caesar Sarter a seus leitores patriotas, "vocês estão dispostos a aceitar que tudo isso lhes aconteça? Se colocarem a mão no peito e afirmarem solenemente que sim, ora, então prossigam e tenham boa sorte! Pois o tratamento que vocês dão aos africanos é uma exata observância da regra acima citada."

As petições muitas vezes eram angustiadas. Uma delas, dirigida ao governador Hutchinson em janeiro de 1772 e assinada, talvez com sarcasmo, por "Felix", em nome de "muitos Escravos moradores da cidade de Boston" e outras cidades de Massachusetts, lamentava a "condição intolerável" de pessoas que "não têm nenhum Bem! Não têm Esposas! Nem Filhos! Não têm Cidade! Nem País! [...] Nem sequer a *própria vida*, mas de certa Maneira [são] como os *Animais que morrem*". Em abril do mesmo ano, uma segunda petição assinada por quatro escravos, Sambo Freeman, Peter Bestes, Chester Joie e Felix Holbrook, manifestava a esperança de "grandes gestos da parte de homens que têm tomado uma posição tão nobre contra os desígnios de seus *semelhantes* de escravizá-los": os membros da Câmara de Deputados deveriam lhes permitir trabalhar pelo menos um dia por semana a soldo, e uma parte do salário poderia ser poupada para enviar os africanos de volta ao país de origem. Dois meses depois, apareceu mais uma petição em nome de "todos aqueles [...] que são mantidos em estado de escravidão no interior de um País livre", insistindo "junto com outros homens num Direito Natural de ser livres e sem molestamento para usufruir as propriedades que possam adquirir com seu trabalho".[29] Um ano mais tarde, um documento semelhante declarava que "somos um povo nascido livre e nunca perdemos o direito a essa liberdade natural".

Tais solicitações, fosse por coerência ou por consciência, evidentemente passaram em larga medida despercebidas tanto pelos últimos governadores britânicos quanto pelos políticos patriotas do Tribunal Geral de Massachusetts. Todavia, em colônias da Virgínia a Massachusetts, Benezet, Benjamin Rush e colegas de campanha redigiram e distribuíram petições com vistas a interromper a importação de escravos ou, no mínimo, impor a taxa de vinte libras para cada novo escravo, pesada o suficiente para funcionar como desestímulo à compra e venda. (Rhode Island, com seu grande investimento no tráfico negreiro, foi uma exceção ao movimento pelo fim da importação.) Em ambos os casos, os governadores legalistas, seguindo as instruções da Inglaterra, negaram consentimento. Como seria injusto, afirmou-se à guisa de explicação, que os fazendeiros das Índias Ocidentais em viagem à América para cuidar da saúde depauperada tivessem de pagar tarifas especiais de importação, ao trazer seu corpo de escravos até o local de convalescença! O indeferimento oficial permitiu a Jefferson e aos patriotas sulistas devolverem a acusação de hipocrisia ao governo legalista, o qual, insistiam eles, se curvava covardemente aos interesses do setor açucareiro das Índias Ocidentais.

A crítica era bastante justa. Mas o que os pares de Jefferson se abstinham de admitir era que esse repentino acesso de magnanimidade no Sul não se devia tanto a alguma espécie de conversão dos latifundiários escravistas em reconhecimento a uma desumanidade da escravidão, e sim a um pânico, desde 1772, diante da iminência de uma revolta escrava em regiões onde já havia mais negros que brancos. Não era uma fantasia ociosa. Três rebeliões ferozes e sangrentas estavam em curso, no Suriname, em Saint Vincent e na Jamaica, todas noticiadas ampla e apocalipticamente na imprensa norte-americana. No Suriname, no continente sul-americano, uma pequena guarnição de soldados europeus tinha sido esmagada por um exército negro e ameríndio, contando talvez com dezenas de milhares de facínoras armados até os dentes. Os saqueadores, dizia-se, tinham se apoderado das fazendas e até das cidades, reduziram-nas a cinzas e perpetraram incontáveis roubos e assassinatos dos colonos holandeses praticamente indefesos. Em Saint Vincent e na Jamaica, regimentos de soldados britânicos removidos da América do Norte foram dominados ao tentar conter uma revolta que se alastrou rapidamente, tendo em suas fileiras *maroons* (negros e mulatos livres radicados no interior) ao lado de escravos libertos.

Assim, antes que houvesse uma revolução americana branca, já havia revoluções mulatas e negras varrendo a América do Sul e o Caribe. Embora raramente as revoltas do Suriname ou de Saint Vincent recebam algum espaço nas histórias da Revolução Americana, foi uma conexão crucial para a escolha do momento mais adequado para a mobilização patriota no Sul. A súbita urgência de uma resistência americana branca armada não foi motivada, é claro, por nenhuma solidariedade aos cativos em outras partes do hemisfério, e sim exatamente pelo contrário — pelo terror de que o contágio insurrecional se espalhasse para o Norte. Nos pesadelos mais delirantes, os britânicos apareciam no papel de fomentadores ativos da revolta negra como forma de intimidar os patriotas.

Tais suspeitas não eram totalmente paranoicas. No começo de 1775, muitos meses antes da declaração de Dunmore no *William*, de fato houve sugestões da parte de oficiais da coroa na América e dentro do próprio governo de lorde North para se levar em consideração a cartada "negra" contra as pretensões dos colonos, embora North pessoalmente se declarasse (protestando um pouco demais) horrorizado com a ideia. Quando as provas cada vez mais numerosas de que um espírito insurrecional percorria o mundo dos escravos se somaram às vozes negras independentes ouvidas nas petições de Massachusetts, a situação tirou o sono dos patriotas mais sobressaltados. Os comentários de Abigail Adams ao marido, no verão de 1774, sobre a seletividade da retórica patriota sobre a liberdade, surgiram no contexto das notícias sobre uma "conspiração de negros" que tinham tido a audácia de pedir armas ao governador, para lutar pelo rei em troca da liberdade!

Agora as fugas eram vistas como prelúdio de uma revolta organizada. De Nova York à Geórgia, o ritmo das fugas registradas ganhou um ímpeto agourento ao longo de 1773 e 1774. Em Nova York, a preocupação com as "reuniões" ilícitas de negros chegou a tal ponto que foram dadas instruções de prender quantos negros aparecessem após o anoitecer. Aos americanos mais apreensivos não ocorreu pensar o que poderia acontecer caso os escravos, principalmente nas colônias agrícolas do Sul, pusessem na cabeça que as louvadas liberdades da Velha Inglaterra se aplicavam de alguma maneira *a eles*, e que tinham, como foi noticiado em 1730, uma autorização régia que lhes permitia desobedecer. Sambo Freeman, em Boston, já havia mencionado, numa das petições, "aquelas ideias sublimes de Liberdade que os ingleses têm", comparando as aspirações dos negros às de seus infelizes parceiros nas colônias espanholas, que não podiam esperar nada além do despotismo. A crer nos senhores de escravos atingidos, essas ilusões ébrias sobre a liberdade britânica tinham se espalhado por todo o Sul. Tinha início a fuga fundamentada. Na *Virginia Gazette*, um dos vários anúncios de recompensa pela recaptura de escravos fugidos mencionava um certo Gabriel Jones e esposa, que estariam a caminho da costa com o intuito de embarcar para a Inglaterra, "onde imaginam que serão livres (uma Ideia agora dominante entre os Negros, para o grande incômodo e prejuízo de seus Senhores)".[30] Mas de onde os escravos tiravam essas ideias tão absurdas? Outro anúncio fornece a resposta. Um certo Bacchus, ao que parece, do condado de Augusta, na Geórgia, fugiu, levando seu dono a crer que também podia estar se dirigindo a um porto, "para embarcar num navio para a Grã-Bretanha pelas notícias que tem sobre a recente decisão do caso de Somerset".[31]

O que era isso? Os escravos liam matérias jurídicas? Como é que um julgamento realizado em junho de 1772 pelo presidente da Suprema Corte, lorde Mansfield, no tribunal da corte, sobre o caso do fugitivo africano James Somerset, recapturado por seu dono, podia atear fogo nas fazendas? Mansfield tinha libertado Somerset, mas tomou um grande cuidado para *não* proferir uma decisão judicial sobre a legalidade da escravidão na Inglaterra. Todavia, ao comemorar a sentença da corte, os "galhofeiros negros" de Londres deixaram de lado as sutilezas jurídicas. Velozmente cruzou o Atlântico a notícia de que a escravidão tinha sido abolida na Inglaterra. Em 1774, um panfleto escrito por "Freeman", publicado na Filadélfia, dizia aos escravos americanos que eles poderiam ter a liberdade simplesmente "pondo o pé naquele feliz Território onde a escravidão está proibida de pousar". Antes que os patriotas se dessem conta, as aves já tinham começado a bater asas e a sair do cativeiro.[32]

PARTE UM

Greeny

1.

A Mincing Lane no bairro de Cheap, em 1765, não era o pior nem o melhor endereço do centro de Londres. As Irmãs de Santa Helena, conhecidas como "Minchen" e que deram nome à rua, já tinham desaparecido havia muito tempo, e a devoção fora substituída pelo lucro, o que não chega a surpreender. Espaçosos depósitos e escritórios comerciais, muitos ligados ao comércio colonial, se enfileiravam ao longo da rua. De manhã, a intervalos regulares, carretas com arcas de chá e açúcar, provenientes dos cais das Índias Orientais e Ocidentais, reboavam surdamente na calçada desde a Great Tower Street, abrindo caminho entre as multidões de vendedores de tortas, carroças de cerveja, floristas, mendigos e cantores ambulantes, até atravessar os portões largos e descarregar os fardos nos pátios internos pavimentados de pedras redondas. Em suma, não havia muita coisa que pudesse deter o visitante curioso, a não ser o Clothworkers' Hall, edifício recuado da rua que ostentava uma solene fileira de colunas coríntias em sua fachada interna. Tudo era bem normal. O que não era normal, porém, era a fila de miseráveis que se estendia desde uma entrada ao norte, a Fenchurch Street, até o final da rua. Eram os doentes pobres: gente encurvada, com feridas sangrando, mulheres macilentas, bêbados encardidos, com uma tosse seca, crianças pequenas já com as primeiras bolhas de varíola estourando, e certamente não moravam na Mincing Lane. Chegavam à entrada da rua vindos do império da sordidez que se estendia além da Torre, passando pelo Ald Gate e pelo Bishop's Gate, até os cortiços de St. George in the East, Shadwell e Wapping, onde refugos humanos e animais lotavam as vielas fétidas, e a dois tostões putas erguiam as saias para os marinheiros sob as vistas de batedores de carteiras e gatos aos uivos.

A porta se abriu e saiu um homem anguloso que parecia mais velho do que realmente era, com seus trinta anos. A figura alta e magra, as faces encovadas, o queixo comprido e a peruca curta de cachos enrolados lhe davam um ar de escriturário malpago ou de um clérigo desprendido das coisas mundanas; na verdade, Granville Sharp tinha um pouco dos dois. Ele estava fazendo sua costumeira visita de final de tarde ao consultório de seu irmão William, depois de sair de seu serviço na Repartição de Arsenal na Torre, onde tinha conseguido preencher o tempo durante umas cinco ou seis horas verificando o estoque de salitre e a conduta de jovens cadetes indisciplinados. Mas o espírito de Sharp costumava se ocupar com assuntos muito mais importantes: por exemplo, suas sérias divergências com o dr. Kennicott sobre o catálogo que o médico se atrevera a publicar, com a lista dos vasos do Templo que o rei Ciro tinha devolvido aos judeus na época do profeta Neemias.[1]

Os irmãos e irmãs Sharp passavam a maioria dos serões na casa de William, para ensaiar seus concertos dominicais. Eram de origens modestas e interioranas: filhos de um arcediago de Northumberland. Mas desde que chegaram a Londres em 1750, James e William, dois dos irmãos mais velhos de Granville, tinham prosperado. Impedido pelos parcos recursos paternos de estudar em Cambridge, possibilidade dada aos dois filhos mais velhos destinados à Igreja, James teve de se virar na vida como negociante de ferragens, enquanto William se dedicava à medicina. Em geral, isso significava consertar ossos quebrados, trepanar crânios e receitar remédios aos variólicos, mas William se distinguira em sua arte. Agora, promovido à função de um dos cirurgiões do rei, ele se ufanava de não ter esquecido os humildes, e sua maneira de demonstrá-lo era atender gratuitamente os pobres de Londres.

Assim, William Sharp tinha certo renome, pois quantos cirurgiões organistas e trompetistas, e, menos ainda, quantos médicos com tal bondade cristã tão exemplar existiam naquela milha quadrada do centro de Londres? Nos concertos de domingo, seus aposentos na Mincing Lane lotavam de gente importante: David Garrick, James Boswell e Sir Joshua Reynolds. A atração consistia na exemplar harmonia exibida pela família: James tocava serpentão, muitas vezes com trechos que ele transcrevera do violoncelo; a irmã Judith tocava alaúde e tiorba; Eliza (antes de ter de se casar com o sr. Prowse, de Wicken Park, Northamptonshire) era amante da espineta; e Frances cantava com a doçura de uma cotovia gorjeante. Granville, que às vezes se assinava (ou usava o sinete) G#* e estava trabalhando em *A short introduction to musick for the use of such children as have a musical ear and are willing to be instructed in the great duty of singing psalms* [Uma breve introdução à música para o uso de crianças que possuem ouvido musical e querem ser instruídas no grande dever de cantar salmos], tocava flauta, seus longos dedos ágeis voando sobre os orifícios. Por vezes, "para o deleite e persuasão de muitos céticos que imaginavam tal proeza impraticável", como declarou William Shield, o mestre da Banda de Músicos de Sua Majestade, Granville tocava duas flautas ao mesmo tempo.[2] Orgulhosos de suas apresentações, os Sharp ensaiavam juntos todas as noites, com mais alguns músicos e cantores que tivessem recrutado. Mas essas reuniões também proporcionavam um convívio doméstico, com chá, doces, mexericos da cidade e notícias da família em Durham. Em troca, os membros do clã que moravam fora recebiam notícias das atividades em Londres numa Carta Coletiva que circulava entre eles, e que tinha como questão de honra relacionar exaustivamente os pratos consumidos no jantar e as músicas tocadas em conjunto. Os Sharp se mantinham próximos, sempre. "Qualquer outro compromisso que surgisse", relembrava Eliza, "era com nosso grupo todo."

Assim, quando Granville saiu do consultório de William e quase trombou com uma figura cujo estado pavoroso horrorizou até mesmo alguém acostumado ao espetáculo dos desafortunados, seu primeiro impulso, depois de ouvir a história do pobre negro, foi virar sobre os calcanhares e ir buscar diretamente o auxílio do irmão. Não era raro ver negros nas ruas de Londres. Havia pelo menos 5 mil, talvez até 7 mil, espalhados pela metrópole, alguns morando em elegantes residências da cidade onde, com as devidas casacas bordadas, perucas empoadas e calções de seda, serviam ornamentalmente de lacaios e criados

---

* Isto é, a nota sol. (N. T.)

pessoais para gente da elite.³ Alguns, como Francis Barber do dr. Johnson, eram pequenas celebridades, desenhados e pintados como encantadoras curiosidades "sables". Os menos afortunados trabalhavam como músicos ou atendentes nas tavernas e bordéis de Covent Garden, e moravam em algum cubículo nu e bichento em St. Giles, ali perto, onde eram chamados de "melros" [*blackbird*]. Outros ficavam na paróquia de St. George in the East, na zona das docas, nas ruas imundas que vinham da excêntrica basílica de Nicholas Hawksmoor. Muitos eram marinheiros, barqueiros, carregadores, puxadores e estivadores; alguns, em troca de uns centavos, boxeavam com os punhos nus ou tocavam tambores e pífaros para as multidões nas ruas e praças. Os "melros", portanto, eram na maioria pobres, e conhecidos por viver voando de problema em problema. Não haveria nada de extraordinário em ver um deles na fila do consultório de William Sharp naquele entardecer de 1765. Mas esse negro em particular quase nem tinha mais rosto.

Chamava-se, como informou aos irmãos Sharp, Jonathan Strong [Forte], e algum dia talvez o tivesse sido. Mas seu dono David Lisle, advogado de Barbados, tinha um hábito tão constante de espancá-lo insanamente ao menor pretexto que Jonathan Strong logo ficou aleijado. Londres estava cheia de exibições de sofrimento. Os cavalos vagarosos das carroças eram impiedosamente açoitados até cair; os mendigos errantes eram chicoteados até ficar com as costas em carne viva; os criminosos eram lapidados em praça pública e às vezes morriam ali mesmo; criados e criadas eram esbofeteados em público; os alunos eram surrados por insolência ou excesso de vivacidade; os homens capturados pelas turmas de recrutamento forçado recebiam bordoadas enquanto eram arrastados para os navios de carga. Mas o que Lisle havia feito com Jonathan Strong parecia selvagem mesmo para os padrões brutais da época. O rosto do negro estava reduzido a uma papa de sangue coagulado, resultado de um espancamento tão bárbaro com uma pistola que, depois de contínuos golpes incansáveis, a boca da arma tinha se soltado do cabo. O sangue cegou Strong e, quando seu dono viu que não havia mais nada para desfigurar, o negro foi atirado à rua para morrer lá mesmo. Strong foi cambaleante até o consultório de William Sharp, onde ficou aguardando pacientemente sua vez na fila de dores e doenças que se formava ao longo da Mincing Lane. Algum tempo depois, o próprio Strong rememorou que:

Eu mal conseguia andar ou enxergar aonde estava indo. Quando cheguei até ele [William] e ele me viu naquela condição, o cavalheiro teve pena de mim e me deu algum remédio para limpar meus olhos e algum dinheiro para eu comprar um pouco do indispensável até o dia seguinte. No dia seguinte fui até o cavalheiro e ele me mandou para o hospital e fiquei lá quatro meses e meio. O tempo todo que fiquei no hospital, o cavalheiro me arranjou roupas, sapatos e meias, e quando saí ele pagou meu alojamento e deu dinheiro para eu comprar algumas coisas indispensáveis até que me arranjou uma colocação.[4]

Quando Strong saiu do Bart's Hospital, William Sharp lhe conseguiu um emprego com o boticário Brown, que fornecia a maioria dos medicamentos, talas e bandagens para seu consultório. Strong ainda mancava em decorrência das pancadas e nunca recuperou inteiramente a visão, mas estava apto a dar recados e fazer pequenos serviços para o boticário, pegando e entregando suprimentos médicos aos cirurgiões e hospitais de Londres. Algumas vezes ele também trabalhava como criado na casa dos Brown. Num daqueles dias de setembro de 1767, dois anos depois de ser encontrado pelos Sharp, Strong estava de libré atrás da carruagem da sra. Brown quando teve a infelicidade de ser visto por seu antigo torturador, David Lisle.

E o que Lisle viu não foi a ruína de uma criatura que ele tinha atirado na sarjeta, e sim um Jonathan Strong ataviado de modo desconcertante e inexplicavelmente recuperado. A fúria — consigo mesmo, por ter jogado fora um investimento; com Strong, por ter sobrevivido; com quem quer que lhe tivesse roubado (pois foi o que então lhe veio à mente) sua propriedade — subiu dentro dele, rivalizando com um ímpeto de ganância igualmente repentino. Talvez fosse possível fazer alguma coisa para compensar seu prejuízo. Afinal, era 1767. Quatro anos antes fora assinada a paz com a França, e o Caribe todo era um engenho de fazer dinheiro. O mercado de escravos para trabalhar nas fazendas de cana-de-açúcar nas Índias Ocidentais, sobretudo na ilha da Jamaica em plena expansão, nunca fora mais sôfrego, mesmo para estropiados como Strong. Entre a população negra da cidade, grande parte havia sido trazida por senhores da América ou das Índias Ocidentais — muitos dos quais, se possuíam fortuna suficiente, mantinham residências de temporada na capital do império — e que, como criados pessoais, lacaios ou músicos, viviam num estado de relativa liberdade. Alguns, como Francis Barber, do dr. Johnson, ou Ignatius

Sancho, de lorde Montagu, tinham recebido a liberdade após anos de leais serviços. Outros a conquistaram fugindo para Cheapside ou Wapping, onde podiam trabalhar com salários que os protegeriam de um retorno forçado à América ou às Índias Ocidentais. A captura desses fugitivos era o ofício de caçadores de escravos que rondavam as estalagens e cafés, ansiosos em ganhar as várias recompensas anunciadas em jornais londrinos e americanos. Uma vez apanhados, esses negros eram presos, revendidos (pois havia leilões e vendas periódicas em Londres) e despachados para os navios atracados em Gravesend, com destino a Jamaica, Havana, Santa Cruz ou Charleston.

Foi o que Lisle planejou para Jonathan Strong. Mesmo antes de pôr as mãos em Strong, Lisle o vendeu a um fazendeiro jamaicano, James Kerr. Num acesso de rara sinceridade, Lisle pode ter admitido que Strong talvez não estivesse em perfeitas condições, e aceitou trinta libras por ele num mercado em que "negros robustos" valiam, em média, pelo menos cinquenta libras. Ou talvez o próprio Lisle estivesse precisando de dinheiro, visto que também aceitou a condição de Kerr de só pagar depois que o preto em questão estivesse em segurança a bordo de um navio.

Restava a Lisle, claro, recuperar sua propriedade. Mantendo-se às ocultas, ele tinha seguido Strong até um bar. Dois dias depois de vê-lo na rua acompanhando a sra. Brown, Lisle contratou dois funcionários da prefeitura para abordá-lo no boteco e informar-lhe que um certo cavalheiro desejava falar com ele. Talvez afável demais após dois anos de liberdade, ou talvez sendo pessoa fácil de se intimidar, Jonathan Strong acompanhou os dois sujeitos e ficou atônito à aparição de seu antigo perseguidor. Abandonada qualquer máscara de cortesia, Strong foi empurrado até a prisão de Poultry Compter na Giltspur Street em Cheap, onde, entre criminosos e vagabundos recolhidos pelos homens do xerife, ele poderia ficar detido até ser levado ao navio como propriedade recuperada. Mas a história não terminou por aí. Depois de dois anos sendo tratado como gente, Jonathan Strong tinha adquirido um modesto grau de amor-próprio e, o mais decisivo, um modesto grau de instrução. O destino dos negros na Inglaterra — e na América — estava pendente deste único detalhe, ínfimo mas improvável: aquele Jonathan Strong manco e semicego sabia ler e escrever. Ele enviou um bilhete, primeiro para Brown, o boticário, avisando de seus apuros. Brown prontamente mandou um criado que, porém, não foi autorizado a entrar nem a ter nenhum tipo de comunicação com Jonathan Strong.

Quando Brown foi pessoalmente à prisão de Poultry Compter, recebeu um olhar tão feio e carrancudo de Lisle, vociferando que tinha sido roubado em seus bens e acenando uma nota de venda, que o boticário se retirou para não ser ele mesmo preso por roubo, como ameaçava Lisle. Como último recurso, Jonathan Strong enviou um segundo bilhete, dessa vez para seu antigo salvador, Granville Sharp. Mas Sharp estava com a cabeça ocupada com assuntos mais prementes — um projeto para introduzir a Igreja Anglicana no reino da Prússia, por exemplo; a preparação de sua *Short introduction to musick...*; um segundo ensaio chamado "Sobre a pronúncia da língua inglesa" — e o significado do nome Strong lhe fugiu por um instante. Mas não demorou muito para lhe voltar com uma urgência tingida de certo sentimento de culpa. Então foi a vez de Sharp mandar um mensageiro à prisão, e como não veio nenhuma resposta ele foi pessoalmente ver Strong. Lá, nas antessalas e celas nuas de Poultry Compter, com o rangido do ferro e da madeira gasta entoando de vez em quando uma triste melodia, todos os fatos lhe voltaram à memória. Pela primeira vez na vida, em assuntos que não eram eclesiásticos, nem militares, nem musicais, Granville Sharp agiu, frisando mais por instinto que por autoridade que, como o negro não tinha cometido nenhum delito, não havia como mantê-lo legalmente preso. Seu ar de cavalheiro culto foi suficiente para persuadir os funcionários que, se eles cometessem o erro de entregar Strong a terceiros antes que o prefeito ouvisse seu caso, correriam o risco de ser incriminados.

Contra todas as probabilidades, Jonathan Strong teve sua audiência. Sir Robert Kite, como muitos prefeitos das décadas de 1760 e 1770, jamais teria conseguido aquele cargo sem os favores dos grandes negociantes do setor açucareiro. No entanto, mesmo que não sentisse de maneira alguma amizade especial pelos negros, o prefeito nutria profundo respeito pelos procedimentos corretos. E a City de Londres ainda era uma comunidade pequena o bastante para que o prefeito soubesse tudo a respeito dos irmãos Sharp. James, afinal, ocupava um assento na câmara da cidade, o Conselho Comum. Assim, quando Granville foi ver Sir Robert e desfiou o caso, ele teve uma acolhida justa e até receptiva. Determinou-se uma audiência, marcada para o dia 18 de setembro na Mansion House, à qual compareceram os Sharp, Laird, o capitão do navio em que Strong deveria embarcar, e Macbean, o advogado do novo proprietário, James Kerr. Quando as discussões entre Sharp e Macbean se acaloraram, Strong, que não estava nada convencido de um final feliz, se descontrolou e começou a chorar e tremer de medo. Depois de ouvir as duas partes, Sir Robert Kite tomou sua decisão dizendo, como anotou Sharp em seu livro de notas, que "o rapaz não tinha roubado nada e não era culpado de nenhum delito e portanto estava livre para ir".[5] Pelo visto o capitão Laird não estava escutando, pois, quando o prefeito saiu, ele agarrou Strong, reivindicando-o fisicamente como propriedade do sr. Kerr. O gesto foi de uma brutalidade tão súbita e tão desconcertante que por um momento até ameaçou dar certo — mesmo Granville Sharp ficou inerte, de tanto pasmo. Mas o juiz da City, Thomas Beech, ainda presente na sala, avançou rapidamente até Sharp e sussurrou depressa: "Acuse-o!". Embora sendo um novato em matérias jurídicas, Sharp reagiu: "Senhor!", gritou para o capitão Laird com a voz clara que iria caracterizar o novo Granville Sharp. "Eu o acuso de agressão."[6]

Por ora foi o que bastou. O capitão negreiro parou e Strong, ainda chorando, se desprendeu das mãos de Laird. Alguns dias depois, Lisle, que não se conformara de maneira nenhuma com a decisão, entrou com um mandado contra Granville Sharp e seu irmão mais velho James por roubo de seu escravo. Mas a lei não parecia estar tão favorável ao interesse de Lisle quanto ele havia imaginado. Numa tarde, ao saber que os Sharp estavam em Mincing Lane, ele se dirigiu até lá, foi anunciado e recebido, e na mesma hora lançou um desafio pessoal a Granville, para ter "satisfação de cavalheiro porque eu tinha obtido a liberdade de seu escravo Jonathan Strong. Eu lhe disse que, como ele havia estudado direito por tantos anos, ele não devia querer nenhuma satisfação que a *lei* não lhe desse".[7]

As palavras foram certeiras. O físico de Strong ainda podia trazer as marcas das surras dadas por Lisle, mas Lisle, o advogado, tinha recebido uma surra ainda maior da lei. No entanto, Granville, que os irmãos e irmãs chamavam de Greeny [Esverdeado], já não era tão verde nos procedimentos dos tribunais a ponto de dispensar os serviços de algum advogado, caso Lisle e Kerr resolvessem dar andamento ao processo. Graças às ligações de seus irmãos mais velhos, ele contratou o juiz municipal, Sir James Eyre, para aconselhá-lo. A ousadia de Granville em salvar Jonathan Strong das garras de Lisle ganhara cores devido à certeza instintiva de que nem a retidão cristã, nem a majestade da Common Law inglesa poderiam jamais tolerar que alguém fosse reduzido a uma propriedade. Imaginem então o choque e o desalento dele quando Sir

James lhe comunicou a opinião do ex-presidente da Câmara dos Lordes, lorde Yorke, e do procurador-geral Talbot em 1729, que eram de outro parecer: que pessoas trazidas à Inglaterra de locais onde tinham sido escravas permaneciam naquele estado de servidão, a despeito de receberem o batismo. Quando Yorke confirmou a opinião em 1749, esta se tornou a tese geralmente usada para respaldar as reivindicações dos donos de escravos em busca da recuperação de suas propriedades humanas. Mesmo que agora houvesse um novo presidente da Câmara dos Lordes, sabia-se que o juiz Mansfield, o lorde chefe de justiça de Sua Majestade,* aceitava a tese Yorke-Talbot. O advogado de Sharp o advertiu que sua fantasia de que a Common Law não podia aceitar a propriedade de escravos na Inglaterra não passava de mero sentimentalismo.

Era a opinião não só de seu advogado, mas de muitos outros que Sharp consultou em 1767 e 1768, sendo que praticamente todos descartaram suas chances de defesa contra o iminente processo por roubo. Mas, a despeito de todo o peso da autoridade deles, Sharp não se convenceu. Nem Deus nem a história inglesa (que, para ele, eram quase a mesma coisa) poderiam permitir tal abominação em Sua Terra Escolhida. Então ele decidiu ser sua própria autoridade em matéria de história jurídica dos escravos na Inglaterra: "Portanto, abandonado por meus defensores profissionais, fui obrigado pela falta de uma assistência jurídica regular a fazer uma tentativa desesperada de autodefesa, embora não tivesse a menor familiaridade com o exercício do direito e tampouco com seus fundamentos, nunca tendo aberto um livro da lei (exceto a Bíblia) na vida até esse momento".[8] Virou-se uma página, e para as vidas dos negros na Inglaterra e do outro lado do vasto oceano tudo iria mudar.

Nunca houve muita coisa que sugerisse que, entre os catorze filhos do arcediago Thomas Sharp, seria Granville a ganhar fama como o apóstolo da liberdade. Bem, era verdade que ele tinha se destacado por uma prodigiosa capacidade de concentração. Quando criança, sentou-se sob uma macieira para ler a obra completa de Shakespeare. Mas o auxílio financeiro da família vinha em proporção direta à idade dos filhos. Mesmo que Granville fosse brilhante (o que não era), o fato de ser o décimo segundo filho constituía um grande obstáculo para qualquer ajuda arcediagal. Depois de receber o ensino elemen-

---

* Em inglês, *Lord Chief Justice*. Na Inglaterra, o "lorde chefe de justiça" era o líder do poder judiciário e o presidente da corte do país. (N. E.)

tar na Escola Primária de Durham e aprender um pouco mais com um professor particular, aos quinze anos ele se tornou aprendiz de um fanqueiro (comerciante de linhos) quaker em Londres; depois, após o falecimento do quaker, de um presbiteriano e finalmente de um católico, todos no mesmo ramo de negócios. Esse desfile de seitas passando diante da insaciável curiosidade do jovem Greeny valeu como um curso intensivo, mas precioso, de teologia comparada, que lhe foi muito útil quando um colega aprendiz judeu, vendo que Sharp não sabia nada de hebraico, teve a audácia de ridicularizar suas pretensões de exegese bíblica. Espicaçado, Granville começou na mesma hora a aprender a língua antiga, saindo-se tão bem que não só deixou seu rival judeu desconcertado, mas marcou um grande tento ao publicar, aos dezesseis anos, um ensaio (presumivelmente curto) demolindo a opinião do rabino Elias sobre a derivação e o emprego da consoante hebraica "Vav".

À medida que sua familiaridade com o Talmude aumentava, seu interesse por cambraias e musselinas diminuía. Após a morte do pai em 1757, quando Granville estava com 22 anos, seus irmãos mais velhos acharam que era chegada a hora de ver se ele tinha jeito para fabricante-comerciante. Alguns poucos meses de infeliz incompetência lhes forneceram a resposta: Granville não estava destinado a fazer pelos têxteis o que James estava fazendo pelas ferragens. Assim se abriram para ele as portas guarnecidas de cravos da Repartição de Arsenal na Torre, onde, durante seis horas por dia, numa época em que a Inglaterra estava em guerra contra os franceses em três continentes, ele fazia inventários, escrevia e despachava cartas para os subalternos, referentes a graxa de botas e talco de perucas, enquanto seu espírito divagava entre os feitos de Ezequiel (Hezekiah) e os ditos de Habakkuk. Nos serões, como sempre, havia as reuniões da família em Mincing Lane.

O estabelecimento dos Sharp na Mincing Lane era uma pequena academia, frequentada por aficionados de música que por acaso também eram pessoas abastadas, eruditas e renomadas. Assim, apesar de toda a inexperiência de Granville em matéria de direito, não faltaria orientação para dar início a suas pesquisas. Ele mesmo era um antiquarista por natureza, fascinado não só pelas crônicas de Omri e Bashan, mas também, como muitos de sua geração da Inglaterra hanoveriana, pelo antiquarismo anglo-saxão do romantismo então em voga. "Rule Britannia" tinha sido escrita originalmente para *The masque of Alfred*, encenada na presença do príncipe de Gales, e o culto do rei Alfredo como fonte de tudo o que era imperial e, mesmo assim, livre atingira seu apogeu setecentista. Granville Sharp acreditava que uma das bênçãos trazidas à antiga Inglaterra era a instituição do Frankpledge, que até o último dia de sua vida ele considerou a forma mais perfeita, popular e ao mesmo tempo responsável já concebida. O Frankpledge se baseava na unidade primária de dez famílias, o "*tithing*", que então se combinava num múltiplo de dez e formava um "*hundred*". Cada *tithing* elegia um *tithingman*, e dez *tithingmen* escolhiam juntos um *hundredor*. O fato de Sharp também acreditar que o Frankpledge tinha sido a forma de governo praticada pelos israelitas bíblicos (por recomendação de Jetro, o sogro de Moisés), estando assim diretamente sancionado pelo Todo-Poderoso, por certo não contribuía em nada para diminuir seu fascínio.

Era sabido que o Frankpledge e o sistema da liberdade anglo-saxã tinham sido brutalmente prejudicados pela Conquista Normanda, que introduzira formas estrangeiras de despotismo e servidão na velha Inglaterra livre. Mas Sharp achava que esse espírito não fora de todo extinto; na verdade sobrevivera na imemorial repulsa à escravidão legal no reino insular. A vilania ou *villeinage* — o trabalho nos campos com vínculos de sujeição ao senhor —, sendo negada aos vilões a liberdade de sair dos domínios senhoriais e mesmo de se casar sem o consentimento do senhor, certamente existira, mas, como descobriu Sharp, estava extinta desde longa data. Porém, nem mesmo os vilões jamais tinham sido, até onde ele conseguia ver em seu exame das histórias da lei, bens negociáveis, objetos transferíveis por compra e venda. Em 1547, no reinado de Eduardo VI, fora aprovada uma lei para o controle da vagabundagem, que de fato estipulava a escravização dos delinquentes contumazes; mas era de um caráter tão discrepante que havia sido revogada dois anos depois. Foi no reinado de Elizabeth (em que, afinal, o tráfico de escravos africanos fora promovido e agressivamente praticado por capitães do mar como John Hawkins) que, apesar disso, Sharp encontrou o que queria. Em 1569, segundo as *Historical collections* de Rushworth, um certo capitão Cartwright trouxe um servo-escravo russo para a Inglaterra; quando ele "flagelou" o escravo sem motivo e foi levado a juízo pelo fato, o magistrado incumbido do caso declarou "que a Inglaterra tinha um ar puro demais para ser respirado por Escravos". O precedente se ajustava à perfeição às convicções pessoais de Sharp sobre a liberdade britânica: todos os súditos do país, de qualquer nível social, estavam igualmente sujeitos às leis do rei e tinham igual direito de gozar de sua proteção.

O mais importante, a despeito de Yorke-Talbot (que, descobriu Sharp, afinal nem tinha sido um parecer oficial expedido num processo judicial, mas uma mera opinião informal ventilada após o jantar no Lincoln's Inn, quando os cavalheiros se punham à vontade com seus vinhos e cachimbos), era que evidentemente existia uma outra história jurídica, a qual parecia de fato afirmar o caráter irreconciliável da escravidão com o costume e a prática da Common Law inglesa. Em 1679, durante o reinado de Carlos II, por exemplo, uma lei decretada para "a melhor garantia da Liberdade dos Súditos" afirmava explicitamente que só se poderia sustentar a propriedade de um negro se os proprietários conseguissem provar que o escravo "não é homem, mulher nem criança". Ela estabelecia, ademais, que a redução de um homem a animal era "inatural e injusta". Fiel a essa tradição, em 1706 o presidente da Suprema Corte, lorde Holt, determinou que "tão logo um negro entra na Inglaterra, ele se torna livre", e mais recentemente, em 1762, o presidente da Câmara dos Lordes, lorde Heenley, tinha invocado (em Shanley *versus* Harvey) o caso de Cartwright para indeferir a reivindicação de um negro como item de propriedade num processo de disputa de herança. Como que para fechar a questão, a palavra de maior autoridade em Common Law, os *Commentaries* de William Blackstone, o professor de direito em Oxford na cátedra vineriana,* publicados em 1765, afirmava de maneira a não deixar dúvida que "o espírito de liberdade está tão profundamente entranhado em nossa constituição e enraizado em nosso próprio solo que um escravo ou negro, no momento em que pisa na Inglaterra, recai sob a proteção das leis e em consideração a todos os direitos naturais se torna *eo instanti* [a partir daquele instante] um homem livre".

Sharp, portanto, tinha todas as razões para supor que tanto a letra quanto a pessoa de Blackstone poderiam ser invocadas para a Grande Causa, como ele já a estava chamando, e escreveu uma cárta pessoal a Blackstone em busca de apoio. Para seu desalento, Blackstone não deu apoio algum, remetendo à opinião de Yorke-Talbot. Granville Sharp, infelizmente, tinha comprado a primeira edição dos *Commentaries*, sem se dar conta de que a segunda e a terceira edições omitiam por completo qualquer coisa que pudesse ser interpretada como um risco aos direitos dos senhores que porventura levassem seus escra-

---

* A Vinerian Professorship in Common Law foi criada por Charles Viner em 1755, que deixou em testamento uma doação a Oxford para a criação da referida cátedra. (N. T.)

vos para a Inglaterra. Numa resposta de elaborada cortesia em 1769, Blackstone teve o cuidado de insistir (como fez nas edições posteriores de sua obra publicada) que não estava julgando a correção ou sequer a legitimidade do direito de um senhor a ter escravos, mas apenas que, se esse direito tinha sido exercido em algum outro lugar, não poderia ser deixado de lado pelo simples fato de terem o senhor e o escravo chegado à Inglaterra. A sujeição do não livre a longo prazo, dizia ele, não diferia em nenhum aspecto qualitativo da sujeição que os aprendizes deviam a seus mestres, e evidentemente valia onde quer que ficasse o domicílio deles.

Essa mudança de posição foi ainda mais desencorajadora para Sharp porque Blackstone era o *protégé* do homem que, como o mais alto magistrado do reino, encarnava a mais alta jurisdição da Common Law: William Murray, primeiro conde de Mansfield. Mansfield tinha sido decisivo para que Blackstone conseguisse a cátedra vineriana em Oxford, num momento em que parecia ter chegado ao auge de sua carreira. Murray, nascido em Perthshire, mas educado nas instituições totalmente inglesas da Escola de Westminster e na Christ Church, em Oxford, era a própria encarnação do pragmatismo escocês. Perseguido pela imprensa escociofóbica como simpatizante secreto do jaimismo, ele decidiu processar os defensores dessa imprensa (inclusive membros de seu próprio clã) com um ardor tão irrepreensível que foi elevado, como membro com assento no Parlamento, primeiro a procurador-geral e logo depois a advogado geral do Reino. Beneficiário de confiança da conexão parlamentar do duque de Newcastle, "Murray Língua Afiada", com agilidade de espírito e desenvolta eloquência, amigo íntimo de Pope, Reynolds, dr. Johnson e seu conterrâneo escocês James Boswell, era, em todos os sentidos possíveis do termo, criterioso. Na década de 1760, que se iniciou com um novo surto de escociofobia quando George III indicou seu favorito e conselheiro, o marquês de Bute, como primeiro-ministro, Mansfield sobreviveu graças a uma hábil combinação de pragmatismo político, cordialidade social e conhecimento jurídico. Na corte, com seu típico ar de afetada indiferença, Mansfield interrompia elaborados argumentos com uma incisiva síntese pessoal do cerne da questão em disputa e, apresentado seu entendimento, continuava a presidir à sessão com o nariz enfiado num jornal. Mas esses modos despertavam mais admiração do que sentimento de afronta. Uma plena medida de seu sucesso consistia em que muita gente considerava fato incontroverso que um escocês, como magistrado supremo do tribunal do rei, era o grande guardião da Common Law inglesa.

Assim, a linguinha afiada era sempre comandada por um juízo sensato. Então que sentido teria se indispor contra os interesses do setor açucareiro, rico e poderoso, determinando, por solicitação de algum excêntrico moralista e virtuose da flauta dupla — na verdade, um mero escriturário —, que os incontáveis negros criados de quarto, lacaios, porteiros, músicos e assim por diante eram iguais aos outros homens e mulheres no reino? Pois o próprio Mansfield não possuía uma fazenda na Virgínia, onde os negros eram inquestionavelmente tratados com mais brandura do que se estivessem entregues a seus próprios recursos nas terras selvagens e animalescas da África? Ora, e nem se pensasse na desgraça e na ruína de agir por sentimentalismo. Só na Inglaterra, conforme lhe fora informado, havia cerca de 15 mil negros escravos que trariam, caso fossem todos emancipados de uma só vez, um prejuízo econômico na faixa de 700 mil a 800 mil libras. E foi com tais preocupações pesando no espírito que Mansfield, com toda probabilidade, tinha convencido William Blackstone a eliminar as passagens embaraçosas referentes à ilegitimidade de possuir escravos sob a Common Law nas edições posteriores de seus *Commentaries*.

E no entanto, como os Sharp também deviam saber, havia outro Mansfield, pai de criação de Dido Elizabeth Belle Lindsay, uma moça negra que vivia como membro da família em sua elegante mansão Robert Adam, a Kenwood House, no alto de Hampstead Heath. Dido era filha do sobrinho de Mansfield, o capitão John Lindsay. A mãe dela — de paradeiro agora desconhecido — tinha sido tomada pelo capitão, tal como se costumava fazer, como parte de um butim espanhol. E, embora o capitão estivesse fora, construindo um império em algum lugar do mundo para os Senhores do Almirantado, o lorde chefe de justiça e sua esposa, que não tinham filhos, cuidavam de Dido como se fosse filha deles, criando-a junto com uma outra sobrinha, lady Elizabeth Murray, cujo pai era embaixador do imperador em Viena. As duas meninas, uma escura como café, a outra loira como trigo, cresceram juntas em Kenwood entre os Gainboroughs e preciosos quadros holandeses (pois Língua Afiada tinha um olho perspicaz), como amigas íntimas: cuidando da leiteria, colhendo campânulas nos prados; fazendo piqueniques junto ao lago que Humphry Repton, famoso por seus Red Books,* tinha criado para o chefe de justiça; e, com graciosos aventais e gorrinhos amarrados sob o queixo, espalhando grãos para as premiadas galinhas poedeiras de Mansfield. O pintor da moda Johan Zoffany — quem, senão ele? — recebeu a encomenda de pintar Dido e Elizabeth num retrato duplo: a jovem bela e viçosa vestia tafetá cor-de-rosa, e a princesa morena está de turbante e vestido de cetim branco, com uma gargantilha de pérolas cremosas. Um véu de musselina une suavemente as duas, Elizabeth tocando a anca e o cotovelo de sua prima negra, que sorri e aponta para a face um dedinho provocador. As visitas, inclusive o austero governador colonial de Massachusetts, Thomas Hutchinson, ficavam chocadas ao ver as jovens de braços dados.

Então seria possível que tal benfeitor determinasse que um súdito negro do reino não era pessoa, e sim mero objeto de propriedade, definitivamente excluído de sua proteção? Era o que se indagava Granville Sharp ao ponto da obsessão, e era o que estava impaciente para comprovar.

---

* Repton apresentava seus projetos aos clientes em livros encadernados em vermelho. (N. T.)

2.

"Ei! Olá!", canta Granville a respeito do Tâmisa e, por Deus, no próprio Tâmisa!

Deleitosa corrente — pudesse a vida passar
Com o cristal do verão a espelhar
Cenas de Amor e Inocência.
E ao som de melodias embalsamantes
Tuas outras águas seguissem deslizantes.

Os melodiosos Sharp estavam em seu barco, com o apropriado nome de *Apollo*, com capacidade para uma cabine espaçosa. Nas noites de primavera e verão, quando o barco estava ancorado em Fulham, James podia passar horas lá, balançando na maré espumosa e inofensiva. Muito preocupado com o estado das águas, Granville gastou mais tempo de Sua Majestade em seu escritório na Torre redigindo algumas "Observações sobre as invasões no rio Tâmisa perto de Durham Yard".[1]

Zoffany pintou o concerto familiar dos Sharp e recebeu críticas por ter exagerado demais a quantidade de pessoas e instrumentos a bordo.[2] Mas o artista tinha recebido a encomenda de pintar uma alegoria da entusiástica harmonia familiar, de modo que podia ser pródigo na inclusão de outros membros, como um irmão mais velho, dr. John Sharp, retido por seus deveres pastorais na Nortúmbria. Em vários outros aspectos, Zoffani captou muito bem a jubilosa aglomeração dos Sharp. Um dos memorandos de Granville para os preparativos inclui os seguintes itens que deviam ser levados a bordo: violinos, tímpanos, trompas, serpentões para James, oboés para Granville, clarinetes e uma espineta, mais amplos sortimentos de chá, pão, manteiga e mel, capas para as inevitáveis chuvaradas, arreios para os dois grandes cavalos (ambos de cascos franjados e garupas pesadas) que rebocavam o *Apollo*, e, imagina-se, um osso para Roma, o cão que raramente latia antes do final de Handel. O barco até podia acomodar o pequeno órgão de William, conhecido na família, desde que o irmão o comprou, como "srta. Morgan".

Flutuantes, os Sharp foram ainda mais celebrados — e ficaram ainda mais na moda — que na época dos concertos em Mincing Lane. Depois de enviuvar em 1767, Eliza, a espinetista, voltou a Londres, e seu diário menciona o príncipe de Gales, com seus três irmãos e seus cortesãos, de pé à beira do rio durante meia hora, ouvindo o concerto, pedindo certas músicas (e sendo atendido) e curvando-se cortesmente para os músicos ao final do concerto. O apreço pelo grupo coral e instrumental dos Sharp talvez tenha sido o único gosto que o príncipe dividiu com o pai, visto que, poucas semanas mais tarde, a família tocou para o rei, sentado sob um antigo carvalho no jardim em Kew. O programa se baseava nos habituais favoritos, entre eles Handel, um Concerto em Sol [G#] (claro), tocado por Granville em sua flauta dupla com James soprando com energia o serpentão a seu lado. Era o tipo de entretenimento que facilmente entusiasmava George III. No meio de uma canção do "Signor Giordanio", os céus plúmbeos (pois era um verão inglês) se abriram, ameaçando encharcar o monarca. Num átimo os irmãos e o bateleiro arrancaram o toldo de tela dobrável que os protegia contra os elementos, pularam para a terra firme e o estenderam sobre o abrigo enfolhado, mas agora insuficiente, de Sua Majestade. Ao final da música, antes que os Sharp pudessem se inclinar, o soberano lhes acenou com o chapéu, numa saudação cordial.

Mas podia existir problemas no paraíso. Algumas semanas depois, em julho de 1770 — quando seu irmão, o naturalista Joseph Banks, estava em Queensland com o capitão Cook, ceando mariscos enormes e filé de canguru —, a sra. William Banks de Turret House, Paradise Row, Chelsea, foi despertada por um grito medonho. Seguiram-se pragas, bofetões, gritarias vindas do aterro lamacento e cheio de mato que levava à margem do rio. Ela ouviu chamarem seu nome num desespero frenético, com sotaque carregado: "Senhora Banks, venha me ajudar pelo amor de Deus, eles vão me trepanar e me levar para o navio".[3] Preocupada (mas cautelosa), ela mandou os criados irem investigar: era, como havia imaginado, o negro Thomas Lewis que estava sendo arrastado de costas no chão por três homens até a beira d'água, dois deles puxando o sujeito pelas pernas.

Abordados, um dos três homens acenou um recorte de jornal que diziam trazer o anúncio para a captura do fugitivo, e juraram que tinham ordem do prefeito para a captura. Os criados fariam melhor em sumir, gritaram eles, para não infringirem a lei. Intimidados, os criados recuaram, mas continuaram a observar enquanto Lewis, debatendo-se, era empurrado para dentro d'água e amarrado pelos pés e pelas mãos. Exausto e quase afogado, Lewis finalmente foi atirado dentro da embarcação, gemendo de dar dó. Então os homens pegaram alguns paus e empurraram pela boca do negro adentro, até a garganta, para silenciá-lo. Deram a largada e remaram correnteza abaixo, entre as sombras do rio, e quando o barco passou o Chelsea College e o Jardim Botânico, nada mais se ouviu além do leve bater dos remos.

Recebendo os detalhes do sequestro, a sra. Banks foi imediatamente ver Granville Sharp. Em 1770, a reputação de Sharp ia muito além de seu virtuosismo na flauta dupla. Nos três anos decorridos desde o caso de Jonathan Strong, ele tinha deixado de ser um obscuro escriturário da Repartição de Arsenal e se transformado num combatente excêntrico, mas notavelmente resoluto, em favor dos escravos na Inglaterra. Em 1768, alertado por Strong sobre um outro caso, ele ajudara a processar os donos de uma escrava que a embarcaram de volta para as Índias Ocidentais, embora ela estivesse casada com um negro livre. Invocando a ilegalidade do transporte à força, Sharp e seu advogado conseguiram obter uma sentença determinando o retorno da mulher, com as despesas pagas.

No ano seguinte, Sharp publicou o fruto de sua exaustiva pesquisa sobre o estatuto dos escravos na Inglaterra: *A representation of the injustice and dangerous tendency of tolerating slavery or even admitting the least claim of private property in the persons of men in England* [Uma apresentação da injustiça e perigosa tendência de tolerar a escravidão ou de sequer acolher a menor reivindicação de propriedade nas pessoas de homens na Inglaterra]. Mesmo antes de imprimir o tratado, Sharp enviou vinte cópias manuscritas aos grandes e poderosos, entre eles Blackstone e o arcebispo da Cantuária, para sua avaliação, pois esperava incorporar na edição impressa toda crítica que pudesse levantar. Qualquer que tenha sido o efeito sobre os destinatários, a circulação do ensaio e a repercussão que teve na sociedade londrina levaram os advogados de Kerr e Lisle (ainda processando os Sharp por roubo de objeto de sua propriedade) a reavaliar seriamente a sensatez de prosseguir com a causa. Procrastinaram e depois desistiram da ação. Para maior satisfação dos libertadores de Strong, ao não levar a causa a juízo, Lisle e Kerr incorreram na penalidade de pagar custas triplicadas.

Em 1769, Sharp era movido por um ardoroso sentimento da baixeza do tráfico com seres humanos, chamando-o, como se fosse abominável demais nomeá-lo com todas as letras, de "Coisa Amaldiçoada". Em sua carta ao arcebispo da Cantuária, Sharp instou que ele fizesse campanha pelo repúdio das brutais Leis Agrícolas, pois estas manchavam a Inglaterra e o governo inglês com "a mais negra culpa". (Como autor de um estudo sobre o castigo divino nas Escrituras, Sharp estava convencido de que algo tão horrendo como o tráfico escravo, se continuasse inalterado, algum dia atrairia todo o peso da ira divina sobre a cabeça dos ingleses pecadores.) Mas seu "pequeno tratado", como dizia com modéstia não muito convincente, pretendia evitar a hipérbole moral genérica e, em seu lugar, apelar à meticulosidade jurídica e histórica de seus desejados leitores, e ao registro indiscutível das leis baseadas nos precedentes da jurisprudência. A tese Yorke-Talbot, insistia ele, tinha sido suplantada por Holt, e a própria decisão do juiz Holt de que apenas uma não pessoa poderia ser privada da proteção das leis régias na Inglaterra estava enraizada no costume imemorial. A repugnância pela escravidão legal na Inglaterra tinha removido a lei draconiana de Eduardo VI; por isso persistira a máxima elizabetana do ar puro demais para escravos. Sharp descartou como simplesmente absurda a suposição de que os escravos teriam acertado um contrato comparável ao dos aprendizes. Sua mensagem transmitia, acima de tudo, uma espécie de patriotismo jurídico, que Sharp expressou sem precisar fingir: acreditava nele de todo o coração. A Common Law inglesa era o dom mais precioso da nação. Era a rocha da liberdade britânica contra a qual certamente se esmagaria a "Coisa Amaldiçoada".

Granville Sharp tinha se convertido em um incansável incômodo público. Nada escapava a seu senso de oportunidade moralista. Quando o *Daily Advertiser* publicou um anúncio oferecendo recompensa por informações ou recaptura de um "negrinho pobre desgraçado" fugido, em nome de um tal "sr. Beckford em Pall Mall", ele avisou William Beckford, o integrante mais rico e poderoso do Conselho Municipal e uma força no grupo de pressão das Índias Ocidentais, mas figura também muito dada a alardear ideias radicais sobre o caráter sagrado da liberdade. "Na suposição de que o sr. Beckford de Pall Mall talvez seja um parente seu", Sharp informou William Beckford sobre essa notícia vergonhosa, pois "o tenho na conta de um sincero defensor dos verdadeiros interesses, da constituição e das liberdades do reino". Ele chegou ao ponto de incluir seu "pequeno tratado" na esperança de que agora Beckford se sentisse estimulado a "considerar o tema" da escravidão e do tráfico "mais seriamente do que tem feito até agora".[4] Sharp parecia se achar capaz de induzir os poderosos ao bem deixando-os constrangidos — estratégia genuinamente inglesa. Para lorde Camden, o presidente da Câmara dos Lordes, ele enviou um outro anúncio, lançado no *Public Advertiser*: "À venda, uma Menina Negra, propriedade de J. B. — onze anos de idade, que é muito jeitosa, sabe costurar razoavelmente e fala um inglês perfeito, é de gênio excelente e de boa disposição — Procurar sr. Owen na Angel Inn, atrás da St. Clement's Church, no Strand".[5] Visto que a

> frequência de tais publicações é extremamente propensa a extinguir aqueles princípios generosos e humanos que devem adornar uma nação cristã [...] estou plenamente persuadido de que Vossa Senhoria dará a essa flagrante violação das leis da natureza, da humanidade e da equidade, e também do direito estabelecido, do costume e da constituição da Inglaterra, a atenção que for mais coerente com aquele estrito e inabalável apreço por esses que sempre foram uma ilustre parcela do caráter de Vossa Senhoria.

As cartas de um "Cavalheiro em Maryland" que viu fazendeiros "retalharem" as costas de escravos "com Chicotes de Couro Cru ou outros Instrumentos de Barbaridade" foram copiadas e distribuídas aos nomes da lista cada vez maior de Sharp. Seu correspondente de Maryland afirmou que "eles despejam Rum Quente acrescido de Salmoura ou Vinagre de Conserva, esfregado com uma

Palha de Milho sob o calor escaldante do sol", incorporando o patriótico floreio de que se tornaria um lugar-comum no ataque inglês à hipocrisia americana: "se eu tivesse um filho, preferiria vê-lo como o mais humilde varredor das Ruas de Londres a vê-lo como o mais grandioso Tirano na América com mil escravos às Costas". Agora os qualificados como tiranos eram a América e os americanos.

Assim, a sra. Banks evidentemente sabia muito bem o que estava fazendo quando, na manhã depois do sequestro de Thomas Lewis, foi à procura de Granville Sharp em seus aposentos na City. Logo que acabou de ouvi-la, ambos foram ao juiz Welsh para obter uma ordem de soltura para Lewis. Em Gravesend, onde o prefeito endossou o mandado, o criado da sra. Banks tentou entregá-lo ao mestre do navio que estava levando Lewis para a Jamaica, o *Snow*, mas ele repeliu com brusquidão e zarpou. Sem se dar por vencido, Sharp então fez a ronda de todos os magistrados e tanto perturbou o prefeito que conseguiu o que não poderiam recusar: um *habeas corpus*. Como o *Snow* tinha se atrasado em The Downs, devido aos ventos contrários, Peter, o criado da sra. Banks, cavalgou a toda disparada para a costa sul, levando o mandado até Spithead. Em Spithead, um barco a remo o levou ao *Snow*, onde Peter encontrou Thomas Lewis "acorrentado ao mastro principal, banhado em lágrimas e lançando um olhar pesaroso à terra da liberdade que se afastava rapidamente de vista".[6] O *habeas corpus* foi devidamente entregue ao capitão, o qual "ao recebê-lo ficou furioso" e soltou algumas pragas náuticas pesadas, "mas, sabendo das graves consequências de resistir à lei da terra firme, entregou o prisioneiro que o funcionário levou a salvo, mas agora chorando de alegria, até a costa".[7]

De volta a Londres, Lewis contou sua história a Sharp. Tinha nascido livre na Costa do Ouro na África Ocidental; foi morar com o tio após a morte do pai, antes de ser abordado por um oficial inglês, que lhe perguntou se gostaria de viajar para aprender a língua inglesa. Thomas acompanhou o oficial — e descobriu que estava sendo despachado para Santa Cruz, onde a língua franca por certo não era o inglês. Então trabalhou para vários patrões, entre eles Robert Stapylton, que o levou a Boston e a Nova York. Mas em todos os seus serviços, fosse como criado de quarto, garçom ou ajudante de cabeleireiro, Lewis recebia salário, e esse fato por si só garantia que nunca fora um escravo. Náufrago, Lewis foi resgatado por um capitão espanhol, que o levou para Havana, onde por sorte reviu Robert Stapylton e lhe pediu que o salvasse. Alegando que Lewis era propriedade sua, Stapylton o levou para a Filadélfia e Nova York, e finalmente à Inglaterra. Mas agora estava claro que o preço daquele resgate em Havana era a servidão permanente a Stapylton. Embora Stapylton apresentasse como prova de sua generosidade com Lewis o fato de ter conseguido interná-lo no St. George's Hospital, um cirurgião testemunhou que fora indagado sobre as perspectivas de Lewis e se, depois de se recuperar, poderia ser "levado embora". Percebendo a precariedade de sua situação, e temendo ser vendido e embarcado para o Caribe, Lewis fugiu duas vezes e foi duas vezes capturado.

Aquele segundo sequestro tinha ocorrido em 2 de julho, à noite. Stapylton, que sem dúvida sabia onde encontrar Lewis, o abordou dizendo que não pretendia lhe fazer nenhum mal. Como agora o patrão estava velho e cego, talvez Lewis tenha acreditado nele. Mas pode ter sido exatamente o avanço da doença que tornou ainda mais urgente a necessidade de obter dinheiro com a venda de Lewis. Seja como for, a estratégia para pegar Lewis foi planejada com cuidado. Dizendo estar preocupado com algumas caixas de chá e gim que ele tinha armazenado no cais do Chelsea College para não atrair a atenção dos funcionários da alfândega, Stapylton pediu a Lewis para ir buscá-las — presumivelmente lhe oferecendo uma recompensa. Por uma questão de discrição, disse ele a Lewis, seu barqueiro Richard Coleman iria levá-lo ao cais por um caminho tortuoso. (Coleman mais tarde depôs que tinha sido contatado por Stapylton para "arrastar o Preto".) Em algum ponto de uma transversal entre o Jardim Botânico e Paradise Row, outros dois barqueiros, Aaron Armstrong e John Malony, pularam em cima dele e os brados de calúnia alcançaram a Turret House, Paradise Row.

Cinco dias depois Lewis, Granville Sharp e a sra. Banks contaram a história a um júri num processo privado por agressão contra Stapylton, Armstrong e Malony. Sharp estava preocupado, achando que um júri jamais chegaria a uma condenação num caso de agressão contra um negro. Mas a chance de liberdade de Thomas Lewis tinha sido obra de muitos *brancos* e *brancas*: a sra. Banks, os criados que providenciaram que ela soubesse exatamente o que havia acontecido; Peter, que logo foi a Gravesend e depois a Spithead, seguindo o *Snow*; e, por último, mas certamente não menos importante, o grupo de voluntários em defesa da causa do negro, a família Sharp. Com efeito, a sra. Banks e Granville Sharp mantiveram um atento interesse pelo bem-estar de Thomas

Lewis durante os sete meses entre o indiciamento e o julgamento, interesse motivado tanto pela segurança de sua pessoa quanto pela necessidade de continuar em contato com sua principal testemunha. Quando John Thomas, o criado negro a quem a sra. Banks pensara pedir para hospedar Lewis em segurança, partiu com seu senhor para as colônias, ela comentou com Sharp seu receio de que Lewis ficasse desprotegido e desempregado. Naturalmente ambos também estavam aflitos pensando como Lewis e a ação deles iriam se sair no julgamento, sobretudo porque Lewis parecia estar cabulando as aulas que deviam prepará-lo para a ocasião e ficara nervoso com a ideia de aparecer perante o tribunal. As apreensões da sra. Banks e de Sharp aumentaram a tal ponto que eles entraram em contato com Stapylton, propondo retirar a queixa caso ele admitisse o sequestro publicamente e assinasse em cartório um termo de compromisso solene, garantindo a segurança e a liberdade de Lewis. Mas, ao perceber o pessimismo dos adversários quanto ao desfecho do processo, Stapylton não só rejeitou a proposta, mas insistiu por meio de seus advogados em ter um julgamento perante a Suprema Corte, onde deve ter calculado que as chances de absolvição seriam melhores.

Assim, em 21 de fevereiro de 1771, o caso contra Stapylton e os dois barqueiros foi apresentado perante o chefe de justiça, lorde Mansfield, e — fato inusual para um juiz que costumava dispensar júris — perante um corpo de jurados. Talvez tenha sido a presença do júri que de repente deixou o velho capitão mais pessimista sobre a sentença, visto que na véspera do início do julgamento ele tentou se prevenir mandando um grupo de recrutamento agarrar Thomas Lewis, que estava sentado numa cafeteria próxima, à espera de ser chamado. O plano não foi muito bem pensado. O advogado de Lewis estava por perto, interrompeu a captura e ameaçou todos os envolvidos com consequências drásticas.

Empenhado como por certo estava no destino de Thomas Lewis, Sharp tomou o julgamento como o teste judicial, longamente esperado, de seu "pequeno tratado". O princípio cardeal do tratado era que, sob a Common Law da Inglaterra, não podia haver propriedade de pessoas; e que todos os homens, mulheres e crianças de qualquer cor estavam sob igual proteção das leis do rei. O advogado de acusação, John Dunning, foi extremamente leal a essa causa, mostrando a *Representation* de Sharp durante a audiência, marcando com o dedo a passagem em que estava e citando continuamente seus argumentos centrais.

Mas Mansfield não se deixou levar. Ele mostrou ao júri que não se tratava, ao contrário do que insistia Dunning, de poder ou não haver propriedade de pessoas na Inglaterra, mas simplesmente de se provar que Lewis, *em particular*, era propriedade de Stapylton na época de seu sequestro. O próprio fato de o promotor público ter resolvido desfiar os pormenores da biografia de Lewis — seu nascimento como homem livre na Costa do Ouro; sua residência com o tio após a morte do pai; sua contratação como criado de Stapylton por volta de 1762, que na época era capitão de navio, suas viagens com ele na América — tudo isso reforçava a impressão de que o caso não era filosófico e sim *ad hominem* e que, a despeito do resultado, não afetaria a questão mais geral de a liberdade britânica ser ou não compatível com a existência da escravidão. "Talvez", opinou Mansfield, que preferia que a sra. Banks comprasse a liberdade de Lewis e assim o litígio se resolvesse de uma vez por todas, e agora adotava a atitude sentenciosa de um mestre-escola arbitrando uma briga entre garotos indisciplinados, "seja muito melhor que essa questão nunca seja debatida ou decidida em definitivo... pois prefiro que todos os senhores achem que eles [seus escravos] são livres e que todos os negros achem que são escravos, pois assim ambos os lados se comportariam melhor".

Os jurados consideraram que Lewis não podia ser transportado contra sua vontade, mas chegaram a tal conclusão porque, pelo menos segundo o chefe de justiça, não fora apresentada nenhuma nota de venda adequada, e não porque aceitassem a premissa de Sharp de que os escravos trazidos para a Inglaterra se tornavam imediatamente livres sob a Common Law. Mas Stapylton e os barqueiros foram julgados culpados, e Mansfield supôs que isso devia bastar para satisfazer a sra. Banks, Granville Sharp e o próprio Lewis. Assim, ele se absteve de impor qualquer penalidade aos condenados. Mas Sharp estava convencido de que a intenção do júri fora comprovar seu tratado, e não apenas se prender a um detalhe técnico; então ele e a sra. Banks pediram à corte um julgamento final, mas o que receberam em troca foi uma reprimenda pela audácia. O lorde chefe de justiça se disse muito surpreso em ser tão pressionado para determinar um julgamento; e que aliás ficassem sabendo que, pensando bem, ele até lamentava o veredicto do júri, pois agora fizera uma avaliação mais detida de algumas das provas apresentadas pela acusação. Depois de tais palavras, finalizou dizendo à sra. Banks que ficasse com seu negro livre e que desistisse antes de esgotar a paciência do magistrado.

Granville Sharp, por sua vez, ficou tão exasperado quanto Mansfield pelo desfecho do caso Lewis, e sem a menor disposição para ajudar o lorde chefe de justiça a sair da enrascada. Em seu diário pessoal, ele comentou com vários grifos de indignação que "a recusa de um julgamento adequado neste caso está tão longe de ser um precedente apropriado que deve ser considerada uma afronta aberta à legislatura e *uma flagrante violação e deturpação das leis*". Tendo Mansfield como claro alvo do próximo round da briga, Sharp escreveu: "Estou ainda mais disposto a protestar contra esse precedente porque tive a mortificação de ouvir o *mesmo juiz* no *mesmo julgamento citar alguns precedentes criados por ele próprio que são igualmente contrários ao Espírito e ao sentido das Leis Inglesas*".[8] Será que Mansfield continuava a achar Sharp uma nulidade presunçosa, que poderia ser divertida se não fosse a irritante ostentação de moralismo? Pois bem, o lorde chefe de justiça não era tão invulnerável em seu poder e autoridade a ponto de ser imune aos regulamentos quando estava em tão flagrante erro!

Assim, a questão se tornou pessoal, um duelo judicial entre os dois — absurdamente desigual, deve ter pensado lorde Mansfield, e por isso o desfecho foi tão surpreendente. Para Sharp, o que estava em jogo era não só o destino dos escravos, e sim o destino da liberdade inglesa. A palavra "liberdade" foi o campo de batalha na década de 1770 para os dois lados do Atlântico, brandida por bostonianos e virginianos que defendiam que sua liberdade de ingleses livres de nascimento tinha sido agrilhoada pela tirania ministerial reinante em Londres; por radicais londrinos como John Wilkes, impedido de ocupar sua cadeira no Parlamento por uma conspiração oligárquica; por radicais de Yorkshire como Christopher Wyvill, que denunciavam a "Velha Corrupção" e exigiam reformas. Mas, para Sharp, a questão era ainda maior. Ele tinha a aguda consciência, como descendente de um arcebispo e, antes disso, de uma dinastia de puritanos de Yorkshire, de ter herdado um dever sacrossanto de defender a liberdade inglesa como legado de toda a humanidade. As Escrituras e a história se uniam nessa grandiosa missão que ele se atribuíra. Como um daqueles profetas do Antigo Testamento, cujos prenúncios lhe haviam ocupado os pensamentos nas tardes modorrentas na Repartição de Arsenal, Sharp se fez o oráculo de um novo Império Britânico — justo nas palavras e nas ações, purificado da mácula da "Coisa Amaldiçoada". Apenas renascido dessa maneira poderia tal império escapar ao castigo que Deus infligira a todos os impérios anteriores, desde os medas e os persas até os espanhóis e os portugueses.

Atento a qualquer caso em que pudesse enfrentar lorde Mansfield, Sharp não precisou esperar muito para que se apresentasse a ocasião perfeita. Em 26 de novembro de 1771, decorridos menos de seis meses do impaciente pavoneio de uma "avaliação mais detida" no processo de Lewis, James Somerset, outrora escravo de Charles Stewart, foi sequestrado perto do Covent Garden, despachado para o *Ann and Mary* com destino à Jamaica e preso a ferros sob o convés.[9] Estava em liberdade não fazia nem dois meses e, ao contrário do caso de Thomas Lewis, não havia dúvida sobre sua condição anterior de escravo e, portanto, nenhum pretexto para o lorde chefe de justiça alegar que o processo versava sobre questões *ad hominem*, e não sobre o princípio geral. James Somerset fora comprado por Stewart, na época um funcionário da alfândega, no momento de sua chegada à Virgínia no recuado ano de 1749, e desde então esteve a seu serviço. Quando Stewart foi transferido para Massachusetts, mais ao norte, como funcionário pagador, Somerset foi com ele e esteve como seu criado pessoal durante vinte anos, até chegarem a Londres em 1769, justamente quando foi publicada a *Representation* de Granville Sharp. Por coincidência, Stewart foi morar em Cheapside, não distante dos irmãos Sharp e, na verdade, tampouco dos inúmeros abrigos dos negros londrinos, entre os quais tinham ampla circulação as notícias sobre os casos Strong e Lewis. Sabendo que a permanência de seu dono na Inglaterra seria apenas temporária e que ele podia ser vendido, Somerset tinha evidentemente concluído que a fuga seria sua única chance de não ser mandado de volta para o Caribe. Se quisesse algum dia ser livre, era agora ou nunca. Então, num dia de setembro de 1771, ele sumiu.

A caça aos escravos em Londres era tão comum que os sequestradores pouco se incomodavam em evitar testemunhas. Três pessoas viram a captura de James Somerset, e uma delas, Elizabeth Cade, parece ter tomado a iniciativa (tal como a sra. Banks fizera em relação a Lewis) de obter um mandado de *habeas corpus*, e o "corpo" de Somerset acabou sendo apresentado ao magistrado em 9 de dezembro. Mas a pessoa que recebera a ordem tinha o direito de "reverter o mandado", e Stewart, junto com o capitão Knowles do *Ann and Mary*, se valeu plenamente de seu direito de reclamar da gatunagem de sua propriedade. Ao fugir, James Somerset tinha roubado *a eles*. A postura de

Mansfield deve ter encorajado Knowles, que tinha de se defender da acusação de detenção ilegal, e Stewart. Pois foi Somerset, não o capitão nem o dono escravocrata, que ficou sob estrita sujeição legal, sob pena de sofrer sanções draconianas caso se evadisse à lei. Os organizadores do sequestro, por sua vez, não foram intimados a comparecer em juízo para depor no processo, e na verdade podiam se eximir do caso a qualquer momento simplesmente desistindo de reivindicar Somerset.

Ao saber que foi Somerset que acabou aparecendo como a parte culpada, em vez de Stewart e Knowles, Sharp ficou furioso com a conduta de seu antagonista, o afável e sorridente Mansfield. Quando Somerset foi levado em 13 de janeiro de 1772 à presença de Sharp, em seus alojamentos na Old Jewry, Sharp mergulhou de cabeça no caso, certo de que agora, quaisquer que fossem os sofismas de Mansfield, a questão da legalidade da escravidão na Inglaterra finalmente se apresentaria diante da Suprema Corte. Sua primeira providência foi fornecer os seis guinéus necessários para contratar dois advogados para James Somerset. A sensação de que algo de tremenda envergadura estava iminente tomou conta não só de Granville Sharp e família, mas também de um círculo muito mais amplo de indignados, que tinham acompanhado o caso de Lewis na imprensa ou ouviram falar do assunto na sinuosa corrente de comentários que se estendia da sra. Banks no Chelsea a seus amigos e colegas inimigos da escravidão, como o dr. Johnson, Reynolds e Garrick. Pela primeira vez na história britânica, os revoltados se reuniam numa campanha conjunta contra o tráfico escravo.

Um dos recém-recrutados para a causa negra era um jovem advogado, Francis Hargrave, que mal terminara seus anos de estudo na Lincoln's Inn e que em 25 de janeiro escreveu a Sharp oferecendo seus serviços como voluntário. Disse que já tinha lhe enviado algumas opiniões sobre o tema da escravidão negra durante o caso Lewis e não recebera resposta, mas, como aquelas opiniões eram bem menos refletidas do que ele gostaria, talvez fosse melhor assim. Se elas ainda estivessem em poder do sr. Sharp, rogou Hargrave, ele se sentiria extremamente grato se as desconsiderasse. Desde aquela prematura expressão de suas ideias, ele tinha feito pesquisas meticulosas (pois o pai de Hargrave era um antiquarista), e a quantidade de provas resultantes o levara a não ter a menor dúvida de que a escravidão era de fato incompatível com a Common Law da Inglaterra. Ele ficaria feliz em expor essas opiniões sem formalidades ou como advogado, embora tivesse a dolorosa consciência de que, "por nunca ter defendido nada publicamente, não confio em minha capacidade de ter um desempenho à altura do que exige uma causa dessas". Sharp respondeu calorosamente no dia seguinte, aceitando o oferecimento de Hargrave para ser assistente do corregedor Davy, que já tinha sido contratado como advogado principal, e dizendo-lhe que, com isso, ele estaria praticando "um grande gesto de caridade privada e de bem público". Como poderia existir alguma causa mais importante, visto que "entendo que a honra ou a degradação da natureza humana depende da presente questão"?

Sharp lhe enviou um adiantamento dos honorários, mas Hargrave rejeitou qualquer remuneração por seus serviços — o que também fizeram os outros quatro advogados de Somerset. Comparecer sob o forro de vigas entalhadas de Ricardo II em Westminster Hall, perante lorde Mansfield e seus três juízes associados, e ao lado dos dois corregedores, William "Bull" Davy e John Glynn, já era recompensa suficiente, pois tais oportunidades de glória instantânea raramente surgiam no caminho de um advogado principiante que nunca tinha entrado em campo. Os dois corregedores com seus barretes brancos (pois a insígnia do cargo era uma curiosa e antiquada coifa) eram figuras extravagantes, que a imprensa adorava pela despudorada encenação que armavam no tribunal. Bull Davy era um farmacêutico falido de Exeter que depois ingressou na carreira jurídica, e ganhou fama duradoura em 1754 como advogado de defesa (perdendo a causa) de uma quadrilha de salteadores que primavam pela crueldade. John Glynn era a olhos vistos o mais político dos dois, um radical ostensivamente avançado; membro destacado da Sociedade da Declaração de Direitos, advogado de defesa de John Wilkes e eleito, junto com seu cliente e herói, para uma cadeira no Parlamento por Middlesex. Glynn também era um adversário tão ferrenho das políticas do governo na América que foi acusado de praticamente fomentar a rebelião nas colônias. Completava essa equipe formidável um outro jovem desconhecido, John Alleyne, orador jurídico tão enfático quanto Davy e Hargrave, e James Mansfield (futuro Sir Mansfield), outro advogado do dissidente John Wilkes. Seu nome de nascimento era James Manfield, mas nos anos de universidade no King's College, Cambridge, ele inseriu o "s" adicional no sobrenome, não se sabe se na esperança de ser confundido com o augusto lorde chefe de justiça ou de lhe fazer pirraça.

Como se tudo isso não bastasse para os jornais, que desde o começo das audiências em fevereiro, se não antes, mostravam um apetite desenfreado pelo que prometia ser uma grandiosa encenação do teatro judicial, revelou-se que o advogado principal de Stewart e Knowles ia ser ninguém menos que John Dunning, exatamente o mesmo que fora tão inflexível na insistência da ilegalidade da escravidão no caso de Lewis, apenas um ano antes! Frustrado com a traição de Dunning, Sharp tomou o fato como mais uma prova da "abominável e intolerável prática dos Advogados de aceitar causas diametralmente opostas a suas opiniões expressas sobre o direito e a justiça comum".[10] Embora seja incompreensível o fato de Sharp não ter comparecido a nenhuma sessão, seu profundo desgosto com a traição de Dunning parecia lançar uma sombra sobre o jovem advogado, em geral muito perspicaz e afirmativo, cujo patrocínio da causa dos direitos de propriedade lesados de Charles Stewart foi, na melhor das hipóteses, tímido. "Espero resistir à opinião daqueles cujas honestas paixões se inflamam ao nome da escravidão", rogou com certo excesso de otimismo ao final do processo. Em frente ao público em Westminster Hall com uma maioria tão óbvia de amigos do negro, Dunning parecia em constante defensiva, como se estivesse se protegendo de tijolaços. "É infortúnio meu", lamentou de modo um tanto patético, "dirigir-me a uma audiência cuja maior parte, percebo eu, quer me ver em apuros." Extremamente desapontado com a evidente falta de convicção de seu advogado, Stewart escreveu a um amigo em Boston, comentando que, enquanto a outra parte "crescia mais e mais ao lado da liberdade" e "alcançava grandes honras", seu próprio advogado estava "maçante e desanimado" e, ele pensou (com acerto), teria preferido representar o outro lado.

Nada desse jogo de personalidades escapou à imprensa nem aos mexericos nos bares, tanto em Londres quanto em cidades como Liverpool e Bristol, onde o setor açucareiro das Índias Ocidentais e o tráfico negreiro estavam solidamente estabelecidos. Os jornais costumavam se abster de comentários diretos enquanto um caso estava *sub judice*, mas nenhum dos jornais mais importantes — nem o *London Chronicle*, o *General Evening Post*, o *Gazetteer*, nem semanários polêmicos como o *Craftsman* — queria perder essa oportunidade de ouro.[11] Desde a primeira sessão no começo de fevereiro até o julgamento final de Mansfield, em 22 de junho, suas páginas estiveram abertas não só aos discursos feitos no tribunal, mas também às cartas e artigos comentando o estado da escravidão na Inglaterra e nas Américas, e os males ou a necessidade do tráfico negreiro.

Publicavam-se cartas de correspondentes sobre o tratamento bestial dado aos escravos das fazendas na América, além de denúncias apaixonadas de qualquer preconceito que levasse a dar um tratamento diferenciado aos súditos britânicos em função da cor da pele, e de esforçadas tentativas de defender a escravidão alegando que, comparadas ao mundo brutal do guerreiro das florestas africanas, as fazendas do Caribe e do sul da América eram idílicas. Tais foram as salvas inaugurais de um debate que se prolongaria na Inglaterra pelo menos até a abolição completa da instituição escravista, cerca de cinquenta anos mais tarde. Embora Granville Sharp não aparecesse pessoalmente no tribunal, ninguém trabalhou mais do que ele para atiçar a fogueira do repúdio. Ele tinha conquistado tal fama de cruzado e de virtuose musical que explorou as ligações criadas a partir da música para fazer preleções de sua causa aos poderosos. O primeiro-ministro lorde North, por exemplo, que usava o *Apollo* para programas musicais, foi o destinatário de uma carta espantosamente acusadora em meados de fevereiro de 1772, ameaçando-o com o castigo celestial caso não cumprisse seus deveres de fazer algo a respeito do iníquo tráfico: "*Estar no poder* e negligenciar (pois a vida é muito incerta) mesmo que um único dia para se empenhar em dar cabo de tal monstruosa injustiça e dissoluta maldade deve necessariamente pôr em risco o bem-estar *eterno* de um homem, por maior que seja ele em sua dignidade ou cargo *temporal*". Para frisar bem o ponto, Sharp tomava a liberdade de anexar o livro de sua autoria, com "duas ou três páginas" para as quais ele queria chamar em especial a atenção de lorde North, devidamente indicadas com marcadores de papel, "porque não posso supor que Vossa Senhoria será capaz de dispor de tempo livre para todo o conjunto". Por mais ocupado que lorde North pudesse estar, tentando refrear o abandono da lealdade à Coroa britânica nas colônias americanas, Sharp ainda assim achou que, se assinalasse os trechos em tinta vermelha, o estadista se horrorizaria com as leis de Barbados, que prescreviam uma multa de quinze xelins como penalidade para o senhor escravista que matasse "brutalmente ou cruelmente" seu próprio escravo. Por certo, acrescentou ele de maneira um tanto gratuita, esta "era a mais rematada forma de maldade de que uma legislatura já foi culpada".[12]

Sharp foi igualmente incansável em fornecer aos advogados de Somerset tudo o que lhes poderia ser útil no julgamento. Ao corregedor Davy ele enviou não só os volumosos resultados de suas pesquisas sobre a vilania medieval e a jurisprudência da Common Law sobre a escravidão, mas também (provavelmente obtido por intermédio de seu irmão James, visto que o objeto veio direto do ferreiro que os fabricava para as colônias) um exemplar do pedaço de ferro usado para impedir que os escravos chupassem cana enquanto trabalhavam na lavoura, e um outro dispositivo destinado à finalidade contrária — para abrir à força os maxilares dos escravos que se recusavam a comer. Em brasa, as monstruosidades podiam ser usadas como castigo, para queimar as gengivas e a boca; e às vezes, disse Sharp, eram empregadas para impedir que os escravos mais "amuados" ou desanimados se matassem entupindo pateticamente a boca de lama.

Desde o começo dos procedimentos, porém, parece que o corregedor Davy não precisou de nenhum desses incentivos para garantir que o processo versasse sobre a questão direta da legalidade da escravidão na Inglaterra, e não sobre as sutilezas com que Mansfield tentava constantemente se esquivar do assunto principal. (Fiel à praxe, Mansfield tinha sugerido a Elizabeth Cade, uma das testemunhas do sequestro de Somerset, que todo aquele dissabor podia ser resolvido se ela comprasse a liberdade dele. Foi mérito da viúva ter recusado o conselho do lorde chefe de justiça com uma descompostura, dizendo que proceder de tal maneira "seria um reconhecimento de que o reclamante tinha o direito de agredir e aprisionar um pobre homem inocente neste reino e que ela nunca seria culpada de dar tão mau exemplo".) Antes de enveredar por uma longa e erudita trilha, percorrendo a história da servidão e a jurisprudência sobre a escravidão, Davy deixou profusamente claro que a defesa de Somerset sustentaria que "nenhum homem pode ser escravo, uma vez estando na Inglaterra, o próprio ar que ele respirava fazia dele um homem livre [e] que ele tem o direito de ser governado pelas leis da Terra" exatamente nas mesmas bases de qualquer outro homem. Quando o caso do escravo russo foi julgado na época da rainha Elizabeth, "ficou decidido que a Inglaterra era um ar puro demais para ser respirado por Escravos". E então Davy acrescentou, talvez de olho em todas as denúncias radicais levantadas contra a "Velha Corrupção" com que Mansfield, de modo geral, era demasiado amistoso: "Espero, meu senhor, que o Ar não tenha piorado desde então". E daí que a escravidão fosse admitida em terras menos afortunadas do que a Inglaterra? E daí que a escravidão fosse legítima segundo as leis de Barbados ou das colônias da América, onde "uma Nova Espécie de Tirania" fora criada "inteiramente pelo governo da Colônia"? (Esta foi a primeira das várias estocadas sugerindo que, se os críticos procuravam um despotismo como alvo de ataque, melhor fariam se buscassem no lado ocidental e não oriental do Atlântico.) Por que tais leis, feitas por entidades que não eram o Parlamento, haveriam de ter mais "influência, poder ou autoridade *neste* país do que as leis do Japão"?[13]

Três horas depois (o colega corregedor Glynn, com seus notórios acessos de gota, teve a caridade de ser mais breve), Mansfield se permitiu um suspiro gravemente judicial e observou: "esse assunto, pelos argumentos, parece que vai se prolongar muito... que seja transferido para o próximo período forense". Mas, se Mansfield achava que as paixões poderiam arrefecer nos três meses de intervalo, estava enganado. Em 7 de maio, seu *alter ego* James Mansfield apresentou o discurso que talvez tenha sido o mais descaradamente teatral em todo o processo, quando encarnou o personagem do próprio James Somerset:

> É verdade. Eu era um escravo, mantido como escravo na África. Fui acorrentado pela primeira vez a bordo de um navio britânico e transportado da África para a América do Norte... nunca, desde o primeiro momento de minha vida até agora, estive num país onde tivesse o poder de afirmar os direitos comuns da humanidade. Agora estou num país onde as leis da liberdade são conhecidas e respeitadas, e os senhores saberiam me dizer a razão pela qual não posso ser protegido por essas leis, mas tenho de ser arrebatado mais uma vez, para ser vendido?

Ninguém soube dizer. O negro Somerset era um ser humano, não era? Bem, então era impossível que pudesse algum dia ter sido escravo na Inglaterra, a menos que tivesse sido introduzida alguma espécie de nova lei da propriedade, ainda desconhecida da constituição do país.

Uma semana depois, foi a vez da equipe novata, Francis Hargrave e John Alleyne, e eles tampouco mostraram constrangimento em tocar o tambor patriótico. Embora menos histriônico do que James Mansfield, Hargrave foi bem esperto em fazer vibrar a corda do patriotismo público com a singularidade da Common Law inglesa como fundamento da liberdade. O que quer que tivesse sido a servidão, pouco tinha a ver com a escravidão moderna, a qual exigia um trabalho em caráter perpétuo, incondicional e forçado, um vínculo que só se dissolvia por vontade do proprietário; que trazia consigo o poder absoluto da punição arbitrária, que era inquebrantavelmente hereditário e que transformava um ser humano num objeto negociável. Empolgando-se com sua preleção,

Hargrave acrescentou um pequeno sermão sobre o dano que a prática da escravidão acarretava para os senhores de escravos: a deturpação de seus princípios morais; o risco que corriam por ser alvos constantes de um ódio permanente por parte dos escravos; a forma insidiosa como a escravidão degenerava uma sociedade inteira, por dispensá-la de criar incentivos à diligência e à iniciativa inteligente. A escravidão, em suma, era alheia a tudo o que eram a Inglaterra e a Grã-Bretanha. Permitir que leis estrangeiras, fossem virginianas, turcas, polonesas ou russas, vigorassem na Inglaterra equivalia a introduzir uma nova espécie de "escravidão doméstica" no próprio seio da terra da liberdade. A despeito da situação nos impérios antigos, nas monarquias absolutas ou, de fato, nas colônias americanas atuais, "é contrário ao espírito do direito inglês permitir qualquer vigência de acordos ou contratos por qualquer outra imposição que não seja a de nossos tribunais de justiça". "As leis da Inglaterra", declarou Hargrave, apostando (e com bons resultados) no sucesso de sua afirmação, "conferem o dom da liberdade integral e desimpedida; não apenas nominal, e sim real e essencialmente."

Numa empolgante inversão das expectativas retóricas, Alleyne acrescentou que agora a tarefa era proteger o direito inglês da contaminação estrangeira, isto é, americana. "Como se não devêssemos [...] guardar e preservar aquela liberdade pela qual somos reconhecidos por toda a Terra! [...] As horrendas crueldades perpetradas na América, e em cujo relato mal podemos crer, poderiam, com a aceitação de escravos entre nós, ser introduzidas no país." A menos que a Grã-Bretanha realmente proclamasse neste ano de 1772 sua independência judicial da América, seria o fim de tudo e Middlesex se transformaria na bárbara e tirânica Virgínia! "Poderia Vossa Senhoria [...] suportar, nos campos que cercam esta cidade, a visão de um infeliz amarrado a uma árvore por alguma ofensa trivial, dilacerado e agonizando sob o açoite?..." Não admira que Benjamin Franklin, que assistiu às audiências entre a multidão em Westminster Hall, tenha de início se preocupado, depois se aborrecido e por fim se escandalizado.

Como se ajudasse um manco a pular uma cerca, nesse ponto lorde Mansfield passou a ponderar em voz alta sobre as consequências sociais e econômicas caso cada negro escravizado na Inglaterra (e haviam lhe falado que existiam de 14 mil a 15 mil deles) fosse agora imaginar que tinha conquistado a liberdade junto com Somerset. Agradecido, Dunning reforçou ainda mais essa linha de preocupação pintando um quadro alarmista do caos que se instalaria nas colônias, de onde, atraídos pela perspectiva da liberdade britânica, "eles acorrerão em enorme quantidade [e] assolarão este país e devastarão as lavouras". Naquele momento, Dunning fez soar o sinal de alarme por uma simples questão tática. Como haveria de saber que, três anos depois, em plena guerra americana, sua profecia se demonstraria pelo menos parcialmente correta?

Ao concluir sua defesa de Somerset, o "Bull" Davy arremeteu com os chifres em ponta. Enquanto ele traçava uma linha devastadora ao longo de todos os precedentes que (ao contrário de Yorke-Talbot) tinham declarado a escravidão inadmissível na Common Law, lorde Mansfield interrompeu comentando: "Se o que você diz é verdade, então mais valeria eu queimar todos os meus livros de direito". Ao que Davy replicou calmamente: "Meu senhor, mais valeria lê-los antes".[14]

E mais outro mês se passou. Foi uma pausa mal-humorada na América, em que os patriotas em Boston, como Sam Adams, denunciavam o *dumping* insidioso do chá barato das Índias Orientais, com baixíssimas tarifas de importação, definindo-o como ESCRAVIDÃO!

Em seus aposentos, lorde Mansfield, sob forte pressão para pronunciar o veredicto final da Causa, como a chamava seu picador pessoal Granville Sharp, dava tratos à bola procurando maneiras de evitá-lo, receando mais os estragos que podia causar do que a justiça que podia ministrar. Ele tentou mais uma vez persuadir as várias partes a comprar a liberdade de Somerset. Não conseguindo, agarrou-se à palha que o jovem Hargrave lhe dera (tão sagazes, esses principiantes, e tão encantadoramente ardorosos; era obrigado a reconhecer). Hargrave tinha dito que, mesmo que se defendesse a escravidão como alguma espécie de fato existente na Inglaterra, ainda assim seria totalmente incompatível com os usos e costumes da lei que qualquer pessoa dessas, fosse ou não escrava quando entrasse no país, pudesse ser claramente forçada contra sua vontade a sair dele para algum outro lugar, fora da terra da liberdade. Então será que ele, o lorde chefe de justiça, poderia decidir sobre um deslocamento particular desses, sem pretender julgar a questão geral?

Na segunda-feira, dia 22 de junho de 1772, às onze da manhã, toda a cidade de Londres e arredores pareciam ter acorrido ao Westminster Hall, transbordando dos cafés e tavernas, das cortes de justiça e dos estabelecimentos comerciais, das oficinas e das lojas, de carruagem, de liteira, a cavalo, a pé, das novas praças asseadas a oeste e, a leste, das ruas barulhentas da City. Desde 1740, o interior do antigo salão gótico tinha sido dividido por um painel de madeira de ricos entalhes. De um lado ficavam os dois tribunais do King's Bench [Suprema Corte] e da Chancery [Tribunal do Lorde Chanceler]; do outro lado, um vasto espaço público, uma área pavimentada de pedra onde as pessoas se sentavam, ficavam de pé, espiavam as lojas ao longo dos muros e, quando se pronunciava a sentença, paravam e ouviam. Entre a multidão daquele dia havia negros que saudaram Mansfield e os juízes Ashton, Willes e Ashurst quando as quatro longas perucas atravessaram a divisória e entraram no King's Bench, subindo com cautela os degraus baixos onde outrora os juízes de Carlos I haviam intimidado o rei deposto, e tomaram seus assentos de espaldar alto. Apareceu o Língua Afiada, no momento de língua amarrada, inusualmente pesado, sua afabilidade habitual sufocada pelas opressivas expectativas da história. Mais do que nunca, o salão parecia não um mero tribunal de justiça e sim, como havia sido séculos antes, a verdadeira *curia regis*, o tribunal do rei e do reino. A Inglaterra estava carrancuda no frio do verão, e pelo menos dessa vez o chefe de justiça foi taciturno ao empregar sua famosa erudição.[15]

Mas, no silêncio pétreo e opaco que ele instaurou, muita gente deixou de ouvir sua cadência ritmada de Perthshire enquanto transpunha o painel de madeira e flutuava até a vastidão empoeirada, onde de início teve de concorrer com o burburinho das pessoas que espiavam as lojas e bancas enfileiradas no perímetro do edifício. Mas então, nas barracas de cerveja, a multidão se deu conta de que o veredicto estava para sair, e fez-se um silêncio geral. Mansfield retomou. Não era, disse ele, ao contrário do que alguns, na verdade muitos, poderiam supor, nenhuma grande questão geral que seria julgada, mas simplesmente se havia motivo suficiente ou não para a "reversão" — a réplica do capitão Knowles ao mandado de *habeas corpus*, declarando que ele e o sr. Stewart, e não o negro, é que tinham sido vítimas de um ato ilegal. Se o pleito fosse justificado, o negro deveria ser detido; do contrário, não; a coisa era simples assim. A inquietação se alastrou pelo salão. Durante algum tempo, o chefe de justiça discorreu não só sobre aquele caso, mas sobre outros envolvendo fugas e detenções similares, e se animou ao afirmar, de modo um tanto improvável em vista de tudo o que fora dito antes em contrário, que Yorke e Talbot haviam afirmado que nem o fato da vinda de um escravo à Inglaterra, e muito menos seu batismo, poderia ser usado para reduzir os direitos dos senhores a zero. E no entanto (o público ouviu essa mudança de rumo), embora a escravidão tivesse sido e fosse muitas coisas diversas em

> diferentes épocas e Estados [...] o exercício do poder de um senhor sobre seu escravo deve ser sustentado pelas Leis dos Países particulares; mas nenhum estrangeiro pode reivindicar na Inglaterra tal direito sobre um homem; tal reivindicação não é reconhecida pelas leis da Inglaterra [...] o poder reivindicado nunca esteve em uso aqui nem foi reconhecido pela Lei [...] nenhum Senhor jamais foi autorizado aqui a tomar um Escravo à força para ser vendido no estrangeiro por ter desertado de seu serviço ou por qualquer outra Razão que seja, não podemos dizer que a Causa apresentada por esta Reversão seja autorizada ou aprovada pelas Leis deste Reino; portanto [o lorde chefe de justiça teve o cuidado de não fazer nenhuma pausa] o Homem deve ser libertado.[16]

Ele se levantou, e com eles os juízes Ashton, Willes e Ashurst. Mas, antes que sumissem pela porta baixa ao lado da entrada do salão, rumo à sala dos magistrados, aconteceu uma coisa que tocou até mesmo os sentimentos amortecidos dos repórteres de plantão que estavam lá em peso, das várias *Gazettes*, *Chronicles* e *Posts* (*Morning* e *Evening*) e do *Daily Advertiser*. Quando Mansfield e colegas apareceram na divisória, o grupo de negros que estava no espaço público "se curvou em profundo respeito aos juízes". Então se apertaram as mãos com vigor, congratulando-se "pela recuperação dos direitos da natureza humana, e pelo feliz destino que lhes permitia respirar o ar livre da Inglaterra". "Nenhuma visão na Terra", escreveu o repórter da *Morning Chronicle*, "poderia ser mais agradavelmente comovente para o espírito sensível do que a alegria que brilhou naquele instante nos semblantes negros desses pobres homens."[17]

Foi uma cena que Granville Sharp não merecia perder. Mas um pouco mais tarde naquela mesma manhã, bateram à sua porta no Old Jewry, onde sete anos antes tão abruptamente se iniciara sua nova vida. "James Somerset veio me dizer", escreveu quase lacônico em seu diário, "que a sentença saiu hoje em seu favor", e então, como se estivesse escrevendo a história de alguma outra celebridade: "Assim terminou a longa disputa de G. Sharp com lorde Mansfield, em 22 de junho de 1772".[18]

Talvez Sharp devesse ter comparecido a Westminster Hall, pois então não teria anunciado uma vitória prematura. Pois, se é plenamente verdade que, em termos de um drama jurídico e moral de contornos bem definidos, a imprensa e a opinião pública em Londres tinham entendido que a libertação de Somerset demonstrava o axioma do corregedor Davy de que, "no momento em que um escravo põe o pé em solo inglês, ele se torna livre", não tinha sido isso que Mansfield dissera de fato; na verdade, ele fez alguns malabarismos para evitar essa afirmação. O que ele tinha dito era que o poder de um senhor de *deslocar* seu escravo contra a vontade para fora da Inglaterra e para um lugar onde poderia ser vendido nunca fora reconhecido ou admitido sob a Common Law. E foi por essa razão que Somerset havia sido libertado.

Mas, tirando as pessoas excepcionalmente atentas, nenhuma das partes — nem o setor açucareiro das Índias Ocidentais, que então deu início a uma pressão furiosa para que a legislação reconhecesse seus direitos de propriedade na Inglaterra, nem os jubilosos paladinos da liberdade negra — se apercebeu do significado da meticulosidade de Mansfield. De fato as duas partes pensaram que ele havia tornado ilegal a escravidão na Inglaterra. Muitos donos de escravos, porém, continuaram a agir como se o julgamento de Somerset nunca tivesse ocorrido. Anunciavam-se e realizavam-se leilões e vendas, não só em Londres, mas também nos centros provinciais de tráfico colonial. Os fugitivos ainda eram caçados. Em maio de 1773, um jornal noticiou o caso de "um negro, servo do capitão Ordington, que há poucos dias fugiu de seu senhor e tomou o batismo com a intenção de se casar com a colega criada, uma branca; capturado e enviado a bordo do navio do capitão no Tâmisa, ele aproveitou uma oportunidade e se matou com um tiro na cabeça". Thomas Day, futuro romancista moralizador e pedagogo utópico, então com 24 anos e frequentando (por pouco tempo) o curso de direito, viu a notícia, sentiu-se tocado e, com o amigo John Bicknell, escreveu um poema chamado "O negro à morte", na verdade um longo bilhete suicida em versos:

> *Armado com teu último triste dom — o poder de finar,*
> *Teus dardos, dura fortuna, agora posso enfrentar...*
> *Melhor na tumba prematura apodrecer,*

O mundo e todas as suas maldades esquecer,
Do que, de novo arrastado ao ultramar costeiro,
Gemer sob as correntes de um vil fazendeiro.

O que inequivocamente faltava em talento poético a Day e Bicknell era largamente compensado pelo gosto do melodrama sentimental sensível daquele tipo que atingia direto os corações da geração pós-Somerset. "O negro à morte" devolvia o africano ao local de seu sequestro original e passava para os horrores sofridos pelos escravos das fazendas que, "impelidos pelo látego, seguem seu melancólico caminho". Inspirando-se maciçamente em *Otelo*, Day então fazia o negro cortejar e conquistar o amor da criada branca ("Quando narrei a história de minhas dores/ Teu adorável colo se encheu de tristes langores") e conduzia a história a seu trágico desenlace. Frustrado em sua esperança de que o batismo o salvaria, o negro confronta enraivecido o Deus que o abandonou, ao que parece preservando seus captores, e antes de se matar amaldiçoa o navio negreiro, reza para que naufrague e roga que "quando soçobrando os braços Te estenderem/ Não permitas seus corações agonizantes me esquecerem!".

Publicado em 1773, o poema de Bicknell e Day causou de imediato grande sensação. A segunda edição, impressa em 1774, trazia um ensaio com críticas bombásticas à hipocrisia americana — embora Day se considerasse, tal como Sharp, o amigo da América contra a opressão do governo de lorde North. "Tamanha é a incoerência da humanidade", exclamou Day, que "os homens cujos clamores de liberdade e independência são ouvidos do outro lado do oceano Atlântico" ainda insistem em ter escravos. Houve pelo menos um jovem americano que ouviu a mensagem: John Laurens, filho de um empresário da Carolina do Sul, plantador de arroz e futuro presidente do Congresso, Henry Laurens. Enviado a Londres para estudar direito no Middle Temple, ele fora instalado na Chancery Lane, nos alojamentos de Charles Bicknell, irmão mais novo do coautor de "O negro à morte". Charles, o advogado, podia ser "o mais simples autômato, o mais insípido em Conversação e o menos capaz de melhorar entre todos os Homens que conheci", mas John Bicknell era outra história.[19] A história que o jovem Laurens ouviu foi a da cruzada de Granville Sharp. Ela mudou sua vida, e cinco anos depois quase mudou a América.

Poucos americanos se mostraram tão receptivos a ouvir sermões, mesmo (ou principalmente) quando eram amigos declarados dos negros. Benjamin Franklin, por exemplo, que estava em Londres durante o julgamento de Somerset, achava que os hipócritas eram os ingleses, e não os americanos, por se entregarem com tanto prazer a uma orgia de autocongratulações por sua "virtude, amor à liberdade e à igualdade ao libertar um só negro",[20] enquanto se mantinham surdos às reivindicações de colônias como a Pensilvânia, que estavam fazendo petições ao governo para pôr fim à importação de escravos. E o quaker Anthony Benezet, cuja carta parabenizando Granville Sharp por seus esforços chegou na mesma manhã do julgamento de Somerset, expressava suas esperanças de uma união entre os abolicionistas ingleses e americanos, em lugar de uma causa comum azedada por mútuas recriminações. Na verdade, Sharp ficaria tão mortificado com a decisão britânica de partir para a guerra na América que renunciaria a seu cargo na Repartição do Arsenal.

Mas, para além das críticas, para além das acusações mútuas de maior ou menor hipocrisia, para além dos contorcionismos obstinados de lorde Mansfield para evitar a grande questão, a libertação de James Somerset tinha feito algo de espantoso para a sociedade dos livres e dos escravos que se estendia de um lado a outro do Atlântico. Ela tinha transformado a ideia da liberdade britânica num germe de esperança. Em 22 de junho de 1772 à noite, os negros em Londres não tinham dúvida alguma de que havia razões de comemoração, e comemoraram numa festa na casa do dr. Johnson organizada por seu criado Francis Barber, bem como num "festejo" para duzentas pessoas numa taverna de Londres. E Charles Stewart, o ex-dono de Somerset, teve a confirmação — se é que precisava dela — do efeito da sentença de Mansfield ao ouvir de um de seus escravos restantes que

> ele recebera uma carta de seu tio Sommerset avisando-o de que lorde Mansfield lhes concedera a liberdade & ele estava decidido a me deixar logo que eu voltasse de Londres, o que fez sem nem falar comigo. Não acho que tenha saído com alguma coisa minha. Só levou todas as roupas dele, o que aliás nem sei se tinha algum direito de fazer. Creio que não vou me dar a nenhum trabalho de ir atrás do patife ingrato.[21]

Haveria muitas partidas ingratas nos anos que se seguiram.

3.

Parou de chover em Charleston o tempo suficiente para queimarem devidamente o negro recém-enforcado.[1] Era 18 de agosto de 1775, e Thomas Jeremiah, pescador, piloto, homem de posses, tinha sido julgado apenas uma semana antes, acusado de ser a pior coisa imaginável na Carolina do Sul: fomentador de uma rebelião negra. Ainda mais diabólico, acreditavam os patriotas, era que ele tinha planejado essa infâmia junto com os ingleses. Pois não havia nada a que o governo monárquico não se rebaixasse — mesmo a libertação dos escravos — para impedir a revolução no Sul.

Afoitos para escorar o poder decadente da Coroa e do Parlamento, mas praticamente sem nenhum soldado para isso (pois o general Gage no sítio de Boston não poupou nenhum), os governadores régios das colônias sulinas tinham resolvido, como se dizia em locais como o Croner Club de Charleston, jogar a cartada dos selvagens. Lotes secretos de armas seriam descarregados de navios britânicos e entregues a índios e negros. Depois que os escravos matassem seus senhores e incendiassem suas casas, receberiam a liberdade como recompensa. Foi a esse pesadelo que Thomas Jefferson se referiu no esboço da Declaração de Independência de dezembro de 1775, na afirmação, que do contrário seria enigmática, de que o rei havia "instigado insurreições internas". No mundo dos senhores de escravos, nada demonstrava melhor a transformação do paternalismo monárquico em despotismo brutal do que esse complô para armar os escravos; não podia haver causa mais evidente para a separação revolucionária.

CAROLINA DO SUL, DISTRITO DE CHARLES TOWN.

À Minha Presença, sr. John Coram, Um dos Juízes de Paz de Sua Majestade, para o dito Distrito, Pessoalmente veio e compareceu Jemmy, um Escravo Negro, propriedade do sr. Peter Croft, que sob Sua Declaração Solene disse que, há cerca de dez semanas estando em Charlestown com o sr. Preolias Wharf, um certo Thomas Jeremiah, um Negro Livre que declarou Que Ele tinha algo para dar a Dewar, um Escravo fugido pertencente ao sr. Tweed, e queria vê-los e pediu a Jemmy que entregasse algumas armas ao dito Dewar, para serem colocadas em mãos de Negros para lutar contra os habitantes desta Província, e que Ele, Jeremiah, seria o Comandante Chefe dos ditos Negros; que Ele Jeremiah disse acreditar que já tinha Pólvora suficiente, mas que Ele queria mais Armas, que tentaria conseguir o máximo que pudesse

Declarado em minha presença neste

16 de junho de 1775, John Coram[2]

E não era só isso.

Sambo diz que há cerca de dois ou três meses, estando com Simmons Wharf, Jerry [Thomas Jeremiah] diz a Ele Sambo você ouviu alguma coisa sobre a Guerra que está vindo, Sambo respondeu Não, a resposta de Jerry foi sim, logo vai vir uma grande Guerra — Sambo responde o que nós Negros pobres faremos na Escuna — Jerry diz incendeiem a escuna, saltem para a margem e Juntem-se aos Soldados — que a Guerra veio para ajudar os Negros Pobres.[3]

Nem todos se convenceram de que "Jerry" era culpado, e com certeza não se convenceu o último governador real da Carolina do Sul, lorde William Campbell, ele próprio alvo de todos os tipos de insinuações, mas incapaz de exercer autoridade ou de resistir a boatos infundados. Chegando a Charleston em junho de 1775, a bordo da chalupa HM *Scorpion*, lorde William descobriu que tinha sido precedido por uma carta enviada por Arthur Lee, o agente americano em Londres, a Henry Laurens (que logo seria o presidente do Congresso Provincial na Carolina do Sul), insistindo que o governo britânico havia decidido levantar os índios e escravos contra os patriotas. A bordo do *Scorpion*, afirmava Lee, havia 14 mil equipamentos de armas completos para aquela finalidade nefanda. Embora as 14 mil armas fossem um mito, a carta de Lee despertou fúria em Charleston. "Não há palavras", escreveu Campbell ao secretário de Estado para as Colônias, o segundo conde de Dartmouth, "que possam expressar a paixão que isso causou entre todos os níveis e escalões; a crueldade e a barbárie selvagem do plano foram o assunto de conversa de todas as pessoas & ninguém ousou se arriscar a contradizer as informações vindas de autoridade tão respeitável."[4]

Meras suspeitas, para Campbell, jamais deveriam bastar para "imprimir no espírito das pessoas a pior opinião sobre os ministros de Sua Majestade", a saber, que os ditos ministros haviam se tornado inimigos tão implacáveis que não tinham o menor escrúpulo em desencadear a matança africana contra eles. Para demonizar o poderio britânico, precisavam das provas de um complô, e assim foi que o desafortunado Thomas Jeremiah se tornou vítima da "amaldiçoada política deste País". Quando o governador se mudou para sua residência na Meeting Street, 34, em 18 de junho, para um mandato que seria excepcionalmente curto e infeliz, Jeremiah já estava encarcerado na casa de trabalho da cidade, enquanto seus denunciantes se afanavam em reunir provas contra ele.

Lorde William, membro do clã Argyll Campbell, que havia governado as Terras Altas ocidentais e as ilhas da Escócia durante gerações, representando os interesses protestantes, acreditava que as alegações contra Jeremiah não tinham nenhuma veracidade. Ele não desconhecia a área de rizicultura ao longo dos rios Ashley e Cooper. Durante a Guerra dos Sete Anos, de 1756-63, Charleston era sua base portuária quando comandou o HMS *Nightingale* contra os franceses. E suas relações com os fazendeiros escravocratas eram cordiais o bastante para se casar com a filha de um deles, Sarah Izard, no final da guerra em 1763; tinham ido juntos para a Inglaterra, onde Campbell ocupou, como incontáveis Campbell antes dele, uma cadeira no Parlamento por Argyll. Fora da velha Escócia para a Nova Escócia como governador, onde se orgulhava de seu nobre desprendimento. Mas sua linhagem escocesa — como a de John Murray, quarto conde de Dunmore, o último governador régio da Virgínia

— apenas ajudava a reforçar a convicção de escotófobos anglo-americanos como Jefferson de que os caledônios não passavam de mais uma espécie de mercenários. (Em dezembro de 1775, Jefferson se referiu à presença dos "escoceses" junto a outros "mercenários estrangeiros" numa de suas listas de crimes cometidos pela Coroa e seus ministros.) Sarah Campbell, porém, achou Halifax gelada demais, e foi por causa dela que o marido, com um timing infeliz, providenciou o retorno à Carolina do Sul.

Embora a crise na América não fosse propriamente nenhum segredo na Inglaterra, Campbell, como tantos outros britânicos, talvez imaginasse que no fundo era um problema da Nova Inglaterra. Ele achava que conhecia os carolinenses, e eram de confiança. Mas claro que não conhecia. Na época em que chegou a Charleston, o poder executivo na cidade e na província havia caído nas mãos de um Conselho de Segurança, composto por treze membros e dominado por patriotas militantes como William Henry Drayton. Como seus correspondentes na Virgínia, o Conselho e o Congresso Provincial entenderam que o derramamento de sangue com que se haviam iniciado as hostilidades em Lexington e Concord, em abril de 1775, significava que a Coroa pretendia resolver suas diferenças com as colônias americanas por meio da coerção militar (como de fato tentou), e que já se avizinhava uma espécie de guerra. Assim, o Congresso e o Conselho autorizaram a arrecadação de taxas para pagar a formação de uma milícia antes que as tropas chegassem e fizessem uma ímpia aliança com negros e índios. Como todos os governadores do Sul na primavera e no verão de 1775, lorde William Campbell se sentiu numa posição nada invejável e, no fundo, insustentável. Não dispunha de praticamente nenhum soldado para impor a vontade da Coroa, e era obrigado a depender dos navios de Sua Majestade, como a chalupa de guerra *Tamar* ancorada adiante do porto de Charleston e por ora impossibilitada de navegar sobre o banco de areia da barra.

Foi por isso que o caso de Thomas Jeremiah tinha provocado tanta agitação. Pois "Jerry" era piloto, talvez o melhor e certamente o mais independente em Charleston. Jerry também era um negro livre — na verdade, ele mesmo tinha sete escravos, afora bens que valiam quase mil libras; um refém do rei, por assim dizer. Henry Laurens, que não era de maneira alguma o negrófobo mais raivoso da cidade, o detestava profundamente, e assim o descreveu a seu filho John, então em Londres: "inflado de orgulho pela prosperidade, arruinado pela Lascívia e devassidão e convertido num tremendo poço de vaidade e ambição; um janota tolo, além do mais".[5] Ao governador Campbell, parecia que o verdadeiro crime de Thomas Jeremiah era a temeridade social. Quando ele brigou com um capitão branco, foi preso ao tronco, um castigo sério num lugar como Charleston, onde dar a devida lição a um preto metido era quase dever cívico. Naquelas circunstâncias, Jerry era um desastre à vista. Tivera um papel evidente apagando muitos incêndios em Charleston; por que não haveria, chegadas a hora e a ocasião, de ateá-los? E como se sabia que ele tinha manifestado a vontade de pilotar o *Tamar* sobre o banco de areia da barra (na verdade as autoridades monárquicas tinham deixado claro que os pilotos não tinham escolha no assunto), Jerry era obviamente uma ameaça mortal ao Congresso e ao Conselho de Segurança e a tudo o que eles representavam.

Para Campbell, ficava claro que os acusadores de Jeremiah não tinham nenhuma causa verdadeira contra ele, tanto é que se apressaram em levá-lo a juízo nos termos da Lei do Negro, introduzida no reinado de George II, pela qual os escravos acusados de incitar ou participar de uma rebelião eram julgados por uma corte de três a cinco proprietários livres e três juízes, e não apenas pelos juízes da Coroa. Como negro livre, Jeremiah deveria ter sido acionado como tal, e, como pessoa acusada de palavras e não de ações, estaria sujeito a penalidades menores. Essa importante diferença nos procedimentos fora ignorada porque, como admitiu um dos juízes que ouviram o caso, "seria da mais fatal consequência para as vidas e propriedades dos habitantes brancos se esses sujeitos agora metessem na cabeça que os negros livres não eram puníveis sob esta Lei [do Negro] por um crime tão monstruoso".[6]

E o governador tampouco se sentiu minimamente convencido pelas testemunhas contra Jeremiah. Elas também tinham sido vítimas de um terror, gerado quando a criadagem negra ouviu os comentários dos senhores à mesa sobre as conspirações rebeldes dos escravos. Por medo de serem incriminadas, mais do que depressa apontaram outros. O escravo Jemmy foi apenas um desses pobres sujeitos indiciados como participantes da conspiração e, julgava Campbell, fora levado a crer que sua única chance de escapar à cilada seria incriminando Jeremiah, o que fez no momento devido. Mas depois voltou atrás em seu depoimento, insistindo que Jeremiah era inocente. Então veio o relato prestado ao governador por um certo reverendo Smith, sobre um encontro com Jeremiah na prisão. Esperando uma confissão, o clérigo (como também outro religioso) disse que ouvira o contrário; que o prisioneiro continuou a protestar inocência, e que "sua conduta era modesta, sua conversa, sensata a um grau que os surpreendeu, e que ao mesmo tempo estava plenamente resignado a seu infeliz, a seu imerecido destino. Ele declarou que não almejava nada da vida, estava num bom estado de espírito e preparado para a morte".

Conforme se aproximava o dia da execução, o governador ficava cada vez mais perturbado com o destino de Jeremiah e sua própria impotência para salvá-lo da forca. Numa atitude um tanto patética, fez um apelo de última hora a Laurens, pedindo-lhe que intercedesse. "Seguramente, Senhor, posso apelar a seus sentimentos por mim como o Representante da Majestade nesta infeliz Província. Pense, Senhor, no ônus do Sangue, sou informado de que não posso tentar salvar este Homem sem fazer recair sobre este País uma Culpa maior do que sou capaz sequer de pensar".[7] A lorde Dartmouth ele expôs uma aflição ainda mais forte: "Deixo a Vossa Senhoria conceber a pungência de minha agonia [...] Quase enlouqueci e gostaria de poder fugir para o mais longe possível de um grupo de Bárbaros [os cavalheiros do Conselho de Segurança] que são piores que os mais cruéis Selvagens descritos em qualquer história".[8]

Mas infelizmente não havia nada a se fazer. Os matadores de aluguel em Charleston estavam ocupados intimidando toda e qualquer pessoa suspeita de nutrir sentimentos mornos ou, pior ainda, de franca oposição aos patriotas. Um atirador do forte Johnston, que entreouviram insultar a causa americana, foi rapidamente coberto de piche quente e penas, e arrastado até a porta do governador. Se ele se atrevesse a dar o indulto a Jeremiah, "aquele Monstro, a Ralé, que agora governa Charles Town", escreveu o procurador-geral, iria "erguer uma Forca na Porta de Sua Senhoria e obrigá-lo a enforcar pessoalmente o Homem". Para finalizar essa história angustiante, escreveu Campbell, "o homem foi assassinado, não posso chamar de outra coisa, ele declarou sua inocência até o final, comportou-se com a maior intrepidez e decência e disse a seus implacáveis Perseguidores que o Juízo de Deus um dia recairia sobre eles por derramar seu sangue inocente".

Na carta a Dartmouth, Campbell previu "que as coisas estão se acelerando para aquele extremo que com toda probabilidade me obrigará a sair de Charles Town, para evitar novas indignidades". Foi o caso de Thomas Jeremiah que lhe dera a mais dolorosa consciência de sua vulnerabilidade, e de uma incredulidade amargurada ao ver que o governo não parecia disposto a enviar tropas para impor sua autoridade na Carolina do Sul. Um mês depois da execução de Jeremiah, o Conselho de Segurança se apoderou do controle do forte Johnston, que os ingleses não conseguiram defender. Talvez ouvindo rumores sobre a proposta do patriota militante William Henry Drayton de tomar o governador como refém, pois pensava-se que ele poderia arregimentar os legalistas dos grotões da Carolina do Sul, Campbell aproveitou a deixa e se refugiou com a esposa e o filho de colo no *Tamar*. Continuava a chover: bátegas mormacentas atingiam as águas verdes do porto como saraivadas de balas.

Henry Laurens acreditou nas sinceras dúvidas de Campbell sobre a culpa de Jeremiah. Mas ele, pessoalmente, não tinha dúvida alguma. O segundo escravo, "Sambo", não retirara seu depoimento, e era estranho que Jeremiah dissesse não conhecer seu acusador Jemmy, que afinal era seu cunhado. Culpado ou não, o certo é que lorde William foi demasiado rápido, ou demasiado ingênuo, em descartar qualquer possibilidade de que o governo inglês favorecesse algo tão incendiário quanto uma rebelião escrava armada. Na verdade, durante vários meses os governadores da Virgínia e da Carolina do Norte, lorde Dunmore e Josiah Martin, junto com o general Thomas Gage em Massachusetts, e em franca troca de ideias com o governo de lorde North em Londres, estiveram avaliando precisamente essa estratégia. Para todos os envolvidos, exceto os negros, era uma resposta desesperada a uma situação desesperadora. Num período espantosamente curto, entre primavera e verão de 1775, a confiança militar britânica tinha se transformado em pessimismo alarmado.

As lutas de Massachusetts em Lexington e Concord, em abril, haviam acionado o recrutamento em massa para as milícias provinciais e transformado os debates dentro dos congressos e assembleias provinciais. O encontro do segundo Congresso Continental na Filadélfia, que começou em maio, ficou dividido entre a independência pura e simples e o uso da resistência para lograr uma conciliação digna. Numa tentativa de impedir uma vitória patriota radical, o governo de lorde North fez um último esforço sincero de negociação, delicadamente "renunciando" a tributar as colônias sob a condição de que concordassem em dividir os custos da defesa comum. Mas, afora acenar com essas iscas e ao mesmo tempo proibir que os colonos mantivessem qualquer relação comercial fora do Império Britânico, a medida "conciliatória" não concedia a coisa mais desejada pelas assembleias: o reconhecimento de seu *direito* exclusivo de arrecadar as próprias taxas e impostos. E o governo se recusou a ceder nesse ponto porque uma maioria no Parlamento — inclusive alguns dos amigos mais leais da América, como o conde de Chatham — ainda insistia que o direito de tributar, junto com o poder de regulamentar o comércio imperial, no fim das contas pertencia a eles.

Assim, inevitavelmente a ala mais radical do Congresso prevaleceu a ponto de montar um exército continental, e em junho de 1775 George Washington foi nomeado comandante em Cambridge, Massachusetts. Agora, cerca de 11 mil soldados regulares britânicos e mercenários se viram sitiados num eficiente cerco em Boston, com cerca de 20 mil soldados americanos. Em julho, qualquer ideia remota de que os soldados rebeldes não seriam páreo para os ingleses desapareceu na luta e massacre de Bunker Hill. Com o grosso do Exército imobilizado na baía de Massachusetts, e precisando de mais soldados para defender o Quebec e o sul do Canadá contra incursões, como a Inglaterra iria conter ou impedir a rebelião no Sul? Patrick Henry (a crer em seu primeiro biógrafo) havia proferido em Richmond, na Virgínia, o famoso discurso insistindo que, a despeito do que pudessem achar seus compatriotas de mentalidade menos agressiva, já se iniciara uma guerra. Naquelas circunstâncias, generais ingleses como Gage e governadores ingleses como Dunmore, na Virgínia, Josiah Martin, na Carolina do Norte e Sir James Wright, na Geórgia, se viram obrigados a explorar qualquer pequena vantagem que conseguissem montando um exército negro.

A despeito disso, não foram os britânicos, ao contrário do que supunham os patriotas, que puseram ideias revoltosas na cabeça dos escravos do Sul americano; elas já estavam lá. O "Tio Sommerset" e sua liberdade britânica, como deixavam claro os anúncios de fugitivos publicados na *Virginia Gazette*, eram conhecidos em toda a costa de Maryland às Carolinas, e no interior também. Notícias tão eletrizantes corriam depressa, iam longe e eram irreversíveis. John Adams, escrevendo seu diário durante a permanência na Carolina do Sul, naquele mesmo ano, soube que "os negros têm uma arte maravilhosa de transmitir as informações entre eles; elas percorrem muitas centenas de quilômetros em uma semana ou quinzena".[9] Parecia inquestionável que os escravos, que a cada mês fugiam das fazendas em maior número, estavam num alto grau de expectativa. No final de 1774, James Madison havia informado que, já prevendo a liberdade que os ingleses lhes trariam, alguns negros haviam feito uma reunião secreta, quando escolheram um capitão que os conduziria à segurança do exército real e à liberdade.[10] Em Charleston, segundo William Henry Drayton, os escravos "alimentavam ideias de que a atual disputa era para nos obrigar a lhes dar liberdade" e a propalada chegada das armas com lorde William Campbell tinha "ocasionado uma conduta impertinente em muitos deles".[11]

No final de abril de 1775, o governador da Virgínia, lorde Dunmore, mandou transferir os barris de pólvora do "Polvorinho" de Williamsburg para a segurança do HMS *Fowey* ancorado em Yorktown, para que não caíssem nas mãos de forças não muito dispostas a manter a conexão britânica. Em decorrência disso, um grupo de negros foi à sua casa e pediu armas para lutar pela Coroa em troca da liberdade. No momento, Dunmore, ele mesmo um senhor de escravos, aparentou horror e aversão à simples ideia, mandou que os negros "fossem cuidar de sua vida" e os advertiu que sofreriam "sua mais severa indignação se pensassem em renovar a solicitação".[12] Mas as notícias de Lexington e Concord mudaram rapidamente as ideias de Dunmore. Sua posição pessoal em Williamsburg não era muito melhor que a de Campbell em Charleston, protegido apenas por meia dúzia de soldados. No começo de maio ele escreveu a Dartmouth dizendo que iria armar todos os seus negros "e receber outros que virão a mim, que declararei livres".[13] Ele calculava que a ameaça de libertar os escravos no mínimo daria uma pausa aos rebeldes em sua precipitada corrida às armas e, na pior das hipóteses, se não pudessem ser contidos, isso lhe forneceria um exército negro capaz de manter o forte até a chegada das tropas regulares.

O tiro saiu pela culatra, e por todo o Sul. Em vez de se amedrontar com a ameaça de uma libertação inglesa armada dos negros, a população dona de escravos se mobilizou para resistir. Inúmeros brancos, sobretudo no interior remoto da Virgínia, normalmente leais aos ingleses, até então tinham sido céticos e renitentes em seguir os líderes patriotas mais impetuosos. Mas a notícia de que os soldados ingleses iam libertar seus negros, dar-lhes armas e licença para usá-las contra seus senhores levou muitos deles a pensar que talvez os patriotas militantes estivessem certos e que o governo britânico, ao romper os "laços" da sociedade civil (como havia dito Washington), era bem capaz de tal iniquidade. Assim, não é excessivo dizer que, no verão e outono de 1775, a revolução no Sul se cristalizou em torno dessa única questão, imensa e aterrorizadora. Por mais inebriante que fosse a bombástica retórica dos "direitos" e da "liberdade" que emanava dos discursos dos jornalistas e oradores patriotas, para a maioria dos fazendeiros, comerciantes e setores urbanos da Virgínia, das

Carolinas e da Geórgia (cuja imensa maioria tinha de um a cinco negros), a guerra total e a separação agora deixavam de ser um floreio ideológico e se transformavam em necessidade social. Era uma revolução mobilizada, em primeiro lugar e principalmente, para proteger a escravidão. Edward Rutledge, um dos principais patriotas da Carolina do Sul, estava certo ao afirmar que a estratégia britânica de armar escravos libertados tendia "a produzir uma divisão eterna entre a Grã-Bretanha e as colônias com mais eficácia do que qualquer outro expediente que se pudesse ter concebido".[14]

No verão e começo do outono de 1775, um pânico geral com a iminência de uma revolta negra, armada e apoiada pelos ingleses, começou a se espalhar da costa da Virgínia até a Geórgia. Em julho, o cabo do Medo, na Carolina do Norte, fez jus a seu nome. Sessenta por cento da população do cabo e rio acima era composta por escravos, mas, como muitos trabalhavam em ofícios náuticos, como carpinteiros, encarregados de máquinas, queimando piche para a calafetação, carregadores e estivadores, gozavam de mais liberdade do que os escravos das lavouras, reunindo-se nas docas e às vezes até alojados em Wilmington. O Comitê de Segurança local, alarmado com o índice de "evasões" das fazendas, ordenou que as patrulhas de rua desarmassem e prendessem qualquer negro encontrado com armas, ou que estivesse em algum grupo suspeito. Depois que o comandante britânico do forte Johnston, na foz do rio do cabo do Medo, havia começado não só a incentivar os fugitivos, mas também a lhes prometer proteção, a quantidade de fugas para as florestas se tornou quase incontrolável. Pior, correu o boato entre os brancos apavorados de Wilmington e do cabo do Medo de que "todo negro que matasse seu Senhor e família [...] teria [por ordem britânica] a fazenda de seu Senhor".[15]

Um dos negros de Wilmington que estava a ponto de aceitar o que pensava ser a chance de liberdade oferecida pelos ingleses era Thomas Peters, um operador de máquinas e escravo de outro escocês William Campbell — este, porém, um daqueles ardentes patriotas, filiado à seção local dos radicais Filhos da Liberdade. Tal como o escravo Ralph, de Patrick Henry, e o escravo Henry, de George Washington, Peters dificilmente deve ter deixado de perceber as opiniões exaltadas de seu dono e até podia se sentir ofendido com o pressuposto de que ventilar tais opiniões não teria nenhum efeito sobre objetos humanos inertes. Mas Peters não era inerte, longe disso. Como muitos que queriam se libertar dos grilhões e passar para o lado dos ingleses, ele tinha uma família: a esposa Sally (não que seu dono reconhecesse a legalidade de um casamento escravo) e a filha Clairy. Mesmo que não fosse plenamente alfabetizado, Peters decerto entendia as ambiguidades dos princípios que os revolucionários brancos achavam que seria incapaz de compreender. E, quando chegasse a hora, Peters iria agir com base neles.

Mas ainda não era a hora. Na primeira semana de julho, foi descoberto um complô em que, no dia 8 daquele mês, os escravos iriam "atacar e destruir a família com que viviam, e então iriam de Casa em Casa (ateando fogo na passagem) até chegar à Fronteira [Back Country] onde seriam recebidos de braços abertos por um Grupo de Pessoas lá designadas e armadas pelo Governo para Protegê-los e como recompensa adicional seriam assentados num governo livre e deles mesmos".[16] Foram presos quarenta negros implicados na revolta abortada, um foi morto e os demais submetidos a açoitamentos brutais e tiveram as orelhas decepadas perante multidões em Wilmington. Peters e muitos como ele decidiram esperar.

Mas, mal fora sufocada uma revolta, logo se descobriu outra. No mesmo mês, teria se tramado outra conspiração para "tomar o país matando os brancos" na paróquia de são Bartolomeu, perto de Charleston. O mais surpreendente era que essa revolta parecia ter sido incentivada e abençoada por pregadores negros, entre eles duas mulheres. Nas florestas se reuniam assembleias religiosas secretas, em que os devotos eram instruídos sobre um livro misterioso, que fora entregue ao "Antigo Rei" com ordens de "Mudar o Mundo". O velho rei não obedeceu ao livro e pagou o preço indo direto para o inferno. Mas agora havia um novo e jovem rei, George III, que ouvia atentamente o Evangelho "e estava prestes a mudar o mundo e Libertar os Negros".[17] O mais desalentador era que os líderes desse êxodo sacramentado eram quase todos escravos pertencentes a patriotas de destaque, como Francis Smith. Foi George, o escravo de Smith, o enforcado como principal suspeito.

Por toda parte da costa atlântica, da baía de Chesapeake aos estuários do Potomac e do Rappahannock, até as ilhas marinhas da Geórgia, correu a notícia de que a libertação divina estava prestes a chegar, trazida pelos soldados do rei. Bastou uma rabeira desses boatos, junto com um súbito e inequívoco aumento do número de fugitivos, para que doses iguais de fúria e medo se apoderassem dos senhores. Montaram-se patrulhas nas estradas e canais. As choupanas dos escravos eram revistadas sem qualquer aviso, e qualquer grupo com mais de quatro negros fora do horário de trabalho era tido como uma conspiração criminosa. Em 24 de setembro de 1775, John Adams encontrou dois fazendeiros vociferantes da Geórgia que "deram um quadro melancólico dos estados da Geórgia e da Carolina do Sul. Dizem que se mil soldados desembarcassem na Geórgia, e o comandante tivesse armas e roupas suficientes e proclamasse liberdade para todos os negros que se juntassem ao acampamento, em quinze dias receberia 20 mil negros das duas Províncias".[18] No mesmo ano, Washington, que já fora informado por amigos e vizinhos da Virgínia sobre o sumiço da força de trabalho, também estava apreensivo com a potencial ameaça das forças somadas dos negros libertados e dos soldados ingleses. "Se aquele homem não for esmagado antes da primavera", escreveu a propósito de Dunmore, "ele se tornará o inimigo mais temível da América; sua força vai aumentar como uma bola de neve, e ainda mais rápido, se não houver algum expediente que convença os escravos e servos [pois os criados brancos também tinham fugido da fazenda do próprio Washington em Mount Vernon] da fragilidade de seus projetos."[19]

Foi o elogio indireto mais esplendidamente imerecido que John Murray, o quarto duque Dunmore, já recebeu. Pois, embora fosse vilipendiado de modo quase apocalíptico no Congresso e na imprensa patriota como "nosso demônio Dunmore", um Maquiavel de peruca e manto escocês, na realidade ele não passava de um típico espécime do imperialista escocês hanoveriano, com a desvantagem de ter um rígido senso de dever, um ouvido surdo para a política e, como mostrariam os fatos, um entendimento fatalmente falho da tática militar. E ainda que Dunmore estivesse disposto a se aproveitar dos pesadelos dos brancos sulinos de serem engolidos pelo número muito superior de negros, por certo não era um revolucionário social. Ele imaginava que qualquer dano causado aos bens dos maldosos rebeldes seria reparado e retomado após a guerra, junto com a devida lealdade à Coroa. Jamais lhe passou pela cabeça libertar os escravos dos *legalistas*.

Dunmore se aproximava dos quarenta anos quando foi morar no Palácio do Governo em Williamsburg em 1772: mais um aristocratazinho escocês, ansioso (como William Murray, lorde Mansfield) em desfazer a leve suspeita de jacobitismo que ainda lançava uma sutil nódoa sobre o nome da família, não obstante existirem tantos Murray ferozmente hanoverianos quantos eram os obstinados seguidores dos Stuart. Assim, mesmo com o gorro de lã e o tecido xadrez do clã com que quis ser retratado, Dunmore era a própria encarnação da união britânica, o mais leal súdito imaginável de George III e seu gabinete. Mas chegou à América num momento de intemperança. Em 1774, a represália imposta a Boston na esteira da Festa do Chá, sobretudo o fechamento do porto, foi vista, mesmo pelos que deploravam a destruição de propriedades, como medida tão vingativa que inspirou, em especial na Virgínia, uma efusão de solidariedade e a decisão de unir as colônias numa causa comum. A proposta de criar um Comitê de Correspondentes para coordenar os protestos contra as "Leis Intoleráveis" infligidas a Boston levou Dunmore a dissolver a assembleia da Câmara dos Deputados da Virgínia. Voltou a suspender a sessão quando a Câmara votou por um dia de jejum e orações em 7 de junho de 1774, em solidariedade a Boston. Postos para fora, os deputados simplesmente foram para a Raleigh Tavern, onde continuaram a bater os tambores da indignação fraterna e a planejar a participação da colônia num boicote às mercadorias britânicas.

Duas culturas sociais e políticas até então totalmente distintas — os clãs patrícios das fazendas costeiras de tabaco, os Carter, Byrd e Lee, e a pequena nobreza rural dos morros do Piedmont, com espírito mais independente e politicamente mais afirmativa, como Jefferson, Patrick Henry, George Mason e James Madison — estavam se unindo na resistência à canhestra intimidação da Coroa britânica. Os piedmonteses estavam especialmente aborrecidos pelo que entendiam ser a tibieza de Dunmore e o abrupto fim de uma guerra contra a tribo dos Shawnee no interior: mais outro ilustre exemplo, entendiam eles, da asfixiante determinação da Coroa de restringir sua expansão territorial.

Em 20 de abril de 1775, apenas dois dias depois de Lexington e Concord, Dunmore se saiu bem onde o general Gage em Boston tinha se saído mal. Mas esse seu sucesso ao apreender em caráter preventivo as munições em Williamsburg teve vida breve, desencadeando uma reação furiosa não só lá, mas em toda a Virgínia. A ira despertada pela ação de Dunmore vinha, em boa parte, tingida pelos receios quanto ao tipo de gente — para nem mencionar a raça — que provavelmente ia pôr as mãos na pólvora. E o medo não sumiu quando Dunmore concordou em pagar cerca de 350 libras pela pólvora, assim fornecendo aos virginianos o dinheiro para fazer a reposição e livrar um pouco a cara.

Em 8 de junho, com a aguda clareza de que só poderia convocar uns trezentos voluntários, soldados e marinheiros leais à Coroa, Dunmore acompanhou seus barris de pólvora até a segurança do HMS *Fowey* e lá ficou a protelar qualquer assunto que lhe fosse enviado pela Câmara dos Deputados, a menos que fosse apresentado pessoalmente no navio. Em resposta a isso, a Câmara declarou que Sua Senhoria tinha abdicado da autoridade executiva, e esta foi reinvestida (como em Charleston) num Comitê de Segurança, que então passou a arrecadar taxas e a armar uma milícia. Já era, de fato — como anunciara Patrick Henry, o mesmo profeta autonomeado de sempre, cujas profecias se realizavam só pelo fato de anunciá-las —, uma guerra.

Dunmore partiu para a luta sem perda de tempo. De seu quartel-general flutuante a bordo do *Fowey*, ele enviou grupos de ataque em patachos e escaleres, pequenas embarcações normalmente usadas para levar provisões aos navios de guerra. Ao longo dos rios Rappahannock, Piankatank e Elizabeth, e na margem oriental, incendiaram fazendas de patriotas, sobretudo dos que estavam fora, servindo nas milícias, e capturaram o gado e a escravaria. Mas os escaleres também recolheram dezenas de negros que, como fica claro nas cartas cada vez mais aflitas dos fazendeiros e nos anúncios de fugitivos na *Virginia Gazette*, já estavam a caminho, num fluxo pequeno mas em constante aumento, para onde achassem que poderia ondular o pendão britânico ou a bandeira da paz.

Ao longo do ano seguinte, e apesar de todos os reveses sofridos pela causa britânica na Virgínia, os escravos do Chesapeake e da costa da Virgínia afluíram aos bandos. Alguns vinham de muito mais longe: Cato Winslow, por exemplo, se abalou de Nova York até o regimento de Dunmore.[20] Às vezes vinham em massa: só da fazenda de John Willoughby, no condado de Norfolk, vieram 87 escravos, que compunham toda a sua força de trabalho. Entre os fugidos estavam Abby Brown (então com 23 anos), William Patrick, Zilpah Cevils com apenas oito, e sua irmã Hannah com três anos. A longa odisseia de Mary Perth, então com 36 anos, que chegaria a Nova York e à liberdade garantida, sobreviveria à neve e à pobreza da Nova Escócia e terminaria como a senhora rainha do comércio fluvial em Serra Leoa, começou com sua fuga da fazenda de Willoughby no final de 1775, para os navios atracados do conde de Dunmore.[21] Geralmente os escravos fugidos viajavam durante a noite em pequenos grupos de quatro ou oito pessoas — parentes ou amigos, mães e filhos —, deitados nos barcos de dois mastros e fundo chato conhecidos como piráguas ou, no inglês corrompido da costa, como *pettiaugers* ou *pettingers*, usados para navegar pelas enseadas e braços de mar cheios de junco. Ficando baixos na água, eram perfeitos para se esconder, e os escravos do sul de Chesapeake e do Potomac, que durante anos haviam pescado nesses rios e transportado provisões para dentro e fora das fazendas, sabiam exatamente como navegar por essa bacia tributária. Era especialmente penoso para os fazendeiros que tinham confiado a esses tipos de pessoas — não só barqueiros e pilotos fluviais, mas também seus trabalhadores mais qualificados, carpinteiros e tanoeiros, carroceiros e ferreiros — um generoso grau de liberdade, apenas para serem "retribuídos" com o roubo das embarcações. O coronel Landon Carter, de Sabine Hall, ficou especialmente indignado que nada menos que onze de seus melhores escravos — Moses, o escravo pessoal de seu filho, Postillion, "Mullatto", Panticove, Joe, Billy, John, Peter, Tom, Manuel e Lancaster Sam — tinham todos fugido para lorde Dunmore, levando a arma, as balas e a pólvora de seu filho na pirágua recém-equipada. Ainda por cima também levaram fivelas de prata, calças, calções e coletes.[22] Outros, como James Jackson, que fugiu da fazenda de Robert Tucker em Norfolk, podem não ter pegado barcos, mas usaram seus conhecimentos fluviais para chegar aos navios de Dunmore, e logo passaram a servir aos britânicos como pilotos nos ataques e expedições pelos cursos d'água.[23]

Naturalmente nem todos os fugitivos virginianos de 1775 e 1776 eram homens adultos e "negros robustos". Hannah Jackson estava com 32 anos quando saiu da fazenda de Thomas Newton com seu menino Bob, então com apenas cinco anos. Chloe Walker, propriedade de James MacKay Walker, tinha 23 anos quando partiu com o filho Samuel de seis anos e a filhinha de colo Lydia. Sukey Smith e Hannah Blair tinham ambas dezoito anos quando deixaram, respectivamente, o major Smith em Gloucester e Jacob Hancock na Costa Leste. Patty Mosely era uma menina de onze anos quando desapareceu da fazenda de Edward Mosely no condado Princess Ann. Às vezes irmãos e irmãs fugiam juntos: Samuel e Mary Tomkin, por exemplo, deixaram Richard Tomkin em Little York. E alguns também conseguiram empreender sua jornada rumo à segurança britânica apesar de algumas literais desvantagens físicas. Moses Wilkinson, que viria a ser pregador e profeta do rebanho de legalistas negros em três países, tinha 29 anos de idade quando, em seu manquitolante êxodo, deixou de ser propriedade de Miles Wilkinson de Nansemond — a despeito de ser ao mesmo tempo cego e manco.

Pelo menos oitocentos escravos homens em idade ativa chegaram a Dunmore no segundo semestre de 1775 e começo de 1776. Mas mesmo essa cifra conservadora não leva em conta as várias mulheres e crianças que acompanharam seus homens, de modo que o número total de bandeados para os ingleses deve ser pelo menos o dobro ou o triplo. O historiador Allan Kulikoff apresenta uma estimativa de 3 mil a 5 mil negros *adultos* durante o período inteiro da guerra, número que também precisa ser multiplicado para se ter um total hipotético.[24] Se, como parece provável, os cálculos de Jefferson mencionando 30 mil escravos fugitivos na Virgínia são confiáveis para o período total da guerra, o número dos que se juntaram aos ingleses corresponde a uma resoluta minoria, embora extremamente significativa. As outras dezenas de milhares restantes devem ter simplesmente aproveitado a confusão e a baixa intensidade da guerra para desaparecer nos pântanos.

Assim, sem exatamente procurar tal papel, John Murray, esse contemporizador de faces rosadas que nunca se considerou muito um soldado e que ora se atrapalhava, ora avançava desembestado em meio a um lamentável e insuperável transe, tornou-se o patriarca de um grande êxodo negro. Era e continuaria a ser para sempre "lorde Dunmore", não mais uma mera nulidade amável e apagada nos tribunais da Câmara Alta do Parlamento, e sim, dependendo da cor da pele e da linha política de quem o avaliasse, o Belial do esquema mais perverso e mais iníquo já concebido contra os indefesos americanos ou o venerado salvador dos sofredores e escravizados. Escrevinhadores e gaiatos em Charleston e Williamsburg, eles mesmos oscilando entre a gozação e a paranoia, compunham versos satíricos caluniando a ele e ao "regimento malhado" que se dignou a tê-lo como general. Políticos na Filadélfia, pontificando sobre a aurora de um futuro americano, se concentravam nele como a figura emblemática do despotismo fanfarrão e da crueldade feroz que acabaria recebendo o merecido troco dos batalhões dos livres. Um sujeito capaz de soltar as hordas africanas contra tantos patriotas honrados só podia ser um monstro desumano e pervertido! E enquanto isso os negros na costa ou nos alagados de arroz da Carolina do Sul ou nos morros do Piedmont da Virgínia, ao saber que algum ventre estava crescendo, pensavam em dar (e em alguns casos de fato deram) à criança o nome de "Dunmore".

Mas Dunmore não era o homem que imaginavam. Triste dizer, mas ele era um pouco medroso:

Lorde Dunmore ao conde de Dartmouth, 6 de dezembro de 1775

Tenho rogado muitas vezes receber instruções [...] faz muitos meses, mas nenhuma linha tive a honra de receber de Vossa Senhoria desde as de 30 de maio. Só Deus sabe o que venho sofrendo desde meu primeiro embarque com minha ansiedade de espírito, sem saber como agir em inúmeros casos que ocorrem diariamente, ora num momento não confiando em meu próprio julgamento (e não tendo uma única alma viva com quem me aconselhar), ora a seguir temendo, por outro lado, caso permanecesse como dócil espectador e permitisse aos rebeldes prosseguir sem interrupção, que eles, por persuasão, ameaças e todos os outros artifícios a seu alcance, iludissem muitos súditos bem-dispostos de Sua Majestade a favor deles.[25]

A bem da verdade, havia muitas razões para ter medo. Mesmo com seus novos recrutas negros (para os quais foi preciso arranjar roupas e armas) e 134 soldados enviados de St. Augustine, na Flórida Oriental, as forças de Dunmore ficavam na casa das centenas, ao passo que as milícias "de camisa" da Virgínia contavam, em outubro de 1775, com 2 mil a 3 mil homens. A frota britânica se ampliou com o acréscimo de duas chalupas, a *Otter* e a *Mercury*, e um navio, o *William*, para onde Dunmore transferiu seu comando. Mas os escaleres de ataque despachados com regularidade para as Hampton Roads sofriam um fogo cada vez mais cerrado sempre que se aproximavam de alguma vila ou cidade. Em 27 de outubro, um ataque no Hampton foi totalmente frustrado quando os milicianos, saindo de seus postos de tiro escondidos nas casas de frente para o rio, tomaram de assalto uma lancha de prático, mataram dois marinheiros do *Otter* e fizeram sete prisioneiros — baixas que faziam uma tremenda falta para os ingleses.

Vendo aumentarem as probabilidades contra ele, ainda sem nenhuma notícia de Londres e com pouquíssima esperança de qualquer reforço adicional, Dunmore se viu diante da hora da verdade. Em 7 de novembro, do tombadilho do *William*, ele lançou uma proclamação famosa em nome do rei, "para derrotar tais propósitos traiçoeiros e para que todos esses Traidores e seus Instigadores possam ser trazidos perante a justiça e para que a Paz e a Ordem desta Colônia possam ser novamente restauradas, o que o Curso ordinário do

Direito Civil é incapaz de realizar". Bem ou mal, foi por este gesto que passou a ser lembrado desde então:

> Por Sua Excelência o Ilustríssimo JOHN Conde de DUNMORE,
> Representante de Sua Majestade e Governador-Geral
> da Colônia e Domínio da VIRGÍNIA
> e Vice-Almirante da mesma
> UMA PROCLAMAÇÃO

Foi decretada a lei marcial. E para a pronta restauração da ordem:

> Determino que todos os Indivíduos capazes de portar Armas se dirijam ao ES-TANDARTE de Sua Majestade ou sejam tratados como Traidores da Coroa e do Governo de Sua Majestade e estejam, portanto, sujeitos à Penalidade prevista por Lei para tais ofensas, como a perda da vida, confisco de terras etc. etc. Por meio desta outrossim declaro livres todos os Servos, Negros ou outros (pertencentes a Rebeldes) que estejam aptos e dispostos a tomar em Armas, integrando-se às Tropas de Sua Majestade o mais breve possível, para mais rapidamente reconduzir esta Colônia a um senso adequado de seu Dever para com a Coroa e a Dignidade de Sua Majestade.[26]

Ali estava a palavra, ali, preto no branco, para pretos e brancos, "livres": proclamada, publicada, indelével. Era a palavra que nenhum americano em nenhum cargo ou função jamais ousara imprimir. Não importavam as exigências do momento; não importava a indignidade do declarante nem o transparente oportunismo de seus motivos; nenhum miliciano patriota livre ou escravo (e agora as milícias estavam sendo extirpadas do Exército continental) poderia igualar o que Dunmore havia feito. E o impacto que isso causou no lado americano pode ser medido na súbita vazão enfurecida de seu ódio: Dunmore foi estigmatizado como "arquitraidor da humanidade". Para os negros, porém, a profecia do livro sagrado era verdadeira. O jovem rei de fato pretendia mudar o mundo.

Agora centenas, não dezenas, se dirigiam aos navios britânicos. Um barco de trinta pés, capturado perto de Surry, desceu o rio James carregado de negros. Sete fugiram da prisão em Northampton e pegaram uma piroga até a frota.

"Inúmeros Negros e Salafrários Covardes afluem em bandos para seu Estandarte", escreveu John Page, um retumbante membro do Comitê de Segurança da Virgínia, a Jefferson.[27] Na expectativa de navios e soldados chegando à costa vindos do Sul e do Norte, escravos de fazendas das Carolinas e da Geórgia, e até de Maryland e Nova York, começaram a desaparecer. Foi quando os líderes da revolução em Charleston, Williamsburg, Wilmington e na Filadélfia viram seus próprios negros abandonarem as fazendas dos Rutledge, dos Middleton e dos Harrison, foi quando Henry Washington desertou o general George em favor do rei George. Na Pensilvânia, Mark Bird, dono de uma fundição no condado de Berkshire, que publicou um anúncio para a captura de seu escravo fugido Cuffe Dix ("um forjador da maior excelência"), pôs no aviso aquilo que já era de conhecimento de todos: "Como os Negros em geral pensam que lorde Dunmore está lutando pela liberdade deles, não é improvável que o dito Negro esteja a caminho para se juntar ao regimento negro de Sua Senhoria, mas espera-se que algum *whig* honesto o impeça de fazê-lo".[28]

Postos na defensiva, temendo que o mundo deles seguisse nas pegadas do Suriname holandês, onde um exército de escravos ainda continuava invicto, na dolorosa consciência da drenagem de mão de obra para as milícias, os latifundiários escravocratas do Sul fizeram tudo o que estava a seu alcance para neutralizar o efeito Dunmore. Surgiram histórias na imprensa (para ser lidas aos servos) de que o oferecimento de liberdade de Dunmore era uma armadilha para pegar os escravos, que então seriam vendidos nas Índias Ocidentais para proveito pessoal dele. Frisou-se que, de qualquer forma, a alardeada liberdade era apenas para os homens adultos capazes de portar armas, deixando subentendido (o que era falso) que as famílias seriam divididas, as mulheres e crianças ficando para trás como escravas, talvez para arcar com todo o peso da cólera dos senhores. Como lorde Dunmore podia posar de Emancipador quando todo mundo sabia que ele tinha escravos (verdade) e que estes eram tratados com extrema crueldade (falso)? O plantador de tabaco Robert Carter reuniu seus escravos em Nomini Hall para ler uma lista dessas solenes advertências, e por algum tempo seguiram seus conselhos. Mas em 1781, quando os britânicos voltaram em peso, 32 deles fugiram.[29]

Se, apesar de todas essas recomendações, alguns pobres coitados negros ainda se sentissem na tentação de sucumbir às palavras doces do conde, a Convenção de Virgínia os advertia solenemente a não pegar em armas. Haveria um prazo de dez dias de tolerância para que os fugitivos depusessem as armas e voltassem a seus donos. Caso persistissem, ficassem cientes de que o castigo pela rebelião era a morte sem assistência religiosa. Os que fossem apanhados em fuga (mas ainda desarmados) seriam tratados de outra maneira, conforme pertencessem a patriotas ou a legalistas. Os primeiros seriam presos e devolvidos a seus donos, que fariam com eles o que quisessem; os escravos *tories*, por seu lado, seriam enviados aos trabalhos forçados nas minas de chumbo no condado de Fincastle, no interior, ou nas minas de salitre no condado de Montgomery.

Muitos foram capturados. Uma patrulha marítima virginiana retirou um grupo de nove escravos, incluindo duas mulheres, de um barco no mar. Outra dupla de fugitivos comemorou antes da hora, ao ver um navio que julgaram ser inglês até se darem conta de que era americano, e pagaram o erro com suas vidas na ponta da verga. Mas outros fizeram todo o possível para escapar às patrulhas que agora estavam distribuídas praticamente por todos os principais rios e ribeiros em volta da base de operações dos britânicos. No condado de Northampton, treze escravos fugidos esperaram escondidos, tomaram uma escuna e entraram na baía antes de serem alcançados por um baleeiro patriota.

A despeito dos impedimentos, e por mais que se capturassem muitos fugitivos, os negros continuavam a se juntar a Dunmore, fato deplorado com desagrado tanto nos jornais quanto nas correspondências particulares. Na verdade, eles chegavam com uma rapidez muito maior do que Dunmore e os capitães do *Otter* (Matthew Squire, com o piloto escravo fugido Joseph Harris) e do *Mercury* conseguiam acomodá-los, e muito menos vesti-los, alimentá-los e fornecer-lhes armas. Mas, junto com os soldados regulares da Flórida, eram em número suficiente para que Dunmore, nas semanas que se seguiram à sua proclamação, acalentasse a ideia de uma pequena ofensiva perto de Norfolk. Ao saber que um grupo de milicianos da Carolina do Norte estava a caminho para se juntar aos virginianos, e com o tempo correndo contra ele, Dunmore achou que devia agir prontamente. Os reforços poderiam ser detidos na Great Bridge, cerca de trinta quilômetros ao sul de Norfolk, onde a longa ponte se estendia sobre o braço sul do rio Elizabeth. Os dois lados da ponte eram pântanos fétidos infestados de mosquitos e moscardos. Nas duas extremidades havia um terreno mais enxuto — na verdade, ilhotas — que levava à terra propriamente dita, por trilhas estreitas.

Cerca de quinze quilômetros ao sul da ponte, num local conhecido como Kemp's Landing, um grupo aproximado de trezentos milicianos da Virgínia tinha montado acampamento, na intenção de marchar sobre a Norfolk *tory*. Numa noite de novembro, uma companhia de 109 combatentes dos ingleses — soldados da Décima Quarta Infantaria Ligeira, voluntários legalistas de Norfolk e, não menos importante, cerca de duas subdivisões de soldados negros recém-treinados e armados (quase metade de todo o contingente) — atacou Kemp's Landing. Por algum tempo pareceu que a coisa ia se desenrolar da maneira habitual, a maneira de Lexington e Concord, com a infantaria britânica mantendo o passo como se fosse um campo de exercícios e passando por cima de seus mortos e feridos, enquanto levavam tiros disparados dos bosques nas laterais. Mas os legalistas voluntários, brancos e negros, tinham recebido ordens de flanquear os franco-atiradores por trás, e quando abriram fogo os milicianos da Virgínia se dispersaram e correram para a floresta. Cinco foram mortos e dezoito caíram prisioneiros. Dois dos prisioneiros eram oficiais, e foram tomados, provavelmente com extrema satisfação, por soldados legalistas negros. Era um começo.[30] Mas, nessa campanha, também seria o final.

Se não ficou propriamente exultante, Dunmore por ora pelo menos recuperou a confiança, sobretudo quando a população intensamente legalista de Norfolk se sentiu encorajada a manifestar-se após a demonstração de força em Kemp's Landing. Três mil habitantes juraram manter lealdade ao rei e abjurar os rebeldes. O governador-comandante e vice-almirante começou a imaginar a formação de um régio Regimento Leal Próprio da Virgínia com seus voluntários. E, é óbvio, havia mais um grupo para quem a vitoriosa escaramuça em Kemp's Landing tinha um significado extremo. Os negros armados, agora mais de trezentos, passaram a formar o que seu chefe chamou (com um toque de exotismo) de Regimento Etíope de lorde Dunmore. Seus casacos traziam uma divisa simples, mas, para o inimigo, demoníaca: "LIBERDADE PARA OS ESCRAVOS". Fica à imaginação quais terão sido as emoções dos que ostentavam a insígnia. Além dos etíopes, muitos outros negros do pequeno contingente de Dunmore agiam como forrageadores, guias e pilotos, espiões, cavadores e carreteiros. Centenas se empenhavam em levantar, na saída norte da ponte, em frente de Norfolk, o "forte Murray", uma estrutura improvisada feita com tábuas, troncos e lodo; apelidada de "pocilga" pelos patriotas, e oferecendo defesa apenas contra tiros de mosquete, ainda assim era um bastião para o exército britânico em tal inferioridade numérica. Pelo menos durante algumas semanas o forte Murray manteve hasteada a bandeira, e ex-escravos guarneciam a paliçada. Não importava que as convicções de Dunmore fossem firmes ou oportunistas, e como aquilo tinha acontecido, mas criara-se um vínculo entre os ingleses e os negros libertados.

O triunfo dos escravos sobre os senhores foi de uma fugacidade cruel. Em 9 de dezembro, uma ação que deveria consolidar a posição de Dunmore na Virgínia e impedir o abastecimento da colônia com provisões e reforços da Carolina do Norte foi um fracasso total. No começo o forte Murray ainda resistiu, mas de maneira precária. Estava cercado por pelo menos oitocentos novos soldados americanos do Segundo Regimento da Virgínia e pela milícia de Culpeper. Diariamente sucediam inúmeros ataques. Dentro de seu quartel-general em Norfolk, Dunmore ruminava desconsolado sobre a iminente e inevitável chegada da artilharia americana que poria o forte abaixo ou abriria uma passagem pela ponte, cortando qualquer linha de abastecimento do forte por terra ou por mar. A única defesa, pensou ele (contra os conselhos de seu oficial superior, o capitão Samuel Leslie), seria antecipar-se no ataque. Os virginianos e carolinenses tinham se estabelecido no final do passadiço sul, atrás de intimidantes barreiras de proteção, feitas de pedra e areia. A estratégia de Dunmore foi enviar duas companhias de soldados negros pelo flanco, seguindo a margem da ilhota, para atrair os atiradores americanos e fazê-los sair das barreiras de proteção, de forma que, quando os soldados regulares, inclusive granadeiros, atacassem pela frente, as defesas patriotas estariam fatalmente comprometidas. Dunmore também acreditou na informação de um espião que se passava por legalista, o qual lhe disse que o bastião patriota era guardado por apenas trezentos homens.

Tudo o que podia sair errado saiu. As subdivisões negras enviadas como chamariz foram misteriosamente despachadas, não para o flanco que contornava a posição patriota, mas para um local totalmente diferente que tinha sido esquadrinhado por uma patrulha americana na noite anterior. Nenhum dos combatentes americanos (em número muito maior do que supunha Dunmore) se moveu de sua posição, embora muitos tenham ficado na retaguarda. Assim, foi com uma confiança temerariamente descabida que o capitão Leslie, na manhã de 9 de dezembro, ordenou um avanço cruzando a ponte na direção sul. Mal passavam de cem granadeiros e outros regulares da Décima Quarta Infantaria Ligeira, junto com cerca de sessenta voluntários legalistas brancos, o que significava que pelo menos 250 membros dessa força de ataque, carregando o estandarte de George III, eram etíopes: um exército de negros livres em marcha contra a América e a escravidão.

Negros e brancos foram chacinados juntos sob aquela bandeira no baço alvorecer rubro, enquanto o sol se erguia sobre os pântanos. O comandante americano, coronel Woodford, calmo quando precisava, segurou o fogo até que a infantaria britânica, avançando também dessa vez em marcha de desfile ao compasso de dois tambores, em formação de apenas seis, pois era o máximo que cabia no passadiço estreito, chegou a uma distância de cinquenta passos. Então começou uma furiosa saraivada de balas. Em dez minutos a Great Bridge se transformou num dos épicos mais espetacularmente suicidas de toda a história imperial britânica: botas, gritos, casacos vermelhos caindo. A calamidade até teve um cavalheiro mártir de nome plenamente adequado, o capitão Charles Fordyce, com uma lanugem nas faces que mal dava para barbear — "muito distinto", "jamais existiu Oficial mais completo", escreveram os inimigos americanos impressionados com sua desvairada e inútil coragem. Fordyce manteve incessante o avanço de seus granadeiros, levando um tiro na patela, levantando-se como se tivesse sido uma simples mordida de mosquito no joelho, acenando alegremente o chapéu no ar para os retardatários atrás dele e gritando otimista: "O dia é nosso!". Catorze tiros depois, Fordyce morreu, doze granadeiros dizimados às costas, a cinco metros das barreiras americanas. Atrás dele, levando o fogo ferozmente cerrado dos rifles, estava a soldadesca do exército de Dunmore. Os *tories* de Norfolk, os homens da infantaria e as centenas de soldados negros, vendo a carnificina diante deles, pararam. O passadiço ficou congestionado de soldados feridos se arrastando de costas para a ponte, pois Dunmore lhes havia dito que os americanos adoravam escalpos. Quando um destacamento de cem homens da milícia de Culpeper foi correndo ocupar uma posição de tiro no lado oriental da península, os britânicos ficaram sob fogo de dois lados e cederam sob o ataque, enquanto os soldados negros na ponte eram abatidos com a facilidade de uma caça aos patos. Leslie ordenou a retirada pela ponte na direção norte, para o forte. Dois oficiais, além de Fordyce, foram atingidos mortalmente: o lugar-tenente Napier, da família que tanto se dedicaria ao Império Britânico na glória e na catástrofe, e Peter, sobrinho do próprio Leslie, que caiu, sangrou e morreu nos braços do tio. Os dois jovens oficiais, escreveu Dunmore debatendo-se para explicar o pavoroso fiasco, eram "ambos jovens muito dignos... uma perda e tanto para a corporação".

Não levou mais de meia hora; mas em meia hora é possível fazer um grande estrago. Nesse caso, a Virgínia, e talvez o Sul inteiro, estava perdida para a Inglaterra. E a visão de um pequeno e formidável exército de escravos livres — pelo menos 2 mil, achava Dunmore —, com talvez o mesmo tanto de legalistas brancos, desapareceu na lama ensanguentada. Nunca se deveria usar a palavra "escaramuça" para a Great Bridge. Foi, como escreveu o capitão Meade,

> uma imensa efusão de sangue, tão medonha que supera qualquer descrição, uma cena, quando os mortos e feridos foram retirados, que era excessiva; então vi à perfeição os horrores da guerra; pior do que se possa imaginar, dez, doze balas perfurando muitos; membros quebrados em dois ou três lugares; miolos saindo para fora. Bom Deus, que visão![31]

Dunmore registrou somente dezessete mortos e 49 gravemente feridos, mas isso apenas entre os soldados britânicos regulares. Outros 85 soldados, na imensa maioria negros, morreram ou sofreram ferimentos graves. No lado americano, a única baixa foi um homem com ferimento na mão. Destroçado pela derrota, o exército de Dunmore inicialmente voltou para o forte, o qual, depois de prenderem com pregos o canhão de doze quilos, foi abandonado, e a força desmoralizada se retirou para Norfolk. Uma semana depois, uma força de 2 mil americanos afluiu para a cidade. O pânico varreu a comunidade legalista, enquanto ficava cada vez mais óbvio que Dunmore iria reembarcar em seu navio, encerrando o breve sonho de uma insurreição legalista negra e branca na Virgínia. *Tories* enlutados embarcaram com os etíopes e os soldados ingleses restantes. Dunmore relatou a lorde Dartmouth:

> Asseguro a Vossa Senhoria que é uma cena extremamente melancólica a visão dos muitos cavalheiros de grandes posses com suas senhoras e famílias inteiras obrigados a se transportar a bordo de navios nesta estação do ano, mal dispondo das necessidades básicas da vida, e grande quantidade de gente pobre, não dispondo nem mesmo destas, que teriam morrido se eu não lhes tivesse fornecido um pouco de farinha.

Cinco dias depois, a flotilha de Dunmore, na saída de Norfolk, foi acrescida de mais dois navios e ele ficou mais agressivo. Estando agora a cidade nas mãos dos americanos, ele não teve o menor escrúpulo em disparar canhonaços contra as docas e enviar barcos para incendiar os depósitos. O que se seguiu foi uma conflagração que reduziu a cidade a cinzas. Mas, embora isso não esteja em discussão, não se sabe em absoluto quem foi o responsável pela destruição de Norfolk. A maioria das narrativas americanas sustenta que Dunmore, tendo perdido sua cidadela *tory* para os *whigs*, tomou a petulante decisão de destruir o local. Mas seus despachos para Dartmouth, que em todos os outros detalhes são inteiramente fidedignos, narram uma outra história: que os soldados americanos, talvez em resposta ao juramento em massa de lealdade à Coroa, começaram a incendiar casas dos dois lados do rio. "Em todas as operações, eles me dão a impressão de não ter mais nada no coração a não ser a destruição desta terra outrora tão florescente."

A bordo de seu navio, fitando melancolicamente os restos em cinzas da Virgínia monárquica, Dunmore redigiu seu lamento ao novo secretário de Estado, lorde George Germain: "Rogo a Deus que tivesse sido possível poupar alguns soldados para esta colônia", pois ele estava "moralmente certo" de que, se pelo menos tivesse contado com quinhentos homens seis semanas antes, nada poderia ter impedido sua marcha na Virgínia. Mas, tal como se deu, era de se esperar para a primavera de 1776 uns 10 mil rebeldes em armas. A última gota d'água foi receber atrasada a notícia de Londres de que o exército de Sir Henry Clinton ia ser enviado não para a Virgínia, e sim para a Carolina do Norte,

> uma província em tudo insignificante enquanto esta, que é a primeira colônia do continente em poder e riqueza, é totalmente esquecida... Ver meu governo totalmente esquecido, confesso, é uma mortificação para a qual eu não estava preparado depois de ficar preso num navio por oito ou nove meses, e agora abandonado sem esperança de auxílio seja para mim ou para os diversos infelizes amigos do governo que agora estão sofrendo a bordo comigo; mas cumpri.[32]

Pois nem os ingleses, nem os americanos acreditavam que a ameaça representada pela insurreição negra terminara com a saída de Dunmore de terra firme. O Regimento Etíope, agora a bordo da "cidade flutuante" de Dunmore com mais de cem embarcações, fora terrivelmente atingido, mas não destruído. Nas sátiras da imprensa virginiana contra um exército negro, além do desdém, havia uma boa dose de preocupação. O autor de "A marcha do melro", uma paródia dos etíopes, zombava dizendo que era própria para "sua índole guerreira *inata*", pois tinha sido composta para "o animado e vivaz balafone, instrumento particularmente adequado à melodia marcial 'Preto com fome'".[33] E o *New York Journal* escarnecia: "Salve, Chefe Etíope Valoroso!/ Embora preto ladrão ignominioso,/ O NEGRO há de escorar teu decaído nome/ E te condenar a um perpétuo renome".[34] E Richard Henry Lee, como muitos patriotas da Virgínia, bufava quando se referia a Dunmore como o "Herói Africano". O problema, porém, era que Lee, Washington e os demais sabiam que, mesmo depois de Great Bridge, ele o era. Quando um trio de escravos foi capturado no começo da primavera por uma patrulha americana que, por engano, tomaram por um patacho britânico, antes de se aperceberem do erro declararam sua "resolução de dar até a última gota de sangue a serviço de lorde Dunmore".[35] Em Cambridge e na Filadélfia, a reação a esse alarme constante foi banir todos os negros livres e escravos do serviço militar no Exército continental. Essa decisão só foi revertida no terrível apuro militar que Washington enfrentou depois de ser repelido de Nova York e Nova Jersey.

Enquanto Washington, no Congresso, tornava impossível a participação de negros no Exército continental, escravos fugidos como Thomas Peters atendiam ao recrutamento da Coroa. Em fevereiro de 1776, a chalupa *Cruizer* deixou o cabo do Medo; Wilmington foi evacuada às pressas e Peters, como milhares de negros na região, ficou sem dono. Durante dois meses a frota de vinte navios de Sir Henry Clinton controlou a costa da Carolina do Norte e subiu o rio do cabo do Medo atacando as fazendas. Em dado momento Peters embarcou e, ao chegar a Nova York em novembro, prestou juramento à companhia dos Pioneiros e Guias Negros, recém-formada por Clinton e sob o comando do capitão George Martin.[36] Pela primeiríssima vez na vida, os escravos tiveram de usar as palavras "livre e voluntariamente" numa pequena cerimônia que de fato os reconverteu de coisas em seres humanos:

> Eu Thomas Peters juro que ingresso livre e voluntariamente no Serviço de Sua Majestade e me alisto sem a menor coerção ou persuasão na Companhia Negra comandada pelo capitão Martin e que me conduzirei ordeira e lealmente e obe-

decerei de bom grado a todas as orientações que possa receber de meu dito Capitão... Que Deus me ajude.[37]

Equipados da cabeça aos pés com sobretudos, jaquetas de marinheiro, camisas brancas e chapéus, os pioneiros estavam sob o comando de oficiais brancos e sargentos negros — estes, junto com os soldados rasos, recebiam soldo igual ao de seus equivalentes brancos. O próprio Clinton mostrava uma constante e surpreendente solicitude com o bem-estar deles, escrevendo a Martin que

> é minha orientação que eles sejam regularmente abastecidos com Provisões e sejam vestidos com decência e que também recebam o pagamento que doravante seja determinado [...] e ademais que, ao final da presente Rebelião, recebam o direito (até onde estiver a meu alcance) a sua liberdade — E, pelo conhecimento que tenho de sua pessoa, confiarei em você e desejo de que seja especialmente recomendado aos demais Oficiais que tratem essas pessoas com brandura e humanidade.[38]

Foi o medo constante de que homens como Peters debandassem para os ingleses e instigassem a insurreição armada, além da fuga em massa, que desencadeou a incomum e brutal ação preventiva dos americanos. As ilhas baixas e compridas que se enfileiravam ao longo da costa da Virgínia, da Carolina do Sul e da Geórgia tinham se tornado santuários de milhares de escravos fugidos, que de alguma maneira haviam escapado do continente em pequenas embarcações e ficavam acampados entre as dunas e os mangues, com a vã esperança de ser recolhidos pela frota britânica. Quando o navio *Scarborough* apareceu na ilha Cockspur, por exemplo, cerca de duzentos a trezentos escravos fugidos disseram ao governador Wright da Geórgia (que, a exemplo dos colegas virginianos e carolinenses, agora tinha instalado sua base a bordo) que "eles tinham vindo para o Rei".[39] Ao mesmo tempo, para as tropas das colônias sulinas se tornava uma prioridade urgente atacar aqueles acampamentos desarmados antes que os negros fugidos conseguissem se transformar em recrutas. Em 19 de dezembro, uma companhia de Rangers da Carolina do Sul atacou um acampamento na ilha de Sullivan logo adiante do porto de Charleston, onde, segundo o capitão do navio britânico *Scorpion*, poderia ter recolhido quinhentos negros ansiosos em combater os americanos. Alertados do ataque, a maioria dos negros tinha escapado em barcos enviados pelo navio inglês *Cherokee*, mas onze foram capturados e quatro mortos, castigo que, na previsão do Conselho de Charleston, "serviria para humilhar nossos Negros em geral".[40]

Em vista desse sucesso muito parcial contra uma caça esquiva, na primavera de 1776 foi proposta uma solução mais draconiana perante a notícia de que pelo menos duzentos escravos fugidos estavam abrigados na ilha Tybee, na costa da Geórgia. Para Henry Laurens, que, decente como sempre, recuou diante da ideia, o coronel Stephen Bull disse sem rodeios que "é muito melhor para o público e os donos que os Negros desertados [...] sejam mortos a tiros se não puderem ser apanhados". Talvez reconhecendo com certo sentimento de culpa que um massacre a sangue frio seria um pouco excessivo para soldados brancos, mesmo quando se tratava de negros fugitivos, Bull recomendou que a chacina toda fosse executada por índios Creek. "Se os índios são as mãos mais adequadas, que sejam empregados nesse Serviço", respondeu Laurens a Bull quando concordou — em atitude de Pilatos — com a expedição, "mas recomendaríamos que Alguns brancos discretos sejam incorporados ou incluídos para comandá-los." Não sabemos se a matança foi consumada, mas, em vista da histeria que tomou conta de todo o Sul na primavera e verão de 1776, não há por que eliminar a possibilidade. (Como agora a ilha Tybee goza de uma feliz reputação de balneário de luxo, com direito ao Festival Folia na Praia e a observar pássaros entre cegonhas e garças, parece razoável supor que ninguém ficará esquadrinhando ao redor das dunas em busca de resquícios afro-americanos.)

No final da primavera e no verão de 1776, os dois lados estavam fazendo promessas grandiosas de liberdade, e ambos estavam trazendo a morte. Em 13 de maio, um comitê de três pessoas — John Adams, Richard Henry Lee e Edward Rutledge — apresentou ao Congresso o rascunho do prefácio de Adams a uma resolução que constituía um ato irreversível de separação e afirmava que, não tendo "humildes petições [...] para a reparação das queixas" recebido nenhuma resposta, "é necessário que o exercício de qualquer tipo de autoridade sob a dita Coroa [da Grã-Bretanha] seja totalmente suprimido".[41] Algumas semanas depois, a longa passagem de Jefferson sobre a escravidão, pondo a culpa no "Rei Cristão" e anunciando sua abolição na nova república, foi inteiramente eliminada durante a edição do texto, "em consideração", registrou

Jefferson em suas notas, "aos delegados da Geórgia e da Carolina do Sul". Entre os delegados estavam Arthur Middleton e Edward Rutledge, cujos escravos — John e Lucy Banbury e Pompey e Flora Rutledge — desfrutavam naquele momento da proteção de lorde Dunmore e da frota britânica.

O desfrute devia ser limitado. Pois ao redor, a bordo ou em terra firme, só havia doença e perigo. A frota de Dunmore, com mais de cem embarcações grandes e pequenas — e mais 29 sob o comando de Sir Henry Clinton, tentando, sem êxito, tomar o forte Sullivan na desembocadura do porto de Charleston —, era na aparência formidável. Mas havia algo de falho na autoridade de uma armada que, com a escassez de víveres, manobrava de ilha em ilha, procurando enseadas próximas o suficiente para que os escaleres pudessem ir se abastecer e lançar ataques às fazendas, ao mesmo tempo se mantendo à distância das baterias americanas costeiras capazes de causar danos numa escala surpreendente. Ainda pior era o inequívoco fato de que aquilo que Dunmore julgara que seria seu grande trunfo — o recrutamento de escravos fugidos — agora se convertia numa visível desvantagem. Pois embora lhe chegassem todo dia de seis a oito negros, conforme declarou a lorde George Germaine, o número deles prontamente diminuía com as mortes por varíola e por uma febre "naval" não identificada, provavelmente tifo.

A superlotação nos barcos e nos acampamentos, de início em Tucker's Point, perto de Portsmouth na Virgínia, praticamente garantia a epidemia.[42] A varíola atingiu os negros com uma ferocidade descomunal. Os médicos da frota recomendaram a inoculação, mas embora esse procedimento, que consistia em criar uma infecção com a contaminação intencional de um corte, tivesse alta probabilidade de diminuir o índice de mortalidade, também significava que os inoculados ficariam impedidos de trabalhar ou cumprir seus deveres militares durante o ciclo ativo da doença, uma questão de meses, e não de algumas semanas. Como Dunmore achou que não poderia passar sem seus trabalhadores e soldados brancos ou negros, no final de maio se tomou a impiedosa decisão de diminuir suas perdas deixando para trás os doentes desenganados e seguindo rumo ao norte para outro porto: ilha de Gwynn, na foz do rio Piankatank. Mas as coisas não melhoraram. Os etíopes, embora inoculados, foram postos num acampamento separado dos soldados e marinheiros brancos, e lá, definhando por falta de comida decente e roupas adequadas, adoeceram e morreram às centenas da "febre podre", a qual estava devorando as forças das tropas de Dunmore que se exauriam rapidamente. No começo de julho, escreveu o capitão do *Roebuck*, Andrew Snape Hamond, o pequeno regimento estava "fraco demais para resistir a qualquer força considerável".

Em 9 de julho, antes de conseguir organizar um ataque, Dunmore deixou a ilha de Gwynn, junto com a população quase sem chance de cura, de esmagadora maioria negra. Algumas das embarcações menores e muitas das cabines infectadas foram incendiadas com os corpos dentro. Então Dunmore aprestou velas para a foz do Potomac, onde montou uma base para algumas semanas na ilha de St. George e atacou algumas casas e fazendas costeiras, mas descobriu uma vez mais que raramente conseguia se aproximar a ponto de causar danos sérios antes de se converter em alvo das espingardas americanas. Por fim, em 6 de agosto ele reconheceu (talvez de forma prematura) que sua tarefa era impossível. Das 103 embarcações restantes, 63 foram queimadas, e as outras quarenta foram divididas em três esquadras. Uma se dirigiu rumo ao norte, a Nova York, para continuar os combates, outra desceu para o sul, rumo a St. Augustine, na Flórida Oriental, enquanto a terceira voltou para a Inglaterra.

Quando os combatentes da Virgínia chegaram à ilha de Gwynn, foram recebidos por um espetáculo pavoroso. "Descobrimos que o inimigo tinha evacuado o local a toda pressa e ficamos horrorizados com a quantidade de cadáveres em estado de putrefação espalhados ao longo do caminho desde a posição de tiro até Cherry Point, cerca de três quilômetros dali, sem sequer uma pá de terra sobre eles." Alguns ainda estavam vivos, porém mal "conseguiam respirar [...] alguns tinham se arrastado até a beira d'água e só podiam mostrar seu desespero acenando para nós".[43] O capitão Thomas Posey encontrou corpos, nem todos mortos, "espalhados ao redor, muitos dilacerados por animais selvagens".[44] Os soldados americanos também se depararam com os restos dos que tinham sido queimados na conflagração final. Era difícil contar os corpos, semiapodrecidos e carbonizados como estavam, mas eram no mínimo quinhentos. Talvez alguns, antes que a catástrofe se abatesse sobre eles, tenham sentido pelo menos por um instante que o mundo havia de fato mudado; mas era impossível saber a partir das pilhas de cadáveres disseminadas por entre os siris em suas rápidas carreiras.

Dois meses antes, lorde William Campbell, o mais relutante guerreiro, havia cumprido seu dever. Uma frota de 29 navios ingleses comandada pelo almirante Peter Parker apontara na embocadura do porto de Charleston. Carregando 270 armas e quase 2 mil soldados e marinheiros, parecia extremamente provável que conseguissem tomar o forte na ilha de Sullivan, e depois disso conseguiam realmente bloquear o porto. Campbell se aquartelou na capitânia *Bristol*. Mas a tarefa era muito mais difícil do que parecia no papel. Com o vento desfavorável, dois navios, inclusive um dos armados em data mais recente, o *Actaeon*, encalharam ao tentar se aproximar de uma distância que permitisse atrair as armas na costa para o raio de alcance do canhão do navio. Dois ataques, um ao forte e outro a uma ilha vizinha, malograram. Quanto mais a flotilha se aproximava, mais cerrado era o fogo. Lorde William se encarregou pessoalmente de um dos canhões do *Bristol* e, enquanto se ocupava dele, levou um grande estilhaço do suporte do canhão na coxa. A ferida nunca sarou, e o último governador real da Carolina do Sul morreu dois anos mais tarde, com a esposa fazendeira a seu lado.

4.

Não adiantava. Granville Sharp não podia continuar como antes. Era inegável que não tinha estômago para a luta. Tudo estava muito bem enquanto se tratava de encaminhar na Repartição do Arsenal o despacho de tal ou qual quantidade de polvorinhos, tal ou qual quantidade de espingardas, para Trichinopoly ou Trincomalee. Mas pensar que fora sua mão a providenciar as baionetas que trespassaram peitos americanos em Bunker Hill, ou a fornecer as granadas que atearam fogo às casas de Charles Town — não, sua consciência se revoltava contra isso. Os mortos podiam ser amigos de seus correspondentes filadelfianos Anthony Benezet, dr. Rush ou Benjamin Franklin — quakers, homens de paz, antiescravistas. Era como se assinasse suas cartas com sangue. Assim, quando leu na *Gazette* de 28 de julho de 1775 a notícia da batalha perto de Boston e recebeu solicitações urgentes do general Howe, sitiado, pedindo munições de toda espécie, Sharp na mesma hora escreveu a seu superior, o sr. Boddington, expondo suas "objeções a qualquer tipo de envolvimento com aquele assunto terrível".[1] Os diretores da repartição poderiam muito bem lhe perguntar onde ele achava que trabalhava. O surpreendente é que não perguntaram. Sentiam tanta estima e até afeição por aquele excêntrico subordinado, com o nariz enfiado no Pentateuco e o coração aberto, que o trataram com indulgência, recomendando-lhe que tirasse dois meses de licença, uma mostra de consideração que seria aceita "mais favoravelmente" do que uma brusca demissão no meio de uma guerra.

Obtida a licença, Granville foi para o norte visitar o irmão mais velho, dr. John Sharp, agora arcediago. Encontrou-o nas íngremes ruínas avermelhadas do Castelo de Bamburgh, onde o dr. Sharp acolhia os doentes e necessitados, alimentava-lhes o corpo e instruía-lhes o espírito (para a perplexidade geral das redondezas), e enviava homens a cavalo para perscrutar a praia tempestuosa em busca de sinais de naufrágios ou de algum ocasional sobrevivente lançado às rochas. Terminada a licença, Granville voltou a escrever a Boddington, aflito com o malogro das tentativas de conciliação entre a Inglaterra e os colonos. Ainda se sentia incapaz, confessou, de "retornar à minha função no arsenal enquanto prossegue uma guerra sangrenta, sem justificativa, a meu ver, contra meus colegas súditos".[2] Imediatamente os irmãos se uniram para lhe permitir exercer sua consciência conforme julgasse adequado. James, o negociante de ferragens e tocador de serpentão, escreveu que talvez houvesse uma mudança nos rumos da opinião pública, mas, caso contrário:

> E se você julgar adequado abrir mão de seu emprego — agora falo por meu irmão William e não só por mim — ambos estamos prontos, dispostos e, graças a Deus, neste momento *em condições* de providenciar que esta perda não lhe pese em nada; e tudo o que pedimos em troca é que você continue a viver conosco como tem feito até agora, sem imaginar que, nessa situação, venha a representar algum fardo para nós, e também sem pensar que terá a obrigação de procurar emprego em alguma outra ocupação; pois, se temos o necessário entre nós, não importa a quem pertence.[3]

Os superiores de Sharp ainda relutavam em liberá-lo. Afinal suas preocupações não eram sinais admiráveis de uma sensibilidade profundamente cristã? Sem dúvida elas se aplacariam quando lhe retornasse seu natural senso de dever e de patriotismo. Concederam-lhe mais três meses de licença.

Mas o pessimismo dele só fez aumentar. Em 26 de outubro de 1775, o rei abriu a sessão inaugural do Parlamento. O discurso do trono — escrito, naturalmente, por seus ministros — foi inflexível.[4] Sob a falsa aparência de um protesto contra injustiças reais ou imaginárias, preparara-se e agora se consumara uma conspiração revoltosa. O propósito era e sempre tinha sido a independência: o desligamento total das colônias americanas da devida lealdade à Coroa e ao Parlamento. Antes de se poder empreender qualquer coisa positiva no sentido de atender às reclamações, era preciso esmagar aquela rebelião. Os críticos do governo nas duas Câmaras questionaram a premissa do argumento. Seus amigos americanos, insistiram eles (um pouco atrasados em relação às notícias), não estavam empenhados na independência; tinham sido levados a essa aparente posição pela inepta brutalidade do governo e por seu recurso a uma odiosa força militar. Sabendo que seus filadelfianos relutavam em adotar a separação total, Sharp era da mesma opinião.

E ele se preocupava com os efeitos que tal guerra exerceria sobre o empenho de Benezet em conscientizar seus colegas americanos sobre o caráter abominável da escravatura. O próprio Sharp nunca deixara de lhes apontar a incoerência de reivindicar a liberdade e, ao mesmo tempo, negá-la a seus irmãos negros. Em sua *Declaration of the people's natural right to share in legislature* [Declaração do direito natural do povo de participar da legislatura], de 1774, uma valente bordoada que, a seu ver, mostrava a situação não só dos ingleses, mas também dos americanos, que sofriam com o excesso de impostos e de falta de representação, ele tinha sido muito claro: "Eliminem a coisa amaldiçoada antes de se atrever a pedir a intervenção da divina providência!".[5] O grande trabalho de persuasão havia de fato se iniciado, graças a Benezet. Foram enviadas 250 cópias da *Declaration* a Benjamin Franklin, na esperança de que as distribuísse entre as pessoas de influência. Sharp tinha a mais plena esperança de que a América evitaria aparecer perante o mundo como "a terra dos bravos e a terra dos escravos",[6] e essa esperança parecia estar em vias de se concretizar. Em abril de 1775 fora criada na Filadélfia a primeira genuína sociedade antiescravista americana. Cinco dias depois, soldados ingleses e milicianos patriotas trocaram tiros em Lexington Green. Nos anos seguintes, não se ouviria falar muito da Sociedade da Filadélfia.

Naturalmente Sharp não tinha como saber que a chegada das tropas britânicas à América, longe de refrear, havia acelerado a causa da liberdade para os escravos. Quando a armada de 260 naus de Sir William Howe, na rota para a Filadélfia, passou a uma provocante proximidade da costa de Nova Jersey, acorreram bandos de negros, e "mal se viu algum branco". Num único dia, os navios recolheram trezentos escravos fugidos. Mas estes foram os mais afortunados, que tinham conseguido alcançar a frota em barquinhos ou canoas. Outros, quando as embarcações se aproximaram da orla, tentaram alcançá-las a nado, e metade deles se afogou.[7]

Na Inglaterra, a ideia de armar escravos libertos era extremamente controversa. Durante o debate sobre o discurso da Coroa em outubro de 1775, William Lyttelton, que tinha sido o governador da Carolina do Sul durante a Guerra Franco-Indígena de 1756-60, afirmou sem rodeios que, em sua opinião, se fossem enviados uns "poucos regimentos" para a América, "os negros se levantariam e mergulhariam as mãos no sangue de seus senhores", fazendo um ótimo trabalho de rebelião.[8] A proposta chocou a oposição liberal, parecendo-lhe inconcebivelmente bárbara — "negra e horrenda demais para ser adotada", disse John Wilkes.[9] Logo se fez ouvir uma coalizão dos horrorizados. O setor açucareiro e escravocrata de Bristol e Liverpool, já alarmado com as revoltas na Jamaica, considerou a tática uma monstruosidade. Os amigos da América, mesmo quando se julgavam, como Burke, inimigos do tráfico escravo, descartaram a ideia de armar os negros (o que também poderia significar armar os índios), comparando-a a um assassinato autorizado.

Na correspondência de Granville Sharp, não há nenhum indício de suas opiniões sobre a estratégia de armar os negros, mas, como ele defendia uma política de persuasão pacífica na América, dificilmente teria se entusiasmado com ela. Embora por fim tivesse se demitido da Repartição do Arsenal em abril de 1777, quando a paciência de seus superiores se esgotou, e embora muitos amigos seus acabassem aceitando que a Declaração da Independência parecia ser mesmo aquilo que dizia, Sharp ainda não perdera as esperanças de reconduzir a América ao regaço imperial, como território livre sob a Coroa. Ele continuava a crer que, se os americanos pelo menos tivessem representação — diretamente em Westminster ou em legislaturas com direito exclusivo de tributação —, as fontes de insatisfação desapareceriam. Visto que, no começo de 1778, as armas inglesas haviam ocupado Nova York e a Filadélfia, agora não seria o momento de exercer uma prudente magnanimidade?

Sharp foi falar com o secretário de Estado e insistiu sobre a necessidade de conceder às colônias "direitos justos e iguais aos desfrutados pelos condados da Inglaterra". Como é que o homem no cargo mais alto do governo de North se dispôs a conceder seu tempo a um ex-escriturário do Arsenal? Foi porque Granville Sharp também estava defendendo a paz. Depois que seu irmão

William havia equipado um elegante iate novo, o *Union*, ainda maior e mais confortável que o *Apollo*, os concertos fluviais estavam com uma demanda maior do que nunca. No começo de setembro de 1777, enquanto os exércitos de Hoew e Washington manobravam suas posições na Pensilvânia e se preparavam para a carnificina em Brandywine, os Sharp "tocavam uma variedade de músicas, canções e corais" para o rei e a rainha. "Agora nos despedimos dando três vivas e tocando 'A retirada'." Um ano depois, no outono de 1778, o general "Johnny" Burgoyne marchava confiante para o desastre em Saratoga, enquanto as andorinhas volteavam em círculos acima do rosto alegre e rechonchudo de lorde North, que se deliciava com um breve Handel no *Union* entre Teddington e Kew.[10]

Como sempre, foram os negros que fizeram a diferença. Na véspera de Natal de 1778, um esquadrão naval com 3 mil soldados — regulares do regimento escocês das Terras Altas, mercenários hessianos* e voluntários legalistas de Nova York — ancorou na ilha Tybee, na foz do rio Savannah, onde centenas de escravos fugidos haviam se abrigado dois anos antes. Um piloto negro chamado Samson atravessou a barra com a frota e passou o ano seguinte guiando expedições de ataque pela costa da Geórgia e da Carolina. Capturá-lo ou matá-lo: essa questão se tornou urgente para os soldados americanos e franceses lutando para manter o controle do Sul contra o recente assalto do Exército britânico.

A melhor defesa de Savannah contra as tropas em aproximação era sua topografia: a cidade ficava no alto de uma escarpa no banco ocidental do rio Savannah, tendo o pântano de Yamacraw a norte, deixando apenas um caminho aberto para controlar, a leste da cidade, guarnecido com soldados da Geórgia e da Carolina que haviam tomado a precaução de destruir a ponte de acesso. O pântano coberto de mato era alimentado pelos riachos que vinham dos rios St. Augustine e Tybee, mas havia uma trilha de terra firme atravessando o mangue traiçoeiro, e em 29 de dezembro de 1778 um escravo idoso de nome Quamino Dolly mostrou ao tenente-coronel Archie Campbell o local exato da

---

* Soldado alemão que serviu o Exército britânico durante a Revolução Americana. (N. T.)

passagem. Os Highlanders (mas sem suas bolsinhas na frente) e os Voluntários de Nova York foram para a retaguarda das milícias da Geórgia e da Carolina, que agora enfrentavam um ataque da infantaria de um lado e uma barragem de artilharia do outro.[11] A posição americana cedeu. Foram feitos 450 prisioneiros, entre eles 38 oficiais, com a apreensão de 48 armas. Houve quase cem mortos ou gravemente feridos entre os georgianos e carolinenses, e outros trinta morreram chafurdados no lodo do pantanal ao tentar fugir. As baixas inglesas foram de três mortos e dez feridos. O que restou do exército do general Robert Howe se desintegrou. Os britânicos ocuparam não só Savannah como os vilarejos próximos, como Ebenezer, onde os hessianos puderam conversar em alemão com os luteranos de Salzburgo lá estabelecidos. "Muitos habitantes respeitáveis", escreveu Campbell a lorde George Germain em janeiro de 1779, "se juntaram ao Exército [britânico]... com seus rifles e cavalos, e formou-se um corpo de dragões de rifles com a finalidade de patrulhar a área... Agora tenho a honra de informar a Vossa Senhoria que os habitantes de todas as partes da província acorrem com suas armas para a bandeira" da Inglaterra.[12]

Nem todos eram brancos.

O dono tinha ido embora. Os familiares e as carroças seguiram para o norte, deixando todos eles para trás. Chegara a hora de ir até os soldados ingleses; a hora de renascer, de ser livre. Então o pregador David George reuniu a esposa Phyllis, os filhos e todos os escravos, cinquenta ou mais, junto com suas trouxas e varas, e começaram todos a andar na direção contrária à fazenda, dando as costas a Augusta, rumo ao forte em Nova Ebenezer, entre os rios Ogeechee e Savannah, onde lhes haviam dito que estavam os soldados do rei.[13]

Tantas jornadas... A primeira tinha sido a dos pais, arrancados à África e trazidos para a Virgínia, até o rio Nottoway no condado de Essex, na margem ocidental do rio Rappahannock. Chamavam-se John e Judith. John trabalhava como escravo nas plantações de fumo e algodão do sr. Chapel, enquanto Judith era cozinheira, e ambos geraram para seu senhor oito filhos além de David, todos postos a trabalhar ainda crianças, indo buscar água para os lavradores e cardando o algodão. Mas as crianças cresceram e se tornaram indóceis, vendo coisas ruins, sofrendo coisas ruins, querendo sumir.

Minha irmã mais velha se chamava Patty; eu a vi várias vezes ser tão açoitada que a carne de suas costas ficou toda deteriorada, como se fosse apodrecer. Meu irmão Dick fugiu, mas eles o pegaram e trouxeram de volta e quando iam amarrá-lo ele escapou de novo e eles o perseguiram com cães e cavalos, até apanhá-lo; então o penduraram numa cerejeira no quintal, pelas duas mãos, só de calção, com os pés a meio metro do chão. Amarraram-lhe as pernas e puseram um pau entre elas, e numa das pontas sentou-se um dos filhos do dono, para mantê-lo abaixado, e outro filho se sentou na outra ponta. E depois ele recebeu quinhentas ou mais chicotadas, lavaram suas costas com salmoura derramando dentro das feridas e também esfregando com um trapo e então mandaram que fosse direto trabalhar arrancando os brotos dos pés de fumo.

David também foi fustigado muitas vezes. As marcas rosadas do chicote em suas costas contavam sua história linha por linha. Mas o pior sofrimento foi ver sua mãe, com as roupas arrancadas, soluçando e implorando misericórdia de joelhos, o corpo retalhado pelo açoite. Esse tratamento lhe fez tão mal que ela veio a morrer, e foi quando agonizava naquele leito de morte, rolando os olhos, que David, com vinte ou 21 anos, cansado de tanto chorar, fugiu e empreendeu sua primeira jornada.

As pessoas diziam que a Igreja salvava, e então ele rumou para a igreja inglesa em Nottoway, embora bebesse, não pensasse no céu nem acreditasse no inferno, pois nenhum demônio poderia ser pior do que o sr. Chapel. Teve de cruzar muitos rios na viagem para o sul: primeiro o Roanoke, depois o Pee Dee, na Carolina do Norte, onde encontrou brancos que o recolheram em seus barcos e não o entregaram, mesmo havendo uma recompensa de trinta guinéus por sua captura. Mas quando os caçadores de escravos estavam chegando, os homens do rio Pee Dee lhe disseram para ir para o sul, até chegar ao rio Savannah, e foi o que ele fez. A perseguição ainda continuou, então ele fugiu de novo, subindo o Okemulgee até as matas dos morros no interior da Geórgia, e lá foi acolhido pelos índios Creek, que sabiam pelas pegadas que era um negro porque as deles deixavam na lama vermelha a marca do arco da sola do pé, enquanto as de David eram chatas. O rei de lá se chamava Sal Azul e David se tornou cativo seu, virando a terra para fazer as leiras de milho, comendo urso e peru, tratado com bondade, até que o filho do sr. Chapel acabou chegando à nação Creek, perseguindo-o com sabujos como se fosse um cervo. E Sal Azul certamente não entregaria seu cativo negro, mas o filho do sr. Chapel ofereceu rum, linho e uma arma, de modo que o cacique ficou com vontade de aceitar, e antes que isso acontecesse lá se foi David de novo, fugindo rumo oeste, para o rei Jack do povo Natchez. E lá havia um homem chamado John Miller, que procurou os Natchez para comprar couros de veado e vender ao grande agente índio George Galphin, que morava em Silver Bluffs, na Carolina do Sul, e este homem Miller e o rei Jack e o filho do sr. Chapel (que agora tinha se cansado de toda aquela perseguição e estava disposto a desistir em troca de algum dinheiro) se puseram de acordo quanto ao preço. Assim o rei Jack vendeu David a John Miller, e durante dois anos David costurou couros e cuidou dos cavalos para que não se extraviassem. A cada ano descia o rio numa canoa de couro, repleta de pilhas de couros que levava até o sr. Galphin em Silver Bluffs. E esse sujeito devia ter algo de paternal, pois David lhe perguntou se podia morar com ele, e o sr. Galphin concordou. David ficou quatro anos com o comerciante índio.

Mais tarde, "uma massa de pecado", ele sentiria vergonha da vida que levava nessa época, mas Deus o ajudou a encontrar uma esposa, sua Phyllis, mestiça de negro e índio, e tiveram o primeiro filho. Porém ainda levava uma vida tão desregrada que, quando Cyrus, um negro de Charleston, lhe disse que se continuasse assim nunca veria a face de Deus em Sua glória, ele começou a rezar. Mas quando não estava rezando estava pecando, e assim continuou, rezando e pecando, pecando e rezando o tempo todo com o sr. Galphin em Silver Bluffs, até que um dia chegou seu salvador nesta terra — que se chamava George Leile — e David renasceu e se tornou David George em homenagem a ele. Ora, o espantoso era que David conhecia esse Leile lá da Virgínia desde que eram meninos, mas depois disso ele tinha visto Deus e estava muito diferente. E quando ele pregou: "Venham a mim todos os que mourejam e carregam grande peso e eu lhes darei repouso", David lhe contou como era sua vida. Então foram juntos a uma igreja a certa distância de Silver Bluff, onde o irmão Palmer pregava num grande moinho antigo do sr. Galphin. O irmão Palmer então foi até Silver Bluffs e falou diretamente com alguns trabalhadores do sr. Galphin e batizou oito deles, entre os quais David e Phyllis, na corrente d'água que movia o moinho, entre as pedras e as trutas cintilantes. Foi construída uma igreja em Silver Bluffs, e David e os demais dividiam a Ceia do Senhor e cantavam os hinos do abençoado Isaac Watts, e quando lhe baixava o espírito os outros percebiam e lhe pediam que pregasse. Ele se esquivava porque tinha vergonha de ser gago e analfabeto, até que o irmão Palmer lhe disse para não se fazer de Jonas para não ofender o Senhor, e foi assim que ele se tornou o irmão David e um Superior e começou a falar para as pessoas em Silver Bluffs e fez que olhassem a face resplandecente de Deus todo-misericordioso.

Quando a guerra chegou aos pântanos e às baixadas de arroz, os senhores proibiram que ministros como o irmão Palmer se aproximassem dos negros, para não meter ideias na cabeça deles. Então não havia nada a fazer além de pregar para seu rebanho de mais de trinta almas e, como elas estavam a seu cuidado, David achou que seria melhor aprender a ler. Mas isso também era proibido, de forma que David recorreu às crianças brancas e aprendeu o abecedário com elas até conseguir entender as palavras e depois as páginas da Bíblia. As crianças lhe davam aula, David ia embora repetindo a lição de cabeça e depois voltava e lhes perguntava se estava certo, e repetia até acertar. E agora ele sabia pregar, ensinar, ler, escrever, e entendia toda a glória das Escrituras — e sua igreja, ao que lhe constava, era a primeira igreja negra em toda a América.

Agora era o Natal de 1778 e disseram-lhes que estavam correndo perigo. Disseram que havia navios ingleses perto das ilhas, e estavam chegando soldados, milhares deles. No jantar, ouviram comentar que os ingleses iam levantar os índios, e de repente foi uma gritaria e uma correria e carroças cheias de gente, de cachorros, de alguns objetos preciosos como espelhos, e lá se foram eles, as crianças olhando para trás, para a casa, com a tristeza no rosto. O sr. Galphin, sendo um fervoroso defensor da América e conhecendo os índios como conhecia, foi um que saiu realmente às pressas, de modo que então David e seu rebanho ficaram totalmente sozinhos, sem nada nem ninguém para segurá-los, mas também sem muita comida no rigoroso inverno cinzento.

Pelo menos 5 mil escravos da Geórgia, um terço do total, abandonaram suas fazendas, sabendo que os ingleses tinham oferecido proteção e liberdade em troca de serviços ao rei. Foi o que levou David George a tomar uma decisão e pôr o pé na estrada Augusta—Savannah, ele e seu rebanho, agora com cinquenta almas. Trinta quilômetros adiante, chegaram a Ebenezer, onde o forte já estava ocupado por mercenários hessianos e soldados do regimento escocês. Mas o general britânico estava envolto por negros que não paravam de chegar e os mandou embora, e eles foram para um lugar chamado Savage's Plantation, além do rio Ogeechee. Lá estava cheio de legalistas brancos que, ao ver David conduzindo seu rebanho, o acusaram de estar abandonando Savannah e debandando para os patriotas. Apesar de seus protestos, explicando que estava fazendo exatamente o contrário, ele foi jogado na prisão e lá ficou por um mês até que um dos oficiais britânicos, o capitão Brown, veio e o soltou.

Em Yamacraw, entre a vegetação dos pântanos, David George se reuniu a George Leile e família, e os dois pregaram a palavra de Deus juntos até o verão de 1774, quando uma força aliada de mais de 5 mil soldados americanos e franceses, decididos a retomar Savannah, cercou rapidamente a área; assim, os George, temendo ser capturados pelos americanos, mudaram para a cidade. Uma vez lá, encontraram mais de seiscentos negros, inclusive 59 Pioneiros, cavando trincheiras, erguendo as paliçadas, cortando e afiando os paus para as proteções de abatises destinadas a impedir e empalar eventuais atacantes, e guarnecendo os redutos. James Moncrief, o capitão escocês que comandava os engenheiros, cuidou deles, providenciando que recebessem comida, roupas e (para a consternação de fazendeiros *tories* que eram donos de escravos) armas. No começo de outubro de 1779, quando franceses e americanos finalmente estavam prontos para avançar, Savannah se encontrava cercada de defesas formidáveis que cobriam todo o seu flanco ocidental, desde a larga bacia fluvial até os brejos cortados de riachos.

Mas a capacidade britânica de defender Savannah contra um ataque dos aliados também se devia à colaboração negra em outro aspecto decisivo. Em 16 de setembro, os aliados lançaram um ultimato ao general britânico Augustine Prevost, dando-lhe um prazo de 24 horas para a rendição da cidade. Mas Prevost sabia, ou pelo menos esperava, que estava para chegar um reforço, um destacamento de soldados sob o comando do coronel James Maitland, vindo de Beaufort. Os guias negros que falavam *gullah*, o dialeto das ilhas que tinham sido o primeiro local de desembarque dos escravos após a travessia infeliz desde a África, mostraram a Maitland um caminho que contornava o bloqueio do Exército francês, cruzando pântanos intransitáveis e sob a coberta do denso nevoeiro georgiano numa região conhecida apenas por "ursos, lobos e negros fugidos".[14] Alertado que os reforços se aproximavam a toda pressa, Prevost usou suas 24 horas para não fazer nada; sem dúvida os soldados de Maitland chegaram, e em número suficiente para dar aos ingleses a confiança de ter uma chance razoável de sobreviver a qualquer ataque dos franceses e americanos. Então a cidade se pôs à espera; 250 negros armados ficaram no centro das defesas nas fortificações, alguns na artilharia pesada — escravos esperando para matar seus senhores.

Uma semana depois, em 23 de setembro, começou o bombardeio, com morteiros de oito e dez polegadas e mais de cinquenta disparos de canhão das duas baterias e das fragatas atracadas no rio.[15] De 3 a 8 de outubro o fogo de artilharia foi incessante, balas e cartuchos chovendo sem parar sobre Savannah. Não foi poupada praticamente nenhuma casa na retícula simétrica das ruas, e pairava sobre a cidade um manto de fumaça asfixiante. Mas a maior parte da artilharia não atingiu as fortificações, como se o principal objetivo fosse o terror. Apesar dos edifícios ruindo e dos destroços em chamas, foram poucos os feridos, e não demorou muito para que surgisse uma meninada negra correndo pelas ruas e procurando bolas de canhão perdidas para brincar. Porém, nem todos achavam que os franceses estavam brincando. Quando uma granada atravessou o telhado do estábulo que servia de moradia aos George, David e Phyllis, preocupados com os filhos Jesse, David e Ginny, pensaram melhor e resolveram voltar para Yamacraw, onde ficaram algum tempo escondidos sob o assoalho de uma casa abandonada e sobreviveram como lhes foi possível.

Quando d'Estaing, o comandante francês, achou que a cidade já estava bastante debilitada, programou-se um ataque para o alvorecer de 9 de outubro. Atrasados, pois já tinha amanhecido, seus granadeiros escalaram o Spring Hill na ponta norte das defesas, emergindo de uma densa cerração bem a tempo de oferecer um alvo perfeito com seus casacos brancos brilhantes: conforme subiam penosamente a encosta, em ordem metódica, iam caindo sob um cerrado fogo de mosquete. Uma companhia de cavalaria americana encabeçada por um polonês arremeteu contra as defesas, enroscou-se nos abatises e foi liquidada a tiros. O oficial comandante Pulaski morreu entrelaçado nos paus pontiagudos, com o corpo crivado de balas. Os carolinenses, comandados por John Laurens, vieram a seguir e avançaram nas defesas o suficiente para fincar uma bandeira antes de receber fogo de ambos os lados. Os fuzileiros e granadeiros britânicos então saíram das paliçadas e atacaram com baionetas, e durante uma hora se travou um corpo a corpo brutal; soldados de cinco nações brancas — americanos, ingleses, escoceses, alemães e franceses — disparavam e perfuravam, rasgavam e esbordoavam no alto de um costão escarpado e escorregadio, acima das águas plúmbeas do rio. E entre eles havia negros com rifles e espadas, decerto achando que estavam lutando por sua liberdade. (Também havia negros livres de Santo Domingo no lado franco-americano, mas ficaram na reserva, de forma que um trágico espetáculo de negros lutando contra negros — que ocorreu em outras partes do teatro sulino da guerra — não chegou a se materializar no topo das colinas de Savannah.)

Quando o fogo cessou, as trincheiras estavam repletas de cadáveres franceses, casacos brancos rajados de sangue. Outros 203 corpos foram retirados dos abatises, em meio às carcaças dos cavalos empalados, e receberam sepultura. Outros cavalos tinham galopado encosta abaixo direto para o pântano, e os cavaleiros se afogaram. No desastre, os aliados perderam quase oitocentos soldados entre mortos e feridos, embora Prevost tenha anunciado mais de mil; os ingleses tiveram apenas dezoito mortos e 39 feridos. Foi um Bunker Hill às avessas. Nove dias depois, os americanos desistiram do cerco, e três dias depois d'Estaing levantou velas. Prevost, que não tinha o costume de distribuir elogios, escreveu a respeito dos negros (como se estivesse levemente surpreendido) que "eles por certo fizeram maravilhas no trabalho, e no combate de fato não mostraram má compostura". Essa nova coragem voltou a se evidenciar — de forma alarmante para os patriotas — além das paliçadas de Savannah. Levantado o cerco, uma companhia de soldados negros, provavelmente aquela sob o comando do capitão John McKenzie da Legião Britânica, travou uma batalha intensa com soldados patriotas em McGillivray's Plantation, e conseguiu afastá-los de suas posições, só se retirando (com um morto e três feridos) quando a munição acabou.[16]

Os negros tinham uma razão séria para lutar. Em 30 de junho de 1779, em Philipsburgh, antes de sair de Nova York para uma campanha na Carolina do Sul tendo como objetivo a tomada de Charleston, Sir Henry Clinton havia lançado uma terceira proclamação advertindo que os negros apanhados em armas lutando em favor dos rebeldes iriam para o trabalho forçado nas obras públicas. "Mas proíbo terminantemente a qualquer Pessoa vender ou reivindicar direitos sobre qualquer Negro, propriedade de um rebelde, que possa se refugiar em qualquer Parte deste Exército; E prometo a todo NEGRO Que desertar do Estandarte Rebelde plena segurança para desempenhar dentro destas linhas qualquer Ocupação que julgar apropriada."[17]

Para um oficial americano que tivesse estado em Savannah, não poderia haver lição mais clara nem mais incisiva, tanto em termos estratégicos quanto em termos morais. Em fevereiro de 1780, estando em Charleston, sua cidade natal, o jovem coronel John Laurens, de 25 anos de idade, instou com o general encarregado das defesas da cidade, Benjamin Lincoln, que utilizasse negros nos batalhões armados e nas equipes de artilharia.[18] A estada em Londres de 1774 a 1776 havia definido os rumos de Laurens pelo resto de sua vida. A angústia por estar longe da crise que se avolumava na América o transformara num ardente patriota republicano, e a amizade com John Bicknell e Thomas Day o convertera num abolicionista. Juntas, as duas causas explicavam a necessidade de uma soldadesca negra, sem a qual, a seu ver, a causa americana estaria moralmente comprometida e militarmente desfalcada.

Quando Laurens se tornou ajudante de ordens de Washington em 1777, o comandante-chefe havia favorecido os estados sulinos com a proibição do alistamento de escravos no Exército continental. Mas, quando aumentou a pressão sobre os americanos, a política discricionária cedeu um pouco. Naquele mesmo ano, Vermont se tornou o primeiro e único estado a abolir a escravidão. E em Rhode Island e Connecticut, quando ficou difícil preencher as cotas para o Exército continental, as deficiências foram supridas por negros, principalmente em regimentos brancos. Mas como muitos, se não a maioria, desses soldados estavam servindo no lugar de seus donos brancos, o significado da presença deles é discutível, no que se refere ao respectivo entusiasmo de escravos e senhores pela causa americana. A exceção pode ter sido o Primeiro Regimento de Rhode Island, do coronel Christopher Greene, expressamente formado como força de combate negra após o inverno dizimador de 1777-8 no campo de Valley Forge — embora comandada, como no lado britânico, por oficiais brancos. O regimento consistia inicialmente em cerca de 120 homens, dois terços deles escravos — não difíceis de achar, pois Newport ainda era o porto principal do tráfico negreiro afro-americano —, e que entraram em ação na batalha de Rhode Island em agosto de 1778.[19]

John Laurens, então com 23 anos, tinha estado com George Washington quando o general escreveu ao governador de Rhode Island recomendando que os números faltantes nas cotas fossem preenchidos por negros. Foi o que bastou para pôr em ação sua consciência sempre inquieta. Ele escreveu ao pai pedindo-lhe que libertasse seus escravos "em vez de me legar uma Fortuna".[20]

Mas o que ele realmente queria era mobilizar, equipar e comandar um regimento negro inteiro. Julgava que o serviço militar era a maneira mais adequada de adaptar à liberdade esses homens acostumados apenas à servidão. Henry Laurens, que possuía trezentos escravos, pensava diferente, o que não é de admirar. Por que os negros, perguntou ao filho, haveriam de querer trocar "condições não só toleráveis, mas confortáveis devido ao hábito, por uma intolerável? Arrancados das Esposas e Filhos & de suas pequenas Roças e levados para o Campo de Batalha onde diariamente todos devem esperar a Perda da Vida e dos Membros".[21] Mas o filho, mantendo o que havia aprendido com Sharp, Day e Bicknell, discordava do pressuposto paterno de que os negros eram criaturas passivas. Eram humanos, insistiu ele, plenamente capazes de compartilhar o entusiasmo pela liberdade que santificava a luta atual.

Com a queda de Savannah e a notícia alarmante no final da primavera de 1779 de que Sir Henry Clinton estaria navegando rumo ao sul com um exército de 8 mil homens, a discussão sobre armar os negros de repente se tornou menos filosófica e passou a ser mais estratégica. Apenas "a adoção do meu projeto negro", escreveu Laurens ao pai, agora presidente do Congresso na Filadélfia, poderia salvar a Carolina do Sul. Talvez a "calamidade iminente" finalmente persuadisse seus conterrâneos ali onde os meros argumentos e apelos à moral e à razão tinham se provado insuficientes. Numa página extraída diretamente dos romances sensíveis e sentimentais, o filho com seu ardente idealismo apelou à nobreza até então adormecida do pai, e também (pois John não era tolo) à vaidade do velho. Liderando o Congresso e o estado, "você terá a glória de triunfar sobre arraigados preconceitos nacionais em favor de seu País e da humanidade em geral".[22]

Sem dúvida o ceticismo de Henry — que no entanto logo retornaria com vigor — cedeu lugar a um improvável acesso de idealismo. Mas o velho Laurens também sabia que seus colegas fazendeiros nas baixadas da Carolina do Sul estavam num impasse. O estado enfrentava problemas para preencher as fileiras milicianas justamente porque os adultos brancos eram necessários nas fazendas, em estado de alerta contra a probabilidade de revoltas e fugas em massa dos escravos. Assim, o irônico é que a proposta do jovem Laurens podia ser apresentada como uma maneira de controlar a violência negra canalizando-a contra o inimigo, em vez do risco de vê-la voltar-se contra os senhores. Mesmo assim, com muitos escravos seus debandados para os ingleses ou capturados por eles, Washington estava preocupado com a possível escalada de uma rivalidade entre os dois lados, cada um excedendo o outro. No fundo, os escravocratas do Sul eram os que mais tinham a perder. Alexander Hamilton, protegido de Washington e mentor de John Laurens, deu apoio ao projeto do jovem amigo. Mas é de se perguntar se seus argumentos — que os escravos eram servis o suficiente para se adaptar bem à disciplina militar, e também selvagens o suficiente para lutar como demônios — foram muito tranquilizadores para o general.

De qualquer forma, em 29 de março o Congresso autorizou o recrutamento de 3 mil negros capazes na Geórgia e Carolina do Sul, sob o comando de oficiais brancos. Os proprietários receberiam mil dólares de indenização por escravo, visto que os negros que servissem satisfatoriamente receberiam a liberdade, e cinquenta dólares após a guerra. Esta teria sido uma autêntica revolução, e demoliria de pronto as acusações britânicas de hipocrisia. Mas, precisamente porque um representante de New Hampshire no Congresso, William Whipple, objetou que "tal medida causará a Emancipação de um grande número daqueles miseráveis e lançará as bases para a Abolição da Escravatura", incluiu-se uma enorme brecha no decreto. Em vista dos "inconvenientes" que a medida provocaria nos dois estados sulinos, eles se reservariam o poder final de julgar sua pertinência. O cruel conflito entre Norte e Sul que envenenaria a nova república já estava ali desde o começo.

O desenrolar era previsível. Quando o tema do regimento negro foi debatido na Câmara dos Deputados da Carolina do Sul no final de agosto de 1779, obteve apenas doze votos de um total de 72, mesmo com os ingleses praticamente às portas. "Foi recebido com horror pelos fazendeiros", escreveu o dr. David Ramsay, um pensilvaniano transferido para Charleston e um dos primeiros historiadores da Revolução, "que imaginaram consequências terríveis para eles".[23] E com a mesma rapidez com que se convertera, Henry Laurens agora era o sardônico obituarista do grandioso projeto. "Eu soube que seu Castelo negro no Ar explodiu com hurras de desdém", escreveu ele ao filho indignado e furioso, acrescentando com uma ponta de impiedoso sarcasmo como se não tivesse tido nenhum papel na questão: "Um Homem com sua leitura & sua Filosofia não precisará de nenhum argumento de consolo para se conformar com a Decepção".[24]

John Laurens, porém, não havia renunciado totalmente a seu projeto. No começo de 1780, com a armada britânica a caminho, o Congresso lembrou sua proposta aos carolinenses do sul, e Laurens, como sempre sequioso de ação, estava em Charleston para defendê-la junto a seus conterrâneos. Ele conseguiu persuadir o general Lincoln a solicitar mil escravos ao governador Rutledge. Mas nenhuma pessoa influente quis sequer ouvir. Na verdade, 5 mil escravos das fazendas das baixadas tinham sido recrutados para trabalhar nas fortificações de Charleston, mas, ao contrário dos negros que fizeram o mesmo para os ingleses em Savannah, não receberam nenhuma promessa de liberdade. Nenhum deles, claro, portava armas; e nenhum foi incluído, mesmo desarmado, nas equipes de artilharia. A medida de Laurens, segundo a Câmara dos Deputados, ainda era "prematura" e deveria ser adotada "apenas em caso extremo".

O caso extremo não tardou a se apresentar. Pilotos negros encontraram fragatas britânicas logo após o banco de areia, guardando o porto de Charleston, depois que Quamino Dolly os guiara pelo pântano de Yamacraw. Em abril, sapadores brancos e negros cavaram as linhas de trincheira que desciam lenta e inexoravelmente pela península entre o rio Asley e o rio Cooper, até chegar ao raio de alcance para bombardear a cidade. Apanhado entre os navios britânicos no porto e as armas britânicas por trás deles, para nem mencionar os escravos que desapareciam aos magotes das fazendas de toda a baixada, o governador Rutledge — para horror de John Laurens — apresentou uma proposta de neutralidade da Carolina do Sul durante toda a guerra, em troca da preservação de sua ordem social, isto é, a sociedade escravocrata. Em maio, a guarnição americana se rendeu, entregando aos ingleses mais de 5 mil prisioneiros, entre eles John Laurens. Como escreveu ele a Washington, foi "o maior e mais humilhante infortúnio de minha vida", e continuou convencido de que um exército negro teria salvado a cidade e o estado.[25] Mas os estados sulinos queriam um exército branco e ofereciam escravos de recompensa para incentivar o alistamento de voluntários brancos. Em outubro de 1780, a assembleia legislativa da Virgínia aprovou que todo recruta que se comprometesse a servir até o final da guerra receberia trezentos acres e mais "um negro sadio" à sua escolha, de trinta a sessenta anos de idade, ou sessenta libras em ouro. Na Carolina do Sul, o general Thomas Sumter instituiu em abril de 1781 a prática de dar os escravos legalistas capturados como recompensa aos recrutas brancos, e a Geórgia seguiu o exemplo oferecendo um escravo a todo soldado que provasse ter lutado em alguma batalha. E quando o dinheiro estava curto, os soldados às vezes recebiam o pagamento em escravos.[26]

Em maio de 1780, uma banda estava tocando "God save the king" enquanto Sir Henry Clinton, a cavalo, atravessava Charleston em triunfo. Entre os músicos provavelmente estava John Marrant, alfabetizado, negro, convertido ao metodismo, rabequista e trompetista. Nascido em Nova York, sua vida tinha sido bastante movimentada: levado para a Carolina do Sul; convertido pelo missionário metodista George Whitefield; capturado pelos *cherokees*; salvo da fogueira no último minuto graças à intercessão do cacique; ministro de uma pequena congregação enquanto ainda usava tranças e calças de camurça e empunhava a machadinha índia; recrutado (por seus talentos musicais) para a chalupa *Scorpion* de Sua Majestade, a qual viu muita ação, desde os ataques de Dunmore em 1776 até a tomada de Charleston quatro anos mais tarde. Marrant certamente sabia da proclamação de Clinton em Philipsburgh, mas foi o cavaleiro índio que estava descendo a Broad Street junto com o comandante que lhe chamou a atenção, pois era seu velho amigo, benfeitor e convertido, o "rei" dos *cherokees*. Quando o cacique viu Marrant, "apeou de seu cavalo e veio até mim; disse que estava contente em me ver; que sua filha [também convertida pelo negro] estava muito feliz".[27]

Mas se os negros das baixadas esperavam que a Geórgia e a Carolina do Sul, depois da queda de Savannah e Charleston, se transformassem de inferno em paraíso, ou pelo menos de amarga servidão em inebriante libertação, muitos sofreram uma cruel decepção. Vinte e cinco mil negros — um quarto e um terço respectivamente da população escrava da Carolina do Sul e da Geórgia — deixaram as fazendas naquele que foi, de longe, o maior êxodo da escravidão na história afro-americana até a Guerra Civil e a Emancipação.[28] Mas foi exatamente esse número colossal de negros fugindo das lavouras e fazendas para se juntar aos ingleses que criou uma tremenda crise logística. A proclamação original de Dunmore fora motivada pela falta de mão de obra, ao passo que agora Clinton e seu sucessor Cornwallis enfrentavam um excesso de homens e escassez de alimentos, roupas e armas. E muitos desses homens, como seria de se prever na Virgínia dos anos 1775 e 1776, estavam gravemente enfermos, acometidos de varíola ou de tifo; e tais condições não foram propriamente favorecidas pela extrema carestia que se seguiu ao desmoronamento do sistema das fazendas de monocultura com base no trabalho escravo, que se deu no final de 1779 e 1780.

A reação da maioria dos comandantes ingleses, como seria de se esperar, foi ditada mais pelas frias necessidades de autopreservação militar que por solidariedade humana. Foi certamente o que ocorreu nos casos de Howe e Cornwallis, sendo que o primeiro compartilhava da aversão de Alexander Innes à ideia de usar soldados negros no palco de operações no Norte. Por outro lado, Sir Henry Clinton, provavelmente o mais importante dos três durante toda a guerra, era um caso muito mais complicado. Sem dúvida nada tinha de abolicionista e, como a maioria dos oficiais mais graduados, não via a menor vantagem em criar atritos com os fazendeiros legalistas ou neutros fazendo-os crer que estava prestes a destruir o mundo deles. Quando irrompeu uma revolta escrava na fazenda de Ralph Izard (cunhado do falecido governador Campbell), Clinton logo enviou tropas para esmagá-la.[29] Quando os escravos capturados *in situ* foram retirados das fazendas revoltosas, em vez de serem recebidos como fugitivos sob os termos da proclamação de Philipsburg, continuaram em geral como escravos e foram encaminhados para o trabalho forçado nas obras públicas ou mesmo entregues como recompensa aos legalistas. Mas qualquer comandante-chefe que usasse a palavra "brandura" em suas instruções aos oficiais subalternos, sobre o tratamento que deveriam dar aos Pioneiros Negros, evidentemente não era um general convencional. Na verdade, Clinton nunca deixou de se preocupar com os Pioneiros, os quais considerava um projeto pessoal, na mesma medida dos engenheiros e artesãos que trabalhavam com Moncrief. E nem sempre foi indiferente ao destino dos milhares de civis "Seguidores do Exército e da Bandeira". Em 3 de junho, antes de sair de Charleston (onde havia pelo menos quinhentos negros trabalhando nas fortificações) com destino a Nova York, Clinton escreveu um memorando para Cornwallis, seu sucessor no comando do teatro de operações no Sul, grande parte dele dedicado ao tratamento dos negros.[30] E orientava que os escravos que tivessem fugido de fazendas *legalistas* deviam ser devolvidos a seus senhores *somente* depois que estes fizessem a promessa solene, "na presença do Negro", de não punir os fugitivos por "ofensas passadas". Caso se demonstrasse que algum senhor escravocrata legalista havia infligido alguma punição a despeito de suas ordens, "ele ou ela consentirá em perder o direito de reivindicar o Negro". Se os negros pertencessem aos rebeldes, julgou Clinton razoável frisar mais uma vez a Cornwallis para o caso de ele não partilhar de sua opinião, e de fato talvez não partilhasse mesmo, após servir lealmente "têm o direito de receber sua liberdade". Deveriam receber "soldo, alimentos e roupas adequadas" e ficar "sob o cuidado e proteção de alguma pessoa caridosa com um salário apropriado". Ainda mais surpreendente, a mesma carta a Cornwallis propunha algo que só seria feito, se é que chegou mesmo a se fazer, durante a Reconstrução depois da Guerra Civil, cerca de oitenta anos mais tarde: "Por que não assentar os Negros em terras confiscadas após a guerra?".

Em apuros logísticos, até o próprio Clinton era capaz de devolver os escravos aos senhores como forma de desestimular uma onda de fugitivos, caso o número deles ameaçasse ultrapassar as provisões já escassas. Se estavam incapacitados por doença, eram um estorvo ainda maior. Os negros já enfermos e subnutridos eram mantidos em rigoroso isolamento, não raro com pouca ou nenhuma coberta ou comida, para impedir que a infecção se alastrasse entre os soldados. (O Exército continental também praticava em boa medida as mesmas políticas de isolamento profilático.)

Boston King era um daqueles inúmeros negros que sofriam com as convenções da autopreservação militar. King nascera numa fazenda a cerca de 45 quilômetros de Charleston, e tinha trabalhado para um treinador de cavalos de corrida, que o espancava sem piedade pelas transgressões dos outros, por exemplo quando sumia algum cravo de ferradura.[31] Evacuado com seu dono quando os ingleses tomaram Charleston, King pegou um cavalo emprestado para ir visitar seus pais, a trinta quilômetros de distância. Num impulso irrefletido, ele emprestou o cavalo a um outro servo, que logo desapareceu com a montaria por alguns dias. Apavorado com o castigo brutal que inevitavelmente receberia, King deu o passo que milhares de negros como ele já haviam dado. "Para escapar à crueldade dele, decidi ir para Charles-Town e me entregar às mãos dos ingleses. Eles me receberam de imediato e comecei a sentir a felicidade da liberdade que antes ignorava totalmente, embora tenha me sentido muito triste no começo por ser obrigado a deixar meus amigos e residir com estranhos." A felicidade, porém, foi passageira.

> Nessa situação fui atingido pela varíola e sofri grandes privações; pois todos os Negros atingidos por aquela doença recebiam ordens de ser levados a 1,6 quilômetro do acampamento, para que os soldados não se infectassem e ficassem in-

capacitados de marchar. Essa foi uma circunstância penosa para mim e muitos outros. Às vezes ficávamos deitados um dia inteiro sem nada para comer ou beber: mas a Providência enviou em meu socorro um homem que pertencia aos voluntários de York e que eu conhecia. Ele me trouxe as coisas de que eu precisava; e pela graça do Senhor comecei a me recuperar.

A essa altura, os ingleses deixaram o local; mas, como eu não estava em condições de marchar com o Exército, fiquei na expectativa de ser capturado pelo inimigo. No entanto, quando eles chegaram e perceberam que estávamos com varíola, abandonaram-nos precipitadamente por medo do contágio. Dois dias depois, chegaram as carroças para nos levar até o Exército inglês e fomos colocados numa casinhola (num total de 25 pessoas) a cerca de quatrocentos metros do Hospital.[32]

Assim, a conduta inglesa em relação aos negros sob seus cuidados não era de misericórdia invulgar, e tampouco de pura desumanidade e insensibilidade. Para cada general Prevost sem o menor escrúpulo (como Dunmore antes dele) em despejar os doentes em lugares como Otter Island, onde centenas morriam desatendidos, havia oficiais britânicos, por exemplo o benfeitor de Boston King, que tentavam fazer alguma coisa para ajudá-los. David George, que também sucumbiu à varíola em sua choupana perto de Savannah, sobreviveu porque a esposa Phyllis ganhava alguma coisa como lavadeira do Exército britânico e, por algum tempo, do próprio general Clinton. Quando o estado de David piorou, Phyllis finalmente acedeu angustiada ao pedido dele que o abandonasse para "cuidar de si e das crianças, e me deixar morrer lá". Embora tenha ficado à beira da morte depois que um cachorro comeu a farinha de milho que a esposa lhe deixara, David conseguiu de alguma maneira superar a crise e sobreviver. Não ficou ao desamparo. Um legalista branco, Joseph Wright, lhe permitiu usar a horta e o campo que tinha perto do rio Ogeechee, e publicou um alerta em Savannah de que "qualquer pessoa que Molestar ou perturbar [este] bom súdito do rei George [e] Negro Livre... na posse das terras será processada com o máximo rigor da lei".[33] Com a ajuda de um outro branco solidário, o "Advogado Gibbons", ele voltou para Savannah, onde se reuniu à família e manteve uma banca de açougue por dois anos. O cunhado cafuzo de David lhe fornecia carne fresca; mesmo depois que a cavalaria britânica lhe tirou a banca, os negros de Savannah fizeram uma vaquinha e lhe emprestaram dinheiro para comprar alguns porcos, que levou para Charleston junto com a família. Permanecendo em Charleston por dois anos, até a evacuação que se seguiu a Yorktown, David acrescentou que "o major P" — major-general James Paterson — "foi muito bondoso comigo".[34]

Na experiência de David George e de Boston King (as melhores fontes que temos sobre a experiência dos negros na Guerra Revolucionária), os ingleses podiam aparecer ao mesmo tempo como benfeitores e ladrões, empedernidos e bondosos; mesmo assim, nunca pairou dúvida sobre a lealdade de ambos. E de modo geral, a despeito de seus rigores e até crueldades, o Exército britânico era, para muitos que queriam escapar à servidão permanente, um amparo e uma fonte mais de esperança que de desespero. Apesar de todos os sofrimentos físicos e materiais, das traições e decepções brutais sofridas pelos negros, eles continuavam a afluir para a bandeira real pelo simples fato de que os ingleses eram inimigos de seus inimigos. Os escravos, em sua maioria, não queriam nada com a nova república americana da servidão.

Tal era, pelo menos, a opinião do metodista Boston King, que certamente conheceu sua boa dose de sofrimento nas mãos de ambos os lados.[35] Ferido numa batalha com os americanos, o capitão Grey, o oficial inglês que o atendera quando estava com varíola, foi levado para o hospital do acampamento, assim permitindo a King "retribuir-lhe a bondade que ele tinha mostrado comigo". Uma vez estabelecido o vínculo — não como senhor e escravo, mas como oficial e subalterno, o que era totalmente diferente —, Boston King manteve a lealdade. Sobretudo no caso de um oficial branco que tinha resolvido desertar e se bandear para os americanos, roubara cinquenta cavalos e ameaçava pôr ferros em King e lhe aplicar "uma dúzia de chibatadas toda manhã" se não o acompanhasse, ele se manteve inflexível. Conseguiu escapar do oficial, andou durante dias até alcançar a posição britânica e avisou da defecção. "Três semanas depois", registrou ele, lacônico, "nossa cavalaria ligeira foi até a ilha e incendiou a casa dele; também recapturaram quarenta dos cavalos, mas ele escapou." Em outra ocasião em Nelson's Ferry, onde os ingleses enfrentavam uma força americana muito superior, King andou e correu 45 quilômetros para buscar reforços. O Exército britânico estava cheio de negros assim, que remavam, cavalgavam, abriam picadas pelas matas, levavam mensagens com extremo perigo para si mesmos, tudo para dar uma margem de vantagem aos soldados ingleses.

Havia, naturalmente, momentos de dúvida. Como muitos negros do Sul apanhados numa guerra cada vez mais feroz — pois a tomada de Savannah e Charleston apenas deslanchou uma nova fase brutal do conflito, cuja única regra era ver qual lado pilhava mais —, Boston King foi para Nova York, que imaginava ser um abrigo legalista mais seguro. Trabalhando como piloto, foi capturado por um baleeiro americano e levado para New Brunswick, em Nova Jersey. Era, diz ele, "bem tratado" pelos captores, mas "meu espírito estava dolorosamente aflito com a ideia de ser reduzido outra vez à escravidão e separado de minha esposa e família". Parecia difícil ou impossível fugir, devido à largura dos rios que teria de atravessar para chegar a Nova York ou a Staten Island. Pesaroso, King se preparava para se conformar com a servidão. Mas então foi ver um "moleque" que tinha conhecido em Nova York, o qual tentara fugir e fora apanhado, e sentiu outra vez se erguer dentro de si, ao lembrar a desgraça da escravidão e o terror da fuga, a agonia lacinante de ser escravo.

> Ele fora capturado e tentou fugir, mas foi apanhado trinta quilômetros adiante. Amarraram-no à cauda de um cavalo e dessa forma o levaram de volta a Brunswick. Quando o vi, estava preso no tronco pelos pés, e à noite pelas mãos. Foi uma visão terrível para mim, pois esperava receber o mesmo tipo de tratamento se fosse apanhado ao tentar reconquistar minha liberdade. Senti-me grato por não estar confinado numa jaula, e meu dono me tratava tão bem quanto eu poderia esperar; e na verdade os escravos em Baltimore, na Filadélfia e Nova York recebem refeições tão boas quanto muitos ingleses, pois têm carne uma vez por dia e leite no desjejum e na ceia, e o melhor de tudo é que muitos senhores mandam seus escravos à escola noturna, para que possam aprender a ler as Escrituras [...] Mas nenhum desses prazeres me satisfaria sem liberdade! Às vezes eu pensava que, se era a vontade de Deus que eu fosse escravo, estava disposto a me resignar à Sua vontade; mas outras vezes eu não sentia o menor desejo de me contentar com a escravidão.[36]

Como tantas outras vezes, e contra todas as probabilidades, a sede ardente de liberdade venceu o medo da captura e a compreensível necessidade de uma vida estável. Boston King entrou cautelosamente no rio perto de Perth Amboy na maré baixa, por volta da uma da manhã, e continuou vadeando fundo as águas frias e escuras, mesmo ao ouvir uma sentinela dizer: "Tenho certeza de que vi um homem cruzando o rio". Mais tarde ocorreu-lhe a hipótese de que relutaram em disparar nele por medo do castigo por o terem deixado avançar tanto. Mas não houve nenhum disparo. King alcançou o outro lado e, "quando me afastei um pouco da margem, caí de joelhos e agradeci a Deus por essa libertação". Ele andou a noite toda até o amanhecer, e depois ficou escondido até escurecer. Mesmo assim, teve o cuidado de seguir o caminho que ia para o norte passando pelos brejos e lodaçais cheios de juncos, e não diretamente na estrada, onde poderia ser descoberto. Diante de Staten Island, arriscou mais uma vez cortando a amarra de um baleeiro atracado e remando até a ilha. O relato da fuga termina com uma frase tão prosaica que passa uma falsa ideia daquilo que, na vida de muitos escravos como Boston King, era uma transformação revolucionária de seu mundo: "o oficial no comando, ao ser informado de meu caso, deu-me um passaporte e segui até Nova York".

Para os escravos fugidos, a Nova York inglesa era um refúgio. Pelos anúncios nos jornais sobre os fugitivos, tem-se notícia de que pelo menos 519 foram para lá; mas se apenas um entre quatro donos de escravos de fato publicava o anúncio da fuga, como acontecia na Carolina do Sul, esse número aumenta vertiginosamente, e de modo verossímil, para mais de 2 mil.[37] Tal como na Virgínia, nas Carolinas e na Geórgia, quanto mais Nova York e Nova Jersey se aproximavam da guerra, maior era o número de fugitivos, de modo que em 1775 havia patrulhas e prisões preventivas de qualquer grupo de negros visto antes do amanhecer e depois do anoitecer. Para dissuadi-los da revolta, recorria-se com frequência cada vez maior às brutais punições costumeiras: chicotear, pendurar o corpo em correntes, expor as cabeças após a execução. Mas era difícil controlar os moradores negros da região, cerca de 18 mil em 1771, justamente porque já estavam em parte urbanizados ou viviam dispersos em sítios relativamente pequenos desde Long Island até o vale do baixo Hudson. Essa dispersão também poderia dificultar a organização de uma resistência negra, não fosse o fato de que, comparados aos negros do Sul, eles constituíam uma mão de obra mais instruída e, com frequência, superqualificada, sem dúvida atentos às mudanças da sorte dos exércitos em combate e às implicações da guerra para seus próprios destinos. Os negros nos arredores de Nova York sem dúvida sabiam da Proclamação de Dunmore, e mesmo os que não soubessem certamente saberiam da ordem formal do general Howe, repetindo o decreto de libertação dos escravos que desertassem dos rebeldes, a título de serviços prestados, que fora dada em 1778 e publicada na imprensa legalista por muitos meses. William Fortune, um escravo de 29 anos de idade que pertencia a John Morgan de Harrington, Nova Jersey, soube da Proclamação e partiu.[38] Dois anos antes, um escravo de Colt's Neck no condado de Monmouth, Nova Jersey, conhecido como Titus, que logo renasceria como "coronel Tye", fugiu de seu dono quaker (pois nem todos os quakers eram avessos ao escravismo) e foi para o Regimento Etíope de Dunmore. Estando entre a centena de soldados negros que sobreviveram à epidemia na Virgínia e em Chesapeake, Titus voltou a Nova Jersey com grande ímpeto e lutou na campanha de 1777. Na batalha crucial de Monmouth, em que John Laurens combateu do outro lado, Tye aprisionou Elisha Shepherd, um soldado da Milícia do condado de Monmouth, que talvez não tenha gostado muito de ser conduzido por Tye e encarcerado na Câmara do Açúcar em Nova York.[39]

Com certeza havia negros lutando no lado patriota, sobretudo do sul de Nova Jersey, Rhode Island e Connecticut, mas com poucas perspectivas de libertação se já não fossem livres. Em 1777, William Livingston, o governador americano de Nova Jersey, quis incluir na constituição do estado uma cláusula dispondo sobre a abolição da escravatura, mas "a câmara considerou que estávamos numa situação demasiado crítica para deliberar sobre esta". Quando o pastor abolicionista Jacob Green teve a coragem de pregar no púlpito que "não posso senão pensar que nossa Escravidão Negra Praticante é o pecado mais gritante em nossa terra", sua igreja foi destruída por uma turba enfurecida e o pastor se viu obrigado a ficar quieto.[40]

Para ver o embrião da primeira sociedade afro-americana autenticamente livre, temos de olhar para a bandeira inglesa.[41] No final de 1776, quando o Exército americano desocupou Nova York, um soldado britânico, ao chegar, viu "os filhos negros dos escravos se abraçando e se beijando" com alegria e alívio.[42] A vida nos anos seguintes não foi propriamente eufórica. Pouco depois de os britânicos ocuparem Nova York, um fogo violento, possivelmente ateado por incendiários rebeldes, destruiu um quarto dos edifícios da cidade, e quase nada foi reconstruído durante a guerra. Muitos negros fugidos que acorriam para lá moravam na "Vila das Barracas", em terrenos a oeste da Broadway, e durante o terrível inverno de 1779-80, quando se formou um metro de neve, muitos devem ter sofrido terrivelmente com o frio. Outros moravam nos dormitórios superlotados do "Quartel Negro" na baixa Manhattan na Broadway, na Church Street, na Great St. George Street e na Skinner Street, e no Brooklyn, perto do estaleiro, onde muitos deles trabalhavam como pilotos e carpinteiros navais. As condições, como sempre, eram ideais para o tifo e a varíola.

E no entanto, apesar de todas as dificuldades, *era* de fato uma nova vida para os afro-americanos. Podiam frequentar o culto na Igreja Anglicana da Trindade, onde também podiam se casar legalmente, algo impossível sob a escravidão. Os filhos podiam receber batismo, e os ministros anglicanos incentivavam os pais a batizá-los, além de empreender perigosas missões de batismo na zona neutra do leste de Nova Jersey, cada qual realizando seis cerimônias por semana. Os negros podiam ir ao teatro — assistir a *Otelo*, se quisessem, pois houve uma súbita retomada de Shakespeare durante a ocupação britânica. Havia corridas de cavalo (de modo que Boston King podia ver cavalos de corrida sem ser espancado pelo treinador) e lutas de boxe em que os pugilistas, como Bill Richmond (o primeiro grande boxeador negro dos dois lados do Atlântico), lutavam de punhos nus com o patrocínio do Exército, em geral contra adversários brancos, em especial irlandeses. Os negros podiam frequentar tavernas onde ouviam suas próprias músicas com banjo, tambor e rabeca, e ir aos "Bailes Etíopes" com anfitriãs negras usando vestidos espetaculares, onde negros e brancos, como em Charleston, podiam dançar juntos à vontade. De certa maneira, este foi um outro pequeno marco: a primeira vez em que as duas raças se uniam em algum tipo de festejo social. A imprensa patriota, como era de prever, considerava a simples ideia de uma dança com mistura de raças — *Sambos* e gente de família num baile — ridícula e repulsiva: "No entretenimento recentemente oferecido pelos oficiais do Regimento Africano Real, Sua Excelência abriu o baile com a Dama do coronel Quaco e dançou com muita elegância ao som da uma orquestra inteira de banjos e realejos".[43] E daí? Os soldados do rei marchavam ao toque de música afro-americana, ou pelo menos de músicos afro-americanos, pois não havia regimento que não tivesse seus tocadores negros (geralmente ex-escravos) de pífano, tambor e trompete. O general Benedict Arnold tinha dois trompetistas por quem nutria especial predileção, e que seguiram na diáspora legalista para a Nova Escócia quando Arnold voltou à Inglaterra. E os mercenários hessianos, que também recrutavam negros para suas próprias companhias, tinham nada menos que oitenta percussionistas negros registrados nos livros do regimento. Para os patriotas, essa música era mais uma prova da bestialidade do inimigo: decadentes que se entretinham com primitivos.

Ainda assim, eles sabiam por experiência própria que, tendo uma chance, os negros lutariam com entusiasmo, se não pelos britânicos, certamente *contra* os patriotas, e por vezes com uma garra que desmentia todos os chavões sobre o cômico e covarde *Sambo*. Devia haver cerca de oitocentos negros, incluindo os remanescentes dos etíopes de Dunmore, lutando pelo controle de Brooklyn Heights na batalha em Long Island em 1776. Em fevereiro de 1777, desertores do Exército britânico afirmaram que havia uma companhia de cem soldados negros estacionada em New Port, Rhode Island. Embora Alexander Innes, inspetor-geral do corpo militar provincial em 1777, no interesse de expurgar o Exército de elementos que presumia indesejáveis, tivesse ordenado a dispensa de negros e mulatos (assim seguindo o precedente americano), centenas de negros que tinham fugido de seus donos nos condados de Essex, Monmouth, Somerset e Middlesex encontraram serviço como carreteiros e forrageadores no exército do general Howe, atravessando Nova Jersey em perseguição a Washington em sua retirada. Como no teatro de operações no Sul, eles também trabalhavam como lenhadores, peões de obras, bagageiros, barqueiros, músicos, mensageiros e espiões.

Foi ao longo da fronteira denteada entre as duas Américas, a legalista e a patriota — atravessando a zona "neutra" do leste e norte de Nova Jersey, em particular os condados de Monmouth e Bergen, e o sul de Westchester na outra margem do Hudson —, que a violência grassou com mais brutalidade e os negros mostraram maior entusiasmo, como nas Carolinas, em se entregar a ela ou em ajudar os legalistas brancos a perpetrá-la. Foi quando se acertaram velhas contas, e os miniexércitos de negros livres e escravos usaram a guerra para afirmar sua posição em termos de gado, terras e sangue. Isso não quer dizer que muitos também não fossem autênticos entusiastas do rei George; sem dúvida muitos eram, pois acreditavam que o rei era o protetor, o patrocinador e até o libertador deles. O que houve de notável na guerra de guerrilhas no baixo Hudson foi que os legalistas brancos e negros agiram em conjunto, e que algumas das ações mais implacáveis foram contra soldados irregulares ou milicianos patriotas identificados como os responsáveis por atos brutais ou sumários contra *tories*.

De certa forma era algo pessoal, pelo menos para o "coronel" Tye, patente honorífica que os ingleses muitas vezes atribuíam a soldados não formalmente ligados ao corpo militar da província, mas que, como no caso de Tye, mereciam algum reconhecimento. Ao que parece, a "Brigada Negra" de Tye esteve ligada de início a um regimento dos Rangers da rainha, sob o comando de Banastre Tarleton, célebre pela inclemência. Mas suas companhias, de modo geral, atuavam como unidades quase autônomas tendo por alvo oficiais da milícia patriota no norte de Nova Jersey, ou irregulares patriotas que estavam conduzindo ataques aos acampamentos britânicos em Staten Island ou Long Island.[44] Da base de Tye em Sandy Hook partiam destacamentos — muitas vezes respaldados pelos Vaqueiros Refugiados, legalistas brancos que operavam junto com a Brigada Negra —, geralmente à noite, para atacar casas ou fazendas isoladas, sobretudo quando sabiam que abrigavam esconderijos de armas ou até canhões. Pegavam o gado para o Exército britânico; capturavam ou imobilizavam as armas; incendiavam as casas; levavam os prisioneiros para Nova York, e alguns, se considerados culpados de violência contra *tories*, às vezes eram executados ali mesmo. As lembranças eram muitas e a misericórdia, pouca. Não por acaso, um dos primeiros ataques registrados de Tye, no verão de 1779, foi em Shrewsbury, no condado de Monmouth, onde ele tinha sido escravo. Foram apreendidas oitenta cabeças de gado, vinte cavalos e, certamente para a satisfação do "coronel", dois prisioneiros.

No terrível inverno de 1779-80, as unidades organizadas e às vezes armadas de negros se tornaram elementos importantes para abastecer o exército e a milícia legalista com gado e lenha, e impedir o abastecimento do lado americano. Em Fort Lee e sobretudo em Bull's Ferry, guerrilheiros (pois é o que de fato eram) legalistas somavam guerrilhas e negócios criando bases armadas de onde partiam lenhadores e forrageadores negros para buscar madeira no condado de Bergen para o exército e os civis de Nova York. Construíam-se fortins (como em Kingsbridge, na ponta sudoeste do atual Bronx, de onde os troncos seguiam flutuando para Manhattan), em parte depósitos, em parte fortes, guarnecidos por 150 negros e brancos conhecidos como voluntários refugiados legalistas. Quando soldados ou milicianos patriotas, exasperados com a retirada de recursos valiosos, tentavam expulsá-los com a demonstração de superioridade de suas forças, não raro terminavam com o nariz sangrando.

Muitas vezes as batalhas assumiam a forma de uma revanche entre bandos rivais de irregulares. No final de março de 1780, Tye removeu John Russell, saqueador patriota em Staten Island, incendiou-lhe a casa e feriu gravemente seu filho. Durante algum tempo, na primavera e verão de 1780, o exército guerrilheiro de Tye parecia tão incontrolável que o governador Livingstone, de Nova Jersey, decretou lei marcial. Não teve nenhum efeito sobre as operações de Tye. Em junho, em apenas duas semanas, ele liquidou um dos mais notórios matadores de legalistas no condado de Monmouth, dentro de sua própria casa; a seguir, fez doze prisioneiros após uma verdadeira batalha na casa de um dos líderes dos patriotas do condado de Monmouth (e famoso empresário de cavalos de corrida), Barnes Smock; por fim, liderando uma força de quase cem homens, brancos e negros, saqueou as casas de oficiais da milícia de Monmouth, levando para Refugeetown, em Sandy Hook, oito prisioneiros, entre eles um capitão e o segundo-major da milícia. A Brigada Negra de Tye não sofreu nenhuma baixa.

Mas tudo isso era apenas um prelúdio para o alvo principal de Tye: um patriota corajoso e decidido, chamado Joshua Huddy, capitão da milícia do condado de Monmouth. Huddy era fora do comum. Tinha se casado com uma viúva judia da pequena comunidade conhecida pelo lamentável nome de "Jewstown" e assumira a taverna de seu primeiro marido, estabelecimento que se tornou o quartel-general da milícia patriota local, em que Huddy servia como capitão. Ele tinha a seu crédito vários ataques a Staten Island ocupada pelos ingleses, de modo que o ataque de Tye à casa de Huddy em Colt's Neck, em 1º de setembro de 1780, seria um acerto de contas. Mas para o coronel negro foi um erro fatal. Embora em tremenda inferioridade numérica, Huddy e uma amiga, Lucretia Emmons, conseguiram reter Tye e seus homens à distância durante duas horas, lutando de aposento em aposento na casa, em Tom's River, Nova Jersey. A casa por fim foi incendiada e a fumaça obrigou Huddy a sair (mais tarde ele escapou pulando do baleeiro que o levava a Nova York), mas durante o combate Tye levou um tiro no pulso, ferida que se transformou no tétano que o mataria não muito tempo depois.[45]

A morte de Tye não pôs termo aos ataques nas proximidades de Nova York. Ele foi substituído no comando da brigada pelo coronel Stephen Blucke, negro livre de Barbados, alfabetizado, oficial nos Pioneiros e Guias Negros. Mesmo que a guerra tenha declinado sensivelmente após a capitulação de Cornwallis em Yorktown em outubro de 1781, ainda ocorreram algumas vigorosas ações de resistência. Quando o general Anthony Wayne, com mil soldados, atacou os 120 defensores do fortim de Bull's Ferry, não conseguiu um ataque devastador e sofreu sessenta baixas. Os baleeiros armados de William Luce, quase sempre a cargo de barqueiros negros, conhecidos como Companhia Flutuante Armada, continuaram a atacar postos patriotas, e em janeiro de 1782 houve uma batalha naval entre baleeiros rebeldes e legalistas perto de Long Island. Em 23 de março do mesmo ano, a Companhia Flutuante Armada, junto com quarenta Legalistas Associados, atacou um fortim patriota em Tom's River, matando e ferindo vários combatentes e aprisionando a maioria da guarnição. Entre os que tiveram a infelicidade de ser capturados e transferidos para um navio de prisioneiros estava o velho inimigo de Tye, o capitão Joshua Huddy.

A luta foi árdua até o final porque havia muita coisa em jogo. Simsa Herring, William Dunk e Thomas Smith tinham deixado seus donos em Tappan; Lydia Tomkins fugira de seu dono, Elnathan Hart, em Philipse Manor, na margem de Westchester do Hudson; Ana havia abandonado Edmund Warde em East Chester; Gabriel Johnson escapara de John VanderVeer no condado de Monmouth; Anthony Loyal, do mesmo condado, era livre, mas sua esposa, Hagar, não; Thomas Browne havia largado Ahasuerus Merselis em Hackensack — estes e milhares de outros nas cercanias de Nova York se agarravam desesperadamente à sua liberdade, embora tivessem a vaga e terrível consciência de que seu destino estava sendo decidido lá longe, no distante Sul.[46]

Planando nas correntes de ar quente no calor úmido da Virgínia, um abutre de visão penetrante (e havia inúmeros deles nos dias de canícula no verão de 1781) distinguiria lá embaixo, por entre espirais de fumaça se erguendo das casas e campos recém-queimados, uma saliência aqui, outra acolá; e seguindo as estradas ao lado daqueles campos carbonizados, o dourado e o verde transmutados em marrom e negro, um longo desfile de soldados, canhões, carretas e carroças puxadas por laboriosos e pacientes cavalos, os "eternos", como eram chamados no Sul,[47] com o focinho quebrando o ritmo da marcha para espantar as moscas; em alguns carros abertos, homens amontoados, gemendo, com bandagens encardidas; depois, montarias de pelo mais liso, com ou sem ginetes, num passo que mal chegava a ser um trote; uma súbita e inexplicável carga de cavalaria ligeira arrancando em coluna de três, disparando para algum lugar como se soubessem para onde estavam indo, levantando uma poeira vermelha e desaparecendo nas matas ou por trás de um outeiro; e atrás, homens, carroças, armas, gente tocando gado a mugir enquanto avançava; ainda mais atrás, com o comboio das bagagens, mais homens, mulheres, crianças, na maioria negros, vestindo, se e quando vestiam alguma coisa, uma mistura de cores espalhafatosas, como se estivessem voltando de uma longínqua festa de carnaval. Havia homens com calções de seda e nada mais; outros com perucas e coletes de seda, com os braços de fora; mulheres com espartilhos e corpetes de laçarotes; outras com vistosos vestidos domésticos de cauda comprida; tudo tirado dos guarda-roupas dos senhores e das senhoras que, se fossem sensatas, já teriam erguido a cauda e saído do palco de ação.[48]

O abutre faz um círculo, eleva-se no ar, as asas escuras e desajeitadas totalmente abertas; fica planando no alto, então aponta para baixo a cabeça calva e vermelha e mergulha até a fonte de um odor auspiciosamente rançoso. Atrás do comboio serpenteante do exército há muitas sobras: gansos, porcos e até carne de vaca, mas, na pressa de avançar, ficaram sem consumir em carretas abertas ao lado das fogueiras em brasa.[49] De súbito se percebe um cheiro ainda mais penetrante: vem de cadáveres negros, de homens, mulheres, crianças, quase nus, cobertos de bolhas e pústulas supuradas de varíola. "Nestes últimos dias", escreveu um soldado de Connecticut, quase certamente infectado, como a imensa maioria do Exército continental, "passei por dezoito ou vinte Negros que jaziam mortos ao lado da estrada, apodrecendo de varíola [...] essas pobres criaturas sem ninguém para atendê-las, muitos se arrastaram até as moitas ali perto & morreram lá mesmo, infectando o ar em redor com fedor insuportável & grande perigo." Muitos desses infelizes foram simplesmente atirados ao mar, como tinha acontecido com as forças de Dunmore em 1776. Mas uma carta do general Alexander Leslie em julho de 1781 sugere uma intenção muito mais sinistra. Anunciando que iria "distribuir" setecentos negros com varíola "pelas fazendas rebeldes", era evidente que o general procurava espalhar a doença entre o exército americano, tal como os ingleses tinham feito com lençóis infectados nas guerras índias, conforme iam se estreitando nas manobras britânicas cada vez mais defensivas.[50] Esse foi o último uso militar que os generais britânicos deram aos negros que os haviam seguido com obstinada lealdade.

E é disso que o exército de Cornwallis foi capaz quando realizou a admirável proeza de derrotar a si mesmo, como Laocoonte se debatendo enroscado nas firmes espirais das serpentes e assim se estrangulando. Ninguém podia prever que as marchas da Virgínia e da Carolina do Norte seriam a última rodada. Depois da derrota esmagadora dos americanos sob o general Horatio Gates na batalha de Camden em agosto de 1780, a causa da Coroa parecia ganha. Apesar de uma guerra brutal de pilhagens rivalizando entre si na Carolina do Sul, cada lado tentando sobrepujar o outro na violência contra soldados e civis, o Sul, em especial a Virgínia, parecia pronto para a conquista final e definitiva. Ou pelo menos era o que parecia a Cornwallis, que no final de abril de 1781 decidiu levar suas tropas da Carolina do Norte para a Virgínia, pensando que seria o golpe derradeiro, subindo pela costa até a região de plantio de tabaco. Ora, seria de se imaginar, mesmo com a promessa (assim alegaria Cornwallis mais tarde) de reforços do exército de Clinton no Norte, que ingleses e legalistas, brancos e negros, já tinham visto o suficiente de Chesapeake, a costa recortada com suas baías e ilhas arenosas, suas charnecas e coníferas. Depois de incendiar e saquear Richmond (com o governador Jefferson *in situ*), Benedict Arnold tinha voltado ao local do breve triunfo e desastre final de Dunmore, Kemp's Land e Great Bridge, numa segunda tentativa de criar uma posição fortificada bloqueando a estrada de ida e volta para a Carolina do Norte. Dessa vez, em março de 1781, foram Pioneiros e trabalhadores negros que construíram o forte e demoliram a longa ponte de acesso. O desfecho não foi muito melhor do que tinha sido com Dunmore. O exército de Lafayette e a frota de Destouches convergiram para a Great Bridge; os mosquitos e moscardos começaram a picar; os soldados e operários negros começaram a derrear de febre, especialidade das baixadas da Virgínia.[51] Somente a notícia de um esquadrão enviado de Nova York e a chegada de mais 2 mil homens sob o comando do general William Phillips conseguiram tirá-los de Great Bridge mais ou menos ilesos. O ataque recomeçou rio James acima: uma flotilha capturada em Portsmouth e fardos de fumo incendiados.

Apesar do caos e da brutalidade, apesar da doença desatendida e dos doentes abandonados, apesar de obrigados a trabalhar nas obras públicas, e alguns deles até devolvidos aos donos, apesar da incerteza crônica sobre seu destino final, apesar dos boatos (na maioria falsos) de que seriam enviados para o Caribe e vendidos, aonde quer que fosse o Exército britânico, em grandes ou pequenos batalhões, na Carolina do Norte e depois na Virgínia, os escravos continuavam a chegar aos acampamentos às dezenas, depois às centenas e finalmente aos milhares.[52] Muitos eram escravos que de início tinham decidido se manter fora da guerra em suas fazendas, com medo de ser apanhados pelas patrulhas americanas, sobretudo depois que os comandantes americanos locais tinham recebido claras instruções de que "devem ser dados exemplos severos com todos os negros que levam provisões de qualquer espécie, ajudam ou assistem ou levam qualquer informação para [...] o inimigo [...] todos estes negros sofrerão a morte".[53] Mas ficar também podia ser uma sentença de morte, pois se tornavam alvos dos ataques brutais de ambos os lados. As lavouras eram cortadas ainda verdes, os animais eram abatidos. Em junho de 1781 John Cruden, o encarregado legalista das Propriedades Confiscadas em Charleston, informou que muitas fazendas estavam "totalmente destituídas daquela mais indispensável necessidade" — a safra. "Os escravos em geral estavam quase, se não totalmente, nus, por muitos anos só tendo conseguido obter pouquíssimas roupas."[54]

Assim, a catástrofe social em andamento acelerou o fluxo de escravos para o Exército britânico, com os refugiados negros na busca desesperada de alguma fonte de subsistência, mesmo quando a opção parecia ser entre morrer de fome ou morrer de varíola, visto que mais uma onda da doença, junto com a "febre do acampamento", tinha atingido os bivaques ingleses. Foi nessa época que os Middleton na Carolina do Sul e os Lee, os Carter, Jefferson, George Mason e Madison na Virgínia perderam números consideráveis de escravos para os britânicos. Os 65 escravos de William Lee foram embora, e seu irmão Richard Henry informou que seus vizinhos haviam "perdido todos os escravos que tinham no mundo [...] foi o caso geral de todos os que estavam perto do inimigo". Dos setecentos escravos que pertenciam a Thomas Nelson, o secretário do Conselho da Virgínia, apenas 8% ficaram.[55] E, embora se lamentassem pelas perdas, os fazendeiros eram obrigados a admitir que nunca tinham visto nem ouvido os ingleses coagirem os negros a se juntar a eles, e nesse caso o fenômeno só podia ser explicado como "fraude".

Cornwallis sem dúvida alimentava sentimentos ambíguos sobre essa imensa e irrefreável migração. Paradoxalmente, quanto mais os britânicos se aproximavam de uma conquista do Sul, mais relutante ele se mostrava em proceder, mesmo que não tivesse a intenção, à destruição completa do sistema social escravista da região. Os legalistas, afinal, tiveram assegurada a posse de seus negros. Alguns comandantes britânicos, em particular Tarleton, provinham de dinastias de negociantes de escravos; e todos estavam ansiosos em não desagradar os "neutros" do Sul, cuja lealdade poderia ser decisiva para a vitória ou a derrota. A despeito de seus outros traços, Cornwallis era um enfático não abolicionista. Na Carolina do Sul, já tinha ficado preocupado com as consequências de tal séquito de negros sobre as reservas do Exército, a ponto de ordenar que os que não trouxessem uma "Marca" adequada, indicando a que regimento ou departamento militar pertenciam, fossem expulsos do acampamento, se necessário à força de chicotadas. Mas era como Canuto querendo resistir à maré. Depois, deslocando-se penosamente em campanha de uma ponta a outra da Carolina do Norte, sua maneira de lidar com o afluxo de uma quantidade ainda maior de escravos foi distribuir seis deles, entre homens e mulheres, como criados, criadas, cozinheiros, lavadeiras e bagageiros para cada oficial, e um para cada sargento. Quando a campanha subiu para a Virgínia, o exército parecia um imenso carreiro de formigas deixando uma trilha de destruição e consumo voraz pelas fazendas do Sul, agarrando o que pudessem antes que os inimigos chegassem.

Cornwallis podia pensar o que quisesse dos negros, mas estes ainda o consideravam protetor e benfeitor até o terrível final, quando ele fez algo ao mesmo tempo previsível e monstruoso. Mas em agosto de 1781, a caminho daquela calamidade derradeira, ele era para o sargento Murphy Steele, dos Pioneiros Negros, o homem designado por Deus para derrubar o novo faraó: George Washington. *Vai*, Moisés-Murphy, dissera-lhe a visão, *vai* e diz a eles que *assim* deve ser!

16 de agosto de 1781. Escritório do Ajudante General

Murphy Stiel [sic] dos Pioneiros Negros Diz Que há cerca de quinze dias ao Meio-Dia, quando ele estava no Quartel da Companhia em Water Street, ouviu uma voz como de um Homem (mas não viu nenhum corpo) que o chamou pelo nome e pediu que fosse e dissesse ao Comandante-Chefe, Sir Henry Clinton, para avisar o Gal. Washington Que ele deve Render a si e suas Tropas ao Exército do Rei e que se não o fizer a ira de Deus recairá sobre eles.

Que se o General Washington não se Render, o Com.-Chefe devia então lhe dizer que iria levantar todos os Negros da América para lutar contra ele. A Voz também disse que o Rei George deve ser informado do acima.

Que a mesma Voz lhe repetiu a Mensagem acima citada várias vezes depois e há três dias na Queen Street insistiu que ele devia contá-la a Sir Henry Clinton ao que ele respondeu que tinha medo de fazer isso porque não via a Pessoa que falava. Que a Voz então disse que ele devia contar, que ele não iria vê-lo porque era o Senhor e que ele devia informar Sir Henry Clinton que foi o Senhor que disse isso; e contar a Sir Henry também, que ele e Lorde Cornwallis deviam pôr um fim a esta Rebelião, visto que o Senhor estaria do Lado deles.[56]

Deus devia estar brincando, pois deixou que Cornwallis marchasse ou fosse aos tropeções para a armadilha cuidadosamente montada por Washington e Rochambeau, e Clinton deixou que ele lá ficasse. Os dois comandantes britânicos não tinham se posto de pleno acordo sobre a decisão obstinada de Cornwallis de empreender a campanha na Virgínia, cujo desenlace foi determinado pelo atraso da operação. Mas se Clinton não se enganara em pensar que era iminente o ataque a Nova York e portanto decidiu ficar, poderia ter interposto obstáculos ao avanço de Washington para o sul e talvez ter impedido que as forças francesas e americanas unidas cercassem a posição entrincheirada de Cornwallis na península de York.

O cerco começou em 23 de setembro e terminaria quase um mês depois com a capitulação. A América britânica terminou, então, onde havia começado mais de 150 anos antes, durante o reinado de Jaime I: em Chesapeake. A frota francesa sob o comando de De Grasse impediu a fuga pela baía, e as tropas francesas e americanas fecharam as rotas de saída por terra. O bombardeio começou e veio a reação. Na segunda semana de outubro, as reservas de munição e víveres chegaram a níveis catastroficamente baixos. Tentou-se uma desesperada surtida britânica em 15 de outubro à noite, mas foi repelida. Depois disso, o desfecho era apenas uma questão de tempo. Cornwallis se fechou mal-humorado em sua tenda.

Havia milhares de negros nos dois lados dos redutos, seteiras e trincheiras em Yorktown. Um observador alemão escreveu que um quarto do Exército continental era composto de negros, o que significa que, além da centena de soldados do Primeiro Regimento de Rhode Island e de muitas centenas de negros livres e escravos de Santo Domingo (que não estavam longe de sua própria revolução), devia haver uma porcentagem extraordinária de substitutos negros entre os soldados do Sul. Mas a ideia, muito difundida, de que isso representaria um exército "integrado" merece ressalvas, conforme mostra uma das poucas ilustrações feitas do soldado continental negro: é a própria caricatura do *Sambo* de boca arreganhada, olhos esbugalhados grotescamente ampliados, beiços grossos e um exótico chapéu de plumas.

Os soldados americanos negros, porém, pelo menos recebiam alimentos e roupas decentes e, o mais importante, eram vacinados. Do lado britânico, enquanto se apertava o cerco, a terrível desgraça que atingia os negros "seguidores do Exército e da Bandeira" e os Pioneiros só fazia piorar. Em meados de outubro Cornwallis, que já tinha abandonado os mais doentes à própria sorte nas matas e mandara matar os cavalos para impedir que morressem de fome, tomou então a decisão brutal de expulsar os negros do acampamento. "Mandamos de volta para o inimigo todos os nossos amigos negros", escreveu o hessiano Johann Ewald, "que havíamos acolhido para despovoar o campo. Nós os tínhamos usado com bom proveito e os libertamos e agora, trêmulos e assustados, tiveram de enfrentar a recompensa de seus cruéis senhores." Alguns dos oficiais ingleses mais graduados se sentiram profundamente perturbados com o que tiveram de fazer. O general Charles O'Hara, que anunciaria a rendição formal uma semana depois (visto que Cornwallis se declarou "adoentado"), escreveu que "não se deveria fazer isso", sabendo que a expulsão era uma sentença de morte para os doentes e uma sentença de reescravização para os saudáveis. Embora tenha entregado quatrocentos negros que estavam a seu cargo, ele procurou deixá-los aos cuidados de virginianos locais relativamente solidários, pedindo-lhes que tratassem os negros agonizados e apavorados com humanidade.[57]

Negros rufaram os tambores à lenta marcha surda na saída de Yorktown, tal como haviam tocado a marcha de triunfo em Charleston dezoito meses antes. John Laurens (libertado numa troca de prisioneiros), a quem Washington encarregara de cuidar das formalidades da rendição, negou aos ingleses a dignidade de sair com a bandeira, lembrando implacavelmente que Clinton recusara a mesma cortesia aos americanos derrotados na Carolina do Sul. A vergonhosa capitulação não era apenas a melhor notícia possível para a causa americana; era também o começo do fim do grande levante escravo americano. Os virginianos brancos não perderam um minuto em arrebanhar o máximo de escravos errantes que conseguiram, e se a razão virtuosamente invocada era a compaixão, não se deixava de invocar também a propriedade. O governador

Benjamin Harrison — que igualmente perdera escravos — estabeleceu como alta prioridade imediata rastrear o maior número possível de fugitivos e devolvê-los a seus donos. No dia da rendição, o general George Weedon postou sentinelas ao longo da costa da península de York, para impedir que qualquer negro fugisse para os navios britânicos (apesar de tudo o que haviam sofrido, era justo isso que multidões de negros ainda tentavam desesperadamente fazer). Negros apreensivos em Savannah (onde uma unidade de 150 ex-escravos armados servia num regimento de infantaria sob o comando do coronel Thomas Brown) e em Charleston não tinham nenhuma ilusão sobre o que os aguardava se também fossem dispensados por seus protetores britânicos, ou tomados deles. Em abril de 1782, 46 legalistas foram capturados no navio britânico *Alert*; onze eram negros e foram imediatamente a leilão numa taverna em Trenton, Nova Jersey.

Quando o primeiro-ministro inglês, lorde North, soube da rendição em Yorktown, soltou sua famosa exclamação: "Oh, Deus, então é o fim!". De fato foi o fim dele e de seu governo. Mas, de um ponto de vista militar estrito, não era nada evidente que a guerra estava irremediavelmente perdida. Um dos que se recusaram a jogar a toalha foi lorde Dunmore, que voltou a Charleston em dezembro de 1781, depois que a posição britânica ao norte tinha se esfacelado. Havia um ar de desafiante irrealidade na cidade, visivelmente mesclada a certa apreensão. Milhares de negros ainda se encontravam em ocupações militares e civis. Mantinham-se os pródigos "Bailes Etíopes", como o que foi oferecido na Meeting Street, 99, por Hagar Roussell, Izabella Pinckney e Mary Fraser, três negras que tinham usurpado os nomes de suas antigas donas, numa nítida inversão das convenções da nomenclatura escravista, e aquilo desagradou tanto a Daniel Stevens, um oficial americano que servia ao general Greene, que ele tomou o fato como sinal da "vergonha e perfídia [a que] os oficiais daquela Nação outrora grandiosa [a Inglaterra] chegaram".[58]

Ansioso para entrar em ação, Dunmore ouviu atentamente o encarregado das Propriedades Confiscadas, John Cruden, insistindo que nem tudo estava perdido; que seria possível mobilizar e equipar pelo menos 10 mil soldados negros "acostumados ao trabalho pesado" e, "quando esses homens estiverem organizados, não há dúvida de que, com a força aqui [em Charleston], eles conseguirão expulsar o inimigo da província e abrir uma larga porta para nossos amigos da Carolina do Norte virem se juntar a nós; até lá se faz diplomacia, e temos domínio suficiente no mar para entrar na Virgínia".[59] Os negros seriam tirados das "propriedades de nosso inimigo" e também de senhores legalistas que receberiam indenização. Endossando o plano numa carta a Clinton em fevereiro, Dunmore acrescentou que daria a seus soldados negros, além da garantia de liberdade ao término da guerra, um guinéu para cada "e para que possam ficar plenamente satisfeitos que esta promessa será inviolável, ela deve ser feita pelo oficial nomeado para comandá-los".[60]

Dunmore agora lançava aos ares a cautela que havia mostrado na Virgínia sete anos antes. O que ele, Cruden e vários generais dispostos a lutar até o fim, como Alexander Leslie, tinham em mente era nada menos do que uma autêntica revolução contra a revolução: uma imensa insurreição que, junto com o bastião em Charleston, faria da Carolina do Sul (não obstante a zona rural estar infestada de partidários patriotas) o centro dos supremos esforços de resistência intransigente. Daniel Stevens, o patriota da Carolina do Sul que se escandalizara com o "Baile Etíope", ficou ainda mais raivoso ao descobrir que "os tiranos britânicos, tendo perdido qualquer senso de honra, armaram nossos escravos contra nós".[61] No final de março de 1782 (quando soldados irregulares legalistas brancos e negros ainda empreendiam ações violentas mesmo em Nova York), Leslie fez algumas penosas incursões da cavalaria inglesa na tentativa de impedir que os negros das fazendas legalistas fossem tomados pelos americanos e de pegar outros negros nas fazendas rebeldes. Em julho, ele criou um regimento de dragões negros montados, que incluíam o capitão ex-escravo March Kingston, dois tenentes, um deles Mingo Leslie, três sargentos e 23 cavalarianos negros, que travaram uma escaramuça com os soldados de Francis Marion no rio Wadboo. O regimento continuou a existir pelo menos por mais três meses.[62] Embora Leslie deixasse claro a lorde George Germain que, pessoalmente, não tinha nenhuma vontade de comandar a nova brigada negra, o homem tido pela maioria dos oficiais como o mais adequado para o cargo era James Moncrief, que fora o responsável pelas defesas em Charleston e se mostrara um respeitável oficial de tropas negras.

Mas Moncrief era um realista. Em março de 1782, sua preocupação maior era que os negros que tinham sido incansáveis a seu serviço "e que me tomam como sua proteção nesta parte do país" não fossem traídos, como tantos outros, e que as promessas feitas a eles fossem honradas. Em correspondência direta a Clinton, Moncrief o lembrou das "muitas vantagens que o serviço de Sua Majestade havia obtido com o serviço deles desempenhando os diversos trabalhos nesta província e na província da Geórgia. Portanto eu solicitaria a Vossa Excelência a gentileza de instruir os termos em que estão para ser libertados antes de minha partida". E avisava que,

> se a falta do devido cuidado e daquele grau de atenção que é necessário lhes dar levá-los a repudiar a confiança que sempre depositaram em nós, será muito difícil mantê-los juntos, e se houver qualquer futuro serviço que possa requerer o trabalho de homens para executar as tarefas, peço licença de apresentar minha opinião de que haveria uma grande vantagem em [empregar] uma Brigada dos Negros desta região.[63]

Mas Clinton já não estava em posição de autorizar nada. Humilhado, amargurado e envolvido em mesquinhas disputas com Cornwallis, em mútuas acusações de quem teria sido o maior culpado pelo fiasco na Virgínia, o comandante-chefe renunciara antes de ser reconvocado.

Naquele mesmo mês de março de 1782, o ministério de North em Londres foi substituído por um governo encabeçado pelo marquês de Rockingham, crítico de longa data da guerra americana e fortemente favorável a entabular negociações de paz, cuja premissa básica seria a concessão da independência. Mas pelo menos um bom punhado dos soldados negros do rei não estava, e nunca estaria, disposto a pedir paz a seus antigos senhores. Em 1786, três anos após a assinatura do Tratado de Paris, cerca de trezentos ex-escravos, treinados nas armas pelos ingleses durante a guerra, ainda operavam como guerrilheiros flibusteiros (ou, dependendo do ponto de vista, como bandidos) dos dois lados do rio Savannah. Num campo em Bear Creek, no condado de Effingham, na fronteira entre a Geórgia e a Carolina do Sul, os negros tinham erguido uma aldeia fortificada de 1600 metros por 122 metros, com 21 casas construídas como abrigo. A cidadela era protegida por paliçadas e uma barreira com mais de 1,20 metro de altura, com troncos empilhados e varas pontiagudas. Cultivavam lavouras para abastecer o que, na verdade, era uma colônia negra livre no meio dos mangues do rio Savannah — os mesmos mangues por onde Quamino Dolly, sete anos antes, tinha guiado os soldados de Archie Campbell até os portões da cidade. Os negros ganharam tanto sucesso e renome entre os lavradores das redondezas que, segundo Samuel Elbert, um dos oficiais da milícia georgiana incumbida de acabar com eles, "se alimentavam temores de uma insurreição servil".

Em maio de 1786, o governador John Mathews, que servira com Nathanael Greene, ordenou um ataque ao acampamento em Bear Creek. Numa operação de quatro dias, usando soldados da Geórgia e da Carolina do Sul, além de índios Catawba, entraram e tomaram o forte. As casas foram incendiadas e as lavouras destruídas, mas, segundo Elbert, "escaparam muitos que, escondendo-se em moitas densas e entrelaçadas, continuaram, quando tinham ocasião, em sua obra de roubo e violência".

Para os senhores escravistas indignados, os negros de Bear Creek não passavam de um bando de criminosos. Mas, para os negros do Sul, eles eram mais do que isso. Eram exatamente aquilo que diziam ser: "Os soldados do rei da Inglaterra".[64]

5.

5 de maio de 1783: um dia pesado no Hudson; nuvens baixas, vento leste, a superfície opaca do rio agitada por ondas que batem furiosas contra os cascos de duas fragatas britânicas, avançando pesadamente rio acima. Com esse tempo o *Greyhound* se retardou e o *Perseverance* perseverou (36 armas, sob o comando do capitão Lutwyche), bem como seu principal passageiro, Sir Guy Carleton, o último comandante-chefe das forças britânicas de Sua Majestade nas treze províncias revoltosas da América.[1] Seguia para um encontro com George Washington, mesmo contrariando o conselho do amigo legalista William Smith, presidente do Supremo Tribunal, que dissera a Carleton que não fizesse tal coisa enquanto não houvesse uma troca satisfatória dos prisioneiros britânicos e enquanto os americanos não concordassem em devolver as terras legalistas confiscadas ou em indenizar seus proprietários. Em todo caso, Smith suspeitava que Washington queria "pescar" informações e que as "amenidades cerimoniosas" da ocasião causariam profundo mal-estar entre os legalistas de Nova York. Mas Carleton estava decidido, e Smith aceitou o convite de acompanhá-lo, para garantir que não se causasse nenhum outro dano irrefletido à causa legalista.[2]

Sir Guy Carleton estava na América fazia exatamente um ano e ainda não encontrara Washington. Durante meses teve como objetivo uma conversa dessas, mas agora que estava tudo combinado — a convite de Washington, e não seu —, Carleton sentia um estranho mal-estar. Não era apenas aquele incômodo começo de febre que o fazia ofegar e transpirar, e sim um azedume que se espalhava por dentro. Sir Guy, em geral, não era do tipo bilioso. Sempre tinha procurado dar o máximo de si pelo Império, o que significava dar e também levar pancadas. Mas, desde que voltara à América na primavera anterior após a catastrófica capitulação em Yorktown, a pedido expresso do próprio rei, o solo sob seus pés tinha sido tão minado que ele não fazia ideia de onde estava pisando, ou, na verdade, se e onde restara algum ponto em que pudesse se apoiar. Ao desembarcar em Nova York, sua meta era nobre, sua determinação era firme. Ele reconduziria a América rebelde a seu verdadeiro lugar: ao benevolente regaço de um magnânimo Império Britânico, punido por seus erros (sim, ele chegava a admiti-lo) e agora mais flexível. Embora veterano do Exército, Carleton sabia que tal reunião jamais se realizaria apenas pela força das armas. Demandaria outra disposição de ânimo e reformas sensatas dos dois lados do oceano.

Sob o impecável casaco e os pesados alamares do militar irlandês se ocultava um romântico incorrigível quanto ao tema da América britânica. Seus olhos grandes e escuros se umedeciam só de pensar nela. Pois como Sir Guy não seria agudamente sensível a seu esplendor, se estivera no Quebec com o amigo James Wolfe e o vira morrer uma morte heroica para que a América britânica pudesse viver? Herdara o legado; defendeu o Quebec contra a invasão rebelde do Canadá; redirecionou as forças de Benedict Arnold para o lago George; resistiu ao cerco subsequente e conteve-se estoicamente quando foi responsabilizado pelo fracasso na tentativa de tomar o forte de Ticonderoga na fronteira e, pior, pelo desastre que se seguiu, na verdade por culpa de seus colegas militares Johnny Burgoyne e William Howe. Mas o Canadá não se transformara no décimo quarto estado da república rebelde, de modo que ainda era uma América britânica. Como muitos velhos amigos e companheiros de armas, Carleton insistia em acreditar que a rebelião tinha sido obra de meia dúzia de indivíduos maus e obstinados, que tinham frustrado nocivamente as tentativas de aplacar a fúria. O que resultara do êxito deles? O naufrágio do país; devastação e miséria; órfãos e viúvas. Os mesmos descontentes haviam pretendido estabelecer uma independência que, sabia ele, de forma alguma poderia ser desejo da maioria dos americanos, os quais, recebendo as devidas garantias de que os impostos passariam à sua alçada, iriam querer apenas retornar à antiga lealdade. O problema, na visão de Carleton, tinham sido as abomináveis assembleias revolucionárias, dominadas com excessiva facilidade por pérfidos demagogos. Uma vez transplantada para a América a constituição aristocrática da Inglaterra — um sistema admiravelmente excogitado para garantir que o peso dos interesses prevalecesse sobre o ardor faccioso —, a moderação e a temperança, fontes da felicidade política, certamente retornariam e a América britânica retomaria nas mãos seu brilhante e grandioso futuro.

Ou foi assim que Carleton entendeu sua missão, ao chegar em 5 de maio de 1782.[3] Sua nomeação oficial, compartilhada com o almirante Robert Digby, afinal era a de "encarregado de restaurar a paz e conceder o perdão às Províncias Revoltadas". Sir Henry Clinton, alvo da chacota dos rebeldes e da maledicência dos legalistas, se preparava para voltar à Inglaterra — e já ia tarde. Em 22 de fevereiro, por petição do general Conway, velho amigo da América, a Câmara dos Comuns tinha aprovado uma moção para cessar as operações ofensivas, para grande desgosto dos legalistas que lotavam Nova York. Em março caiu o gabinete de lorde North, substituído por um ministério encabeçado pelo marquês de Rockingham e lorde Shelburne, que partilhavam a opinião de que a guerra, desde o início, tinha sido imprudente e injusta. O que não significa que Shelburne, em particular, fosse favorável à independência, pois pelo menos até aquele momento ele fora enfaticamente contrário a ela. Pois mesmo então Carleton não achava que estivesse tudo perdido — nem sequer a guerra, caso se chegasse a tal ponto. Havia 18 mil soldados ingleses, hessianos e legalistas dentro e em torno de Nova York, e ele recebera informações confiáveis de que os milicianos rebeldes estavam voltando para casa aos bandos e Washington teria dificuldade em reunir um exército para mais uma campanha na primavera. Carleton tinha dado ordens para que os 2 mil soldados alemães, que aparentemente seguiam para a Nova Escócia, viessem para Nova York na surdina. E diziam que Vermont, para onde haviam ido muitos legalistas da Nova Inglaterra, estava lotada de amigos da Inglaterra e a pique de rejeitar o Congresso. Quanto à Marinha Real, a confiança de Carleton de que ela venceria os franceses, rompendo qualquer bloqueio, fora confirmada triunfalmente pela destruição da frota de De Grasse no Caribe, por obra do almirante Rodney, em abril — uma desforra pelo papel do almirante francês na humilhação sofrida na Virgínia. Assim, durante alguns meses da primavera de 1782, tudo parecia em suspenso para Carleton, e a independência americana estava longe de ser um desfecho consumado. Tinha sido assediado por legalistas ardorosos implorando que, se o Congresso se mostrasse inflexível, se pusessem em marcha.

Mas em julho, quando os rebeldes comemoravam o sexto aniversário de sua Declaração, veio o golpe mortal. Chegou uma carta de instruções do novo governo, esperada desde longa data, em que lorde Shelburne, o ministro recém-indicado para os Assuntos Coloniais e Internos (pasta que ele deve ter inventado), se dignava a informar ao comandante-chefe que, na verdade, não havia mais nada para comandar. Sem o conhecimento de Carleton, o governo tinha decidido aceitar a posição intransigente do Congresso: qualquer negociação deveria ter como pressuposto o fato da independência nacional. A grandiosa visão de Carleton de um império britânico-americano restaurado, reconstituído e reunificado se dissolveu imediatamente como um castelo no ar. Foi-lhe informado que agora sua preocupação principal era desfazer o infeliz namoro entre a América e a França, e para isso ele devia se dedicar a "conquistar corações". Mas Carleton era um general e, em sua própria opinião, também um estadista, não muito interessado em exercícios de galanteio. Em vez de procônsul de uma América britânica regenerada, estava agora reduzido a mero "inspetor de embarques". Sua tarefa, pelo visto, seria apenas providenciar a remoção de todas as tropas britânicas e de todos os legalistas que quisessem ir, da maneira mais ordeira e no momento mais oportuno. (Mesmo isso, percebeu Carleton quando foi pressionado pelos americanos a tomar as mesmas providências, seria uma tarefa hercúlea devido à falta de navios.) Pior de tudo, parecia que as discussões referentes a um tratado de paz que se desenrolavam em Paris entre enviados ingleses e enviados americanos já tinham admitido a independência. Não contentes com o que Carleton demonstrava considerar "um erro capital", essas negociações agora prosseguiam sem a mínima referência ao comandante-chefe de Sua Majestade na própria América.

Como Carleton iria informar essas duras verdades aos legalistas que o tinham tomado como protetor e paladino? Haviam saudado entusiasticamente sua chegada, admiraram sua firmeza em tratar com Washington questões como a troca de prisioneiros e a garantia de suas propriedades confiscadas. Se fosse o caso, esperavam que fosse ele o general a comandá-los, um bom páreo mesmo para Washington e uma boa mudança depois do desanimador desfile de incompetentes arrogantes que o haviam precedido. Todo esse apreço acumulado, porém, se evaporou em 2 de agosto, quando Carleton, aflitíssimo por ter de ser o consumador de um ato de monstruosa má-fé, informou aos principais legalistas quais as verdadeiras intenções do governo em Londres quanto a eles. William Smith, o chefe de justiça em Nova York e um dos primeiros e melhores amigos de Carleton na América, ficou estarrecido. Ele também imaginava uma nova espécie de América britânica: haveria um Parlamento americano investido de plena autoridade fiscal, assim removendo a grande fonte de rancor sem o trauma da separação imperial. Agora era informado de que todas essas especulações eram vãs, pois o governo britânico já havia concedido a independência. Em resposta, ele disse a Carleton que um ato de traição tão covarde e sem princípios não só causaria consternação na América legalista, mas certamente "acenderia a guerra civil na Grã-Bretanha". Os ministros do governo, com sua infâmia, não estariam a salvo de atentados homicidas nas ruas de Londres. O abandono era tão iníquo, declarou Smith a Carleton, que os bons legalistas, em sua raiva, seriam capazes de se jogar nos braços do cristianíssimo rei de França.

Quando a notícia se espalhou para um círculo mais amplo alguns dias mais tarde, legalistas horrorizados insistiram que Carleton lutasse. Se ele liderasse um exército de brancos e negros, eles o acompanhariam, pois era preferível morrer a viver numa América republicana. Quando o general recusou a função de comandar uma resistência derradeira, seu prestígio junto aos legalistas despencou, por mais que ele protestasse (quase sempre em particular) que também sentia profundamente a ignomínia de uma transigência tão covarde. Uma semana depois, um grupo de ilustres legalistas de Nova York escreveu uma petição ao próprio rei, para que reconsiderasse as posições de seu governo — mas infelizmente, numa atitude desconcertante, o soberano pareceu fazer ouvidos moucos a tais rogos.

Da noite para o dia, deu-se baixa numa comunidade inteira de 750 mil indivíduos, 100 mil deles apenas em Nova York, riscada no maior exercício de corte de prejuízos da história britânica. "Agora nosso destino parece selado", escreveu um deles com amargor, "e somos largados pranteando nossos dias na miséria [sem] nenhum outro recurso a não ser nos submeter à tirania dos inimigos exultantes ou colonizar um novo país."[4] Os legalistas podiam escolher entre o exílio ou a confiança na palavra de Carleton, que lhes disse que o Congresso iria "recomendar" a devolução das propriedades confiscadas aos que optassem por ficar na nova república. (A "recomendação" nunca foi incluída na forma final do tratado, o que aliás dava na mesma, pois o tratado foi em larga medida ignorado.) Carleton, envergonhado com a desonra, queria renunciar; mas decidiu permanecer no momento, quando menos como o consciencioso procurador dos legalistas desarraigados. Por iniciativa própria, e conhecendo por experiência pessoal as dificuldades da colonização canadense, ele lhes prometeu transporte gratuito, concessões de terra substanciais e provisões durante um ano, medidas que o governo inglês endossou mais tarde. Era o mínimo, na opinião de Carleton, que os culpados podiam fazer pelos traídos.

Como era previsível, a brusca e categórica liquidação da América britânica gerou raiva e pânico entre os legalistas sitiados, entocados em Savannah, Charleston e Nova York, ilhas de lealdade britânica entre vagalhões de recriminação e de euforia patriótica americana. Se a situação parecia assustadora, quem tinha maiores motivos de apreensão eram as dezenas de milhares de escravos negros que haviam servido de alguma maneira à causa britânica e que se aferravam (quando os tinham) a seus "atestados de serviços" como tábuas de salvação que os levariam à liberdade. Tais certificados, naturalmente, não passavam de pedaços de papel, se bem que trouxessem palavras que até então nunca tinham visto a luz do dia na América: uma nota promissória de liberdade, a autorização de ir aonde o portador quisesse e trabalhar onde bem entendesse. E mesmo que tal autorização possa ter sido repelida com desdém por legalistas que empurravam seus escravos às pressas nos navios com destino às Índias Ocidentais, ou por oficiais do Exército acostumados a ter suas próprias ordenanças servis, ou pelos inescrupulosos que, no corre-corre que tomou conta das evacuações, pensaram em lucrar com a venda de escravos nas Bahamas ou na Jamaica, apesar de tudo isso, houve inúmeros casos em que o pedaço de papel foi respeitado. Um desses certificados, em posse de Phillis Thomas, uma negra livre de Charleston, lhe dava licença de "ir para a ilha da Jamaica ou outro lugar, *à sua escolha*".[5]

No final da guerra, havia pelo menos 15 mil, talvez até 20 mil negros morando nos três enclaves britânicos. Muitos estavam com o destino em jogo, e poucos se contariam como guardiães desinteressados. Nem é preciso dizer que os fazendeiros sulinos exigiram a devolução imediata e incondicional de suas propriedades, e fizeram petições ao Congresso. Alguns chegaram ao ponto de exigir que não houvesse nenhuma troca ou libertação de prisioneiros britânicos, nem qualquer finalização do tratado de paz, até a devolução do número total de escravos sobreviventes. Quando o comandante de Charleston, general Alexander Leslie, pediu permissão ao governador Mathews, da Carolina do Sul, e ao general Greene para comprar arroz das fazendas ao redor da cidade, teve seu pedido negado, pois, segundo o raciocínio brutal de Greene, quanto mais fome os ingleses passassem, mais rápido iriam embora e "com eles o número menor de negros que têm".[6] Mathews também ameaçou Leslie de não reconhecer as dívidas a comerciantes ou outros cidadãos privados britânicos, a menos que a questão fosse resolvida ao agrado dos senhores escravistas.

Inversamente, os legalistas brancos que tinham ganhado escravos das fazendas rebeldes confiscadas estavam decididos a resistir às exigências de devolução. Mas não tinham nenhum interesse em libertar os negros a seu cargo. Pelo contrário, estes foram levados, ainda escravizados, aos lugares onde os legalistas acabaram ficando — Flórida Oriental, Bermudas, Bahamas, Caribe ou Nova Escócia. Embora, sob tal aspecto, não houvesse muito o que escolher entre voltar aos donos americanos ou ficar com novos senhores britânicos, tudo indica que os negros, ainda se aferrando às promessas de Dunmore e Clinton e receando o castigo nas fazendas americanas, optaram em maioria esmagadora pelos ingleses. No começo de agosto de 1782, o general Leslie deu a orientação de que todos os interessados em partir deveriam se registrar junto ao Exército; foi o que *imediatamente* fizeram 4230 brancos e 7163 negros.[7] Em julho, quando alguns navios saíram de Savannah na primeira evacuação legalista em bloco, havia entre os passageiros cerca de 4 mil negros, inclusive os 150 da infantaria da guarnição. É fato notório que em dezembro de 1782, à partida dos navios de Charleston, os negros que não tinham recebido autorização de embarcar ficaram tão desesperados para ir embora que se agarraram aos barquinhos de refugiados na saída do porto.

Muitos desses emigrantes negros foram tragicamente enganados. Sem dúvida, seus terrores sobre o que lhes estava reservado se voltassem a seus donos americanos foram despudoradamente explorados por aproveitadores oportunistas, que os despacharam nos navios e os revenderam nas Índias Ocidentais. Mas a cumplicidade das autoridades britânicas nessa tragédia — aventada pelos americanos tanto na época quanto em muitas obras historiográficas desde então — é outra questão. Quando John Cruden, o legalista da Carolina do Sul que ficara encarregado das fazendas rebeldes "confiscadas" durante a ocupação britânica, descobriu que "um certo sr. Gray" tinha reunido e revendido os escravos na Jamaica, Tortola e Flórida Oriental, sua indignação foi ao ponto de escrever aos respectivos governadores e, chocado tanto com a desumanidade quanto com a gatunagem, pedir-lhes que os negros fossem devolvidos. Na primavera de 1783, Cruden chegou a ir procurá-los pessoalmente. Em março, escreveu de Tortola a George Nibbs, informando que o infame Gray,

> a pretexto de trazer os negros da Carolina para impedir que fossem castigados por seus donos, vendeu-os ou revendeu-os para o mercado desta ilha [...] [e que] não pode existir nada mais chocante para a humanidade do que a fraude de que dizem que este homem é culpado e [...] em expressa contradição às ordens do Comandante-Chefe... [ter] trazido negros que estão em sua posse.[8]

Ao que parecia, Gray e outros, entre eles um tal Gillespie, tinham traficado essa carga de outras guarnições, como as de Savannah e St. Augustine na Flórida Oriental, e agora Cruden tomava a si a tarefa de impedir que "Indivíduos sem princípios se apropriem daqueles pobres desgraçados" e de levar os negreiros criminosos à justiça. Quem contou a triste história a Cruden foram os próprios negros, alguns dos quais julgavam enquadrar-se naquela descrição. Assim, embora a incumbência de Cruden (cumprida em raros casos) fosse pegar os negros e devolvê-los a seus donos americanos, ele também estava preocupado em identificar os que realmente haviam recebido a liberdade.[9]

O ritmo acelerado das evacuações sulinas e a sensação do general Leslie de estar assoberbado pela tarefa favoreceram certos empresários inescrupulosos, que ficaram felicíssimos em expedir os navios. Havia tantos negros para encaminhar — fossem escravos que os legalistas diziam ser deles ou negros afirmando ter obtido a liberdade por seus serviços — que era inevitável que se incorresse numa "despesa monstruosa", mesmo que se conseguisse espaço para todos os que queriam partir. Chegou-se a uma solução de compromisso, a conselho de Carleton, embora não plenamente satisfatória para os antigos donos americanos: todos os escravos seriam devolvidos a seus senhores americanos, exceto os que, por qualquer razão, tivessem "se tornado odiosos" para eles ou que houvessem recebido da Coroa a liberdade por serviços prestados na guerra. Era uma brecha enorme. Praticamente qualquer fugitivo das fazendas poderia alegar que, em virtude da fuga, havia se tornado "odioso" e temeroso do que o aguardava a ponto de resistir à devolução. Não obstante, se criaria uma comissão conjunta britânico-americana em Charleston para distinguir os que seriam devolvidos às fazendas dos que tinham direito legítimo à liberdade. Neste último caso, o governo britânico indenizaria os senhores pelas perdas.

Não admira que o projeto logo tenha falhado. Milhares de negros mudaram de nome para evitar a identificação, alegaram estar sob os termos da Proclamação de Philipsburg e, como notou um ajudante general hessiano, "insistem em seus direitos [...] e o general Carleton protege esses escravos".[10] De fato, em 12 de novembro Carleton havia reafirmado sua intenção de honrar a promessa de conceder a liberdade por serviços ao rei, e ordenara que o Exército não levasse essas pessoas contra a vontade delas. Além disso, o fato de que muitos daqueles negros dispostos a confiar na promessa da liberdade britânica agora tinham, como diziam os oficiais, "namoradas" e filhos pequenos que não poderiam ter trabalhado ou combatido para a Coroa criava outra dor de cabeça moral (e despesas potenciais) para os encarregados. Nos tempos do apogeu dos cálculos patrimoniais, os escravistas não teriam tido nenhum escrúpulo em separar as famílias, pois os negros eram tratados como meras unidades de reprodução. Agora, porém, mesmo os militares empedernidos estavam sob os efeitos do culto à sensibilidade então em voga, pelo menos o suficiente para sentir relutância em apartar mães e filhos, maridos e esposas.

Evidentemente, os legalistas brancos podiam usar o pretexto da união familiar para justificar a retomada do grupo todo, nos casos em que os próprios negros tinham se separado. Quando os navios de transporte chegaram a Charleston e começaram o carregamento, as desconfianças aumentaram ainda mais. Às vésperas dos embarques explodiam discussões e brigas nas docas, quando os inspetores americanos alegavam o direito peremptório de busca e apreensão. Num desses incidentes, foram presos três soldados britânicos e o sistema todo veio abaixo. Quando 136 escravos reivindicados por americanos foram descobertos, escondidos, num navio britânico que já havia zarpado, o governador Mathews ficou furioso, declarou que a comissão mista era uma fraude e que os inspetores americanos não tinham mais nada a ver com ela. Como isso significava que, antes dos últimos embarques em dezembro de 1782, de 6 mil a 10 mil negros deixaram Charleston em navios cujas listas de passageiros não foram inspecionadas, era o mesmo que Mathews dar um tiro no próprio pé. A historiadora Sylvia Frey calcula que, além dos negros que fugiram de Charleston durante a guerra e dos que morreram, sumiram pelo menos 25 mil escravos das fazendas da Carolina do Sul: um mundo inteiro de trabalho forçado que desapareceu.

No outro lado do Atlântico, em Paris, os negociadores britânicos e americanos encarregados de elaborar um tratado de paz provisório acharam, no final de novembro de 1782, que haviam chegado a uma primeira versão aceitável para ambas as partes. John Jay, Benjamin Franklin e John Adams tinham boas razões para se sentir satisfeitos. As fronteiras do novo estado poderiam se expandir, estava garantido o acesso aos pesqueiros da Terra Nova, a indenização por danos de guerra foi aceita. Em contrapartida, a Inglaterra não conseguiu muita coisa além do término *de facto* da aliança franco-americana. Os americanos, afinal, só pagariam as dívidas aos credores britânicos e legalistas, mas o Congresso faria uma *recomendação* aos estados para que devolvessem as propriedades legalistas confiscadas ou reembolsassem os donos pelas perdas.

Mas estava feito e, com o esboço pronto para ser assinado e selado, todos os envolvidos estavam a ponto de ir comemorar com um jantar na casa de Benjamin Franklin quando, em 30 de novembro, Henry Laurens se juntou a eles em atraso. De última hora, ainda visivelmente preocupado com "os saques de negros na Carolina", Laurens insistiu em inserir um artigo adicional, especificando que a retirada britânica se efetivaria "sem a destruição ou o transporte de bens americanos, negros etc.".

Assim, para Laurens, era de grande importância assegurar os escravos, muito embora seu filho tenha sido o responsável pelo único esforço americano sério, durante a Guerra Revolucionária, de libertá-los por meio do serviço militar. Mas o coronel John Laurens tinha morrido em agosto, numa tentativa gratuita de impedir que os ingleses procurassem o arroz que o general Greene havia negado à guarnição de Charleston. A expedição inglesa no rio Combahee, perto da fazenda de Arthur Middleton, amigo dos Laurens, naturalmente estava armada. (Carleton também comandou uma expedição exploratória armada em Westchester em 15 de setembro e levou 3 mil soldados com ele para evitar problemas.) Percebendo de repente que sua força de cinquenta homens era três vezes inferior e diante da escolha entre agir ou esperar reforços, John

Laurens fez o que sempre costumava fazer: carregou as espingardas. "O pobre Laurens tombou numa escaramuça insignificante", registrou o general Greene, que em certo sentido tinha sido o responsável por ela.[11] Os amigos que estimavam profundamente John Laurens, entre eles Washington e Hamilton, lamentaram a perda, e aliás os próprios ingleses também, os quais sabiam reconhecer um maluco corajoso quando viam um pela frente; mas ninguém ficou muito surpreso. Seu pai recebeu a triste notícia em meados de novembro, na mesma carta em que John Adams lhe solicitava a presença nas negociações de paz em Paris. Assim, para Henry Laurens, o chamado do dever prevaleceria sobre a dor da perda — o tipo de sabedoria calvinista confiável a que o próprio Adams recorria na adversidade.

Mas Henry Laurens não estava bem. Depois de ser capturado num navio com destino à França pelo capitão (e depois disso almirante) Keppel do HMS *Vestal* em setembro de 1780, ele havia passado quinze meses na Torre de Londres, até que lorde Mansfield lhe concedeu fiança numa troca de prisioneiros com Cornwallis.[12] Lá, numa cela com pouco mais de um metro quadrado afora o dormitório, pelo qual ele pagava aluguel, Laurens esteve sujeito a periódicas amolações do caxias subalterno que era seu carcereiro — ao som das serenatas mordazmente satíricas de "Yankee doodle dandy" cantadas pelos soldados da guarda pessoal do rei — e a um mesquinho racionamento das horas de passeio e de papel para escrever. Pouco tempo depois, permitiram-lhe ficar com seu pequeno escravo George, mas apenas quando havia outras pessoas na cela. Ele ocupava o tempo anotando em *Declínio e queda*, de Gibbons, as analogias com o Império Britânico, mas sua gota virou um tormento e ele sofria de um começo de câncer no pulmão. Quando afinal chegou a Paris, Adams e outros velhos amigos ficaram chocados com a aparência envelhecida e o andar vacilante de Laurens.

Mas nenhuma das enfermidades de Henry Laurens explica por que ele quis incluir num tratado de cuja elaboração nem tinha participado uma cláusula tão decididamente distante do que teria defendido seu filho falecido. Teria o velho fazendeiro, que havia constituído sua fortuna pessoal sobre o trabalho escravo, voltado ao modelo típico? Teria o gesto uma sombra de amargura pelo idealismo que tantas vezes levara John à temeridade — o atormentador atormentado? Por outro lado, Laurens pode ter sido influenciado por um de seus visitantes mais assíduos na Torre: o empresário e aventureiro imperial africano Richard Oswald. Na idade ativa, Oswald tinha sido muitas coisas — negociante e fornecedor de armas, com muitas opiniões radicais e decidido amigo da América; era certamente por isso que tinha sido nomeado pelo governo Rockingham-Shelburne para negociar o tratado de paz com Franklin e Adams. Antes de seguir para Paris, Oswald confidenciara essas coisas a Laurens, e foi ele que, soprando umas palavrinhas aos ouvidos dos poderosos, agilizou a libertação de Laurens no final de 1781, mesmo quando Washington não parecia ter a mínima pressa em trocá-lo pelo conde de Cornwallis (em liberdade condicional na Inglaterra!). E está claro que havia um dedo de Oswald na sugestão a Adams e Franklin de que Laurens — cujo filho, afinal, tinha sido um diplomata na França que obtivera um empréstimo para a guerra (o que John Laurens não fez em sua curta existência?) — devia se juntar a eles em Paris. Mas Richard Oswald também tinha uma outra vida — a de negociante de escravos que ganhara toda uma fortuna controlando o entreposto escravista de Bance Island na foz do rio da Serra Leoa, onde comprava os cativos que lhe eram trazidos pelos temnés. E quando aquelas cargas humanas desembarcavam em Charleston, para serem vendidas em leilão às fazendas das baixadas da Carolina do Sul, quem embolsava uma bela porcentagem de 10% sobre as vendas era ninguém menos que Henry Laurens.

O interesse, como sempre, prevaleceu sobre a piedade. Pois, embora o Artigo VII proibisse "o transporte de propriedades", que outra propriedade poderia ser transportada naqueles navios, e que fosse mais obviamente valiosa, a não ser os escravos? Ao inserir seu artigo no projeto do tratado, Laurens estava favorecendo não só os colegas carolinenses, mas toda a classe escravocrata do Sul que havia feito a revolução: os vencedores e herdeiros que, com a única exceção de John Adams, dominariam a política e a presidência por uma geração inteira.[13] Afinal, praticamente nenhum deles deixara de perder escravos bandeados para os ingleses, e muitos, sobretudo os virginianos, abordaram George Washington e o Congresso decididos a recuperar suas propriedades humanas ou, no mínimo, tirar um bom proveito financeiro de suas perdas.

Subindo o Hudson em 5 de maio de 1783 com marés e ventos contrários, rumo à reunião com Washington, Carleton não tinha a menor ilusão de que deixariam de discutir o problema da devolução dos negros, e que talvez fosse essa a razão mais premente do súbito interesse do general numa entrevista pessoal depois de tantos meses de distância e frieza. A coisa não ia ser fácil. Em outros assuntos — a rápida evacuação das tropas britânicas em Westchester, onde os Vaqueiros Refugiados legalistas de De Lancey continuavam com suas arruaças sem se incomodar com as deliberações de meia dúzia de sujeitos em Paris — ele poderia ser prestativo. Mas, quanto aos negros a quem fora prometida a liberdade, Carleton nunca teve dúvida de que deveria honrar o compromisso. Em abril daquele ano, ele tinha enviado diretrizes a todos os subordinados para que executassem os termos do tratado com a maior precisão. Isso significava fazer o que fora proposto em Charleston: devolver todos os escravos tomados das fazendas rebeldes, *exceto* aqueles com os quais a Coroa tinha um compromisso. Estes compunham a vasta maioria dos 3 mil e tantos negros em Nova York. Assim, toda a máquina para examinar suas reivindicações de liberdade já tinha entrado em funcionamento. Criara-se um Livro de Negros, com registro do nome e da idade de todos os negros que queriam sair de Nova York com a evacuação britânica; suas características físicas ("menino robusto", "possível criada"); e, o mais importante, a data em que tinham se juntado às linhas britânicas. Apenas os que haviam chegado antes do fim das hostilidades (embora se pudesse considerar que estas só haviam terminado no outono de 1782) poderiam se beneficiar da Proclamação de Philipsburgh. Os que eram julgados com legítimo direito à liberdade receberiam certificados emitidos pelo comandante de Nova York, o general Samuel Birch; os demais seriam devolvidos a seus proprietários. Tais arranjos, Carleton iria explicar com toda a paciência a Washington, atendiam comprovadamente aos melhores interesses dos próprios donos de escravos, pois eles teriam no mínimo um documento comprovando as perdas e, portanto, o direito à indenização.

Acompanhado de seu servo negro Pomp (que tinha seu próprio certificado de liberdade, embora Sir Guy desejasse encarecidamente que ele não abandonasse seus serviços), Carleton recapitulou essas incômodas questões no final da tarde, enquanto o *Perseverance* se punha à capa no Dobb's Ferry. Seu próprio major Beckwith, que havia chegado antes com seu baleeiro, e um certo major Humphreys da equipe de Washington vieram a bordo, este último com um convite do comandante americano para jantar no dia seguinte em Tappan, na margem oeste do rio. Carleton aceitou, mas deve ter se indagado como seria recebido por Washington, principalmente porque era fato sabido que agora ele era apenas o comandante provisório, até a chegada de seu substituto, Sir Charles Gray. Isso abalaria sua autoridade? Poderia haver uma autêntica convergência de espíritos, um entendimento entre dois oficiais e cavalheiros? Já se tornara corriqueiro comentar a semelhança entre os dois homens, ambos sóbrios, circunspectos, com um porte firme, sempre imperturbável, que parecia colocá-los acima do curso geral da insignificância humana. Mas, mesmo que Carleton achasse possível acertar devidamente as coisas entre ambos, ele sabia que a história do difícil ano anterior dava motivos não só de confiança, mas também de apreensão.

As relações entre os dois ao longo do verão e do outono de 1782 tinham sido, na melhor das hipóteses, gélidas. Carleton estava convicto de que isso não se devia a ele. Ele chegara a uma região onde a guerra civil ainda grassava com uma violência implacável, mesmo que o fogo já tivesse cessado na Virgínia muito tempo antes. Seu objetivo — sobretudo depois que ficara evidente que não haveria mais operações militares — era tentar minimizar qualquer desgraça adicional. Uma de suas esperanças, por exemplo, era a rápida troca de prisioneiros (sobretudo porque ele tinha cerca de quinhentos, enquanto os americanos estavam com mais de 6 mil). Mas o Congresso, ofendido com as condições atrozes a que os prisioneiros americanos tinham sido submetidos a bordo dos notórios barcos ingleses em Nova York e Brooklyn, tinha insistido que a Inglaterra pagasse o saldo das despesas para a manutenção de seus soldados capturados antes de finalizar qualquer troca. O Congresso chegou a ameaçar com a diminuição das rações dos prisioneiros, a menos que o problema fosse prontamente resolvido. Como seria de esperar, Shelburne, que ocupara a pasta de primeiro-ministro em julho após a morte de Rockingham, recuou à ideia de receber a conta. Aflito com as privações sofridas pelos prisioneiros britânicos, muitos deles em trapos ou seminus, Carleton propôs que pelo menos os médicos e capelães do Exército fossem imediatamente libertados; mas não teve êxito. Então solicitou um encontro pessoal com Washington para tentar conciliar as diferenças, mas não recebeu nenhuma resposta mais acolhedora. Uma conferência de delegados de ambos os lados em Tappan, Nova Jersey, em setembro de 1782, acabou apenas por acentuar o ressentimento. O lado inglês pediu licença para levar um precário lote de alimentos e roupas aos prisioneiros britânicos, mas ela lhe foi negada. Por que, indagou Carleton com aquela polida candura que era sua marca registrada, o Congresso estava tão decidido a "levar a guerra aos últimos extremos da fúria"?

O rigor e a intransigência de Washington o espantaram. No caso do capitão Charles Asgill, achava Carleton, roçaram a desumanidade. Asgill havia se tornado um peão na brutal vendeta entre soldados irregulares patriotas e legalistas voluntários em Nova York e Nova Jersey. No olho do furacão estava o combatente patriota capitão Joshua Huddy. Ao ferir de morte o coronel Tye, Huddy tinha atraído o ódio dos legalistas negros. Ao executar sumariamente um miliciano legalista, Steven Edwards, ganhou o ódio dos legalistas brancos. Assim, quando os Legalistas Associados levaram Huddy capturado aos Dover Cliffs e, em vez de trocá-lo por um prisioneiro britânico, resolveram enforcá-lo, pode ter sido um crime, mas não foi uma surpresa. Mesmo assim, ao saber da morte de Huddy, Washington ficou enfurecido, exigindo que Sir Henry Clinton entregasse imediatamente o legalista responsável, um certo Lippincott, à justiça americana. Mas Clinton respondera com tranquilidade que o assunto estava sob investigação e que Lippincott poderia ser julgado pela corte marcial inglesa.

Herdando a disputa, Carleton escrevera uma carta polidamente conciliadora a Washington, lamentando as "paixões de pessoas privadas e não autorizadas" e ousando esperar que o ciclo de retaliações pudesse chegar ao fim. Como prova de boa-fé, ele libertou o filho do governador Livingston de Nova Jersey. Mas pouco adiantou. Insinuando enfaticamente que, se atos de barbárie haviam sido cometidos na recente guerra, eram os britânicos os responsáveis pelos mais atrozes, Washington respondeu a Carleton que a "guerra desnaturada" tinha sido desfigurada por "excessos desumanos que em demasiados casos [...] marcaram seu desenrolar". Declarou que, dadas as circunstâncias, ele não teria opção a não ser sortear um prisioneiro inglês para substituir Lippincott, o qual, se o assunto não fosse resolvido imediatamente, seria executado em lugar dele.

A sorte recaiu sobre o jovem Charles Asgill, de dezenove anos, herdeiro de um baronato e capitão da Primeira Guarda, que era um dos milhares de prisioneiros capturados em Yorktown. Embora os termos da rendição proibissem expressamente o uso de qualquer um daqueles prisioneiros como refém, Washington deu ordens de que Asgill fosse levado de Lancaster, Pensilvânia, para Morristown, Nova Jersey, ficando em rigoroso confinamento e avisado do que lhe aconteceria se os ingleses não mudassem de posição. Chocado com a fria aplicação da lei de talião, olho por olho, dente por dente, além da sinistra determinação de Washington de levá-la a cabo, e sabedor de que a guarnição britânica em Nova York, indignada com o infortúnio de Asgill, preferiria que o punido fosse Lippincott (os legalistas, claro, achavam o contrário), Carleton ficou dando tratos à bola para encontrar uma solução sensata. Ele prometeu a Washington que o julgamento de Lippincott numa corte marcial — de início adiado para que o réu tivesse tempo de preparar sua defesa, e depois de novo postergado enquanto se discutia a legalidade de uma corte marcial para um soldado irregular — seria acelerado. E de fato foi; mas o veredicto — absolvição com o argumento de que Lippincott havia agido apenas por ordens de terceiros nos Legalistas Associados — não se mostraria de grande ajuda para Asgill.[14] E tampouco a insistência de Carleton de que iria descobrir os verdadeiros responsáveis pelo enforcamento foi de muita valia.

O que salvou o jovem oficial da guarda foi a transformação do caso Asgill em "*L'Affaire Asgill*", assunto dos salões e jornais europeus no outono de 1782. Ele encerrava todos os elementos do romance sentimental, tão na moda naquele mesmo ano do surgimento das *Confissões* de Rousseau: a mãe dilacerada de dor, o pai no leito de morte, a irmã enlouquecida em "delírio", um general rigidamente inflexível e o militar de mesma patente na parte contrária desesperado para encontrar uma solução ao mesmo tempo justa e humana. Após receber as notícias sobre o filho, a angustiada Theresa Asgill tinha escrito a Carleton, implorando-lhe que intercedesse pessoalmente. Em vez de dar de ombros, Carleton teve um lance de gênio, sugerindo que a mãe escrevesse ao ministro francês das Relações Exteriores, o conde Vergennes, ciente de que o elegante culto à sensibilidade exerce forte influência na aristocracia francesa. Conforme se viu depois, Theresa Asgill sabia exatamente o que e como fazer.

> Imagine, senhor, a situação de uma família nessas circunstâncias. Cercada como estou de problemas angustiantes, vergada sob o peso da dor e do medo, faltam-me as palavras para expressar meus sentimentos e pintar esta cena de tanta infelicidade: meu marido desenganado por seus médicos poucas horas antes da chegada dessa notícia não está em condições de ser informado sobre ela; minha filha acometida de febre acompanhada de delírio, falando do irmão em tons de desvario e sem um intervalo de lucidez [...] permita que sua sensibilidade, senhor, lhe

pinte minha profunda, minha inexprimível dor, e advogue em meu favor; uma palavra, uma palavra sua, como uma voz dos Céus, nos livraria da desolação, do mais profundo grau de infortúnio. Bem sei como o general Washington respeita sua pessoa. Diga-lhe apenas que quer meu filho devolvido à liberdade, e ele o devolverá à sua família desconsolada; ele o devolverá à felicidade. [...] Apercebo-me plenamente da liberdade que estou tomando ao apresentar-lhe esta solicitação, mas tenho a confiança, quer a conceda ou não, de que terá piedade da angústia pelo que foi aqui sugerido; sua humanidade verterá uma lágrima por minha falta e a apagará para sempre.

Permitam os Céus a que suplico que jamais venha a necessitar do consolo que está em seu poder conceder.

THERESA ASGILL

Depois que parou de soluçar, Vergennes passou a carta para Luís XVI e Maria Antonieta, a qual — de mãe para mãe — se desfez em solidária dor. Grimm, o correspondente do *philosophe* Diderot, começou a enfeitar a cena, dizendo que estavam construindo um cadafalso bem na frente na cela de Charles Asgill, e que ele já fora conduzido três vezes ao patíbulo só para o angustiado Washington descobrir que era incapaz de pronunciar a ordem de execução. Os diários e gazetas informavam que a primeira pergunta aos passageiros desembarcados dos navios que vinham da América era: "Quais as novidades sobre Asgill?".

Versalhes encaminhou protestos oficiais a Filadélfia e Nova York. Informado de que Lippincott seria de fato levado a julgamento, Washington começava a sentir alguns aguilhões na consciência. Escreveu cartas com um atípico tom de culpa ao próprio Asgill, expressando seu sincero desejo de que o assunto, devidamente solucionado, resultasse na libertação do rapaz. E lhe disse em agosto que seu destino e a questão toda iriam ser apresentados ao Congresso. Uma mescla de sentimento e prudência acabou ajeitando a situação. Houve um debate tumultuado no começo de novembro, que se estendeu por três dias, em que a maioria do Congresso ainda era favorável à execução. No terceiro dia da discussão, foi lida uma carta de Washington, sabidamente a favor da clemência, além das cartas de Luís XVI e Maria Antonieta, bem como um apelo pessoal de Theresa Asgill à rainha que "no todo", registrou Boudinot, "era suficiente para comover o coração de um selvagem". O essencial foi um pedido de Washington para que se poupasse a vida do jovem Asgill, que funcionou como um choque elétrico — cada participante olhando surpreendido para o vizinho, como se dissesse: "Isso é jogo desleal". Os membros mais empedernidos, desconfiando de alguma artimanha, pediram para ver a carta de Washington e examinaram a assinatura, para conferir a autenticidade. Como parecia estar em ordem, tomou-se a decisão unânime de preservar a vida de Asgill como uma "gentileza ao rei da França".

Finda sua agonia, Theresa Asgill voltou a escrever a Vergennes, sem nenhum decréscimo visível da emoção poética: "Que este tributo renda testemunho de minha gratidão por longo tempo após a mão que o expressa, com o coração o qual neste momento apenas palpita com a vivacidade de gratos sentimentos, tiver se reduzido a pó". Um Washington imensamente aliviado ordenou a soltura de Charles Asgill, e ao mesmo tempo lhe enviou uma carta pedindo que o absolvesse de culpa; rogou a Asgill que avaliasse que a ordem de detenção e execução fora assinada não por qualquer motivo "sanguinário", mas apenas por um estrito senso do dever, e que ninguém, afora o próprio jovem, poderia sentir maior felicidade do que o general. Desnecessário dizer que os dramaturgos por encomenda em Paris começaram imediatamente a escrever peças sobre Asgill, que, pelo menos num caso, fizeram tremendo sucesso. Asgill, por seu lado, seguiu uma longa carreira no Exército britânico combatendo os franceses, e assim mordendo a mão que o libertara.

Sir Guy não sabia bem qual Washington iria encontrar: o impassível defensor *à l'outrance* dos interesses americanos ou o estadista filosófico e humanitário?

No dia 6 de maio de manhã, o grupo britânico atravessou o rio em dois batelões. Na barcaça de Carleton estavam seu secretário, Maurice Morgann, o vice-governador inglês de Nova York, Andrew Elliot, e o chefe de justiça Smith. O capitão Lutwyche e um grupo de oficiais da Marinha e do Exército seguiam atrás empunhando a bandeira do rei. Em Tappan Sloot sob os penhascos das Palisades, onde o barco atracou, havia uma aparatosa banda militar e uma guarda de honra americana completa para a revista de Sir Guy em sua casaca escarlate. Lá também estava George Washington, vindo de Newburgh e distribuindo as primeiras medalhas da recém-criada Ordem do Coração Púrpura. Os dois generais estavam com achaques: Carleton com um forte resfriado e Washington com dor de dente. Mas a história os convocava para uma demonstração de cordialidade. Houve troca de cortesias, apertaram-se as mãos e ambos subiram num coche de duas parelhas para o pequeno trecho até a casa Amos de Wint, onde se realizaria a reunião. Os outros montaram os cavalos à espera, enquanto William Smith e Andrew Elliot, muito britanicamente, resolveram ir a pé.

A casa de De Wint, como bem sabia Carleton, era um local pouco auspicioso para a reconciliação anglo-americana. Parecia bastante inofensiva: uma residência rural holandesa comum do vale do Hudson, com a sala de visitas e a cozinha no térreo, dois dormitórios no andar de cima, com empenas vistosas terminando as paredes de tijolo e pedra onde constava, ao estilo holandês, a data da construção, 1700. Havia um gramado com cerca; o abrunheiro abrira seus botões que pareciam de papel, e num lago com vegetação nadavam alguns patos, indiferentes aos grandes homens e aos grandes momentos.[15] Mas a casa de De Wint encerrava uma terrível história. Tinha sido o quartel-general de Washington em 1780, e foi lá que o major André, o espião inglês que havia orquestrado a defecção de Benedict Arnold e a tentativa malograda de render West Point, teve seu julgamento e recebeu a sentença de morte. No dia 6 de maio, porém, o térreo na entrada foi palco de amenidades triviais durante uma hora, depois da qual foram tratar de negócios no aposento maior dos dois quartos que ocupavam o andar de cima. Havia azulejos de Delft na parede, vigas de carvalho no forro e as janelas gradeadas deixavam passar uma rara e bem-vinda luz. O clima estava pesado. Ao redor da mesa sentaram Jonathan Trumbull, o secretário de Washington, Egbert Benson, o procurador-geral de Nova York, George Clinton, o governador americano de Nova York (o qual, como notou William Smith com azedume, tinha sido outrora seu oficial de justiça), e John Morin Scott, o secretário de Estado de Nova York. Apesar da cortesia das preliminares, nem Clinton nem Scott estavam dispostos a tolerar contemporizações dos britânicos. Eles deviam ir embora, e logo, e sem os negros. Abrindo os trabalhos, Washington abordou diretamente o cerne da questão, chamando a atenção de Carleton para o Artigo VII e solicitando um cronograma definido para o resto da evacuação de Westchester, Nova York e Long Island. Falou, como era seu costume, em tom baixo e monocórdio: a voz da *gravitas*, a voz da história. Mas a famosa máscara de impassibilidade caiu quando ele ouviu a resposta de Carleton.

Mesmo sem nunca tê-lo encontrado antes, havia algo em Sir Guy Carleton que irritava Washington. Era a mania do general britânico, na correspondência que trocavam, de pontificar sobre o tema geral da humanidade e o que presumia ser o dever de ambos em relação a esta. Prezado general Washington, sobre o assunto da deplorável situação dos prisioneiros... Vossa Excelência, plenamente ciente de sua preocupação em auxiliar o infeliz jovem capitão Asgill... General Washington, não seria possível autorizar a entrega de roupas aos mais necessitados...? E agora, pelo visto, o sujeito estava preocupado com o destino dos negros, *nossos* negros, *meus* negros! Quando Carleton deu início à sua réplica, não houve motivos de inquietação, salvo pelo fato de que o general parecia decidido a tratar as questões invertendo a ordem em que Washington as pusera. Sobre a troca da guarda em Westchester? Seria feita, e rapidamente; já haviam sido dadas as ordens de reter as provisões para os Vaqueiros Refugiados de De Lancey. Long Island? Demoraria um pouco mais, por falta de navios e também de certa segurança para proteger os legalistas durante a partida. Mas ocorreria; tudo no devido tempo, tão logo os navios chegassem — e chegariam antes do final do ano.

De fato, Carleton estava fazendo o máximo possível para agilizar os embarques. Já haviam saído duas levas, uma desde outubro de 1782, com 56 negros registrados entre os 501 passageiros com destino a Halifax, e depois outra muito maior no final de abril de 1783, quando 6 mil passageiros seguiram para a Nova Escócia.[16] Os navios tinham sido e continuariam a ser inspecionados, para verificar qualquer embarque irregular de negros, e haviam aberto um livro para registrá-los, para que os donos pudessem ser indenizados.

O quê? Washington interrompeu rubro: "Já embarcados!". Carleton o fitou, mantendo o mesmo tom de voz, o ar sereno, a atitude de exasperante superioridade. Ora, naturalmente o general devia saber que, qualquer que fosse o estabelecido no projeto do tratado, "não poderia haver nenhuma Interpretação dos Artigos incompatível com *Compromissos anteriores envolvendo a Honra Nacional que devem ser mantidos com todas as cores*".[17]

Todas as cores. Foi o momento da verdade de Carleton e, imaginou ele, a desforra de seu infeliz reino vencido, o qual, até onde estivesse em seu alcance, tentaria resgatar da indigna derrota pelo menos um fiapo de honra e decência.

E foi sua revanche sobre os negociadores de Paris, tanto ingleses quanto americanos, que tinham abandonado com a maior facilidade e descompromisso as promessas feitas aos pobres negros — promessas que deviam ser e seriam cumpridas.

Incrédulo, Washington manteve a calma e permaneceu num silêncio de pedra. Mas o tumulto tomou conta da sala quando John Morin ficou exaltado, acusando os ingleses de violar artigos já acordados em Paris, ao passo que os americanos tinham honrado plenamente sua parte. Os ingleses revidaram acusando a recente Lei contra a Violação dos Direitos de Propriedade [Trespass Act], dispondo que os proprietários poderiam processar por danos quem tivesse ocupado suas propriedades durante a guerra, de ser incompatível com todas as convenções marciais conhecidas. A coisa piorou quando o lado britânico perguntou ao governador Clinton (quando Vermont ainda era tida como contrária à independência) se, caso os estados discordassem do Congresso, poderiam seguir seu próprio caminho. De jeito nenhum, gritou Clinton. As vozes se altearam, os ânimos se exaltaram. Carleton tentou apagar as fagulhas, expressando o desejo *liberal* de avaliar todas as proposições feitas. Seguiu-se um silêncio constrangido e raivoso, rompido quando Washington e Carleton retomaram educadamente o problema de agilizar a evacuação. Ficariam girando em círculos, com a grande questão não resolvida e não conciliável no meio de tudo aquilo. Não havia mais nada a fazer. Washington sacou do relógio, "e comentando que era hora do jantar, ofereceu Vinho e Cerveja. Levantamo-nos todos com Sir Guy".[18]

Havia um toldo armado na grama ao lado da casa De Wint. Sob ele estava o melhor que Samuel Fraunces, que tinha uma taverna em Manhattan e que Washington levaria como chefe de cozinha para suas casas em Nova York, Germantown e na Filadélfia, pôde providenciar com a principesca soma de quinhentas libras: ostras, costeletas, tortas, assados e os enormes pudins responsáveis por sua merecida fama. Talvez ele tivesse ouvido alguma coisa dos procedimentos anteriores, pois Fraunces era Black Sam, um negro livre que passara a vida inteira numa agitada aventura anglo-americana. Sua primeira taverna em Nova York se chamava Queen's Head em homenagem à rainha Carlota, consorte de George III, mas havia se transformado no ponto de encontro favorito dos patriotas radicais. Diziam que sua filha Phoebe havia desmontado um complô de envenenar as ervilhas de Washington, as quais, jogadas pela janela, mataram instantaneamente algumas galinhas que estavam ciscando ali embaixo. Mas ele também tinha acolhido os ingleses durante a ocupação, antes de passar para o lado americano em Nova Jersey. Agora Black Sam, na glória de sua casaca imaculada e de sua peruca branca, se movia entre os cavalheiros e os pudins, garantindo que dominasse, se não a harmonia, pelo menos a abundância.

Era de rigor que houvesse uma reciprocidade, com o capitão Lutwyche e o general Carleton convidando Washington e seu grupo para jantar no *Perseverance* no dia seguinte. De fato eles compareceram, e foi a primeira vez que americanos foram recebidos com as honras de altos oficiais do Exército e do Estado: uma salva de dezessete tiros, repetida à noite na hora da saída. Quem esteve ausente do prolongado jantar foi o próprio Carleton, preso ao leito por ter piorado da gripe — embora a possibilidade de que sua indisposição fosse pelo menos em parte diplomática certamente não tenha escapado aos americanos. Quando chegou o momento de voltar a seus barcos e ir embora, Carleton se levantou e se despediu dos americanos, tarde o suficiente para garantir que não se pudesse dizer nada de importante sobre a questão dos negros.

De qualquer modo, Carleton estava decidido. Washington deu andamento à reunião em Tappan com uma carta impaciente a que Carleton respondeu devidamente, reiterando sua posição de que sem dúvida seriam envidados todos os esforços para registrar com a máxima fidelidade todos os negros dispostos a partir, e que já havia funcionários americanos participando da inspeção dos navios de saída, mas que ele não faria nada que pudesse prejudicar a liberdade de "Negros que haviam sido declarados livres antes de minha chegada; pois eu não tinha direito de privá-los daquela liberdade que possuíam quando os encontrei". Ao agir com correção, insistiu Carleton, ele estava fazendo um favor aos donos de escravos, visto que, se fosse negado aos negros o direito de embarcar, eles, "a despeito de todo e qualquer meio de impedi-los, encontrariam várias maneiras de abandonar este local, de forma que os antigos donos não conseguiriam mais rastreá-los e evidentemente perderiam por completo qualquer chance de indenização". Mas Carleton não pôde resistir à oportunidade de passar mais uma reprimenda em Washington. "Devo confessar", acrescentou ele, "que a mera suposição de que o ministro do rei iria por opção estipular num tratado um compromisso que o tornaria culpado de uma franca quebra da fé pública em relação às pessoas de qualquer epiderme parece indicar uma disposição menos amistosa do que eu desejaria e, penso, menos amistosa do que poderíamos esperar."[19]

Não poderia haver nada mais perfeitamente calculado para deixar Washington roxo de raiva. Mas ele também era realista e entendeu, apesar de toda a fúria que fervia no Sul e no Congresso, que suas opções para fazer valer o Artigo VII eram limitadas. Levaria muitos anos até que a república americana democrática desistisse de tentar devolver os escravos a seus antigos donos, e ainda houve quem reivindicasse indenização após a Guerra de 1812, quando mais uma onda de escravos foi procurar proteção e liberdade nas fileiras britânicas. O que ele podia fazer em 1783? Deveria se alinhar com os que aconselhavam rejeitar as dívidas inglesas? Isso seria interpretado como uma anulação do tratado, e mesmo que os mais enfurecidos, como James Madison, argumentassem que os ingleses, com sua posição sobre os negros, já o tinham convertido em letra morta, Washington não estava disposto a recomeçar a guerra — não com a Marinha Real dominando mais uma vez no Atlântico ocidental. Assim Washington — que, de qualquer modo, alimentava certo conflito sobre o aspecto moral de ser ele mesmo um escravocrata — adotou uma atitude fatalista em relação à perda dos negros. Quando o agente que estava caçando escravos fugidos, entre eles dois Pioneiros Negros da fazenda de Benjamin Harrison, recebeu a ríspida resposta de Carleton de que não havia a menor hipótese de retornarem sem consentimento próprio, Harrison apelou direto a Washington. Mas a reunião em Tappan o convencera, pois escreveu no mesmo dia a Harrison respondendo que "os Escravos que se esconderam de seus Senhores nunca lhes serão devolvidos". Ele compreendia perfeitamente o desgosto de Harrison e acrescentou que, na verdade, "vários dos meus estão com o Inimigo, mas quase nunca lhes dedico nenhum pensamento; eles têm tantas portas pelas quais podem fugir de Nova York [então Carleton estava certo a esse respeito!] que praticamente nada a não ser uma disposição de retornar [...] trará de volta muitos deles".[20]

Nem todo senhor de escravos era tão estoico. Treze escravocratas virginianos que, somados, tinham perdido trezentos escravos organizaram um esforço conjunto para recapturá-los e apresentaram uma petição ao Congresso para que interviesse.[21] Theodorick Bland contratou um agente especial, Jacob Morris, para perseguir seus escravos, mas não teve muita sorte. Um que chegou a ser encontrado lhe disse que os negros em Nova York sabiam muito bem que muitos dos retornados "têm sido tratados com enorme severidade por seus ex-senhores" — em geral com açoitamento — e que, portanto, era improvável que se deixassem apanhar ou viessem de vontade própria. As despesas para perseguir os escravos durante semanas ou até meses, sendo que, de qualquer forma, tantos haviam mudado de nome, podiam ser ainda mais ruinosas do que a perda dos próprios negros. Para ter alguma chance de localizar os fugitivos, os agentes precisavam do auxílio de nova-iorquinos, mas isso por sua vez trazia o risco de incorrerem nas punições draconianas que Carleton impusera a qualquer um que fosse apanhado em conluio com retornos ilegais. Thomas Willis, um policial julgado culpado de aceitar suborno para obrigar um negro de nome Caesar a embarcar num navio que o levou a Elizabeth, Nova Jersey, e que tivera a desfaçatez de espancar o homem pelas ruas com as mãos amarradas, recebeu uma enorme multa de cinquenta guinéus e foi deportado. Um outro escravo, recapturado pelo dono Jacob Duryea, amarrado a um barco, foi libertado no rio Hudson por um combatente negro chamado coronel Cuffe e um grupo de hessianos, que contavam com muitos negros em seu próprio regimento.[22]

Nada disso conseguia aplacar os temores da comunidade negra em Nova York, sabendo que seus velhos perseguidores podiam vir à cidade e capturá-los. Para eles, o final da guerra significava o reinício do terror. Boston King, que tanto trabalho tivera para fugir "dos americanos" e agora tinha sua esposa Violet e filhos, captou plenamente o pavor que percorria a comunidade negra de Nova York.

> Nessa época, restaurou-se a paz entre a América e a Grã-Bretanha que espalhava alegria geral entre todas as partes exceto nós, que tínhamos escapado à escravidão e encontrado refúgio no Exército inglês; pois corria em Nova York uma notícia de que todos os escravos, em número de 2 mil, seriam entregues a seus senhores, embora alguns deles tivessem passado três ou quatro anos entre os ingleses. Esse boato assustador nos encheu de angústia e terror inexprimíveis, especialmente quando vimos nossos antigos senhores vindo da Virgínia, da Carolina do Norte e outros lugares e capturando escravos nas ruas de Nova York, ou mesmo arrancando-os de suas camas. Muitos dos escravos tinham senhores muito cruéis, de forma que a ideia de voltar com eles amargurava nossa vida. Durante alguns dias perdemos o apetite e o sono abandonou nossos olhos. Os ingleses tiveram com-

paixão de nós no dia de nossa desgraça, e lançaram uma Proclamação declarando "Serão livres todos os escravos que se refugiaram nas linhas britânicas e reivindicaram a sanção e os privilégios das Proclamações referentes à segurança e proteção dos Negros". Em consequência disso, cada um de nós recebeu um certificado do oficial comandante em Nova York, que dissipou nossos medos e nos encheu de alegria e gratidão.[23]

Esses certificados, assinados pelo general de brigada Samuel Birch, representam um momento revolucionário na vida dos afro-americanos. Confirmam que o portador, tendo "recorrido às Linhas Britânicas [...] tem com isso Permissão de Sua Excelência Guy Carleton de ir para a Nova Escócia ou qualquer outro lugar que Ele/Ela possa julgar adequado". Restou apenas um dos certificados de Birch, emitido em nome de Cato Ramsey, ex-escravo de um certo dr. John Ramsey de Norfolk, Virgínia, do qual ele fugiu em 1776.[24] Ramsey, segundo o Livro do Negros "sujeito magro, 45 anos", era um fugitivo que de alguma maneira chegara aos navios de lorde Dunmore, sobreviveu a tudo o que a guerra podia lhe trazer — varíola, tifo, privações e perambulações — e ainda conseguiu alcançar Nova York e a liberdade. Agora ele estava no limiar de uma nova vida que podia se iniciar com um adeus à América.

Havia milhares como Cato Ramsey, homens, mulheres, crianças aguardando ansiosamente seu destino. E tudo indica que, ao contrário do êxodo brutal e caótico de Charleston, dessa vez Carleton e seus oficiais se esforçaram em atenuar a angústia daquele suplício. Um documento intitulado "Resumo referente aos Negros na América", provavelmente redigido pelo próprio Carleton no segundo semestre de 1783, adotava uma perspectiva ainda mais liberal do que sugeria Boston King sobre o direito dos negros de partir. A data-limite de entrada nas linhas britânicas foi estendida até "o dia em que surgiu o Tratado" — novembro de 1782, no mínimo. O mesmo documento deixa claro que o Conselho de Inquérito, nomeado para julgar as reivindicações de donos americanos sobre seus ex-escravos, considerava livres mesmo os negros que até o momento não possuíam "nenhuma proteção ou certificado regular". Isso pressupõe mais um marco na história da libertação negra na América: que os negros finalmente haviam encontrado nos britânicos autoridades brancas que acreditavam no que eles diziam ao contar a história de suas vidas, mesmo sem nenhum documento por escrito. Entre os 3 mil certificados concedidos em Nova York, 813 eram honestos o suficiente em não fingir atender às Proclamações, mas argumentavam que, de qualquer maneira, eles haviam fugido de senhores rebeldes e se bandeado para os ingleses durante a guerra. E isso bastava.

Ainda mais surpreendente é o fato, exposto com clareza indiscutível no "Resumo", de que em 1783 houve um "efeito Somerset" (a interpretação da sentença de Mansfield distorcida em favor dos negros) em ação nas decisões tomadas por Carleton e seus principais oficiais. Pois, em contraste com o oportunismo militar estrito de Dunmore, o "Resumo" acrescenta que os negros chegados às linhas britânicas eram considerados livres, "a Constituição Britânica não permitindo a escravidão, mas oferecendo liberdade e proteção a todos os que se abrigam sob ela". Os certificados de partida entregues aos negros eram, segundo o autor do "Resumo", inequívoca e "universalmente considerados equivalentes à Emancipação".[25]

Mais uma vez Black Sam Fraunces ocupou o palco do drama. Pois foi em sua taverna que, todas as quartas-feiras ao meio-dia, o Conselho de Inquérito deliberou sobre as reivindicações controversas de abril a novembro, quando o último navio deixou Nova York. Os americanos se sentavam com seus colegas britânicos ouvindo os casos, mesmo depois de instruídos por Washington, em meados de julho, a deixar de participar, pois o Congresso decidira claramente que aquilo era um escárnio. Para desgosto americano, poucos negros foram devolvidos a seus donos em virtude de tais procedimentos, mesmo quando, em alguns casos, os reclamantes eram legalistas. Judith Jackson fugira do dono perto de Norfolk, Virgínia, desde 1773, com a filhinha de colo, e ficara na cidade legalista até a chegada de Dunmore dois anos depois, quando ela conseguiu trabalho como lavadeira no regimento, acompanhando o exército primeiro à Carolina do Sul e finalmente a Nova York. Seu direito a um certificado (já dado a ela) parecia garantido. Mas em 1783 um certo sr. Eilbeck, a quem ela tinha sido entregue quando seu dono foi para a Inglaterra, compareceu diante do conselho em Nova York e insistiu que, como legalista, ele tinha direito a Jackson e seus filhos. Desnorteados, os membros do conselho repassaram o caso para o próprio Carleton, que não teve nenhuma dificuldade em decidir. Judith Jackson e filhos saíram livres.[26]

A ansiedade não terminava na taverna de Fraunces. No cais, um grupo de quatro inspetores, inclusive americanos, fazia uma vistoria final no convés, primeiro da lista de passageiros e depois dos próprios passageiros negros, para garantir que os nomes correspondiam às pessoas, e que não havia a bordo ninguém que não estivesse registrado no Livro dos Negros. Os mestres dos navios tinham de jurar, sob pena de "punições severas", que não estavam conduzindo nada nem ninguém sem permissão. Em teoria, os negros podiam ser retirados até o último minuto, mas na prática essa torturante proibição final de embarque, ao que parece, ocorreu raríssimas vezes. Sem dúvida era um suplício, mas foi a última inspeção que mais de 2 mil negros tiveram de enfrentar.

Na zona do porto, em meio ao suor sujo e malcheiroso do auge do verão, às vésperas do embarque, o passante se depararia com um amontoado de cordas e lonas; um congestionamento de cavalos e carroças; o rangido dos mastros, os estalos dos chicotes; condutores xingando, gaivotas, porcos e cachorros indo à forra; vacas mugindo enquanto eram conduzidas a bordo, magérrimos gatos de navio já rondando o tombadilho; barris e tonéis de biscoitos e bolachas salgadas, piche e rum bloqueando o cais, bêbados de botequim cambaleando aos pares; arcas e baús empilhados nas docas até a altura de uma casa antes de baixar para os porões do navio; o usual enxame de marinheiros e estivadores, compradores e vendedores, ladrões e putas; muito mijo, muito beijo; um rabequista cabriolando; um pregador trovejando e distribuindo folhetos para que todas as almas se salvassem e não fossem arrastadas para as profundezas. Mas também, no meio de toda a balbúrdia, o observador veria os passageiros, homens de chapéu e sem casaco, mulheres de gorrinhos atados sob o queixo e crianças por todo lado, algumas dormitando, outras correndo, outras indiferentes ao futuro assustador que as aguardava: centenas, em alguns dias milhares de pessoas, muitas que tinham visto tempos melhores, algumas tendo visto tempos muito, muito piores.

Dois mundos diferentes seguiam no *Lady's Adventure*, no *Grand Duchess of Russia*, no *Peggy*, no *Mars*, no *Hesperus*, no *Fishburn*, no *Kingston*, no *Stafford*, no *Clinton* e no *L'Abondance*. Entre abril e novembro embarcaram 27 mil legalistas, desabrigados, desconsolados, desmoralizados, destituídos de poder, riqueza e terras, ou de simples sítios e casebres, muitos se ralando de indignação com os traidores em Londres — os roliços políticos contando o ouro obtido com o ópio, o sal e o chá (*aquele* chá!) das Índias Orientais, e os generais se aposentando numa bela mansão rural nos condados, enquanto legalistas decentes como eles tinham de se mudar para centenas de quilômetros ao norte, recomeçando a vida na árida região de coníferas entre animais ferozes, ursos e lobos, ou na periferia toscamente cascalhada de uma cidade estranha. E esses legalistas despossuídos não se sentiam propriamente encantados por estar tão perto daquela outra classe de gente, vestida sabe-se lá como, pouco mais do que mendigos ou músicos de tavernas de quinta categoria, dando de mamar aos filhos no peito; uma classe de gente que era bem capaz de ensinar modos insolentes a seus escravos. Pior, os negros tinham o desplante de cantar enquanto eles estavam se afundando na dor. *Cantar*! O que havia para cantar?

Tudo. O renascimento. A liberdade britânica. O amor e a bondade de Deus; Sua infinita misericórdia; a honesta benevolência do rei; a palavra de Sir Guy Carleton; as promessas de alimento por um ano; um pedaço de terra para o resto da vida. Renascidos. Renascidos, ó Senhor amado. O vasto oceano se estendia à frente deles, para além do porto, tremulando ao mormaço de julho, as cristas das ondas transmutadas em faixas líquidas de luz. Tinham sido tantos barcos, tantas travessias à noite, tantas experiências naquelas águas que estavam prestes a singrar rumo a uma nova vida. Tinham sido as pirogas que pegaram quando estavam agachados entre os juncos da Carolina; os botes que os haviam levado até os navios; as entradas e saídas das ilhas e pântanos do Chesapeake; a família morrendo de febre nos areais; os baleeiros que os haviam perseguido e os baleeiros com que haviam perseguido; o barro que tinham palmilhado, duro ou pegajoso; os rios que tinham atravessado a nado. E em todos os lugares em que se achavam, sempre estiveram em busca do Jordão, do Leite e do Mel.

A escada foi arriada. Nos três últimos dias de julho de 1783, a bordo do *L'Abondance* (capitão: tenente Philips) subiram afro-americanos de todas as idades e condições: Judith Wallis, com quinze dias de vida, ao peito da mãe, Margaret; Elizabeth Thomson com Betty, de quatro meses, ao colo; a septuagenária Jane Thompson de Norfolk, Virgínia, compreensivelmente registrada no Livro dos Negros como "debilitada", com sua neta de onze anos.[27] Os americanos tinham dito que os britânicos só pegariam negros adultos robustos, isto é, saudáveis, deixando os doentes e decrépitos para trás. Mas havia mais de vinte negros "debilitados" entre os 335 que embarcaram no *L'Abondance*, inclusive John Sharp, de 67 anos, e a prematuramente debilitada Juno Thomas, com quarenta anos, de Savannah. Já Henry Walker foi otimistamente classificado, com seus sessenta anos, como "homem robusto para sua idade".

Entre os negros de partida, o número de mulheres quase empatava com o de homens: o *L'Abondance* embarcou 137 mulheres e 29 meninas, além de 35 crianças de colo. Era um fato notável visto que, antes da guerra, 80% dos fugitivos tinham sido homens. Mas essas mulheres — Hannah Whitten, que havia abandonado William Smith na Virgínia em 1778 com três filhos (agora tinha cinco); Margaret, sem sobrenome, que levantou e foi embora aos sessenta anos e agora cuidava do neto Thomas (com os pais presumivelmente mortos), de quinze anos; Nancy Moody, que havia abandonado Henry Moody de Williamsburg quando tinha apenas nove anos de idade; Lydia Newton, que foi embora aos oito anos; Charlotte Hammond, "criadinha", que aos quinze anos havia deixado John Hammond no rio Ashley, na Carolina do Sul, em 1776; ou sua vizinha Venus Lagree, que tinha ido embora de Mallaby Rivers com o filhinho de um ano; ou Judy Weedon, catorze anos, "menina delicada", que parecia sozinha, mas "livre por nota de venda" —, todas essas mulheres e meninas eram, de suas várias maneiras, sobreviventes heroicas das piores coisas que a guerra lhes podia trazer: doença, fome, terror, cerco.

Algumas mulheres, como Cathern van Sayl de Monmouth, Nova Jersey, que embarcou com o marido Cornelius e as duas filhas, viajavam em família. Alguns, como Violet e Boston King (ele com vinte e poucos anos, ela com trinta e tantos), embarcaram juntos, mas sem filhos. Muitos tinham vindo de lugares diferentes e se conheceram no caminho, em algum bivaque do Exército ou no bairro negro de Savannah ou Charles Town, ou na Vila dos Negros em Nova York. Daniel Moore havia saído de Wilmington, Carolina do Norte, e conheceu Tina de Portsmouth, Virgínia, que em 1777 deu à luz a filha Elizabeth, "uma bela criança [...] e nascida dentro das linhas britânicas". Nem todos tinham tanta sorte com a saúde dos bebês. Duskey York, de Charles Town, que havia fugido com o avanço inglês para o Sul em 1779, e Betsey, de Eastern Shore, Virgínia, tinham Sally, agora com dezoito meses, que recebeu a agourenta classificação de "enfermiça". Muitas outras mulheres, por exemplo Jane Milligan e sua filha Maria de nove meses, ou Abby Brown com sua menina Dinah, de três anos, também enfermiça, eram mães solteiras, fazendo o que podiam para manter as crianças sãs e salvas.

Embora as probabilidades fossem poucas, as mães e pais tinham algo precioso para levar com eles, algo que nenhuma criança escrava tivera antes: um pedaço de papel atestando que a criança tinha "Nascido [ou Nascido Livre] Atrás das Linhas Britânicas"; às vezes era uma simples abreviatura, "BB" [*born*

British] — mesmo assim era uma certidão do direito inato à liberdade. Por vezes os bebês BB eram nova-iorquinos — Keziah Ford, dois anos; Simon Roberts, seis meses; Mary Snowball, três meses, e Violet Collett, com apenas três semanas. Outros receberam sua certidão de nascimento livre no rastro da campanha — Grace Thomson, dois anos; Betsey Lawrence, três anos; e quatro dos cinco filhos de Hannah Whitten (com oito, sete, seis, cinco e um ano!). Mas todos eles eram, em certo sentido, os afilhados do rei George e de Sir Guy: uma geração cuja vida, pelo menos no verão de 1783, prometia algo diferente do tratamento como mercadoria.

Ao *L'Abondance*, à arca no cais, dirigiam-se eles vindos de toda a América escrava, de Charleston e Norfolk, Savannah e Paramus, Hackensack e Princeton, Nova Jersey — mesmo de locais relativamente esclarecidos como Boston e Filadélfia; de Swansea, Massachusetts, de Poughkeepsie, Nova York e Jamaica, Long Island; de Portsmouth, Rhode Island, e Portsmouth, Virgínia. Havia os destinados a liderar e criar um novo mundo para os negros, como Thomas Peters, o sargento nos Pioneiros britânicos, agora com sua esposa Salley e a filha Clara, e seu colega sargento Murphy Steele, que tivera a imprudente visão na Virgínia; Stephen Blucke, o comandante da Brigada Negra após a morte do coronel Tye, com sua esposa Margaret e seus ares muito imponentes; o pregador cego e coxo Moses Wilkinson, levado a bordo certamente louvando, como de hábito, as maravilhas das obras do Senhor.

Mas para onde estavam indo? Para um lugar chamado Port Roseway, um porto na Nova Escócia; uma nova Escócia, talvez atapetada de urzes e percorrida por cervos? Teriam terras; teriam liberdade; teriam dignidade; teriam igrejas; teriam uns aos outros. Lá provavelmente fazia frio. Mas eles tinham conhecido o calor e tinham sido escravos. E essa segunda Escócia, fosse como fosse, não poderia ser pior do que os lugares de onde tinham vindo.

Ou poderia?

6.

Atirar escravos ao mar não era tão fácil quanto se podia imaginar — não os vivos, pelo menos. Claro que, com os mortos, isso se fazia o tempo todo. O índice de perda na maioria das viagens da África para o Caribe e a América era de 15%. Apesar de todos os minuciosos exames nos fortes e feitorias na costa escrava, dos trancos nos maxilares e dos beliscões nas pernas, os médicos ainda não sabiam dizer com exatidão quem era realmente um "negro robusto". Pois com as diarreias e disenterias com sangue, as ânsias de vômito e os suores de febre, os negros se desidratavam e, antes que alguém se desse conta, estavam fracos demais para comer sua papa de favas ou para bebericar da canequinha no tonel. Os olhos ficavam vítreos e amarelados, e tremiam de calafrios de febre. Ou ainda (e era um sinal pior) ficavam deitados totalmente inertes, inconscientes e acordados, com os lábios rígidos e brancos. O branco era a cor africana da morte. Depois de alguns dias, ou se recuperavam ou morriam.

Depois que o médico terminava a ronda matinal, os mortos eram recolhidos. Às vezes, ainda estavam acorrentados aos vivos. Como era mais fácil levar os dois para o convés antes de tirar os ferros, o negro vivo era lamentavelmente obrigado a presenciar o descarte do companheiro morto, quando se baixavam as pranchas do poço do navio e o corpo era atirado ao mar.[1] Ninguém gostava daquilo, exceto os cardumes de tubarões que tinham aprendido a seguir os navios. Que perda de investimento — trinta guinéus jogados fora por cada negro adulto! E como as seguradoras de Liverpool e Bristol tinham o cuidado de se eximir de qualquer prejuízo por "perda natural", um grande número de negros mortos acabaria com qualquer lucro da viagem.

Mas havia uma brecha, e o capitão Luke Collingwood, o mestre do *Zong* que traficava entre a Costa Escrava da África e a Jamaica por conta dos srs. Gregson (John, James e William), Cava, Wilson e Aspinal, julgou tê-la descoberto. Se fosse necessário alijar uma *parte* de um carregamento para salvar o restante, os seguradores cobririam o valor total dos bens perdidos. Em novembro de 1781, com destino à Jamaica e os negros morrendo a um ritmo alarmante, Collingwood, que pelo visto também tinha sido médico, achou que era aquele o caso.[2] Em 6 de setembro ele partira da ilha de São Tomé, na costa do Gabão, com uma carga completa de 440 escravos. O eufemismo que os traficantes de escravos usavam para essas mercadorias era "carga viva". Mas em novembro a morte já havia consumido a margem de baixas: sessenta escravos tinham morrido de uma febre galopante que também levara sete dos catorze passageiros brancos. Para piorar as coisas, a viagem do *Zong* tinha se estendido por causa de um erro de navegação tão crasso que seria difícil de acreditar, se não fosse aquele o primeiro comando de Collingwood. A Jamaica já estava à vista, mas por alguma razão Collingwood achou que era a costa de Santo Domingo, a ilha dividida entre franceses e espanhóis, os quais, em 1781, continuavam em guerra com a Inglaterra. Negada a perspectiva de um porto seguro e preocupado com os piratas, Collingwood ordenara um penoso curso a sotavento, que havia prolongado a viagem por mais uma semana totalmente desnecessária.

No porão de carga, em meio às poças de muco, sangue, fezes, urina e vômito negro, os escravos continuavam a adoecer.[3] Desde o começo o *Zong* tinha sido um erro. Quando foi tomado num butim aos holandeses, alguém leu errado o nome escrito na lateral, trocando o "r" por "n". Assim, o *Zorg*, "Cuidado", tinha se transformado numa alegre cantoria da velha África, para invocar bons ventos e próspero comércio. Mas na realidade continuou um *Zorg*, uma carga gerando muitos cuidados e preocupações.

Em 29 de novembro, Collingwood chamou seus oficiais e sugeriu um curso de ação que apresentou como solução misericordiosa. Com tantos negros gravemente enfermos, seria, afirmou ele, "menos cruel atirar os infelizes ao mar do que deixá-los agonizando mais alguns dias com a doença que os acometera".[4] Além disso, argumentou Collingwood, o imprevisto prolongamento da viagem havia esgotado o suprimento de água, sem a qual não só os escravos, mas também os tripulantes e passageiros passariam mal e talvez viessem a morrer. Reservar o eventual resto de água para os saudáveis significava, infelizmente, sacrificar os doentes. É evidente que esse problema específico surpreendeu o primeiro oficial James Kensal. Restavam a bordo três grandes pipas cujo nível de água, quando foram examinadas, estava cerca de dezessete a vinte centímetros abaixo da borda, mas que Kensal supunha serem suficientes, num consumo diário de dois litros por adulto, para chegar até a Jamaica, Tobago ou Santa Lúcia, o que fosse mais perto para reabastecer. E isso sem contar a água armazenada nos "barris de bebida", a qual, embora tivesse gosto ruim, podia ser usada em caso de necessidade.[5] Assim, embora acostumado a ver e fazer coisas lamentáveis, Kensal se manifestou contra a "horrenda brutalidade" da proposta de Collingwood.[6] Aí o capitão converteu sua sugestão em ordem.

De qualquer modo, não foi fácil. Collingwood tomou a si a tarefa de seleção. Desceu para o porão de carga, com uma lâmpada oscilando no ranço fétido, para decidir quem viveria e quem morreria. Discutiram-se algumas ideias absurdas de escolher por sorteio, para que os negros soubessem de antemão quem seriam os sacrificados, mas para quê, além de criar um terror inconveniente e dificultar ainda mais uma tarefa já por si difícil? Assim, ignorando o fim iminente, 132 africanos acorrentados, em graus variados de sofrimento e doença, foram levados ao convés e ficaram sentados a meia-nau. Não havia nada de estranho nisso. Para preservar a "carga viva", o tempo permitindo, todos os dias subiam negros para o tombadilho, presos numa longa corrente que passava pelos ferros das pernas e ficava presa numa cavilha afixada no convés. Se ameaçasse surgir algum problema, os canhões giratórios montados nas amuradas, com os canos apontados para dentro, dariam uma volta intimidadora.[7] O que devia despertar preocupação era que, dessa vez, a corrente não estava presa à cavilha. E, antes que se dessem conta, o oficial gritou alguma coisa, a tripulação deitou a mão neles e o primeiro foi jogado amurada afora. Com as crianças não seria muito trabalho, magras e enfraquecidas pela doença como estavam. Mas para os adultos, homens e mulheres, precisaram de dois tripulantes, às vezes de um terceiro, para conseguir virá-los de costas e atirá-los às ondas, com o corpo traçando uma breve curva à luz antes de se afundar.

Quando os negros restantes de súbito entenderam o que lhes fariam, começaram a gritar e a lutar contra as correntes, e os que já estavam na água ainda se debatiam impotentes, até serem tragados pelas ondas. Farejando uma refeição pelo sangue das feridas causadas pelo atrito dos ferros, os tubarões deslizaram com eficiência aerodinâmica até suas presas. A tripulação estava ocupada demais para se incomodar. Depois de atirar a primeira dúzia ao mar, mesmo o suscetível Kensal passou a cumprir a ordem do capitão Collingwood sem resmungar. E, quando fizeram as contas, descobriram que tinham despachado 54 negros. No dia seguinte, 30 de novembro, outra "parte" de 42 teve o mesmo destino. Um dos passageiros, Robert Stubbs, ex-governador da ilha Annabona, o entreposto negreiro, e assim muito habituado a presenciar brutalidades, mais tarde atestou que de fato vira corpos lançados borda afora, mas se apraz a Vossa Excelência, tinha sido tudo muito rápido e por isso não conseguia lembrar quem havia feito o serviço. O sr. Stubbs, porém, corroborou o argumento do capitão de que, se não se tivesse tomado tal providência, "todos receavam que teriam morrido por falta de água".[8]

Então, como que para confirmar o acerto de atirar tantos Jonas negros ao oceano, caiu um tremendo aguaceiro, com tanta chuva que as pipas, tonéis e barris do navio ficaram repletos até a borda com água em abundância para todos, tripulantes e escravos, sadios e doentes. Portanto, não havia mais nenhuma razão, mesmo que se acreditasse no relato do capitão, para qualquer descarte dos negros. Mas o cérebro de Collingwood era agora uma verdadeira calculadora de lucros e prejuízos, e afinal não era uma época eminentemente mercantil? Com a Jamaica quase à vista (de novo), prepararam o último lote de 36 negros. Todavia, enquanto a tripulação colocava ferros e correntes em alguns para que afundassem com misericordiosa rapidez, outros dez pularam no mar por conta própria, com os braços desagrilhoados livres para nadar, alcançando um derradeiro momento de liberdade antes do inevitável fim. Mas um deles conseguiu nadar sem ser visto à popa do *Zong*, agarrou uma corda pendurada e, depois que o vigia se retirou, trepou de novo a bordo. Descoberto, teve a vida piedosamente poupada. Quanto aos que haviam saltado por iniciativa própria, era um assunto que não dizia respeito a Luke Collingwood. Tinham poupado o trabalho à sua tripulação exausta, e o resultado era o mesmo. Mas poderia ele, em plena consciência, reclamar das seguradoras o valor desses últimos dez como carga alijada, se na verdade não tinham sido alijados?

O sol aquecia o ar, sopravam brisas úmidas, andorinhas-do-mar roçavam as ondas, mergulhando aqui e ali. As águas do Caribe ondulavam verdes e pálidas contra os recifes, mosqueados de trilhas de espuma onde o coral aflorava à superfície. Era como se não tivesse acontecido nada de estranho — nada, de fato, para se preocupar.

A menos, claro, que você fosse Granville Sharp. Em 19 de março de 1783, cerca de quinze meses após a matança dos escravos do *Zong*, Sharp foi chamado por um certo sr. Gustavus Vassa. Vassa, cujo nome africano era Olaudah Equiano, era um dos mais conhecidos negros cristãos, livres e instruídos de Londres, inimigo fervoroso do tráfico negreiro e autor de cartas indignadas aos jornais defendendo seus irmãos oprimidos. Em 1789, sua autobiografia seria o primeiro *best-seller* de um autor negro, e Vassa/Equiano se tornaria exemplo para todos os que defendiam os africanos contra o truísmo dos escravocratas de que constituíam uma espécie inferior da humanidade, mais bruta do que o homem. A história narrada por Equiano (que certamente deve tê-la contado muito antes de ser publicada) era uma prodigiosa odisseia da escravidão à libertação duramente conquistada, da angústia analfabeta à fúria letrada, da desolação espiritual ao estado de graça. Era, em outras palavras, uma história irresistível para uma época de terna sensibilidade. E, além disso, era uma epopeia comparável ao mais exuberante romance de aventuras e à mais épica narrativa de viagem. Mas algumas partes da história, de acordo com Vincent Carretta, talvez sejam boas demais para serem verdadeiras.[9]

Filho de um próspero chefe Ibo, ele próprio dono de escravos, Equiano disse em sua *Narrative* que, quando menino, fora raptado por traficantes, transportado para o outro lado do Atlântico e vendido na Virgínia a um tenente naval que, como muitos colegas oficiais, também comerciava na marinha mercantil. Mas uma certidão de batismo e um documento da Marinha, descobertos por Carretta, registravam a Carolina do Sul como terra natal de Equiano. De acordo com a *Narrative*, fora o tenente Michael Pascal que, a bordo do *Industrious Bee*, dissera a Equiano que a partir daquele momento ele seria Gustavus Vassa. Por que Pascal quis que seu escravo pessoal adotasse o nome dos reis suecos, em vez dos usuais Cipião, Pompeu ou César, é um mistério, a menos, talvez, que ele tivesse servido em algum navio com esse nome, e pelo qual ainda guardasse certo apego sentimental. Equiano replicou a seu senhor que preferia ser chamado de Jacó, audácia pela qual foi prodigamente esbofeteado com a frequência e pelo tempo necessários até que passasse a atender, como filhote obediente, pelo apelido que lhe fora designado.

Pascal retribuiu a lealdade de Equiano em moeda de valor duvidoso, dando-lhe uma visão muito clara do que significava travar uma guerra imperial contra os franceses. Por toda parte onde estava o calor da ação, lá estava o tenente com seu negro. E quando o Império Britânico conquistou novos territórios e glórias militares, Equiano recebeu um ensino intensivo dos procedimentos de um mundo em guerra. Em Louisbourg, na ilha Cape Breton perto da Nova Escócia, quando os soldados da Marinha estavam desembarcando, Equiano viu o oficial supervisor interromper uma ordem ao meio quando uma bala de mosquete lhe atravessou a boca aberta e saiu por uma das faces. No mesmo dia, um entusiástico soldado escocês lhe pôs na mão o escalpo recém-cortado de um chefe índio. Em 1759, quando servia na frota de guerra do almirante Boscawen, indo buscar pólvora e cartuchos em pleno fogo da batalha noturna contra os franceses e espanhóis, os cordames de seu navio feitos em frangalhos, o mastro principal e a mezena quebrados como os membros de uma criança raquítica, Equiano escapou aos tiros e estilhaços enquanto "muitos de meus companheiros [...] num piscar de olhos, explodiram em pedaços e foram lançados à eternidade". O *annus mirabilis* de Equiano se consumou com o batismo que, em sua interpretação um tanto otimista, não só o conduziria à luz redentora do Evangelho, mas também lhe garantiria a emancipação. Como haveriam de lhe negar a liberdade, se ele fora batizado no próprio berço do Império — na St. Margaret's Chapel, Westminster, localizada, justamente, entre o Parlamento e a Abadia?

Quando a agonia estava prestes a acabar, a liberdade britânica foi arrebatada a Equiano quando o sr. Pascal, a quem o escravo havia servido com lealdade e afeto mesmo quando jazia ferido, e que parecera tão extremamente solícito a seu negro, mesmo assim não teve a menor cerimônia em vendê-lo ao final da guerra. Bem, ele andava curto de dinheiro. Assim era o mundo. Para piorar as coisas, o senhor se apoderou do melhor casaco de Equiano antes de vendê-lo. Apavorado com a ideia de terminar seus dias como escravo rural em alguma fazenda das Índias Ocidentais, por sorte Equiano se tornou proprietade de um quaker (relativamente) bondoso da Filadélfia, Robert King. Embora na América da década de 1760 praticamente todo o minúsculo grupo de abolicionistas consistisse em quakers, o inverso nem sempre era, de forma alguma, verdadeiro. Robert King era um desses Amigos escravocratas, dono de fazendas em Montserrat, que comerciava nas ilhas e no continente com uma pequena frota de chalupas. Empolgadíssimo com os conhecimentos e habilidades de Equiano, King o pôs para trabalhar como escriturário mercantil, mensageiro, negociante nas ilhas (lidando, entre outras coisas, com "cargas vivas") e até como inspetor das fazendas, onde Equiano se conformou com o trabalho sujo, acreditando que seria capaz de fazer alguma coisa para mitigar a extrema crueldade do serviço.

Mas quanta maldade se praticava sob o sol do Todo-Poderoso! Equiano soube de meninas negras, com menos de dez anos de idade, que haviam sido violentadas e o estuprador branco saía ileso, ao passo que um negro flagrado com uma prostituta branca era "estaqueado no chão e cortado da maneira mais chocante e depois suas orelhas retalhadas pedacinho por pedacinho". Na próspera Montserrat, sob o vulcão rosnante e resfolegante, Equiano era um homem afortunado, um homem de confiança, um homem instruído, e assim ouvia em silêncio quando um traficante de escravos se jactava alegremente de ter vendido 40 mil negros e de ter decepado a perna de um que tentara fugir. Via pais arrancados aos filhos, mães amordaçadas com máscaras e peças de ferro, cera fervente derramada nas costas de passageiros clandestinos descobertos; negros de pouco peso sentados nos pratos das balanças dos comerciantes para serem vendidos por quilo, como produtos de mercearia.

Equiano bem sabia que podia ter senhores piores do que Robert King. Mas ele preferia não ter senhor nenhum. Em sua ânsia cada vez maior de fugir, Equiano cometeu o erro de tomar aulas de navegação com um contramestre de uma das chalupas de King. Ao saber dessa iníqua traição, seu dono teve um acesso de fúria, acusou-o de ingratidão e lhe disse que não tinha outro recurso senão vendê-lo, por mais inestimável que tivesse sido. Mas um dos capitães de King cobriu seu lance, pois tinha se encantado tanto com Equiano que lhe pagaria ao longo dos anos um salário suficiente para cobrir o preço da alforria. King ficou muito aborrecido de ver suas opiniões liberais — e sua vaga promessa de algum dia alforriar Equiano — postas à prova com tanta insolência, mas o capitão o chamou às falas. "Vamos lá, Robert", disse dando-lhe jovialmente um tapinha nas costas, "acho que você deveria dar a liberdade a ele. Você aplicou muito bem seu dinheiro; recebeu bons juros esse tempo todo e afinal isso é o principal. Sei que GUSTAVUS lhe rendeu mais de cem por ano e ele [como homem livre] ainda vai lhe poupar dinheiro se continuar com você."

Resmungando, o Amigo King fez o que lhe fora pedido. Equiano mal pôde acreditar:

> Essas palavras de meu senhor foram para mim como uma voz dos céus: num átimo todo o meu medo se converteu em felicidade inexprimível [...] Minha imaginação estava em êxtase quando fui voando para o Cartório de Registros [para redigir o documento da manumissão]. Céus! Quem poderia fazer justiça a meus sentimentos naquele momento? Nem mesmo os próprios heróis conquistadores em pleno triunfo — Nem mesmo a terna mãe que acaba de reencontrar seu filho perdido e o abraça junto ao peito — Nem mesmo o marinheiro faminto e exausto à vista do desejado porto amigo — Nem mesmo o amante ao enlaçar sua querida amada depois de arrebatada de seus braços [...] Os justos e os negros [em Savannah] imediatamente passaram a me chamar com um outro nome — para mim o mais desejável no mundo — que era "Freeman" [Homem Livre].

Desnecessário dizer, a alforria de Equiano não era garantia contra os inescrupulosos que, nos anos seguintes, várias vezes o ameaçaram de reescravização. Vez por outra, esses riscos constantes o levavam ao desespero. Mas o elaborado linguajar com que se defendia deixava nervosos seus potenciais captores, sobretudo ao mencionar os nomes de ilustres cavalheiros que aparentava conhecer ou mesmo se relacionar (meter-se com aquele encrenqueiro Granville Sharp, que resultava em altos prejuízos, era algo a se evitar com toda a diligência). Um desses cavalheiros, e patrão de Equiano, era o dr. Charles Irving, o Grande Dessalinizador, que se dedicava a adoçar a água salgada. Equiano trabalhava como factótum geral de Irving, e nessa posição, com ou sem ele, embarcou em longos périplos que mais pareciam um giro pela Europa. Em Nápoles viu uma erupção do Vesúvio. Em Esmirna, na Turquia, recebeu a oferta de duas esposas e comeu gafanhotos, que lhe pareceram extraordinariamente parecidos com o feijão-trepador, só que maiores. No oceano Ártico, enquanto o dr. Irving continuava a dessalinizar freneticamente conforme lhe permitiam as banquisas prestes a se fechar, o negro matou enormes ursos brancos e viu "imensas quantidades de morsas [*sea-horses*]" — que ele diz que relinchavam "exatamente como qualquer outro cavalo". De volta ao Caribe, Equiano naufragou e sobreviveu num barquinho com a ajuda de índios Miskito, os quais lhe deram uma poderosa bebida feita de abacaxi assado e fermentado, que tomava sofregamente em cuias. Acocorado em folhas na aldeia dentro da floresta, ele comeu tartaruga seca e viu jacarés na vertical, pendurados vivos nas árvores antes de serem abatidos para um banquete — iguaria que Equiano não conseguiu se obrigar a comer, desculpando-se pela falta de educação.

De volta a Londres, usando peruca, tocando trompa, contando casos, escrevendo para os jornais, fazendo-se notar, periodicamente realizando novas viagens comerciais, Equiano estava preocupado com seu estado espiritual. Com olhar enciclopédico, conforme recomendavam os filósofos céticos, ele observou o que os quakers, os católicos e até os judeus tinham a oferecer, embora suas estadas na perfumosa Esmirna lhe tivessem criado uma opinião tão favorável sobre os turcos que durante algum tempo o islamismo pareceu o caminho mais promissor para a graça e a misericórdia. Então, certo dia, ele entrou numa singela capela metodista que ressoava de aleluias. Alçado ao mais puro êxtase, algo ao mesmo tempo muito próximo e distante falou do amor de Deus com uma intensidade maior do que qualquer outra coisa que Equiano tinha experimentado na vida. Estremeceu com o encanto da identificação. "Esse tipo de fraternidade cristã eu nunca tinha visto, e jamais pensei ver na Terra. Lembrou-me plenamente o que eu havia lido nas Sagradas Escrituras, sobre os cristãos primitivos que amavam uns aos outros e dividiam o pão, compartilhando-o de casa em casa."

E tudo isso enquanto mantinha abertos seus olhos políticos. Nas escaramuças judiciais entre Granville Sharp e lorde Mansfield, Equiano percebeu que estava presenciando um momento da história que de fato poderia transformar a vida dos escravos no Império Britânico. Quanto à honestidade, à perspicácia e ao fervor cristão de Sharp, Equiano não tinha nenhuma dúvida. Encontrara um herói no flautista de faces encovadas e parcos encantos físicos, e em 1774 ele precisou da ajuda de Sharp. Numa outra viagem a Esmirna como camareiro, Equiano tinha recomendado John Annis, um negro conhecido seu, como cozinheiro para o *Anglicania*, navio mercante turco. Mas, tal como Jonathan Strong e Thomas Lewis, Annis tinha um dono caribenho ganancioso, um certo Kirkpatrick, que não gostou do acordo que permitia a Annis abandonar o serviço e ficou pensando no dinheiro que obteria com a revenda do escravo. Perseguiram, sequestraram e despacharam o cozinheiro de volta num outro navio com destino a St. Kitts. Para desgosto de Equiano, o capitão e o imediato, a quem Annis servira de graça durante dois meses, não levantaram um dedo para libertá-lo: "Fui o único amigo dele que tentou lhe reconquistar a liberdade, se possível, tendo conhecido por experiência própria a falta de liberdade". E Equiano sabia o que fazer para mobilizar a liberdade britânica: obteve um mandado de *habeas corpus* para Annis. Branqueando o rosto como uma espécie de disfarce, ele foi com um oficial de justiça até a casa de Kirkpatrick em St. Paul's Churchyard. Lá abordaram o dono, mas este alegou que não tinha mais o corpo em questão.

Foi aí que Equiano procurou Granville Sharp, o veterano dessas lutas. Ainda gozando o triunfo de Somerset e esperando que se cumprissem seus dispositivos sobre o sequestro e transporte de súditos negros do rei, Sharp se mostrou otimista. Orientou Equiano sobre o que poderia esperar da lei. Mas a orientação, por azar, não alertava sobre a existência de advogados inescrupulosos. Equiano teve seu dinheiro devidamente roubado, e os que o embolsaram nada fizeram pelo caso de John Annis. "Quando o pobre homem chegou a St. Kitt, foi, segundo o costume, estaqueado no chão com quatro cavilhas e uma corda passando por elas, duas nos pulsos e duas nos tornozelos; foi talhado e chicoteado de forma extremamente impiedosa, e depois cruelmente agrilhoado com ferros no pescoço." Annis enviou cartas a Equiano, que eram "muito comoventes". Em desespero, ele tentou dar andamento ao processo, mas, após o fato consumado, não havia nada a fazer, e lá, em servidão, Annis continuou "até que a morte bondosa o libertou das mãos de seus tiranos".

Ao que parece, Equiano e Sharp não mantiveram muito contato no intervalo entre o caso de John Annis e o dos escravos afogados do *Zong*. Havia uma guerra, grande e importante; ambos andavam ocupados. Quase no final das hostilidades, Sharp ainda tinha esperança, contra qualquer possibilidade racional, de que a América poderia se reconciliar com uma Inglaterra abrandada e reformada, onde mais uma vez a liberdade e a humanidade seriam entronizadas. E quando essa esperança se evaporou, Sharp começou a retomar as ligações que mais prezava: com Anthony Benezet, Benjamin Franklin e um novo correspondente, John Adams, que seriam, esperava ele, firmes e constantes na vindoura cruzada contra a Coisa Amaldiçoada. Arrebatado por seu recente ardor cristão, Equiano tinha voltado às suas origens e à fonte do mal, a África Ocidental, onde serviu como pregador e capelão não ordenado para o governador Matthew Macnamara no Castelo de Cape Cost. E pediu ao bispo de Londres que o ordenasse, para poder voltar à África como missionário, assim, supunha ele, salvando ao mesmo tempo o corpo e a alma de seus irmãos africanos.

Equiano, portanto, conhecia tudo o que se podia conhecer sobre a escravidão, dentro e fora dela. Vira o suficiente para achar que nada mais o surpreenderia, até que, na manhã de 18 de março de 1783, leu uma carta anônima no *Morning Chronicle and London Advertiser* informando sobre o destino dos escravos no *Zong*. Mesmo monstruoso, o caso poderia nunca ter vindo à luz se as seguradoras, diante de uma fatura de 3960 libras (trinta libras por africano) apresentada pelos donos, não tivessem decidido contestar a alegada "necessidade" ditando o afogamento dos negros. O caso foi apresentado à Suprema Corte em Westminster Hall e, embora seus detalhes macabros fossem, segundo o repórter do *Chronicle*, "suficientes para fazer estremecer todos os presentes", o júri deu um veredicto em favor dos donos, sem sequer sair da sala para deliberar.

Como devoto da Common Law, Sharp sentiu agudamente a ignomínia. Como se a escravização já não fosse ruim o bastante, se o veredicto do alijamento de "carga humana" não fosse suspenso, outros não perderiam tempo em se aproveitar desse precedente. Os mares ondulariam de africanos brutalmente assassinados. Os seguradores, srs. Gilbert & Outros, por sua vez, não estavam dispostos a ceder e entraram com uma petição ao Tribunal (a ser ouvida, naturalmente, por lorde Mansfield) solicitando um novo julgamento. E, por mais doloroso e repugnante que fosse, para Sharp e Equiano, apresentar a responsabilidade por um massacre nos termos exclusivos de um compromisso comercial, ambos reconheciam que a contestação dos seguradores da pretensa falta de água lhes dava condições, por mais relutantes que se sentissem, de acusar o capitão e os donos do *Zong* de ter cometido um assassinato com objetivo de lucro. Sharp estava decidido a fazer tudo o que lhe estivesse ao alcance para respaldar essa posição, na esperança de assim iniciar um processo criminal seguramente cabível contra tal infâmia.

Após a visita de Equiano, Sharp entrou em contato com um docente de direito em Oxford, dr. Bever, e quando o caso foi apresentado a Mansfield em 22 de maio, ele tratou de comparecer pessoalmente a Westminster Hall, junto com um escrevente que contratara para anotar os procedimentos. Aquela escrevinhação afoita chamou a atenção do advogado dos donos escravocratas, Sir John ("Honest Jack") Lee, que então era procurador público e logo seria procurador-geral, um yorkshireano que gozava da merecida fama de usar um discurso sem peias, quando não blasfemo, com sotaque carregado, e os modos brutos de carroceiro apressado. Havia uma "pessoa no Tribunal", ribombou ele para Mansfield e seus juízes assistentes, detendo-se para fitar Sharp com jeito teatral, uma pessoa que dera a conhecer sua intenção de abrir "um processo criminal por assassinato contra as partes envolvidas". Mas, vociferou Lee como se ralhasse com uma turma de alunos especialmente obtusos,

> caso se permitisse que algum deles fosse julgado em Old Bailey por assassinato, não posso deixar de pensar que, se tal acusação de assassinato for sustentada, seria um desatino e uma temeridade ao grau da loucura; e, muito longe de qualquer acusação de assassinato contra essas pessoas, não há sequer a menor imputação. De crueldade, não digo, mas — de impropriedade: não há a menor!

Ninguém, insistiu Lee, deveria dar atenção aos "pretendidos apelos" do advogado dos seguradores aos "sentimentos de humanidade", pois o dono tinha pleno direito de fazer o que julgasse adequado com seus "bens ou haveres". Não se tratava de saber se a mercantilização de homens era deplorável ou não: "certo ou errado, não temos nada a ver com isso". Pois era irrefutável que, "para as finalidades de seguro, eles são bens e propriedades". Assim, a única questão a ser decidida era se a preservação dos restantes de fato dependia do alijamento.[10]

Mas Pigot, Davenport e Heywood, advogados dos seguradores, não se intimidaram. Argumentaram explicitamente que a questão de um homem ser uma carga era, com toda certeza, material, e que portanto havia ali "uma nova causa". De fato Heywood, como Dunning no caso Lewis e o jovem Alleyne no caso Somerset, se comportou à altura da situação e não hesitou em deixar de lado as sutilezas do direito comercial em favor da verdade maior. "Agora não estamos apenas defendendo os seguradores dos prejuízos obtidos contra eles", declarou Heywood. "Não posso deixar de pensar que meus amigos que aqui compareceram [um aceno de cabeça a Sharp e seus acompanhantes] e eu mesmo surgimos na presente ocasião como advogados de milhões de seres humanos e da causa da humanidade em geral." Era grandiloquente, mas, se houve uma época em que se podia perdoar a grandiloquência, foi aquela.

Tinham decorrido onze anos desde Somerset. Qual lorde Mansfield presidiria aos fantasmas do *Zong*? O cauteloso conservador jurídico, enredado pelo equívoco geral na interpretação de sua sentença, entendendo que ela tornara a escravidão ilegal na Inglaterra, ou o tio James de Dido Lindsey na Mansão Kenwood? Mansfield, naturalmente, entendia o ponto levantado por Sir John Lee, e respeitou os estreitos limites da questão sobre a qual o júri fora chamado a decidir. Para o júri anterior, "embora seja muito chocante, o caso dos escravos era como se tivessem sido cavalos atirados ao mar". Ele entendia que assim tinha de ser, mas repetiu outra vez: "É um caso muito chocante". Foi autorizado um novo julgamento.

Era só disso que Sharp precisava para se pôr em campo. Panfletos e artigos de jornal foram enviados aos nomes importantes nos círculos laicos e eclesiásticos; os textos acusavam, entre outros, o procurador-geral, cujo "argumento era tão lamentavelmente indigno de seu cargo e caráter público e de uma imoralidade tão perniciosa em sua tendência de encorajar o grau superlativo da opressão, o *Assassinato Deliberado*".[11] Era, trovejou Sharp em suas cartas ao duque de Portland, a vários bispos e arcebispos e aos lordes comissários do Almirantado, uma "*necessidade*, de obrigação de todo o reino, defender nossa justiça nacional" processando e punindo os assassinos, e, feito isso, pôr "um fim completo ao Tráfico de Escravos", sem o que (empolgando-se com seu refrão favorito) nada deteria a "mão vingadora de Deus que prometeu *destruir os destruidores da terra*".

Previsivelmente, os lordes comissários do Almirantado, cuja responsabilidade consistiria em apresentar uma ação ao Grande Júri, não tomaram nenhuma atitude diante dos apelos de Sharp à sua humanidade, e muito menos diante do senso de justiça elementar deles mesmos. Na verdade, não tomaram atitude nenhuma. Então era puro quixotismo de Sharp imaginar que fariam alguma coisa?

Quase, pois houve pelo menos uma figura de alto escalão no mundo brutalmente pragmático da Marinha Real que alimentava sentimentos no mínimo ambíguos em relação ao império escravista que lhe cabia proteger e preservar. Como controlador da Marinha, e assim responsável por suas finanças, Sir

Charles Middleton tinha sob seus cuidados uma das maiores e mais apetitosas fatias do bolo do governo. Mesmo assim, não havia nenhum sinal de que se sentisse muito tentado por pecados venais (ou outros quaisquer). Depois de uma vida de comandante naval, tinha se estabelecido, como seria de se esperar, como fidalgo no campo. Outrora capitão do HMS *Arundel*, agora era o senhor de Teston Hall, em Kent. Isso, porém, não significava que Middleton havia se recolhido a uma vida de reclusa mediocridade interiorana com uma cômoda sinecura naval. Ele também era membro do Parlamento por Rochester, no rio Medway, e assim estava bem no centro da fera onipotente que era a Marinha Real hanoveriana. Estaleiros, marujos, fabricantes de sebo, serrarias, todos agiam sob as vistas do controlador. Ao lado do assíduo Sir Charles estava lady Middleton, a qual, como se fazia naquela época, se dedicava fervorosamente à caridade cristã.

E havia poucas causas mais caras ao coração de lady Middleton, ou melhor, ao de seu marido, do que o vigário de São Pedro e São Paulo, Teston. O reverendo James Ramsay, com sua suave entonação de Aberdeen, não era o tipo de pároco com quem se esperaria topar no Medway — para nem falar de sua esposa, nascida Rebecca Akers, uma senhora das colônias cuja tez jamais se poderia descrever como kentiana. Na verdade, o Medway era perfeito para James Ramsay, pois ele tinha começado a vida como médico naval, servindo sob o comando de Middleton no HMS *Arundel*. Em 1759, no mesmo ano em que Equiano teve seu curso de guerra, Ramsay viu um outro tipo de ação no Caribe.[12] Um navio negreiro, sob o risco de ser capturado pelos franceses, buscou proteção juntando-se à frota de Middleton. Mas hasteava a bandeira amarela do contágio. Cem pessoas, entre escravos negros e tripulantes brancos, já tinham morrido e o comandante pediu assistência médica a Middleton. O único que se dispôs a ir foi Ramsay. De volta ao *Arundel* após a ronda das visitas, Ramsay tropeçou ao subir no tombadilho e caiu de mau jeito, fraturando o osso da coxa. Ficou manco pelo resto da vida, e Middleton nunca esqueceu essa dolorosa recompensa pelo altruísmo de seu médico.

Decidido a ser Lucas, médico e pastor, Ramsay saiu da Marinha e se ordenou, mas voltou ao Caribe para pregar a palavra de Deus, supunha ele, a negros e brancos. Em St. Kitts, onde tinha três benefícios eclesiásticos, ele ficou famoso como o pároco que convidava os negros ao vicariato, para receber instrução e religião — e, pior ainda, procurava inserir no culto uma prece pela conversão dos escravos. Claro que um peão de roça cristão continuava a ser um peão de roça, mas era danado de incômodo submeter um cristão ao tipo de açoitamento que de vez em quando era preciso aplicar a bestas de carga recalcitrantes. Além disso, não contente em se meter no que não era de sua conta, o sr. Ramsay também não sossegava no que era de sua conta como pároco, atrevendo-se a repreender os capatazes e até os senhores das fazendas, desde Christ Church até Basseterre e Nicholastown, pela maneira como tratavam os negros, que lhe parecia pouco cristã. Por menos prudente que fosse, ele chegava a permitir, e na verdade encorajava, a presença de negros e brancos no mesmo culto em sua igreja. Evidente que aquilo era inaceitável. Pela audácia e pelo enxerimento, Ramsay passou a ser criticado, primeiro em surdina, depois com estrépito na imprensa local. Como ele parecia não dar a menor atenção ao fato, tomaram atitudes mais drásticas. Pregavam bilhetes na porta da igreja rogando pragas a ele e à esposa *créole*. Se continuasse assim, viria uma "vingança implacável". A certa altura o apóstolo, como muitos outros apóstolos, achou que já era o suficiente.

Assim, em 1777 James Ramsay voltou à Inglaterra. Com excelentes referências de Sir Charles Middleton, ele se tornou capelão da frota sob o almirante Barrington e depois sob o almirante Rodney, notoriamente irritadiço e torturado pela gota. Mais corpos mutilados surgiram em seu caminho: entalava ossos quebrados e fazia cirurgias entre a fumaça e a trepidação dos estrondos. Ele publicou *Sea sermons* e rezou para que Rodney não fosse demasiado duro com os judeus da ilha de St. Eustatius por levar armas e rum aos americanos. Na verdade, não eram os americanos que James Ramsay queria combater, e sim as ações demoníacas que vira nas ilhas. Em 1779, ele voltou a St. Kitts, onde mais uma vez se fez presença incômoda, uma pedra no sapato. Dois anos depois foi novamente expulso das fazendas. Dessa feita, seguindo o conselho gentil e firme de Sir Charles, ele se estabeleceu nos benefícios de Teston e Nettlestead. Mas, no intervalo entre escrever os sermões e atender aos paroquianos, Ramsay se dedicava a pôr ordem em suas memórias e em seus sentimentos morais. Se não podia combater a Coisa Amaldiçoada do púlpito, ele combateria na página impressa. A repugnância provocada pela monetarização do mal, encarnada no caso *Zong*, pareceu ser a oportunidade do pároco de Kent. No verão de 1784, foi publicado seu *Essay on the treatment and conversion of slaves in the British sugar colonies*.

Se James Ramsay achava que ia mexer num vespeiro, mexeu mesmo. Seu passeio pelas barbaridades que tinha presenciado nos dezenove anos que passou em St. Kitts — o chicote de carroceiro que "arranca lascas de pele e carne a cada golpe" — foi saudado com uma enxurrada de insultos e zombarias, em parte pelos "agentes insulares" que se lembravam muito bem dele. Acusaram-no de hipocrisia. Pois o abolicionista santarrão não tinha escravos? Sim, tinha, mas apenas escravos domésticos que libertou quando foi embora. E a perna manca? Na ilha diziam que ele tinha caído ao dar um chute no traseiro de um de seus negros, e agora o sujeito tinha a petulância de fingir que quebrara a coxa na Marinha, para engordar sua pensão! Era uma tremenda calúnia, e Ramsay ficou extremamente sentido enquanto choviam as ofensas. Ele não entendia nada do mundo, acusaram os indignados defensores da Sociedade dos Fazendeiros e Comerciantes das Índias Ocidentais, nem como o mundo sempre foi, nem como teria de ser caso se pretendesse preservar o Império Britânico, sobretudo após o sério golpe que sofrera na América. Por acaso o ilustre reverendo conhecia a história? Pelo jeito não, pois mesmo a leitura mais superficial da Antiguidade lhe ensinaria que, desde os primeiros registros da humanidade, nunca existiu uma sociedade sem escravos, assim como nunca existiu um mundo sem as guerras que em geral produzem servos e cativos. Por acaso o ilustre reverendo conhecia alguma coisa sobre a África? Claro que não, ou saberia que os pobres nativos de lá viviam submetidos a crueldades e atrocidades de tal ordem que, comparado a elas, o pior ato que um capataz de fazenda podia perpetrar pareceria o próprio leite da bondade e caridade cristã. Por acaso conhecia economia? Evidente que não, pois do contrário saberia avaliar a ruína geral que recairia sobre inúmeros britânicos de bem com o naufrágio do comércio açucareiro que ele propunha com tanta piedade e despreocupação. E, por falar nisso, o pároco kentiano por acaso conhecia a Inglaterra? Certamente não, pois se conhecesse teria de admitir que a condição do negro nas fazendas, embora sem liberdade, mas bem alimentado e bem protegido, como devia ser para que a fazenda pudesse prosperar, era muito melhor que a do lavrador rústico expulso de sua faixa de terra pelos cercamentos [*enclosures*], condenado a perambular pelas fileiras de cercas vivas pedindo esmola, ou a do mendigo nas cidades afundado na sordidez e na degradação.

Aturdido, mas com a proteção dos Middleton, Ramsay não recuou de sua posição. Num ponto ele se manteve especialmente inflexível. Os negros, ao contrário do que afirmara o jamaicano Edward Log, não estavam mais próximos do orangotango que do homem. Em todas as qualidades e faculdades, eles pertenciam inteiramente ao gênero humano. "Que exista alguma diferença essencial entre as capacidades mentais europeias e africanas, até onde vai minha experiência, é algo que nego categoricamente."[13] Com essa única convicção empiricamente adquirida, James Ramsay já era moralmente superior a David Hume e Thomas Jefferson.

No verão sufocante de 1785, que zunia com os enxames de vespas e mosquitos, entre trovoadas diárias, alinharam-se os lados da batalha. Os defensores da escravidão — que estavam começando a mobilizar suas próprias defesas — gostavam de pintar a luta como um debate entre o profano e o sagrado, homens de negócios contra homens do clero. Mas não era bem verdade. Os líderes da campanha quaker — um comitê informal de seis pessoas que se encontrava quinzenalmente para combinar a publicidade na imprensa de Londres e do interior — eram todos homens de negócios, que gostavam de se imaginar rijos de cabeça e brandos de coração. Entre eles havia um jovem banqueiro, Samuel Hoare, e um negociante de tabaco, John Lloyd, que se sentira revoltado pelo que havia visto da escravidão em suas viagens de negócios à Virgínia.[14] Foi publicada uma reedição do ataque de Adam Smith ao tráfico de escravos, criticando-o sobretudo por seus inconvenientes econômicos. Mas, para a maioria dos quakers, o comércio com seres humanos nem era propriamente comércio. "Não existe o direito [...] de tirar a outrem sua liberdade", escreveu o negociante de lã Joseph Woods, vibrando uma corda deliberadamente transatlântica, "e portanto toda compra de um escravo está em contradição com os direitos originais da humanidade."[15]

O horror dos afogamentos do *Zong* e o alvoroço criado pelos ensaios de Ramsay e Woods conseguiram despertar até o mundo acadêmico de sua letargia política. Naquele mesmo verão de 1784, em Cambridge, o sub-reitor, dr. Peter Peckard, outro sacerdote com escrúpulos de consciência que tinha começado como capelão dos Granadeiros, escolheu como assunto da monografia em latim para os estudantes do último ano de bacharelado o tema *Anne liceat invitos in servitutem dare?*. Podem os homens ser legitimamente escravizados contra sua vontade? O primeiro lugar coube a um diácono de 24 anos de idade que estava estudando para o mestrado em teologia, Thomas Clarkson, que evidentemente não era nenhum tolo, pois tinha se formado em matemática e já ganhara um dos concursos em latim da universidade. A inteligência de Clarkson, filho de um mestre-escola de Wisbech que o deixou órfão em pequeno, jamais foi objeto de dúvida. Mas, antes de começar a discorrer sobre o tema do dr. Peckard, Thomas Clarkson nunca tinha prestado muita atenção aos males da escravidão.[16] Tudo mudou quando ele elaborou a monografia em latim. Um exercício acadêmico se converteu em missão. Conforme relatou mais tarde, Clarkson imaginava que iria extrair, como de hábito, um puro "prazer [intelectual] da criação dos argumentos, da concatenação entre eles". Mas inexplicavelmente, ao estilo do pânico moral do romantismo, ele se viu escorregando para a beira de um precipício. "Só havia um lúgubre assunto, de manhã à noite. De dia eu me sentia inquieto. De noite mal conseguia descansar. Às vezes nem fechava os olhos de dor. Agora não se tratava mais de um teste para a reputação acadêmica, e sim da produção de uma obra que pudesse ser útil para a África ferida."[17] O tema já tomara conta do homem.

Em junho de 1785, Thomas Clarkson foi chamado a ler seu ensaio premiado na Câmara do Conselho Universitário para uma congregação de docentes. Ao sair, os aplausos ainda lhe ressoavam nos ouvidos. E as coisas podiam ter ficado por aí. Agora que as pessoas certas o conheciam, Clarkson podia ter galgado a escada a que fora destinado, degrau por degrau, até o cargo de bispo. Mas, cavalgando pela antiga Ermine Street em Hertfordshire, perto da aldeia de Wadesmill, bem ao norte de Ware, Clarkson teve uma epifania à margem da estrada. Atormentado pela sensação de ter iniciado algo que não fazia ideia de como terminar — algo que jamais deveria ficar confinado nos limites de um exercício acadêmico, por mais bem elaborado que fosse —, ele apeou do cavalo. Andou um pouco, puxando a montaria pelas rédeas; então subiu de novo nos estribos, cavalgou mais um pouco e desmontou outra vez. Por fim, "sentei-me desconsolado na grama à beira da estrada e segurei meu cavalo... Se o conteúdo do Ensaio era verdadeiro, era hora de alguém ver algum fim para tais calamidades". Seria ele. Ele se tornara, como diria um de seus admiradores, "o escravo dos escravos".

Os aspirantes à santidade estavam começando a enxergar a luz. Cinco meses depois que Clarkson se sentou na grama de Hertfordshire e viu a verdade, um outro diplomado de Cambridge, William Wilberforce, de 25 anos, rapaz miúdo, bem-apessoado, inteligente, conhecido por seus gracejos espirituosos, suas relações sociais com a elite, sua segurança no jogo de cartas, seus graciosos passos de salão e a voz de tenor que lhe valera, agora que era membro do Parlamento por Hull, o epíteto de "rouxinol dos Comuns", confidenciou a seu diário: "Ó Senhor, sou desgraçado e miserável e cego e nu. Que infinito amor para que Cristo morresse a fim de salvar tal pecador". Se tais sentimentos fazem lembrar suspeitamente os versos de "Amazing grace", é porque provinham mesmo de lá. Doze dias depois de escrevê-los, Wilberforce foi visitar o autor do hino, o ex-traficante de escravos John Newton, agora vigário de St. Mary Woolnoth em Londres, em sua residência em Hoxton. Ele já tinha encontrado Ramsay na casa dos Middleton em 1783, e ouvira dele em primeira mão o relato sobre os chicotes de couro cru e as marcações com ferro em brasa. Mas, ao sair da casa de Newton em Charles Square, Wilberforce era outro homem. "Senti meu espírito num estado calmo, mais tranquilo, mais humilde e erguendo os olhos a Deus com mais devoção." Newton também se sentiu animado com o novo irmão. Ele e seu amigo poeta William Cowper, coautor dos *Olney hymns*, começavam a tocar a música da indignação.

A estrada de Dover deve ter presenciado uma infinidade de penosas cavalgadas espirituais, pois houve muita andança entre Londres e Kent quando os marechais começaram a mobilizar seu exército religioso. Na capital, enquanto preparava uma tradução ampliada de seu ensaio para o inglês, Clarkson foi apresentado a James Phillips, o qual publicou em 1786, por conta própria, o *Essay on the slavery and commerce of the human species*.[18] Clarkson preservou o grandioso estudo da escravidão na Antiguidade, mas incluiu uma nota de rodapé sobre o *Zong* e outros episódios inegavelmente triviais como o caso do escravo que não foi vendido e que, de volta ao navio num passo que o oficial que o acompanhava não considerou muito rápido, foi espancado até morrer ali mesmo com uma vara de junco, por arrastar suas correntes com tanta preguiça. O corpo então foi arremessado às águas do porto e num instante devorado pelos tubarões.[19] Francamente admirado com o que leu, James Ramsay se abalou de Kent para apresentar suas congratulações em pessoa a Clarkson.

De volta a Teston, Ramsay mal esperou para comentar com os Middleton o que descobrira em Clarkson: inteligência, firmeza, eloquência, virtude autêntica. Em julho de 1786, todas as peças da campanha se encaixaram. Clarkson foi levado a Teston Hall, e lá descobriu que os Middleton tinham reunido os veteranos da campanha: Granville Sharp e Beilby Porteus, o bispo de Chester e Londres, que desde longa data pregava a conversão e a redenção dos escravos.

À mesa de jantar de Middleton, seu ardor moral atiçado pelo lisonjeiro entusiasmo dos mais velhos, Clarkson declarou desenvolto que, a partir daquele momento, dedicaria sua vida à causa. Mais tarde escreveu que não teve escolha. "Eu fui *literalmente*" — querendo dizer "praticamente" — "*forçado a isso...* Todas as cenas trágicas [...] passaram em horrível desfile perante mim e minha compaixão pelo sofrimento deles foi *naquele momento* tão grande, tão intensa, tão esmagadora, que me sobrepujou e me compeliu a tomar a resolução a que não ousei resistir [...] de me empenhar na libertação deles."

Ramsay tinha em mente que Sharp e os Middleton, Clarkson e Wilberforce seriam os generais complementares da campanha. Com seu trânsito entre a nata da sociedade, mesmo na corte, com sua posição parlamentar e bom relacionamento com o primeiro-ministro William Pitt, também um jovem sério na casa dos vinte anos, Wilberforce levaria a causa aos homens do poder. Clarkson, famoso graças ao *Ensaio*, seria o líder organizador, comandaria a parte das informações e seria a face visível da batalha para os militantes de fora. E Sir Charles Middleton, numa iniciativa muito surpreendente, prontificou-se imediatamente a dar assistência oficial. Ele consultaria os registros da Marinha Real sobre o tráfico negreiro e entraria em contato com seus inúmeros amigos e associados importantes em Londres. Com o incentivo adicional de Sharp e do Comitê Quaker Londrino, Clarkson então começou uma pesquisa sistemática. Seu irmão John, agora tenente de meio soldo, de indiferente testemunha do mundo da escravidão se transformou numa das melhores fontes de Thomas sobre as práticas escravistas. O irmão mais velho vagueava pelas docas, bisbilhotando os porões de carga dos navios do Comércio Triangular que seguiam para a África ou voltavam das Índias; espiando pelas grades no escuro onde sabia que os escravos tinham sido comprimidos num espaço sufocante; conversando com marujos que tinham estado nos navios negreiros e descobrindo, para seu assombro, que o índice de mortalidade entre a tripulação era maior que o dos próprios escravos! Soube que um marinheiro negro a bordo de um navio negreiro, chamado John Dean, tinha cometido algum delito trivial, e por isso despejaram-lhe piche quente nas costas e depois lhe fizeram incisões com tenazes para penetrar bem na carne. Outro camaroteiro negro, Peter Green, tinha morrido a bordo do *Alfred*, e Clarkson estava certo de que fora por maus-tratos.[20]

No entanto, havia uma outra parte interessada que Thomas Clarkson, ao que parece, nunca pensou em sondar: os milhares de londrinos negros outrora escravos. Afinal não eram personalidades que sabiam se expressar bem, como Olaudah Equiano ou seu amigo Ottobah Cugoano, e que pudessem ser convidadas a salões elegantes para imbuir os combatentes de inspiração. E tampouco eram os criados empoados e com librés da elite. Pelo contrário, eram os importunos mendigos negros que, no rigoroso inverno de 1785-6, limpavam a neve da calçada aos pés dos ricos, antes de atravessar as esquinas. Não eram heróis; eram apenas presenças feias nas ruas.

Ser pendurado na forca foi apenas o começo dos problemas de Benjamin Whitecuffe. Antigamente suas perspectivas eram boas. O pai era um mulato livre de nascença que, como muitos negros das redondezas de Nova York, trabalhava no comércio costeiro do Canal — um bom trabalho, aliás, pois possuía uma chalupa. Mas o sonho jeffersoniano visitou Pa Whitecuffe e ele trocou o barco por um sítio em Hempstead, King's County, em Long Island — e aqui também não era um simples pedaço de terra desolada, e sim mais de sessenta acres de excelente pasto, dois acres de pomares e ainda algum terreno no povoado. E havia uma junta de bois para lavrar a terra. Então, evidentemente, tinha sido um homem de muita iniciativa: o modelo do pequeno proprietário decidido, independente, sobre o qual devia se alicerçar a nova república. Seu filho Benjamin aprendeu o ofício de seleiro, profissão muito conveniente no mundo rural dos Whitecuffe.

Chegada a revolução, essa pequena felicidade desapareceu. O velho Whitecuffe atendeu ao chamado patriótico, alistando-se no Exército continental e chegando a sargento. E também levou o irmão de Benjamin para a causa americana. Mas Benjamin, pessoalmente, era teimoso e tinha adotado a posição contrária, achando melhor lutar pelo rei do que pela revolução. A família dividida, certamente com o coração pesado, mas também com um olho prudente no futuro, decidiu que, se os britânicos chegassem a Hempstead, Benjamin deveria dizer que as terras eram suas.

É impossível avaliar até que ponto a lealdade de Benjamin à Coroa foi determinada por oportunismo ou por razões de princípio. Mas seu legalismo ia muito além do prudente interesse próprio. Como negro livre, ele não precisava do incentivo de Sir Henry Clinton para se alistar no Exército, mas se alistou mesmo assim — e, ainda por cima, no perigoso posto de espião. Durante a errante perseguição ao exército de Washington nos quatro cantos de Nova Jersey, ele fornecia as informações a Sir William Ayscough sobre os movimentos das tropas americanas e lhe coube o crédito de ter evitado que uma força de 2 mil soldados entrasse em combate com o inimigo em superioridade numérica esmagadora. Mas, durante seus dois anos de espionagem, várias vezes Benjamin se arriscou demais e foi capturado pelos americanos perto de suas linhas. Considerava-se que aos espiões cabia um único destino, e Benjamin foi devidamente pendurado numa corda perto de Cranbury, Nova Jersey. Ficou balançando ali três minutos sem que o laço lhe quebrasse o pescoço, coisa que às vezes acontecia. Ainda pendia e ainda vivia (mal e mal) quando uma tropa da Quinta Cavalaria Ligeira chegou, cortou a corda e o tirou da forca. O pai e o irmão não tiveram tanta sorte. Um foi morto na escaramuça em Chestnut Hill e o outro, mortalmente ferido na batalha de Germantown.

Então Benjamin agora era o proprietário absoluto do sítio de Hempstead e da junta de bois. Mas ele não queria ficar ali sentado assistindo à guerra e torcendo pelo melhor. Sem se incomodar com o futuro, embarcou num navio em Staten Island com destino à Virgínia, para oferecer novamente seus serviços no teatro de operações do Sul. Mas o navio foi interceptado e levado para as ilhas Grenadines, onde Benjamin, agora famoso, foi mais uma vez condenado à forca. Seguindo para Boston, onde se daria o enforcamento, o navio onde Whitecuffe estava preso foi atacado e tomado como butim por um navio pirata de Liverpool, o *St. Phillips Castle*. Whitecuffe ficou satisfeito de continuar a bordo quando o navio tomou o rumo leste, pois deve ter achado que na Inglaterra receberia uma justa compensação por tudo o que havia sofrido. Mas não foi o que aconteceu, pois, como ocorreu com a maioria dos negros que vinham da América, ele se encontrou em plena guerra naval, vendo combates ferozes em Port Mahon e Gibraltar. Em 1783, quando a guerra acabou, ele voltou a Londres, mas sem terras nem a Marinha Real para lhe dar sustento.

Benjamin, porém, não tinha muita escolha. A família havia morrido ou se mudado do sítio em Hempstead. Como sua carreira era bastante conhecida em Nova York, não havia a menor possibilidade de voltar a Long Island e muito menos de reaver suas terras. E agora ele tinha uma esposa branca inglesa, Sarah. Assim, em junho de 1784, Benjamin contou sua história e, com a ajuda de um advogado (pois era analfabeto), a registrou por escrito para os cinco membros da comissão nomeada pelo Parlamento para ouvir as reivindicações legalistas e oferecer indenização, quando merecida, por prejuízos. Benjamin deve ter sido otimista. Como seu pai trocara a chalupa, que valia cerca de trezentas libras, pela terra, o sítio devia valer, num cálculo conservador, 120 libras. E ele conseguiu encontrar um marinheiro de nome Thomas Stiff que poderia jurar que os Whitecuffe realmente tinham sido donos de cinquenta ou mesmo sessenta bons acres em King's County. E havia ainda o carro e a junta de bois, que valiam mais umas onze libras. Whitecuffe esperava e rogava que "seu Peticionário possa ser autorizado por seu relato a receber a ajuda ou assistência que se julgue merecerem seus prejuízos e serviços".[21]

O que Whitecuffe acabou recebendo foi uma parca recompensa por tudo o que ele havia passado por Sua Majestade: dez libras. Mas como muitos de seus camaradas não receberam nenhum tostão, com esse prêmio ele ainda era um dos negros mais afortunados entre os 47 que entraram com pedidos de ajuda e assistência junto à comissão. Somando suas dez libras ao modesto dote de Sarah, ele pôde se reerguer como seleiro e empalhador de cadeiras.[22] Alguns outros receberam pensões mais substanciais, uma das mais generosas (por fim) destinada a Shadrack Furman, do condado de Acamac, Virgínia, que depois de ter sua casa incendiada pelo Exército continental em janeiro de 1781, ingressara na campanha de Cornwallis como guia e espião. Capturado pelos americanos, Furman foi torturado (não há outro termo adequado) para dar informações: recebeu quinhentas chicotadas e foi largado amarrado num campo, com pancadas tão terríveis na cabeça que ficou praticamente cego, e ainda levou uma machadada na perna, o suficiente para não a decepar, deixando-o aleijado para sempre. "Sua saúde ficou tão prejudicada com os ferimentos na cabeça", declarava a petição de Furman aos membros da comissão, "que às vezes ele fica privado da razão."[23] Mesmo mutilado e com a vista fraca, Furman continuou a servir no Exército britânico, primeiro num navio corsário e depois com os Pioneiros ao redor de Portsmouth, desmascarando agentes duplos americanos. Na Nova Escócia, após a guerra, estava doente demais para comparecer à comissão que ouvia as reivindicações legalistas. Já um pouco melhor, embarcara para Londres para fazer sem demora sua petição, invocando a promessa do general Leslie, o qual lhe havia dito "que se não se curasse, ele seria mantido pela Generosidade real". Mas, infelizmente, desde então ele e a esposa tinham caído na "mais baixa pobreza e miséria". A única coisa que se interpunha entre Shadrack e um fim anônimo no cortiço era sua rabeca, pois ainda conseguia "arranhar as cordas" por alguns centavos. Mas a comissão não se comoveu com sua história, pelo menos de início. Apenas em 1788, depois de anos sofrendo os rigores do inverno nas ruas de Londres, sua lealdade foi corroborada por um sargento do 76º Regimento e por um sargento de polícia em Nova York. Shadrack Furman então recebeu o parecer de ter "sofrido grandes crueldades na América devido à sua Ligação com a Grã-Bretanha" e acabou recebendo a pensão relativamente generosa de oito libras anuais.[24]

Scipio Handley, de Charleston, também deve ter contado com bons testemunhos confirmando que havia levado um tiro de mosquete na perna direita quando transportava polvorinho para as defesas no cerco de Savannah, a qual não precisou ser amputada, mas nunca sarou totalmente, pois recebeu a soma principesca de vinte libras de indenização por perda de sua propriedade.[25] Muitos peticionários, que na maioria estavam em Londres e não na Nova Escócia, porque acabaram servindo nos navios de guerra ingleses e tinham retornado com a frota, receberam muito menos. O limite máximo era de vinte libras, qualquer que fosse a história e por mais graves que fossem os ferimentos, ao passo que o mais pobre legalista branco recebia no mínimo 25 libras, e geralmente muito mais.

Os membros da comissão, sentados no recinto apainelado que dava para os Lincoln's Inn Fields, eram sensíveis à situação, mas, por favor, o que poderiam fazer? Deviam, como declarou um deles, Sir John Eardley Wilmot, presidente da Corte de Direito Civil, ater-se rigorosamente à lei. E a lei exigia provas antes que eles pudessem agir de acordo com a justiça — o mesmo tipo de prova que se exigia de um queixoso ou demandante dos condados. Mas e se os solicitantes tinham sido escravos antes de entrar no Exército? Ora, então se inferia que não poderiam ter possuído bem algum a ser indenizado! Na verdade, deviam se dar por satisfeitos por ter ganhado a liberdade, recebido a permissão de vir para a Velha Inglaterra, onde o ar era "puro demais para ser respirado por escravos", trazidos do estado americano onde estariam sujeitos à reescravização! E com certeza deviam era manter uma atitude de autêntica gratidão e devoção. Um homem chamado Jackson, que fazia formas de sapato em Nova York e perdera suas ferramentas e materiais, fora capturado pelos americanos, mas tinha escapado para servir no HMS *Shrewsbury* sob o almirante Keppel, mesmo assim foi rejeitado porque pertencia àquela categoria de negros que, "em vez de ser vítimas das guerras, em sua maioria ganharam a liberdade e, portanto, vêm muito sem jeito pleitear recompensa do governo".[26]

Pelo entendimento da comissão, portanto, apenas os negros que alegavam (e podiam provar) que eram livres de nascença teriam possibilidade de receber uma avaliação séria. E o fato de os solicitantes terem um prazo de apenas trinta dias, a contar da data inicial da entrada da petição, para apresentar os testemunhos comprobatórios, às vezes de oficiais que estavam lá longe na Nova Escócia, só fazia aumentar a dependência deles (sobretudo porque muitos eram analfabetos) em relação a qualquer londrino branco que se dispusesse a ajudar. Houve dois — rejeitados pelos membros da comissão como pequenos trapaceiros — que ofereceram seus préstimos remunerados, Jonathan Williams e Thomas Watkins, donos de uma pensão onde estavam morando seis negros peticionários: Moses Stephens, George Miller, Henry Browne, Prince William, Anthony Smithers e John Baptist.

A comissão achou que o valor dos bens alegados nos pedidos de indenização dos peticionários foi jogado lá para cima, de modo muito suspeito: por exemplo, cerca de noventa acres, quinze vacas, três cavalos e 120 galinhas para Moses Stephens ou cem acres para George Miller. Os membros da comissão decidiram que Williams e Watkins "têm interesse em nos apresentar falsidades, visto que muitos dos negros estão alojados com eles e, se obtiverem algum dinheiro do Tesouro, provavelmente esses homens receberão uma parcela considerável".[27] Mas, ainda que Jonathan Williams cobrasse dos negros uma porcentagem por seus serviços, não é verdade, como alegou a comissão, que o estilo padronizado em que estavam redigidas as petições significaria necessariamente que fossem falsificadas. Os membros da comissão supuseram que as reivindicações revelavam a fraude porque eram quase idênticas, mas uma leitura paciente revela o contrário. Anthony Smithers alegava ter perdido os catorze acres de seu pai no Condado de Gloucester, Nova Jersey, quando ingressou no Exército britânico na Filadélfia, aos dezesseis anos, enquanto John Baptist, da mesma região, declarou apenas três acres, uma casa, um pouco de gado e frangos. O fato de dois negros virem da mesma região e ambos terem se juntado aos ingleses na Filadélfia não indicava forçosamente uma fraude, mas, pelo contrário, era um lugar-comum na história social deles.

Assim, para se ter algum tipo de avaliação séria era necessário um testemunho inabalável de oficial ou legalista branco, ou uma reputação bem conhecida. O coronel David Fanning, um *tory* da Carolina do Norte que morava em New Brunswick, escreveu em favor de seis de seus homens, entre eles Samuel Burke, que havia servido como criado do general de brigada Mountford Browne (que também escreveu corroborando a afirmação de Burke), mas também tivera ação em combate, sendo gravemente ferido em Danbury e mais ainda em Hanging Rock, na Carolina do Sul, onde alegou ter matado dez soldados rebeldes. Graças aos sólidos testemunhos, Burke recebeu vinte libras e foi trabalhar num "jardim de flores artificiais".[28]

Os que tiveram menos sorte — excluídos do grupo e tendo de se virar sozinhos depois de escolher vir para um local que deviam imaginar como a própria fonte da liberdade, em vez de arriscar a sorte nas Bahamas ou na Nova Escócia — devem ter se sentido cruelmente traídos. Assim, o quadro que o legalista Benjamin West pintou para Sir John Wilmot, mostrando um grupo de legalistas reunidos no regaço de uma acolhedora Britânia, perpetra algo que, mesmo pelos padrões românticos tardossetecentistas, é uma ficção afrontosamente oportunista. Pois no meio da multidão agradecida há um "negro vigoroso", as correntes arriadas, de porte ereto, semblante nobre, estendendo os braços ao benfeitor britânico. A verdade era bem diferente. A verdade era Peter Anderson, um serrador que havia trabalhado para John Griffin na costa da Virgínia antes de ser levado a ingressar no Regimento Etíope de Dunmore. Anderson foi um dos negros capturados no clímax da guerra, na sangrenta batalha de Great Bridge. Mas, mesmo após a derrota, Anderson manteve sua escolha, e não era a América. Fugindo de seu cativeiro americano, ele voltou ao regimento de Dunmore, cujos soldados traziam no casaco a divisa "Liberdade para os Escravos", e lá ficou, perdendo "tudo o que eu tinha no Mundo: quatro baús de roupas, vinte porcos, quatro colchões de penas e mobília". Ele sobreviveu ao inferno dos navios e acampamentos nas ilhas, infestados de varíola e tifo, ao pesadelo do cerco de Yorktown e ao pesadelo ainda maior da rendição. Finalmente foi para Londres, onde, pelo que dizia sua triste mensagem aos membros da comissão, parecia que ia morrer de fome. "Eu me esforcei para arranjar Trabalho", disse aos cavalheiros de Lincoln's Inn, "mas não consigo arranjar nenhum Tenho Trinta e Nove Anos de Idade & estou pronto & disposto a servir Sua Majestade Britínica [sic] Enquanto for Capaz Mas estou realmente passando fome nas Ruas Sem Ter Ninguém para me dar um pedaço de pão & não me atrevo a voltar para Meu País outra vez." Dunmore intercedeu pessoalmente responsabilizando-se por Anderson e lhe conseguiu suas dez libras.[29]

Assim, no inverno de 1785-6 dois tipos muito diferentes de negros abalaram a sensibilidade dos britânicos. Para os magnânimos filantropos, havia os "Pobres Negros" que precisavam ser resgatados do pérfido tráfico. Em sua imaginação, esses cruzados viam nobres africanos torturados, conduzidos aos rebanhos para os navios ou surrados com impiedade nas fazendas, mas sempre sofrendo num distante litoral abrasador. E havia uma outra população inteira, os "Negros Pobres", incomodamente próximos, no East End e em Rotherhithe: trouxas esfarrapadas de miséria humana, amontoados às portas, descalços, por vezes descamisados mesmo no frio intenso ou cobertos de trapos imundos, tísicos ou coçando suas chagas e crostas de feridas e estendendo mãos esqueléticas num pedido de ajuda. Um grupo precisava do auxílio de panfletos e moções parlamentares; o outro precisava do auxílio, muito mais urgente, de pão, sopa e assistência médica. E a situação deles era ainda mais séria porque a Lei dos Pobres então vigente determinava que os indigentes deviam voltar às suas paróquias de origem para ter direito a assistência. Mas a "paróquia" dos americanos que tinham sido escravos e marinheiros, carregadores de explosivos e tamborileiros no Exército, carreteiros e cozinheiros, ficava no alto-mar ou lá nas fazendas sulinas da América. O batismo, sem dúvida, podia mudar essa faceta, vinculando-os à paróquia onde fossem batizados; e pelo menos um sacerdote misericordioso, o reverendo Herbert Mayo, prior de St. George, a igreja de Nicholas Hawksmoor, no East, no lado de Stepney dando para o Wapping, onde suas torres e campanários fitavam do alto as cordoarias e picharias, fez o máximo a seu alcance para trazer a seu rebanho os negros destituídos e desamparados.[30] Mayo primeiro lhes dava aulas, depois água da fonte e por fim sopa.

Em janeiro de 1786, quando o inverno estava no auge, mais outra pessoa, além do bondoso sacerdote, achou que era preciso fazer alguma coisa. Afinal, Jonas Hanway sempre tinha feito alguma coisa para quase todo mundo que precisasse em Londres: os garotos franzinos que morriam de asma ou câncer nos testículos trabalhando como limpadores de chaminés, tendo de escalar as paredes forradas de fuligem; as pessoas com doenças venéreas para quem ele fundou o Hospital de Misericórdia, muitas das quais eram prostitutas que então recebiam abrigo e instrução moral em sua Associação de Madalena para a

Acolhida do Penitente — uma ração diária de trezentos gramas de carne, 85 gramas de queijo, 1,8 quilo de pão e setecentos mililitros de cerveja para ajudá-las a ir meio cambaleando rumo a uma vida purificada; e meninos enjeitados que ele acolhia em suas escolas da Sociedade Naval, para um melhor suprimento de marujos para tripular o Império.[31] Depois dessa vida de incansável filantropia, sem mencionar os incontáveis manuais de pretensa utilidade que escreveu — *Conselho à filha de um agricultor; Instruções morais e religiosas destinadas a aprendizes; Os sentimentos e conselhos de Thomas Trueman, criado virtuoso e compreensivo; O amigo cristão do marinheiro*, e muitos outros, todos dizendo mais ou menos a mesma coisa: abomine o vício, reze, levante cedo —, Hanway veio a representar um certo tipo de inglês caritativo e intrometido. Em parte isso se devia às suas firmes convicções sobre dois itens que, para os estrangeiros, definiam a anglicidade: o chá e os guarda-chuvas. O chá Hanway julgava tão pernicioso que comandou uma campanha pública contra ele (a própria definição de uma árdua tarefa); o guarda-chuva ele introduziu na sociedade de classe média, sendo o primeiro indivíduo a carregar seu próprio guarda-chuva, feito de seda verde, pelas ruas. Em janeiro de 1786, esse diligente sujeito estava velho, doente e cansado. Mas não estava disposto a partir enquanto não fizesse o máximo possível pelo negro pobre e sofredor.

Hanway se garantiu para não ficar isolado. Quando jovem, tinha feito negócios no comércio russo, e agora retomava algumas de suas duradouras ligações profissionais para lançar uma campanha de arrecadação de fundos, com a finalidade de ajudar os negros e os "anglo-indianos" (indianos e mestiços asiáticos pobres, geralmente marujos desempregados) a atravessar o período pior do inverno. No começo do mês, foi criado um Comitê de Assistência ao Negro Pobre, que se reunia primeiro na Bond Street e depois na cafeteria de Batson na City, em frente à Bolsa Real, lugar mais adequado para atrair pessoas de espírito caridoso e empresarial. Além de Hanway, faziam parte do comitê, entre outros, George Peters, diretor do Banco da Inglaterra; John Julius Angerstein, nascido em São Petersburgo, que diziam ser filho bastardo de Catarina, a Grande (mas, naquela época, quem não era?), e agora um dos principais acionistas do Lloyds, bom amigo do primeiro-ministro William Pitt e voraz colecionador de obras de arte com um bom gosto espetacular; e, menos fulgurante, o banqueiro quaker Samuel Hoare. Angerstein tinha escravos em Granada, ao passo que Hoare era abolicionista convicto, mas ambos consideravam a assistência ao negro pobre uma questão humanitária urgente.[32]

Os membros do comitê que se sentavam no Batson's tinham, por sua vez, condições de mobilizar os grandes e poderosos para subscrever a campanha de arrecadação de fundos. Duquesas (Devonshire), condessas (Essex e Salisbury) e marquesas (Buckingham) estavam ansiosas em demonstrar seu amor pela humanidade sofredora com suas bolsas de afamada munificência. O primeiro-ministro, o reverendo Mayo e, claro, Granville Sharp contribuíram, e Samuel Hoare garantiu que seus correligionários, os Amigos, fizessem a maior doação coletiva, contribuindo com 67 libras. Mas a campanha, conforme o pretendido, também sensibilizou doadores bem mais humildes, um dos quais mandou uma tigela e uma colher, e uma senhora humilde enviou um óbolo de cinco xelins, que para ela era bastante.[33] Não foi apenas o espetáculo da miséria que acionou esse surto de doações. Ninguém estava sugerindo fazer a mesma coisa pelos mendigos brancos. Era a história desses negros em particular, os americanos que haviam se mantido leais à Inglaterra e tiveram como recompensa a miséria e o sofrimento. Pesavam realmente sobre a consciência nacional. "Eles [...] serviram à Inglaterra", protestou um correspondente de jornal, "combateram sob as cores inglesas e depois de abandonar seus senhores americanos, confiando nas promessas de proteção feitas por governadores e comandantes britânicos, agora são largados a morrer de fome e frio à vista do povo pelo qual arriscaram a vida e até (muitos deles) derramaram seu sangue."[34]

As oitocentas libras arrecadadas pelo comitê foram empregadas em alimentos, atendimento médico e roupas: camisas, sapatos, calças e meias. Desde a segunda quinzena de janeiro, quem se apresentasse aos padeiros Brown na Wigmore Street receberia duas vezes por semana cem gramas de pão de dois *pence*, e na taverna Yorkshire Stingo, em Lisson Green, Marylebone, e na White Raven, Mile End, os necessitados recebiam sopa, um pedaço de carne e pão. Uma enfermaria na Warren Street atendia os negros com "pernas gravemente ulceradas", com abscessos ou em "estado asqueroso", definição vaga, mas bastante expressiva, e alguns dos piores casos eram encaminhados para o St. Bartholomew's Hospital por conta do comitê.

Mas, quando o inverno abrandou com a aproximação da primavera, as filas do lado de fora da White Raven e da Yorkshire Stingo, contrariando as expectativas do comitê, aumentaram em vez de diminuir. O emprego que se esperava não se materializou, e em maio havia cerca de quatrocentos negros recebendo regularmente alimentação e o minúsculo subsídio de uma moedinha de seis *pence*. O comitê nunca teve a intenção de manter a campanha assistencial em caráter permanente, e, como Hanway era um grande admirador do assentamento colonial, não surpreendeu que em março ele já tivesse levantado a ideia de que os negros talvez estivessem melhor em outro lugar, onde fosse mais provável conseguir trabalho.

Aventada essa ideia, a visão dos negros tremendo nas ruas de Stepney levou naturalmente a uma outra: que poderiam se sentir mais contentes e se dar melhor em algum lugar onde o clima lhes fosse adequado. Mas eles eram africanos ou americanos? Se eram americanos, talvez devessem se juntar (como alguns deles já tinham sugerido) aos companheiros legalistas negros na Nova Escócia ou na nova província vizinha de New Brunswick. Se lá também fosse frio demais, que tal uma ilha das Bahamas como a Grande Inagua? Mas, se de fato eram africanos, então a melhor solução seria voltar ao país natal, não como escravos e sim como homens livres, um assentamento de britânicos negros libertos que, com iniciativa e trabalho honesto, criariam uma alternativa modelar ao mundo degradado da economia escravista.

Era certamente o que estava sugerindo um outro amigo de Hanway. Henry Smeathman era chamado pelos amigos, e por alguns não amigos, de "sr. Térmite". Ninguém sabia tanto sobre cupins e formigas: como construíam seus montes e pináculos; a hierarquia de sua impressionante organização social (comandada por um rei e uma rainha ao mesmo tempo, como explicava Smeathman aos leitores espantados); e até o gosto que tinham: "iguaria extremamente delicada e saborosa. Um cavalheiro achou parecido com doce de tutano, outro, com creme açucarado e pasta de amêndoas doces".[35] Mas as epicuristas possibilidades da costa da Pimenta na África Ocidental eram, segundo Smeathman, apenas o começo de suas infinitas delícias e perspectivas. Na verdade, seu conhecimento do clima, flora, fauna e fertilidade do solo de Serra Leoa, o território que ele recomendava ao comitê como lugar ideal para assentar os negros, estava longe de ser abrangente. Em 1771, ele fora enviado pelo cientista Joseph Banks, futuro presidente da Royal Society, até as ilhas das Bananas, perto da costa, a fim de coletar espécimens botânicos para a coleção de Banks em Kew. Smeathman ficou três anos por lá, convertendo-se de botânico em entomólogo, convencendo-se de que a costa da Pimenta, além de ser uma maravilha de história natural, tinha um clima e um solo ideais para o cultivo de produtos agrícolas então com enorme demanda na Europa e nas Américas: arroz, corantes vegetais, algodão e açúcar. Com o investimento certo, essas culturas podiam ser produzidas com mão de obra livre e (em harmonia com os argumentos filosóficos e econômicos de Adam Smith e David Hume), como era notória a disparada no preço dos escravos, a um custo mais baixo do que com mão de obra escrava.

Voltando da África, porém, Smeathman não conseguiu interessar a nenhum investimento sério. Na década de 1780, ficou perambulando à toa com suas palestras entomológicas, figura inofensiva, mas levemente marginal, nas três comunidades em que pensava ter algum destaque: a científica, a comercial e a filantrópica. Mas então, em 1786, a causa do negro pobre lhe ofereceu uma súbita e delongada oportunidade, e Smeathman apresentou ao comitê e, por extensão, aos ministros do tesouro que teriam de fazer as contas, seu "Projeto de Assentamento" para a criação de um próspero povoado de negros livres em "uma das regiões mais agradáveis e viáveis do mundo conhecido". Era, garantiu-lhes ele, um lugar onde sopravam brandos e perfumados zéfiros, com um solo tão fecundo que ao mais leve toque de enxada renderia colheitas abundantes. Com tantas bênçãos da natureza, cada morador teria "por comum consentimento" a permissão de "possuir toda a terra que ele ou ela fosse capaz de cultivar". Certamente os negros veriam que "uma oportunidade tão vantajosa talvez nunca mais lhes fosse oferecida de novo e seus descendentes poderão gozar de plena liberdade assentados numa região compatível com sua constituição física" e onde "encontrarão um refúgio certo e seguro do sofrimento anterior". E tudo isso podia ser feito com meras catorze libras per capita. Ele, Smeathman, dava sua palavra de que cuidaria disso.

Mas a palavra de Smeathman, fosse sobre o delicioso sabor dos cupins ou o clima benigno de Serra Leoa, não deve ser tomada literalmente. Um ano antes, em 1785, comparecendo diante de um comitê parlamentar que examinava os locais adequados para colônias penais, Smeathman havia se manifestado expressamente contra a Gâmbia, um pouco mais ao norte da costa da África Ocidental, devido ao clima letal. Sem médicos e remédios, advertiu ele, "em Seis Meses, não restaria nem um por cento vivo". É verdade que estava pensando sobretudo nos efeitos do clima sobre europeus brancos. Seu assistente, o sueco Anders Berlin, tinha morrido de febre poucos meses após a chegada, e ele mesmo volta e meia ainda sentia fraqueza e tremores como sequela da febre pútrida que havia contraído na região, embora afirmasse que o alto índice de mortalidade dos europeus se devia a carências alimentares e ao excesso de álcool. Mas, no intervalo entre a caça aos insetos e a coleta de cupins, Smeathman com certeza teve muitas oportunidades de ver as consequências mortais da malária não só para os brancos, mas também para os negros. Como a maioria de seus contemporâneos, e apesar de ser entomologista, Smeathman achava que a malária era causada pelos vapores miasmáticos que emanavam da vegetação apodrecida e da água estagnada. Só que as tempestades torrenciais, que começavam em maio e se prolongavam até setembro, praticamente garantiam seis meses de putrefação.

Havia outra discrepância gritante entre os exuberantes talentos de vendedor de Smeathman e a verdade. Acontece que a "Terra da Liberdade", como deveria se chamar Serra Leoa, também era a terra da escravidão. A Marinha Real, que devia escolher e supostamente proteger a nascente colônia dos negros livres, também tinha a incumbência de proteger o concorrido entreposto negreiro dos ingleses em Bance Island, logo acima do estuário. A opinião de Smeathman, sincera ou não, era que de alguma maneira os dois sistemas poderiam e iriam coexistir até que a flagrante superioridade da agricultura livre em relação à agricultura escravista garantisse, pela pura força da lógica econômica, seu futuro feliz e desimpedido. Não deve ter lhe ocorrido que os escravistas de Bance Island e os negros temnés que lhes forneciam os cativos talvez não vissem com muita simpatia essa irrupção no mundo deles. Mas, precisando com urgência de um sinal verde do comitê e do governo para seu projeto, Smeathman não tinha nenhum interesse em se estender indevidamente sobre essa objeção. Como ele próprio iria acompanhar a expedição e enfrentar diretamente o problema, é provável que seus defeitos mais salientes tenham sido a impaciência e a miopia, e não a pura e simples vigarice.

Havia quem continuasse a pensar, como Hanway, se a Nova Escócia, sem tráfico negreiro ameaçando um assentamento de negros livres, não poderia ser afinal um lugar mais adequado para a grande experiência. Todavia, os defensores da opção quente mas preocupante prevaleceram sobre os defensores da opção fria mas franca. Primeiro o comitê e depois, em meados de maio, o governo deram aval ao projeto. Ao custo de catorze libras por pessoa, o Tesouro arcaria com as despesas não só do transporte gratuito para a África, mas também de alimentos, roupas e ferramentas por quatro meses.

Para muitos historiadores essa operação inteira parece mais uma conveniência social do que um idealismo utópico. Se agora os motivos pessoais de Smeathman para promover o assentamento são considerados isentos de qualquer altruísmo, as razões que levaram ao apoio oficial têm sido julgadas por seus mais severos críticos históricos como ainda mais escandalosas: uma venenosa mistura de hipocrisia e intolerância.[36] Segundo tal ponto de vista, o que o comitê e o governo queriam era apenas se livrar dos negros como mendigos incômodos, pequenos delinquentes e (visto que as relações sexuais inter-raciais estavam se tornando corriqueiras e gerando frutos visíveis) ameaças à pureza da mulher branca. Como admite Stephen Braidwood, que defende uma avaliação conjunta de vários motivos simultâneos, esse desagradável traço de preconceito racial foi de fato uma das razões apresentadas por certos defensores do projeto, inclusive alguns dos mais cáusticos defensores da escravidão, como Edward Long. Mas Long e outros redatores a soldo da Associação das Índias Ocidentais também podem ter defendido o projeto como maneira de livrar a si e a Inglaterra de alguns dos mais prováveis recrutas para a cruzada abolicionista em plena campanha de alistamento.

O envolvimento de senhores escravocratas como Angerstein e Thomas Boddington no projeto de Serra Leoa e a aprovação de Long, que realmente pode tê-lo entendido como uma experiência de higiene social, não o convertem, porém, na deportação racista conspiratória da historiografia recente. Para cada Long havia dez abolicionistas devotados. Alguns, por exemplo Thomas Steele, um dos dois funcionários do Tesouro incumbidos de administrar a expedição, eram gradualistas, favoráveis à interrupção do tráfico negreiro, mas não ao fim da escravidão. Outros, como George Rose, seu colega do Tesouro que supervisionava o projeto, eram abolicionistas convictos e militantes, empenhados em liquidar com toda a pecaminosa instituição da escravidão. Além disso, nada teria acontecido sem a colaboração sincera do controlador da Marinha, que tinha de aprovar as providências para a escola naval e o aparelhamento dos navios; e ele, claro, era Sir Charles Middleton, o patrono de James Ramsay, Thomas Clarkson e William Wilberforce.

E aí, como sempre, havia ainda Granville Sharp, que não tinha nenhuma dúvida, desde que fosse estritamente proibido qualquer tipo de propriedade escrava, de que Serra Leoa poderia de fato se transformar na "Província da Liberdade". Frankpledge à vista no trópico! Em cartas a seus amigos americanos Benjamin Franklin e John Jay, ele insistiu calorosamente com os incumbidos de redigir uma constituição que considerassem seriamente o projeto a mais perfeita instituição da liberdade que aprazia a Deus. Sharp sabia que Franklin agora era o presidente da Sociedade Promotora da Abolição da Escravidão na Pensilvânia, e tinha ouvido falar de seu indescritível prazer com a proscrição da escravatura na constituição da República de Massachusetts e com os progressos de uma vigorosa campanha para acabar com o comércio de escravos. Pelo reverendo Samuel Hopkins de Rhode Island, porto que outrora fora a própria encarnação da iniquidade, ele soube que alguns dos negros recém-libertados na Nova Inglaterra já haviam expressado o desejo de se reinstalar em liberdade na África natal,[37] e queriam que a Inglaterra, com a honra e a dignidade já feridas pela guerra mal conduzida, se redimisse com um gesto de virtude pública proporcional. Pois o desastre americano já não ensinara a seu país que a única rocha sobre a qual se poderia erguer um Império Britânico duradouro era a liberdade cristã? Se fosse estabelecida da maneira adequada, Serra Leoa de fato poderia ser a pedra fundamental desse novo império renascido na virtude. E como seria auspicioso, além disso, se os britânicos negros, muitos deles escravos libertos, reinstituíssem a mais pura forma de liberdade britânica: o casamento único do Frankpledge saxão com a comunidade israelita que definiria a autogestão dos cristãos livres.

Desde 1783, no meio do alvoroço sobre a atrocidade do *Zong*, Sharp já tinha imaginado um local assim na África: uma idílica aldeia da liberdade entre acácias e figueiras-de-bengala, com um gramado onde se ergueriam uma igreja, uma escola e um hospital, e as asseadas filas de casinhas caiadas de branco disporiam de um modesto terreno próprio para cultivar frutas e legumes. Os animais domésticos pastariam em segurança. Os impostos consistiriam em unidades de trabalho para a comunidade — o que não geraria atritos porque os cidadãos comprometidos com o bem-estar coletivo cumpririam à risca seus deveres de vigilância, iriam sem reclamar, ao toque do sino da aldeia, para seu turno de trabalho na construção e manutenção de canais, pontes, fortes, estradas e, é claro, serrarias. Às quatro da tarde, depois de oito horas de trabalho, haveria uma sesta repousante. Os tribunais seriam meticulosos, sistemáticos e humanitários. Votando conscienciosamente em seus *tithingmen* e *hundredors*, com assembleias com o poder de decretar qualquer legislação coerente com a Common Law da Inglaterra, os negros ensinariam aos brancos desleixados e corruptos o que era um governo verdadeiramente livre e responsável. Agora, passados três anos desde que esboçara esse grandioso plano, Sharp viu a oportunidade de concretizar tal visão.[38]

Deus parecia estar lhe enviando sucessivas ocasiões para demonstrar a importância do projeto. Pois em julho de 1786 Sharp soube do sequestro de um outro negro, chamado Harry de Mane; quem o informou foi Ottobah Cugoano, um fanta ganense agora conhecido pelo nome de batismo de "John Steward", grande amigo de Olaudah Equiano. Quando o capitão, no leme do navio que transportava De Mane e prestes a zarpar, recebeu o mandado de *habeas corpus*, o homem foi solto. Levado a Londres para ver seu benfeitor, ele disse a Sharp que, salvo ocorresse algum milagre, teria se jogado no mar, "preferindo morrer a ser levado para a escravidão".[39] Para Sharp, a Província de Liberdade era exatamente o lugar onde outros como Harry de Mane poderiam construir uma nova vida. Transbordando otimismo com as perspectivas do projeto, Sharp doou 25 guinéus para o "presente" a ser ofertado ao rei dos temnés em troca de terras, e gastou oitocentas libras do próprio bolso, liquidando saldos de dívidas para soltá-los da prisão e outras formas de ajuda em casos com problemas para embarcar.

Assim, Granville Sharp estava convencido, o comitê estava convencido, o governo estava convencido. Mas, como Jonas Hanway descobriu no começo de junho, a ideia de voltar à África não exercia um fascínio tão unânime assim entre os próprios negros de Londres. Henry Smeathman, o vendedor-chefe da ideia, estava com um misterioso achaque — talvez outro acesso da febre podre — e sem condições de fazer muita coisa para aplacar suas inquietações. Então coube a Hanway, que também não estava nada bem, ir à Yorkshire Stingo durante uma distribuição das mesadas e falar do projeto aos negros. Dentro da taverna, cercado por fileiras de barris e canecas de estanho cheias da cerveja vermelha forte e turva que dava nome ao lugar, ele foi só ouvidos para as aflições do pessoal. Todas se resumiam a uma única e séria apreensão: poderiam de fato confiar em sua liberdade numa parte da África tão dominada por escravistas negros e brancos? Afinal, muitos deles ou seus pais haviam sido capturados exatamente lá quando crianças, e conduzidos aos entrepostos costeiros. Alguns disseram que, levando tudo em conta, se tivessem de sair da Velha

Inglaterra, mais valia ir para a Nova Escócia; outros preferiam as Índias Ocidentais ou até, em raros casos, a América. Quando lhes foi dado a entender que a condição para continuar a receber o dinheirinho do subsídio era concordar com o assentamento, pelo menos trinta abriram mão das futuras mesadas.

Hanway ouviu até o fim. Então, ao estilo de seus mais sinceros conselhos a criados e marinheiros, dirigiu-se aos negros com um discurso edificante em que se entremeavam censuras e exortações. Depois de terem sido libertados pela graça e bondade de Sua Majestade, como eles eram capazes de duvidar das "Intenções puras e benévolas do Governo" ou da "Caridade e Benevolência do bom Povo da Inglaterra" que havia contribuído espontaneamente para que pudessem se vestir e se alimentar? Quanto a si mesmo, ele era apenas "um velho às Portas da Eternidade, que não tinha nenhum interesse terreno a servir", e portanto, se estivesse em conluio com a armadilha que temiam, "ele devia ser o pior de todos os maus na Terra em enganá-los". Não, até onde ele conseguia ver, a Costa da Pimenta era uma perspectiva muito melhor para eles do que a árida e desolada Nova Escócia.[40]

A eloquência de Hanway — retomada depois no mesmo mês na White Raven, descendo a Mile End Road — parece ter acalmado por algum tempo os receios dos negros. Na terceira semana de outubro, perto do prazo final quando se interromperia a distribuição do auxílio em dinheiro, mais de seiscentos negros já tinham assinado um "Acordo" manifestando sua anuência em ser "assentados de bom grado na [...] Costa da Pimenta na África", num local "a ser chamado Terra da Liberdade sob a proteção e com o incentivo e apoio do Governo Britânico". Para continuar a receber o auxílio, em troca prometiam embarcar tão logo fosse exigido, e "auxiliar na navegação e fazer os serviços que somos individualmente capazes de fazer". Teriam alimentos e roupas não só para a viagem, mas o suficiente para quatro meses após a chegada à África.

Mesmo para os seiscentos e poucos que assinaram o "Acordo", havia certo nervosismo compreensível quanto ao significado exato da "proteção" a que estavam se submetendo. Ela se destinaria em verdade à defesa ou ao confinamento deles? O boato de que seria uma espécie de fortaleza em Serra Leoa e os preparativos em andamento para a "primeira frota" de navios transportando degredados para a Botany Bay na Austrália só faziam aumentar a ansiedade. Talvez lembrando a insegurança que viveram depois de abandonar seus senhores americanos, e sabendo da importância que os ingleses atribuíam a papéis oficiais, disseram que nem poderiam pensar em emigrar sem um "Instrumento de Liberdade". Seria um documento com o selo de um alto funcionário do governo, garantindo que não seriam reescravizados e que poderiam invocar, se fosse preciso, o auxílio do governo contra escravistas. O "Instrumento" seria o pacto deles nas costas tropicais.

Os negros de Londres podiam ser "pobres", mas não eram ingênuos nem mudos. Para organizar melhor a emigração, Hanway tinha dividido os negros que recebiam auxílio em companhias de vinte a 24 pessoas, nomeando um "cabo" ou "chefe" para cada uma delas, em geral alguém que soubesse, se não escrever, pelo menos ler. Com surpreendente rapidez, homens como o filadelfiano Richard Weaver, livre de nascença, cujo pedido de indenização tinha sido indeferido pela comissão, John Cambridge, artesão de redes e criado doméstico de Nova Jersey, e John Lemmon, cabeleireiro bengali mestiço, logo se tornaram os porta-vozes de toda a comunidade. Como representantes *de facto*, os "cabos" compareciam às reuniões do comitê e, quando tinham uma forte impressão, expunham o estado de espírito de seu pessoal em termos nada vagos ao presidente e aos membros da comissão. Quando o comitê, após a morte de Henry Smeathman em 1º de julho de 1786, pretendeu repensar toda a questão da África cheia de escravos e retomou as alternativas das Bahamas e de New Brunswick, os líderes do grupo deixaram bem claro que os negros estavam decididos a favor de Serra Leoa! Alguém de lá que morava em Londres lhes havia dito que os nativos da região ribeirinha eram excepcionalmente "afeiçoados aos ingleses e [portanto] os receberiam com grande alegria".[41]

O curioso é que, sem a menor sensibilidade, as partes envolvidas no projeto tinham invertido por completo suas posições. Enquanto o "sr. Térmite" estava vivo, nenhum membro do comitê, nem mesmo Hanway, se dispôs a contradizer o radiante otimismo de Smeathman em relação ao projeto de Serra Leoa. Após sua morte, Hanway, que havia pressionado o projeto nas tavernas (e ele mesmo viria a morrer no começo de setembro), lançou um ataque cáustico contra Smeathman, acusando-o não só de incompetência, mas também de oportunismo e corrupção. Levantaram-se previsões sombrias sobre a provável beligerância dos traficantes de escravos, brancos e negros, na África. Mas era tarde demais. Hanway, outrora pró-africano, tinha cumprido seu papel até bem demais. Embora 67 dos potenciais emigrantes tenham achado que de fato New Brunswick, aparentemente rica em madeira, caça e pesca, poderia ser uma alternativa, foram voto vencido. Numa petição ao comitê, quinze dos líderes falaram em termos entusiásticos do "projeto humanitário do sr. Smeathman" e insistiram que Joseph Irwin, o escriturário de Smeathman, fosse nomeado para a superintendência em seu lugar, visto que Irwin tinha "desde o começo conduzido esse assunto com humanidade e justiça".[42]

A despeito de suas apreensões, o comitê cedeu. A Província da Liberdade seria onde Smeathman havia planejado. Mas agora havia outras coisas que os negros queriam: forjas transportáveis, cassetetes de polícia, chá, açúcar, "sopa desidratada" para os doentes, artigos de papelaria e, mais importante, o documento atestando a liberdade deles, impresso em pergaminho, com o carimbo e a assinatura de um funcionário do Almirantado. (No caso, foi George Marsh, o encarregado da Redação dos Documentos.) Imaginando as dificuldades que teriam de enfrentar, os negros chegaram a especificar o receptáculo que abrigaria o precioso documento de sua liberdade: "uma pequena Caixa de Alumínio, de cerca de Dois Pence". Então pediram algo que os brancos não estavam acostumados a dar aos negros: armas. Precisariam delas para caçar, disseram eles, e para se defender. Os encarregados da Marinha pestanejaram, empacaram, mas não recusaram a solicitação, remetendo-a para o Tesouro, que a enviou para o comitê, dizendo que lhe cabia a última palavra. O comitê, composto por aqueles quakers amantes da paz e alguns de espírito mais duro, concordou: seriam fornecidos 250 mosquetes e 250 cutelos, com pederneiras, pólvora e balas suficientes para quatrocentas "posições" de armas.

E aí aconteceu algo ainda mais notável. A expedição devia ser comandada por três oficiais: o oficial naval mais graduado, que escoltaria a pequena frota durante a viagem até vê-la desembarcar em segurança; Joseph Irwin, o supervisor escolhido pelos próprios negros; e um "comissário" encarregado das provisões e suprimentos, tanto a bordo quanto em terra, e responsável por eles perante o Tesouro. O nomeado foi Equiano, o primeiro negro a ocupar qualquer tipo de cargo do governo britânico, embora, infelizmente, não por muito tempo. Mais tarde, depois que as coisas degringolaram de vez, Equiano escreveu que se sentira apreensivo o tempo todo com o plano de criar um assentamento de negros livres entre escravistas. Mas, como acreditava que o projeto era "humano e político", e como foi tão calorosamente pressionado a aceitar, ele conteve suas dúvidas e assumiu o posto.

No final de outubro, todos os emigrantes já deveriam ter embarcado nos

209

dois navios atracados em Blackwall, o *Atlantic* e o *Belisarius*. Para que o povoado em gestação tivesse alguma chance de dar certo, era importante que chegassem à Costa da Pimenta antes do começo da estação das chuvas, na primavera. Mas os adiamentos eram infindáveis. Na segunda quinzena de outubro, Irwin registrou que mais de seiscentos haviam assinado o Acordo, e ele esperava um total de 750, o que tornava indispensável um terceiro navio. Se deviam todos zarpar juntos, teriam de esperar até equipar e carregar essa terceira nau, o *Vernon*. Mas, tão logo foi tomada essa decisão, o número começou a diminuir. Na segunda quinzena de novembro, daqueles seiscentos e poucos, apenas 259 já tinham embarcado. E estavam, claro, congelando de frio, com cólicas, seriamente adoentados, quase sempre infelizes. Alguns declararam que os oficiais brancos os tratavam tão mal como se estivessem "nas Índias Ocidentais". Subindo a bordo, Equiano ficou chocado com a falta de roupas adequadas e de medicamentos para tratar os doentes, e começou a especular se as somas fornecidas pelo governo estavam realmente sendo gastas da forma autorizada ou sofrendo apropriação indébita, possivelmente por obra do próprio Irwin.[43] Irwin, por sua vez, reclamava da "falta de disciplina" dos negros. Dizia-se que ficavam com velas e chamas acesas a noite toda (o que não seria muito surpreendente, em vista do frio terrível que baixava sobre o Tâmisa), e que desperdiçavam água. Granville Sharp, porém, ficou chocado ao ouvir falar que andavam bebendo rum e até o ofereciam para as crianças, hábito a que atribuiu o alto índice de enfermidades a bordo. Podem ter morrido cerca de sessenta pessoas antes que os navios zarpassem, a maioria delas no *Belisarius*, onde grassava uma "febre maligna", que arrebatava sobretudo as crianças.

Entre os restantes a bordo, nem todos tinham assinado o Acordo; e dos signatários apenas uma pequena parte havia embarcado. Ainda se viam negros mendigando nas ruas e, na tentativa de conseguir que outros mais embarcassem, o comitê pediu que nem os cidadãos de espírito mais caridoso lhes dessem esmolas. A imprensa publicou rumores de que, após uma certa data, os negros flagrados em mendicância seriam presos como vagabundos, algo que, na verdade, o comitê nunca imaginou fazer.

Mas a evaporação do povo da Província da Liberdade continuava acelerada. Outras falsas histórias circularam na imprensa — já que a frota dos desterrados para a Austrália e a frota para Serra Leoa iam se encontrar no "Motherbank" (Spithead, perto de Portsmouth), elas provavelmente teriam o mesmo destino e finalidade. Alguns dos negros até desceram em terra firme para visitar o famoso lorde George Gordon, o demagogo que fomentara violentos motins anticatólicos em 1780 e que ainda era um herói dos pobres de Londres, para lhe pedir conselho sobre a forma de governo que iriam instaurar. Um excêntrico julgando o outro, o maluco e exaltado Gordon perscrutou o longo documento de Sharp (chamado, naturalmente, "Um breve esboço de governo"), com suas cinquenta páginas dedicadas às formas de orações diárias, suas eleições israelito-saxãs e seus severos castigos para quase todos os sete pecados mortais, e foi de parecer desfavorável. Outros negros mais desistiram.

Os brancos, porém, persistiram. Em fevereiro, quando afinal estavam prontos para partir de Spithead com sua escolta, o *Nautilus*, sob o comando do capitão Thomas Boulden Thompson, os três navios zarparam levando uma cabine inteira lotada de artesãos e profissionais liberais brancos — gesto que aos negros pode ter parecido uma precaução sensata ou uma condescendência infundada. Decerto havia boas razões para incumbir William Ricketts, vendedor de sementes e cultivador de mudas, de garantir as melhores chances de êxito para o primeiro plantio de arroz. Sem dúvida era uma boa ideia incluir dois médicos, dr. Hackney e dr. Young, um engenheiro, o sr. Gesau, e um agrimensor, Richard Duncombe. Possivelmente o curtidor, o pedreiro, o fazedor de escovas e mesmo Hugh Smith, o "cardador de linho", eram necessários para ensinar suas habilidades aos assentados. Mas, oras bolas, como pelo menos metade dos emigrantes eram afro-americanos e os negros fugidos eram quase todos artesãos qualificados em algum ofício manual, mesmo (ou principalmente) tendo ficado no mar, parece um pessimismo um tanto excessivo ter recrutado alfaiates, carpinteiros, jardineiros, dois sujeitos descritos como "lavradores" (isto é, trabalhadores rurais) e mesmo talvez o padeiro Schenkel, com mulher e filhos. Livres ou escravos, os negros tinham sido cozinheiros; e alguns certamente deviam ter sido "lavradores".

Eles não eram os únicos brancos a bordo dos navios com destino à Liberdade. Na época de zarpar, na segunda quinzena de fevereiro, também havia mais de sessenta mulheres brancas, entre elas Margaret Allen, Elizabeth Ramsey, Amelia Homan, Martha James, Mary Jacob e Mary Tomlinson. Quem eram elas, e o que estavam fazendo a bordo do *Belisarius*, do *Atlantic* e do *Vernon*? Aparecem nas listas de passageiros como "Mulheres Brancas Casadas com Homens Negros" — e os nomes de Ann Holder, presumivelmente casada com Thomas

Holder (e Thomas Holder Junior como filho deles); Rebecca Griffith, casada com Abraham Elliott Griffith (afro-americano galês, educado às expensas de Sharp); Sarah Whitecuffe, viúva de Benjamin; Sarah Cambridge, casada com o cabo John Cambridge, o fazedor de redes de Nova Jersey; Elizabeth Lemmon, casada com o cabeleireiro e cabo bengali John Lemmon; e Elizabeth Demain, casada com Harry de Mane, que Sharp havia resgatado do navio prestes a levá-lo para a escravidão, todos eles trazem essa observação.[44] Até data recente, as brancas eram tidas, como disse o botânico sueco que foi a Serra Leoa em 1794, como "principalmente meretrizes".[45] Mas ele só fazia reproduzir a versão dada por Anna Maria Falconbridge, mulher de um cirurgião ex-escravista transformado em abolicionista, Alexander Falconbridge, que estava em Serra Leoa em 1791. Lá Anna topou com sete mulheres brancas "decrépitas de doença e [...] cobertas de sujeira e imundície" que lhe disseram, afirmou ela, que tinham sido atraídas para bordo em Wapping, zona de prostituição das docas, com canecas de bebida e ricas promessas. No dia seguinte foram acordadas, prossegue Falconbridge, e informadas com quem estariam "casadas".

Essa história era exatamente o tipo de coisa que o público do final do século XVIII gostava de ouvir: mulheres decaídas agarradas pelos agentes inescrupulosos de um empreendimento maluco; obrigadas a saciar as necessidades animais de negros numa revoltante simulação de falsa domesticidade; terminando cobertas de moscas e feridas em algum lugar rio acima na floresta úmida de vapores, com papagaios e macacos apupando em coro escárnios e zombarias. É o que acontece com as ingênuas e as dissolutas, acrescentaria o leitor ajuizado, confirmando com um vigoroso sinal de cabeça. Tenham cuidado, seus excêntricos bem-intencionados. Tenham cuidado, Granville Sharps da vida!

É uma pena, então, que a história de Anna Falconbridge seja tão improvável. A frota nunca esteve em Wapping, embora seja possível imaginar que as mulheres foram embriagadas e, desacordadas, levadas rio abaixo até Blackwall. Falando sério: por que Granville Sharp, que se deu à trabalheira de garantir que houvesse um capelão a bordo para presidir a igreja da liberdade, além de um sacristão, e que mantinha um olhar de águia na lista de passageiros, haveria de tolerar um minuto que fosse a presença de sessenta mulheres de ruas, bordéis e tavernas? A história toda nos revela mais sobre os cronistas do que sobre os objetos da crônica, e mostra o gosto sensacionalista da época. Verter lágrimas pela dolorosa situação dos pobres escravos não impedia um frêmito de horror e repulsa à ideia de compartilhar o leito de mulheres brancas. A ligação entre a duquesa de Queensberry e seu mestre de esgrima negro, Soubise, era precisamente o material que alimentava esse tipo de gosto excitante pelo escândalo. Para todo um bando de brancas, entregar-se a negros de maneira tão irrestrita a ponto de ir embora com eles era algo que só se explicaria se elas fossem os exemplares mais grosseiros e depravados do sexo feminino.

A verdade era outra, e aliás mais admirável. Mulheres como Anne Provey, que era casada com John Provey — antes escravo de um advogado da Carolina do Norte, e depois alistado nos Pioneiros Negros — e mãe de Ann-Louisa, eram com toda probabilidade de origem muito humilde. Visto que muitos negros pobres moravam na paróquia de St. George in the East, é também plenamente possível que algumas das mulheres tenham conhecido seus maridos negros em ambientes não exatamente típicos dos rituais de namoro dos romances de Jane Austen. Algumas de fato podem ter sido garçonetes, lavadeiras, costureiras, ou um misto dos três — qualquer coisa para manter a fome fora de casa. Mas o conceito de mulheres brancas que trabalhavam para ganhar a vida não é necessariamente sinônimo de "mulheres da vida". As listas de passageiros apontam mais para um vínculo doméstico do que para uma rápida ligação sexual: o mero fato de que muitas das brancas nesses casamentos mistos traziam filhos pequenos (descritos como "negros") pressupõe algo mais do que um casamento espúrio arranjado à base de gim e falsas promessas nos pardieiros da zona do cais.

Jamais se vira uma emigração como aquela: 411 emigrantes, pelo menos metade vindos da América, livres ou escravos, cerca de 61 famílias, estavam voltando resolutamente para o lugar onde seus sofrimentos haviam começado. Algumas famílias eram brancas e negras, com filhos mestiços, como os Holder; outras eram de negros com negras, como James e Mary Hadwick e o filhinho pequeno; outras ainda eram de brancos com brancas, como o padeiro Schenkel, a mulher Ann e o casal de filhos Richard e Rosina. Havia o viúvo ocasional, como James Yarrow, por exemplo, com os três filhos pequenos, Israel, John e Maru; algumas brancas, como Milly Shimmings e Mary Allen, "querendo casar"; e muitos negros jovens, entre eles Thomas Truman, Mishick Wright, Edward Honeycot, Christian Friday e James Neptune. A maioria desses viajantes, sem dúvida, encarava o futuro com a mescla usual de alívio, esperança e medo.

O medo pode ter prevalecido rápido demais, pois, mal haviam partido, os navios já se viram em percalços. O comboio naval *Nautilus* bateu num banco de areia, mas, com a ajuda do vento forte e da maré alta, conseguiu se livrar. O vento variava da brisa fresca à ventania perigosa em questão de horas, até que a frota se viu nas garras do pior tipo de vendaval que o canal pode levantar: vagalhões se encrespando, ondas imensas, aguaceiros ferozes e violentos. O mastaréu da proa do *Vernon* veio abaixo; os navios perderam o contato e a visão uns dos outros; o azarado *Nautilus*, labutando "com muito esforço [...] o poço inundado d'água", avançou a duras penas até Torbay. No dia seguinte, o capitão Thompson tentou seguir para Plymouth na esteira do *Atlantic* e do *Belisarius*, mas foi impelido de volta para Torbay devido à borrasca. Somente em 18 de março a frota conseguiu se reunir em Plymouth. Já tinham se passado quase quatro meses desde o início do embarque no Tâmisa. Homens e mulheres haviam morrido, bebês haviam nascido, negros e brancos tinham deixado o navio, outros, embarcado — e a Província da Liberdade parecia mais distante do que nunca.

Os problemas do empreendimento não paravam por aí. Os dois líderes marítimos da expedição, Irwin e Equiano, estavam às turras. As desconfianças de Equiano de que Irwin andava embolsando o dinheiro do Tesouro destinado à compra de alimentos, roupas e remédios se confirmaram, a seu ver, em Plymouth. Querendo repor os suprimentos já esgotados durante os longos adiamentos, Equiano conferiu o que tinha sido e o que não tinha sido comprado. Pareciam estar faltando compras que, nos registros, constavam como pagas com o dinheiro já recebido por Irwin. Quando o assunto foi levado a Steele e Rose no Tesouro, Irwin respondeu que Equiano estava incitando os negros a "criar problemas". Como Equiano também não concordava com o número de brancos "não autorizados" a bordo (referindo-se, não às esposas brancas, mas a "passageiros" como Thomas Mewbourn e vários outros) e com o modo como tratavam os negros, Irwin podia ter razão ao dizer que ele estava fomentando os protestos. Da mesma forma, também podia haver razão nos protestos. A despeito de quem estivesse certo ou errado, os atritos pioraram quando, sem saber quanto tempo ficariam parados em Plymouth, os negros foram autorizados a desembarcar e entrar na cidade. O espetáculo de centenas deles andando pelas calçadas, possivelmente (pois tinham sofrido um confinamento literal) sem o tipo de atenção à cortesia que se esperava em Devon, incomodou tanto muitos cidadãos respeitáveis que houve o maior alarido e os negros ofensivos foram reconduzidos ao confinamento a bordo. Com esse agravamento da situação, Equiano, que imaginava estar apenas se desincumbindo de suas responsabilidades como representante do governo a bordo com a maior conscienciosidade possível, apelou ao capitão Thompson como árbitro.

Thompson botou a culpa nos dois. Mas, para manter a paz da expedição, já comprometida por doenças e tempestades, disse aos representantes do Tesouro que um dos dois tinha de ir embora. Sem dúvida Irwin não era nenhum santo, mas Equiano, escreveu Thompson, "havia tomado todas as medidas para influenciar o espírito dos Negros no sentido da discórdia", e, a menos que se sufocasse o "espírito da sedição", os danos causados a todo o empreendimento poderiam ser fatais. Embora Sir Charles Middleton tenha se pronunciado a favor de Equiano na disputa, previsivelmente foi ele o dispensado, e treze outros identificados como "encrenqueiros" foram impedidos de continuar a viagem. Catorze brancos, inclusive o filho e duas filhas de Irwin, o sacristão e seis mulheres brancas, também foram removidos. Além disso, alguns artesãos brancos, entre eles um tecelão, um cirurgião e um fazedor de tijolos, resolveram desistir da viagem.

De volta a Londres, furioso com o tratamento humilhante que recebera, Equiano se tornou um violento crítico de todo o projeto. Longe de incitar desordens, ele era o "maior pacificador que já existiu", escreveu numa carta a Ottobah Cugoano que foi publicada no *Public Advertiser* em 4 de abril de 1787. Além de Irwin, o capelão dr. Fraser e um dos médicos também eram "patifes". O empreendimento inteiro, disse ele, não tinha sido muito mais, em sua pressa e ineficiência criminosa, do que uma tentativa velada de "correr" com os negros de onde não eram desejados. "Não sei como essa empresa vai terminar [...] Quisera nunca ter me envolvido nela."[46] Cugoano escreveu sua diatribe pessoal, publicada dois dias depois, ainda mais hostil, declarando que os negros tinham sido praticamente arrebanhados à força para retornar a bordo em Plymouth, e que quem desse algum valor à vida devia saltar amurada afora e nadar de volta à Inglaterra, em vez de se entregar aos cuidados de um empreendimento tão brutal e desastroso.

Era perfeitamente compreensível que Equiano sentisse raiva. Ele tinha cumprido à risca o que o governo lhe solicitara, exercendo uma supervisão escrupulosa dos estoques e provisões, e como recompensa recebera a humilhação e a dispensa. Mas, quando assumira o encargo, tinha aprovado entusiasticamente a expedição para criar a Província da Liberdade, que, afinal, era a menina dos olhos de seu amigo Sharp. E dois anos depois, quando publicou sua autobiografia, ele ainda julgava a empreitada "humana e política". Quaisquer que fossem suas falhas, não deviam ser atribuídas ao governo, pois "todas as coisas [prometidas] foram cumpridas por parte deles". Foi a "má administração" na maneira de executar o plano que o condenou. O comitê, os funcionários do Tesouro e Sir Charles Middleton, todos sentindo algum grau de constrangimento, concordaram que Equiano deveria receber cinquenta libras por seus serviços, soma generosa o suficiente para indicar certa consciência de culpa de todos eles. Um ano depois, Equiano foi novamente cortejado para aderir à cruzada abolicionista. Durante os debates sobre a Lei Dolben, introduzida para regulamentar as condições de transporte dos escravos, James Ramsay sugeriu que os membros do Parlamento deveriam ser saudados às portas da Câmara por um negro — Equiano — que distribuiria a cada um deles um panfleto condenando o tráfico escravo.

De volta a Plymouth: em 9 de abril, a pequena frota zarpou, e o tempo feio ficou para trás, junto com a costa britânica. Conforme avançava, era seguida pela costumeira confusão de fatalidades. Engaiolados, maridos e mulheres brigavam e às vezes saíam aos tapas. Enquanto os navios singravam, vomitava-se, bebia-se, vomitava-se de novo. Como sempre, as febres subiam e os corpos desciam, catorze deles borda afora — demais, segundo Abraham Elliott Griffith, o *protégé* de Sharp a bordo do *Belisarius*, pois os médicos eram extremamente desleixados em suas obrigações. Mas em Tenerife, na curva do Atlântico, os navios se abasteceram de gado, água e alimentos frescos, e o dobre fúnebre pareceu se aquietar. Patrick Fraser, o capelão recomendado por Sharp, em carta ao *Public Advertiser* descreveu a expedição como uma arca feliz que desfrutava "as doçuras da paz, da brandura e da harmonia quase ininterrupta". Melhor ainda, "a odiosa distinção de cor não é mais lembrada".[47] Negros e brancos oravam juntos. Jerusalém estava logo ali no horizonte. Deus seja louvado.

7.

Teria feito alguma diferença se eles conhecessem a palavra temné *Romarong* — o sítio dos plangentes, o lugar onde homens e mulheres choravam nas tempestades? A única coisa que o capitão Thomas Boulden Thompson sabia, quando olhava o local do convés do *Nautilus* ancorado em 10 de maio de 1787, era que lhe tinham dado o nome de "baía do Francês", e ele pensava em trocá-lo para baía de São Jorge. Qual era mesmo o nome que os nativos tinham dado àquele morro com árvores que se erguia suavemente em sua costa sul? Bom, agora passaria a se chamar morro de São Jorge. Para o capitão, o exagero patriótico não admitia nenhuma criatividade topográfica. São Jorge e a Inglaterra, junto com cerca de 380 britânicos negros livres, haviam chegado à foz do rio de Serra Leoa.

O fato não passou despercebido. No dia seguinte, sem perda de tempo, apareceu o chefe local do reino temné Koya, o rei Tom, corpulento e afável, glorioso com uma camisa de folhos de seda azul, a aba do chapéu cheia de galões dourados. Suas esposas, postadas a uma distância adequada, eram ainda mais corpulentas e ainda mais afáveis com tafetá brilhante e altos turbantes enrolados. Atento às formalidades marítimas, Thompson fez questão de que o *Nautilus* os saudasse com uma salva de treze tiros. No convés houve troca de gentilezas e os presentes preliminares do capitão ao rei (mais chapéus — eles sempre iam bem). Thompson anunciou a intenção de comprar do rei uma região com cerca de mil quilômetros quadrados, que ia do porto e do morro para o sul e o oeste, avançando para interior talvez uns 35 quilômetros; a terra que seria a Província da Liberdade. O rei Tom não levantou nenhuma objeção. E por que levantaria? Não era nenhum *ingénu* quando se tratava de negociar com europeus. Um crioulo de inglês, muito tingido de crioulo de português, tinha sido língua franca na costa pelo menos durante um século, desde que os escravistas haviam arrendado pela primeira vez a ilha Bance. Era considerada pelos temnés e por seus vizinhos bulones como a língua dos "trapaceiros"; e eles estavam preparados, se não realmente ansiosos, em concorrer com eles em trapaçaria.[1] Empenharam-se também em garantir que os europeus apreciassem devidamente a ordem das coisas na costa e subindo o rio. Embora os srs. Anderson, detentores da concessão escravista, e seus agentes sr. James Bowie e sr. John Tilley formalmente pagassem o arrendamento ao chefe bulone na costa norte, sabiam que estavam ali por condescendência do rei Tom na costa sul, assim como o rei Tom reconhecia que sua própria autoridade estava submetida, em última instância, ao chefe maior, o Naimbana, em Robana, mais no interior da ilha. E mesmo o Naimbana era mais um regente do que o "rei" que diziam os europeus. Se os europeus queriam fazer escravos ou, como esse capitão parecia estar dizendo, assentar negros livres no local, para o rei Tom era a mesma coisa, desde que entendessem que o que estavam "comprando" não era a propriedade da terra (pois ninguém a possuía de fato), e sim a permissão para ficar.

    O que, claro, é exatamente o ponto que não foi entendido, sobretudo naquele 15 de maio quando o capitão Thompson procedeu ao ritual costumeiro da tomada de posse imperial: o ato de fincar uma bandeira. Embicando os barcos a remo na curva da praia de areia macia, um grupo de negros e brancos seguiu sob o renque de palmeiras que orlava a costa, abriu caminho pelo mato cortante, pelo emaranhado de arbustos espinhosos de três metros de altura e pelo bosque de osuns e paineiras-brancas, e se pôs a subir a encosta que Sir George Young, outro capitão colega de Thompson, lhe assegurou que seria o local mais adequado para estabelecer a Província da Liberdade. Lá era mais fresco, disse ele, mais salubre do que a baixada pantanosa e cercada de mangues mais ao norte. Por ela desciam córregos de água doce e cristalina. Quando o grupo chegou ao topo, o capitão Thompson mandou que derrubassem uma arvorezinha, aparassem o tronco e a fincassem numa clareira, bem fundo na terra vermelha. Então foi hasteada a bandeira inglesa. Erga-se Granville Town![2]

Do alto do "promontório", a vista talvez não fosse propriamente o paraíso terrestre que Granville Sharp descrevera a seu irmão James ("os morros não são mais íngremes do que Shooter's Hill [em Kent] [...] os bosques e matas são de uma beleza indescritível").[3] Mas, naquele dia de maio, a vista ainda pode ter parecido auspiciosa. Abaixo do destacamento com a bandeira, numa descida suave, estendia-se a larga foz do rio Serra Leoa, um porto tão naturalmente convidativo que atraía navios desde 1462, quando o marinheiro português Pedro da Cintra, imaginando ver na península montanhosa o formato da cabeça de um leão, deu-lhe o nome de Serra Leoa. E como era o único porto natural de toda a África Ocidental que não tinha uma arrebentação alta como obstáculo, não se passava dia em que a baía não visse ancorar brigues, chalupas e escunas, e canoas indo e voltando entre navios e beira-mar, transportando provisões, baús e escravos. Sim, é fato que boa parte da costa, principalmente ao norte da foz, se afundava num mangue pantanoso e barrento, cortado por riachos onde tubarões dividiam os baixios com crocodilos. Duas vezes por ano, na primavera e no outono, o mar trazia e espalhava o lodo marrom-escuro pela baixada, de forma que o estuário só prestava para a extração de sal. Depois que o sol endurecia e transformava a lama numa crosta sólida, o povo da praia norte vinha para essa desolação gretada e recortava placas que levava embora. O lodo marrom de cheiro forte era então dissolvido em grandes panelas de barro, e depois ficava a ferver lentamente em tachos de metal, até sobrar apenas o sal. Era, como observaram muitos viajantes, um sal de qualidade especial.[4]

Mas homens livres não podiam viver só de sal. E, até onde conseguiam perceber, havia pouquíssima coisa para manter alguém vivo no litoral norte, embora uns raros campos encharcados ondulassem com magras hastes amarelas de arroz. A terra prometida devia estar lá atrás deles, postados no alto do promontório do capitão Thompson, nos morros da península que se estendiam ao sul até o cabo em frente às ilhas da Banana, onde Henry Smeathman tinha observado suas formigas, fitado as montanhas encobertas e decretado que eram ótimas. Os altos picos cônicos eram, claro, proibitivos (mesmo que lindos de um ponto de vista pitoresco da paisagem); mas nos sopés havia ébanos, osuns e árvores de copal, índigo (que diziam ser o melhor do mundo), algodão e talvez café. Lá, nas pastagens do planalto, podiam pastar rebanhos e manadas.

No devido tempo, o Naimbana desceu, viu as barracas de Granville Town encarapitadas no morro e subiu a bordo do *Nautilus*. Mas, tal como nas tratativas com o rei Tom, cada lado entendeu a negociação à sua maneira. Thompson achava que estava comprando terra livre e desimpedida, como propriedade permanente. Para o Naimbana, por sua vez, era um acordo direto e pessoal com o capitão, e qualquer anuência ao direito desses negros e negras de morar em sua baía dependia de reconhecerem que era uma concessão dele, junto com o direito implícito de revogá-la quando bem entendesse. Não haveria propriedade livre para a Província da Liberdade. No mundo dos temnés (bem como no mundo de outras tribos da região, os mendes, os bulones, os xerbros e os fulas), a alienação permanente da terra era absolutamente inconcebível. Ninguém era dono da terra, que era simplesmente ocupada, e a ocupação sempre se fazia com o consentimento de uma outra pessoa.

O Naimbana, alto, magro, majestoso, com a barba grisalha, colete de cetim branco e casaco bordado, parecia bastante afável e mostrou uma cortês receptividade às propostas.[5] Bowie e os outros escravistas o haviam alertado que esses negros livres e os oficiais brancos estavam em Serra Leoa para criar uma grande encrenca para ele e seus chefes. Apesar de todos os presentes, os recém-chegados arruinariam o negócio que trouxera prosperidade a todos eles e, pior, tentariam converter seu povo ao deus cristão, e depois iriam arrancá-lo de seu trono, tomar-lhe o reino e obrigá-lo a voltar para o planalto. Mas, olhando o capitão Thompson, avaliando-lhe a pessoa, o Naimbana deu de ombros a tais profecias, considerando-as interesseiras. Talvez o sr. Bowie e os Anderson pudessem ter algo a recear, mas não ele. Mesmo assim, como notou Thompson, o Naimbana não deu realmente seu "sim", fosse em temné, bulone ou mende; e muito menos assinou qualquer coisa que lhe tenha sido apresentada no tombadilho do *Nautilus*.

Mas, se o Naimbana não estava disposto, o rei Tom estava. Em 11 de junho, ele e outros dois chefes locais, a rainha bulone Yamacouba e outra temné, Pa Bongee, imprimiram suas marcas ao lado da de Tom no pergaminho preparado por Thompson. O capitão declarou que era um "tratado", e foram devidamente entregues aos chefes oito mosquetes, três dúzias de "bainhas e suportes", 24 chapéus com cordões, quatro toalhas de algodão, 15,5 quilos de fumo, 117 "pencas de miçangas", dez metros de tecido encarnado, 25 barras de ferro e 545 litros de rum, somando ao todo 59 libras e alguns xelins. Em troca, tudo indica que teriam se comprometido a ceder para "a comunidade livre [...] seus Herdeiros e Sucessores para sempre" os mil quilômetros quadrados da Província da Liberdade, estendendo-se terra adentro e rio acima desde Granville Town, embora de maneira um tanto vaga, até a ilha Gâmbia de um lado e talvez até o rio Xerbro no sul. Mais improvável, os chefes da província teriam jurado "sincera lealdade a Sua Generosa Majestade Rei George III" e prometido, mais parecendo um vice-rei das colônias ou um governador imperial, "proteger os ditos moradores livres, seus súditos, com todo meu poder contra as insurreições e ataques de toda e qualquer Nação e povo".[6]

Duas semanas depois caiu o dilúvio. E não foram as chuvas de Shooter's Hill. Nem eram os pesados aguaceiros contra os quais o dispositivo de seda verde de Jonas Hanway havia oferecido proteção. Era mais uma espécie de ataque. Em junho, as tempestades ameaçavam de madrugada como gorduchas e inocentes nuvens de vapor, mas, conforme o dia avançava e elas absorviam o ar saturado do estuário, as torres de nuvens subiam e pretejavam, a luz adquiria um tom verde-garrafa escuro e o meio-dia parecia meia-noite. Finalmente, quando explodiu o temporal, os relâmpagos que faiscaram sobre as altas florestas foram tão violentos que suas marcas denteadas se imprimiram na retina, mesmo se fechassem os olhos rápido contra o fulgor. O trovão de acompanhamento era como o duplo estrondo de uma rajada de mosquete seguida pela explosão de um canhonaço, a rendição do firmamento. A água se despejou na península de Serra Leoa como se fosse pedra, martelando a terra, criando lagos e ravinas espumejantes de lama fulva. Quando o aguaceiro torrencial se converteu num simples chuvaréu pesado, esse alívio foi saudado com o canto jubiloso de milhares de rãs e com a áspera percussão de milhões de cigarras. Volta e meia parecia cair outro raio, como se a tempestade estivesse irritada por ter diminuído.

Em meados do ano, a estação piorou. O céu desaparecia num vazio cinza amortecedor, o dilúvio só parando com a súbita chegada dos ciclones que davam fama aos cabos — ventanias que sugavam, erguiam, despedaçavam qualquer coisa que tivesse o azar de estar pela frente. E aí a temperatura caía de chofre, e os que estavam expostos à brutalidade das intempéries tremiam como se estivessem encharcados no temporal. Foi assim que os sons do *Romarong* chegaram à montanha de esmeraldas do capitão Thompson.

Em julho, quando as tempestades estavam no auge da ferocidade, a bandeira inglesa naquele promontório verde pendia baixa em ensopada desolação. Para os assentados sitiados e desmoralizados, parecia loucura ficar ali plantados em local tão exposto. Alguns desceram cautelosamente, preferindo acampar no sopé, onde a natureza parecia oferecer um pouco mais de abrigo — mesmo que os mosquitos, as cobras venenosas, mambas e *kraits*, especialmente a pequena *synyak-amusong* verde-clara, a cobra cuspideira cujo veneno cegava instantaneamente, e os *bugabus*, cupins e formigas vermelhas, que pareciam sobreviver à enchente e ao fogo, também estivessem procurando casa para dividir.[7] Contra essa carnificina das forças da natureza, dos seres zoológicos e das epidemias (pois as febres também estavam cobrando seu preço), do que dispunham os negros londrinos e os seis brancos restantes? O resto da lona marítima fornecida para as barracas se mostrou impotente contra os tremendos vendavais. Com o solo inundado, não havia a menor esperança de plantar as sementes trazidas da Inglaterra, e todas as sementeiras de arroz nos campos molhados foram totalmente varridas pelo desdém dos temporais. O máximo que se podia fazer com as 161 pás e as 150 enxadas era tentar impedir que pegassem ferrugem. A autossuficiência estava fora de questão. A sobrevivência dependia dos estoques trazidos nos navios, que estavam mofando rapidamente; no desespero, os assentados os consumiram mesmo assim. Quando esses víveres acabaram, eles começaram a negociar as ferramentas e, pouco depois, as próprias roupas em troca de comida com as únicas fontes a que podiam recorrer — os escravistas em Bance Island e no litoral bulone.

Antes que a Província da Liberdade sequer tivesse chance de se estabelecer, seus habitantes começaram a desaparecer. Em meados de julho, Joseph Irwin morreu. Na terceira semana do mês, já tinham morrido 24 brancos e trinta negros, e metade dos restantes estava gravemente enferma. Em 16 de setembro, quando Thompson embarcou no *Nautilus* para o regresso ao lar, tendo visto o povoado atravessar o que pretensamente seriam as dificuldades naturais de sua implantação, tinham morrido 122 dos desembarcados em maio. Entre eles estavam Sarah, a viúva branca de Benjamin Whitecuffe, e as esposas de John Cambridge e Abraham Elliott Griffith, o *protégé* de Sharp. Muitos dos brancos — toda a família do padeiro Schenkel, exceto uma filha, o homem das sementes, o sacristão, o cardador de linho, o carpinteiro, o alfaiate, o agrimensor e um médico chamado Currie, que Vassa qualificara de "patife" — morreram no começo da estação das águas. Na maioria caíram vítimas de algum tipo de febre, sendo a malária provavelmente a mais comum, apesar da casca de cinchona, a matéria-prima do quinino, que viera nos navios e podia ser posta em infusão no vinho.

Os 268 sobreviventes minguaram ainda mais com a deserção dos que resolveram se bandear na surdina para o local onde lhes ofereciam abrigo, comida e salário: os entrepostos negreiros. Patrick Fraser, o sacerdote escolhido pessoalmente por Sharp, estava entre os que fizeram esse pacto com o demônio. Mas ele deve ter achado que Deus não estava a seu lado. Não se conseguiu encontrar ninguém que construísse a prometida capela sob os aguaceiros, de modo que Fraser não teve alternativa a não ser oficiar sob uma árvore de copa espraiada, provavelmente uma figueira-de-bengala. Cada vez mais adoentado e tuberculoso, afinal aceitou a proposta de um local mais sólido em Bancé Island, pregando para os traficantes de escravos e artesãos brancos, e para escravos aturdidos que não entendiam nada de suas rezas e sermões. De tempos em tempos descia o rio para visitar seu rebanho abandonado, mas voltava à ilha tossindo e cuspindo sangue. Os médicos de Granville Town foram com ele, deixando os assentados doentes sem assistência médica na hora em que mais precisavam dela. Mas os brancos não foram os únicos a se bandear para o inimigo, tal como Jonas Hanway e depois Equiano haviam receado. Os negros também aceitaram empregos remunerados com Bowie rio acima, em Bance Island, alguns deles passando de escravos a escravistas. Um que decidiu capturar escravos na costa bulone foi Harry de Mane, aquele mesmo que Granville Sharp tinha resgatado no ano anterior de um navio que o levava acorrentado para as Índias Ocidentais.

Ao saber dessa traição, a sensação de Granville Sharp era de ter levado uma punhalada. A obra de sua vida tinha sido transformada num espetáculo tolo. "Eu não podia conceber que homens com plena consciência da maldade do comércio escravo e que tinham sofrido pessoalmente [...] sob o jugo danoso da servidão [...] houvessem se degradado a um nível tão baixo", escreveu ele aos moradores de Granville Town em setembro de 1788, "a ponto de se tornar instrumentos para promover e estender a mesma detestável opressão a seus irmãos."[8] Era uma traição inominável, e trovejou: "o sr. Henry Demane (que, fui informado, é agora um homem importante na costa *bullam*)" é o maior de

223

todos os traidores. Os que tinham conspurcado a pureza da causa nunca seriam perdoados por seus paladinos, e que jamais esperassem algum dia se reconciliar e ser readmitidos à Província da Liberdade (infelizmente era uma ameaça vazia, pois nenhum dos desertores jamais demonstrou o menor sinal de querer voltar). "Alertem-nos, de minha parte", escreveu de novo o aflito e ofendido Sharp em 1789,

> sobre os horrores e o remorso que algum dia irão se apoderar daqueles autores e instigadores da opressão que não buscam se salvar com um oportuno arrependimento. Recordem ao sr. Henry Demane *seus próprios sentimentos* sob os *horrores da escravidão* quando ele voltou a face para o mastro do navio ao qual fora cravado por seu pérfido senhor e tomou a resolução, como depois confessou, de saltar ao mar naquela mesma noite para não se submeter a uma *escravidão temporária* durante a vida, sendo que agora está em perigo de *escravidão eterna*! Recordem-lhe também a alegria que sentiu ao ver dois homens, enviados com um mandado de *habeas corpus* no momento tão exato (muito providencialmente) de libertá-lo que um único minuto a mais (quando subisse a âncora e o navio zarpasse de sua última parada, Downs) tornaria impossível seu resgate! Digam-lhe que tenho amplas razões para estar convencido de que sua fuga foi por verdadeira intervenção da Providência Divina [...] digam-lhe [...] que as espécies de *tráfico de escravos e de propriedade de escravos* são inimigas de *toda a espécie humana* por subverter a caridade, a igualdade e todos os princípios sociais e virtuosos de que dependem a paz e a felicidade da humanidade, de forma que podem ser justamente condenadas como *crimes desnaturados* e devem ser colocadas ao lado da horrível depravação desnaturada de homens devorando homens.[9]

Assim, na opinião de Granville Sharp, os negros livres que se transformavam em escravistas eram do mesmo nível dos canibais. E sua mágoa e sua raiva aumentavam ainda mais com a frustração de estar tão distante de seus pupilos, incapaz, portanto, de reconduzi-los à virtude com seus longos discursos, como de fato teria tentado mesmo com aquele vil e ingrato Harry de Mane. Sua humilhação se fazia ainda maior, se possível, ao refletir que os dois anos desde a fundação da Província da Liberdade tinham sido tempos extremamente promissores para a campanha contra a Coisa Amaldiçoada. Em 22 de maio de 1788 foi anunciada a formação de um Comitê para a Abolição do Tráfico

Escravo, tendo como núcleo os cruzados quakers Joseph Woods, Samuel Hoare e os Phillips, além de Clarkson e Wilberforce. O presidente do comitê — o símbolo humano de seu zelo, de sua vontade de vencer — não poderia ser senão, claro, Granville Sharp. Mobilizou-se uma campanha de petição em massa contra o tráfico, e Thomas Clarkson percorreu o país para granjear apoio e coletar assinaturas. Josiah Wedgwood, ardoroso convertido à campanha, cunhou um sinete para o comitê, mostrando um negro ajoelhado e com a inscrição "Não Sou Homem e Irmão?", feito na Etrúria das Potteries e fabricado aos milhares como medalhão de jaspe. As damas o usavam em colares ou como broche nos vestidos.[10] Os ensaios de Ramsay, Clarkson, John Newton e Alexander Falconbridge, o penitente médico de navios negreiros, foram todos reimpressos em edições que chegavam a 15 mil exemplares.

Em dezembro de 1788, publicou-se pela primeira vez uma imagem mostrando o porão aberto de um navio negreiro visto por cima, que tomou como modelo um navio negreiro de Liverpool, o *Brookes*. Agora o público que tanto tinha lido sobre o tráfico de "carga viva" podia ver como de fato era. Originalmente gravada para o Comitê Abolicionista de Plymouth numa tiragem de 1,5 mil cópias, a imagem sofreu leve modificação pelo Comitê londrino, que acrescentou seções longitudinais e imprimiu uma edição de 8 mil cópias. Os negros apareciam da cabeça aos pés, lado a lado, sem espaço para os braços, empilhados como troncos de madeira. A proa, onde a curva do navio dava um pouco mais de espaço, ficava ainda mais lotada de corpos. Por mais que se tivesse lido sobre o assunto, foi essa imagem que levou a campanha de seu núcleo entre quakers e evangélicos para um público muito maior. Viam-se cópias emolduradas da Escócia até o sudoeste da Inglaterra, passando pelas cidades industriais do Norte, sobretudo Manchester, onde a causa era forte. A filha de Samuel Hoare lembrou o senso de dever da família em ter "gravuras horríveis do interior de um navio de escravos [...] penduradas nas paredes de nossa sala de jantar".[11]

Sharp estava no centro de tudo isso, muito mais do que um simples patriarca honorário do bom combate. Por meio de sua correspondência com Benjamin Franklin, John Jay e Samuel Hopkins, de Rhode Island, ele congregou uma campanha que estava se tornando verdadeiramente transatlântica. Corriam na Inglaterra as notícias sobre a abolição do tráfico em seis estados americanos, enquanto nos Estados Unidos circulavam as notícias do movimento peticionário, a aprovação nas duas Câmaras do Parlamento do projeto de lei de Sir William Dolben regulamentando as condições físicas do transporte, e a importante criação de um comitê do Conselho Privado, em 11 de fevereiro de 1788, por determinação de Pitt, para examinar a situação do tráfico. Enquanto tudo isso acontecia, Sharp estava a par dos debates sobre uma constituição que estavam ocorrendo na Filadélfia, mas também sabia que os delegados da convenção, em prol de uma unidade conveniente, tinham concordado em adiar por alguns anos a avaliação das propostas para proibir o tráfico negreiro. Nem se apresentava a hipótese de abolir a escravidão em todos os Estados Unidos. Afinal, era a mesma convenção que, ao definir os critérios de uma representação proporcional, decretou que um escravo correspondia a 3/5 de um ser humano. Assim, o mesmo gesto econômico que decretou a humanidade (apenas) parcial dos negros garantia com essa manobra demográfica que os estados sulinos ficassem protegidos contra qualquer tentativa federal de solapar essa sua "instituição peculiar".[12]

Granville Sharp, a seus próprios olhos, também era um Pai Fundador, igualmente empenhado, com os amigos Franklin, Jay e Adams, na fundação de uma sociedade livre. Ao contrário da americana, sua república não só disporia por lei o repúdio às discriminações raciais, mas na prática seriam os negros a estabelecer os padrões da cidadania ativa. Essa convicção se arraigava em Sharp a ponto de gastar tempo insistindo com seus ilustres correspondentes americanos sobre as virtudes especiais da democracia liberal na forma que sempre lhe parecera a mais pura: o Frankpledge israelito-saxão. Vigilância, trabalho público como unidade monetária, voto universal por família, *tithing* e *hundredor* — ele tinha certeza de que tudo isso caía à perfeição para, digamos, o interior dos Apalaches.[13]

Apostando tanto no êxito de sua experiência na África, Sharp ficava ainda mais ansioso com ela, e lamentava a escassez de informações sobre, como dizia de modo um tanto infeliz, "minha pobre filhinha escura e mirrada, a desventurada colônia de Serra Leoa".[14] Durante um tempo imenso — especialmente considerando-se que Serra Leoa ficava a apenas um mês de navio — não recebeu notícia alguma, e depois chegaram algumas intermitentes, em geral ruins. Abraham Elliott Griffith, o criado e *protégé* que Sharp tratara de instruir, escreveu-lhe no final de julho no auge das chuvas, sem o poupar o mínimo que fosse.

Respeitado Sr.,

Lamento, realmente lamento muito, informá-lo, prezado senhor, de que este país não condiz absolutamente conosco e sem uma mudança muito urgente não creio que ao cabo de doze meses reste sequer um de nós. E não se consegue submeter as pessoas a nenhuma regra ou regulamentação, são de gênio demasiado obstinado. Foi de fato uma imensa pena que tenhamos vindo para este país após a morte do sr. Smeathman; pois estamos instalados na pior parte. Não há nada que se ponha no solo que cresça mais do que trinta centímetros [...] uma verdadeira praga parece reinar aqui entre nós. Eu mesmo estive gravemente doente mas aprouve ao Todo-Poderoso devolver-me a saúde e na primeira oportunidade que tiver embarcarei para as Índias Ocidentais.[15]

Isto também era profundamente chocante: que Griffith preferisse arriscar a vida e a liberdade no Caribe em vez de tentar resistir em Granville Town. No caso, Griffith acabou não pegando nenhum navio, mas, ao receber o convite de Naimbana para abrir uma escola em Robana, tornou-se secretário pessoal, intérprete, emissário e, ao desposar a princesa Clara, genro do velho rei. Sua história na África ainda não tinha acabado.

Haveria alguma mínima esperança a salvar do naufrágio da utopia sharpiana? Era mais do que evidente que o Frankpledge não estava funcionando nas enchentes da África Ocidental; não se construíra nenhuma igreja, tribunal, escola ou prisão. Mas, afoito para receber algum encorajamento, com certeza Sharp notou que a carta que recebeu de Richard Weaver, o legalista negro da Filadélfia que fora um dos líderes dos negros pobres de Londres, mencionava "o corpo do povo" convocando "uma reunião para escolher seus oficiais onde me escolheram para ser o comandante deles". Outras cartas se referiam a um *senit* (senado).[16] Então havia ocorrido alguma espécie de eleição, e o povo de Granville Town tinha um "governador" negro. Discernindo aí pelo menos o germe da política de liberdade que tivera esperanças de inaugurar, durante algum tempo Sharp continuou a se referir, em suas cartas a Serra Leoa, ao "Conselho Comum" dos assentados, como se tivessem instituído uma assembleia deliberativa com o poder de legislar conforme prescrevia seu "Breve esboço de governo". No entanto, uma outra carta seis meses depois, em setembro de 1788, assinada por um certo James Reid, anunciava que agora era ele o "governador", mudança que Sharp podia ter tomado como sinal de vitalidade política, não tivessem Reid e Weaver entrado em mútuas recriminações pelo roubo de cerca de sessenta mosquetes do depósito do povoado.[17] Reid, que fora eleito quando Weaver esteve seriamente incapacitado durante três meses, reclamava que as acusações contra ele eram injustas:

> O sr. Weaver e o sr. Johnson [...] disseram a eles [o povo reunido] que eu sumi com elas e me armei e eles se levantaram contra mim e confiscaram minha casa e a tiraram de mim e o pouco que eu tinha no mundo e venderam para pagar aquelas coisas que tinham sumido [...] Depois que me quebraram acharam que tinham a bênção de Deus, segundo disseram. A primeira coisa [infelicidade] foi um rapaz morto a tiros na mata, mas nunca descobriram quem fez isso. A segunda foi que eles tiveram um pequeno problema com o rei Tom e ele pegou dois deles e vendeu a bordo para um francês que estava indo para as Índias Ocidentais. A terceira foi que cinco deles subiram até Bance Island e arrombaram uma fábrica de um certo capitão Boys [Bowie] e roubaram uma quantidade de coisas mas foram descobertos e o capitão Boys vendeu todos os cinco.[18]

Essa sucessão de calamidades parecia comprovar plenamente o relatório do capitão Thompson que, de volta à Inglaterra, afirmou que não se podia esperar nada de bom dos assentados, pois na maioria eram um bando de bêbados, devassos, salafrários que ou viviam na anarquia ou tinham se vendido aos escravistas. Mas claro que Thompson dificilmente engoliria a evidente e, a seu ver, indecorosa falta de respeito dos negros. Sharp, o incurável otimista, não ia desistir de Granville Town. O que ele percebeu na correspondência de Reid era que finalmente haviam construído cabanas para proteger os moradores do tempo pior, e que, se as sementes inglesas não tinham dado certo, eles tiveram mais sorte com as culturas nativas. E, como o índice de mortalidade também parecia ter diminuído em certa medida (embora o povoado estivesse com menos da metade dos emigrantes originais), Sharp minimizou os desastres iniciais, atribuindo-os mais a uma torpeza moral — sobretudo o demônio do rum, que achava que lhes enfraquecera a resistência aos "distúrbios" — do que ao clima local propício a doenças. A infusão de vinho com casca de cinchona protegera os marinheiros que haviam ficado a bordo do *Nautilus* em 1787, e, talvez a conselho de seu irmão médico William, Sharp não via por que ela não haveria de funcionar com a mesma eficiência para os que estavam em terra firme.

Longe de deixar Granville Town, Sharp resolveu, quase certamente com a ajuda de seus caridosos irmãos, ir em sua salvação. No verão de 1788, ele gastou novecentas libras para equipar um brigue de dois mastros, o *Myro*, que levaria provisões e novos cinquenta colonizadores, negros e brancos, entre eles dois médicos de reposição, além de novos animais de criação, entre eles bois de tração, que o capitão Taylor deveria comprar a caminho, nas ilhas de Cabo Verde. Sharp despachou pelo *Myro* cartas aos assentados, mais uma versão de seus conselhos e instruções sobre o bom governo, "seis fortes capas de vigia para a vigilância noturna", uma caixa de bonés de couro "com capas para proteger o pescoço do portador do frio e da umidade" e um lote de presentes no valor de 89 libras para renovar o acordo com o sucessor do rei Tom, o rei Jimmy, pela concessão de Granville Town.[19] Para sua surpresa e prazer, o governo Pitt, agora amigo da causa contra o tráfico escravo, entrou com mais duzentas libras, e o *Myro* zarpou para Serra Leoa em setembro. Um dia depois de ter levantado ferros em Blackwall, Sharp mandou um escaler em seu alcance levando doze barricas de cerveja porter, cortesia de seu novo amigo e adepto, o cervejeiro Samuel Whitbread — uma alternativa, a seu ver mais saudável, ao rum.

Tal como aconteceu com todas as viagens desse empreendimento, a expedição do *Myro* não ficou isenta de problemas. Apenas 39 moradores em potencial embarcaram, em vez dos esperados cinquenta, e por alguma razão o capitão Taylor não comprou o gado e os porcos em Cabo Verde, entregando aos assentados o dinheiro no valor dos animais — o que não era de forma alguma a intenção de Sharp. Como era de se prever, os médicos se bandearam para os escravistas de Bance Island o mais rápido que puderam. Mas os sobreviventes que restavam em Granville Town transbordaram de alegria ao receber o auxílio, quando menos como prova de que, entre seus reveses e adversidades, não tinham sido esquecidos e abandonados. Doze assinaram uma carta a Sharp e ao "resto de nossos excelentíssimos e humaníssimos amigos", agradecendo-lhes "pelas múltiplas atenções e caridosas providências que lhes aprouve estender a nós". Embora tivessem sofrido muitos tormentos,

> o que fica claramente evidente pela frequência muito movimentada de nossos enterros [...] temos o prazer de lhe informar, ilustre senhor, que temos feito bons

progressos na limpeza de nossa terra, exceto nossos terrenos alagados que ainda continuam num estado de anarquia devido a nossa carência em número de pessoas mas esperamos ter algumas boas colheitas razoáveis nesta estação.[20]

Os doze signatários — entre eles James Frazer, Thomas Carlisle, George Dent e Thomas Cooper — terminavam a missiva com o tipo de peroração, uma mescla de orgulho e pungente contrição, que pode ter sido deliberadamente escolhido para reforçar a perseverança de Sharp:

> Não precisamos usar muitas palavras. Somos aqueles que eram considerados escravos, mesmo na própria Inglaterra, até que seu socorro e empenho nos libertou. Somos aqueles cujos corpos e espíritos são trocados de mão em mão na costa da África e nas Índias Ocidentais como objetos comuns de comércio. Mas diz-se que somos nós os causadores de nossa própria escravidão e vendemo-nos uns aos outros a preço de mercado. Sem dúvida, porém, em nosso estado incivilizado cometemos muitos males, mas certamente o traficante de escravos não há de crer que os fortes na costa da África tenham o direito de privar os fracos de todos os direitos de humanidade e entregá-los, eles e sua posteridade, à mais cruel escravidão ou que lhe caiba [...] executar tão horrendo destino.
>
> Mas mesmo assim, senhor, permita-nos crer que o nome de GRANVILLE SHARP, nosso amigo constante e generoso, será engrandecido por nossa posteridade mais esclarecida e ilustremente cercado nos tempos futuros de louvor e gratidão.[21]

E, aproveitando a ocasião, será que poderia mandar uns seis ou oito canhões para construírem um forte adequado no morro de São Jorge? (Não, não poderia.)

Nem tudo estava perdido em Granville Town; ainda não. As pessoas que odiavam Sharp (e na Inglaterra eram em número cada vez maior, conforme ele e seus companheiros de cruzada deixaram de ser meros incômodos e se convertiam em ameaça) se agarravam a histórias sobre a anarquia que caracterizaria o assentamento em Serra Leoa; consideravam uma comédia de negros posando de agricultores democráticos. Isso só mostra o que acontece quando negros são empurrados para a liberdade de maneira tão irrefletida, escreviam elas. O que vocês esperavam? Mas um informe de Granville Town enviado por "Leo Africanus" (ainda que a fonte fosse o próprio Sharp), publicado em *The*

Diary or Woodfall's Register em novembro de 1789, pintava uma cena totalmente diversa: "confortáveis" cabanas "feitas com armação de barro entrançado de vime, rebocadas, caiadas e bem cobertas de junco com um terreno ao lado, cercado e plantado com banana, inhame, batata-doce, mandioca etc.".[22] E o que seria uma aldeia anglo-africana sem uma igreja nova e bem caiadinha, feita de barro e sapé? Enviaram um sino inglês.

Foi exatamente a possibilidade de que esse pequeno enclave (agora com cerca de cem moradores) conseguisse sobreviver que, na opinião de Sharp, atiçou os inimigos, os escravistas de Bance Island, a esmagá-lo no nascedouro. E apesar da última fornada de novos presentes e do novo "tratado", o rei Jimmy andava muito mais inquieto com a presença dos assentados do que seu predecessor. Quando James Bowie e John Tilley advertiram Jimmy que, se não se impedisse o povoamento, seria o fim do comércio lucrativo deles, o novo rei lhes deu ouvidos. Volta e meia, informaram os correspondentes de Sharp, sequestravam-se os assentados, então vendidos como escravos, pretensamente em represália por algum roubo ou algum outro delito praticado por alguém de Granville Town.

Embora enfurecido com esse tratamento, Sharp, pelo bem do povoado, foi obrigado a modificar seus inflexíveis princípios originais. Ainda se prendia à teimosa convicção de que sua vila de africanos livres, construída sobre os alicerces do Frankpledge, seria o germe de uma grande emancipação geral que viria com o tempo, à medida que se desenvolvesse. Mas por ora, com a Província da Liberdade sob terrível e imediata ameaça de aniquilação, ele achou que deveria adotar uma linha mais pragmática. Dentro da Província, escreveu ele aos assentados, nunca se admitiria a escravidão, mas fora dela era uma simples questão de prudência evitar qualquer provocação aos traficantes ou aos chefes nativos com os quais negociavam. Era aconselhável que fossem "corteses e amáveis com todos os estranhos que chegam ao assentamento, mesmo que vocês saibam que são comerciantes ou donos de escravos, desde que eles não transgridam suas leis durante a permanência".

Mais fácil falar do que fazer. Todavia, em 1789 Sharp deve ter percebido que, se pelo menos sua Província conseguisse sobreviver de alguma maneira, o sucesso que a campanha contra o tráfico vinha obtendo na própria Inglaterra mais cedo ou mais tarde lhe angariaria o apoio dos poderosos. Num lance de brutal ironia, foi exatamente esse poder, na imponente figura do navio *Pomona* de Sua Majestade, que trouxe a ruína de Granville Town.

Ninguém poderia prevê-lo. Com a entrada em vigor da lei de Sir William Dolben de regulamentação das condições físicas do comércio escravo, isso significava que, pela primeira vez na história moderna, o poder do Estado era usado para intervir no tráfico de "cargas vivas". E o *Pomona*, sob o comando do capitão Henry Savage, recebera ordens de ir até a costa africana, distribuir cópias da regulamentação Dolben entre as feitorias escravas e os agentes das empresas de Liverpool e Bristol, e cuidar que suas cláusulas fossem atendidas. Depois de ancorar na baía de São Jorge na segunda quinzena de novembro de 1789, Savage cumpriu suas obrigações, mas foi imediatamente assediado por reclamações de representantes dos assentados livres e dos escravistas, que procuraram o capitão para apresentar suas queixas. Abraham Ashmore, o então governador de Granville Town, reclamou asperamente que os moradores do assentamento estavam sendo raptados e vendidos. James Bowie e John Tilley, em nome dos srs. Anderson, rebateram dizendo que os assentados eram malandros delinquentes e ladrões que haviam ameaçado o entreposto. E, embora viesse armado com o papel da equidade parlamentar, Savage afinal era um oficial da Marinha e um cavalheiro inglês, e portanto deu crédito ao que lhe contaram os traficantes brancos, e não os assentados negros.

Sobre uma questão, porém, Ashmore e Bowie estavam de acordo. O rei Jimmy tinha se tornado um perigo, violando os acordos que havia feito com as duas partes, atacando o povoado de um lado, e de outro pegando e vendendo escravos que não lhe competia vender. Ele precisava entrar na linha e que lhe fossem lembrados seus compromissos solenes, e o capitão do *Pomona* devia cuidar disso. Savage assentiu. Em 20 de novembro disparou-se um tiro e hasteou-se uma bandeira de trégua para avisar ao rei que ele podia vir a bordo em segurança para conferenciar. Nada de Jimmy. Na mesma tarde, foi enviado um grupo que incluía marinheiros armados, quatro assentados e o próprio Bowie para encontrá-lo. Savage ficou observando do convés, enquanto os botes chegavam à praia e o tenente Wood e companheiros desapareciam entre as árvores. Tudo calmo. Então de repente se ouviu um estrondo de tiros de mosquete, e uma súbita coluna de fogo e fumaça elevou-se sobre as palmeiras além da orla. Alguém, provavelmente um jovem aspirante da Marinha, tinha ficado nervoso como um menino, pensou ter ouvido alguma coisa, disparou contra uma aldeia, a aldeia de Jimmy, e ateou fogo a um telhado de sapé. Era a época das secas, e em poucos minutos todo o conjunto se reduziu a madeira carbonizada.

Foi apenas o começo daquilo que se converteria num péssimo dia para o novo Império Britânico da liberdade. Do convés do *Pomona*, viu-se a balbúrdia dos marinheiros e fuzileiros correndo à toda para a praia. Alarmado, Savage enviou um segundo barco para recolhê-los. Quando alguns tentavam subir pela borda, uma saraivada de balas irrompeu da fileira de árvores que margeava a praia. Um sargento da Marinha, o encarregado do bote de socorro e um colono negro foram abatidos, o sangue manchando a areia branca. Agora que a escaramuça se tornara colonial, Savage apontou a artilharia do navio para a praia, "limpando" as moitas. Repetiu o exercício nos dias seguintes. Em resposta, os homens de Jimmy atiravam em qualquer um que tentasse chegar à terra para buscar água. Apenas o afável Naimbana poderia arbitrar, e um dos assentados foi enviado a Robana para pedir sua intervenção. Quando voltou com a mensagem, ele também foi alvejado no momento em que saía do barco.

Uma semana depois, em 27 de novembro de 1789, os representantes de Naimbana foram a Jimmy mandando que parasse, e no momento ele obedeceu, mas resmungando e aguardando outra oportunidade. Savage concordou em ir embora com o *Pomona*, mas só depois de uma argumentação geral, que supostamente resolveria as discórdias de forma pacífica. No entanto, tão logo o navio de guerra zarpou em 3 de dezembro, o rei Jimmy se viu livre para impor sua ideia do que seria um acordo justo, e começou lançando um ultimato aos moradores para que deixassem Granville Town num prazo de três dias. Então incendiou o povoado, reduzindo-o a cinzas.[23]

Embora sem teto, o povo de Granville Town não ficou totalmente desamparado. Um pequeno grupo aceitou abrigo em Robana com o Naimbana, mas um grupo maior, com cerca de setenta pessoas, unido em torno de Abraham Ashmore, subiu o rio até Bob's Island no território de outro chefe local, Pa Boson — para o grande desprazer dos agentes de Bance Island, que pensaram ainda estar próximos o suficiente para ser um estorvo. Não estavam mais na Província da Liberdade. Mas tampouco haviam sido reduzidos a escravos. Sharp só veio a ter notícias da destruição de Granville Town quatro meses mais tarde, em abril de 1790. Sua primeira reação, além da angústia, foi tentar enviar outro navio de socorro, agora uma modesta chalupa de quarenta toneladas, o *Lapwing* — mas sob os auspícios de quem? Mesmo com o reforço do governo, o *Myro* tinha sido dispendioso, e havia um limite para a bolsa de Sharp e até de sua família. Mas havia outra possibilidade: que a Companhia da Baía de São Jorge, recém-fundada, financiasse a viagem do *Lapwing*.

Essa empresa comercial tinha nascido das reflexões de Sharp sobre a autossuficiência de seu experimento. A maré de azar incessante que acompanhava o projeto de assentamento o obrigara a reconhecer que, embora algum dia seu sonho da liberdade britânica pudesse se concretizar em solo africano, esse dia ainda não tinha chegado. Talvez quando se abolisse o tráfico, como ele esperava, fosse possível tentar outra vez. Mas, enquanto isso, o frágil assentamento precisava desesperadamente de outros recursos além dos inhames, bananas e arroz que podia cultivar com tempo ameno. Numa carta a Sharp enviada em setembro de 1788, James Reid havia escrito:

> Prezado Amigo [...] há uma coisa que seria muito útil para nós; se tivéssemos um ou dois agentes aqui conosco para dar andamento a algum tipo de negócio em relação ao comércio, aos quais pudéssemos de vez em quando recorrer um pouco para um pequeno auxílio, até que nossas lavouras estivessem no ponto para então pagá-los. Seria de infinita serventia para todos os assentados pobres quando as provisões escasseiam — às vezes chegando a nada.[24]

Ora, Granville Sharp nada tinha contra o comércio. Afinal seu irmão James não era negociante de ferragens? E tantos bons amigos e colegas, firmes defensores da causa, não eram banqueiros ou cervejeiros? E estudiosos como Adam Smith haviam concebido um comércio africano em que os produtos do trabalho livre encontrariam um mercado muito além do tráfico de seres humanos.

Então, desde que nunca se perdesse de vista a estrela guia da liberdade, não haveria o menor problema em criar uma empresa comercial que poderia muito bem ajudar os assentados com adiantamentos sobre a safra, e que lhes permitiria comerciar com os nativos ribeirinhos e do interior. Na verdade, substituir a Companhia Africana Real, maculada pelo escravismo, por uma Companhia da Baía de São Jorge seria purificar o espírito do comércio. Uma carta-patente do Parlamento não só incentivaria os investidores, ao limitar a responsabilidade pessoal, como forneceria à companhia uma tutela legal e, se necessário, militar para repelir os inevitáveis ataques do setor escravista.

Tão logo veio à baila, a ideia se pôs a andar. Os bons se uniram com suas subscrições: Thomas Clarkson, William Wilberforce, os irmãos Thornton, Samuel e o banqueiro Henry, que eram membros evangélicos do Parlamento, o cervejeiro Samuel Whitbread. Mas, para o desalento de Sharp, o que não estava aparecendo no verão de 1790 era o apoio do governo. Várias cartas a William Pitt continuavam sem resposta, num silêncio primeiro desconcertante e depois francamente daninho. Esse tempo todo, os cães dos interesses escravistas na África e nas Índias Ocidentais ladravam furiosos, protestando que os abolicionistas queriam um monopólio e estavam a pique de destruir a rentabilidade e o poderio do Império. O pior é que o governo, antes tido como receptivo à abolição, agora parecia no máximo morno e no mínimo cético. Na verdade, o procurador-geral expressou sua franca oposição ao projeto.

Intrépidos, Sharp e seus amigos resolveram aparelhar e despachar o *Lapwing* mesmo antes que o governo liberasse qualquer alvará para a corporação. A chalupa, contratada para a firma que viria a se tornar a Companhia de Serra Leoa, zarpou no final de 1790 carregada de implementos: mais pás, enxadas e forcados, ferramentas de ferreiros, grande quantidade de pregos e, por alguma razão, canivetes infantis (os inimigos de Sharp disseram que foi para agradar a seu irmão negociante de ferragens). Alexander Falconbridge, o cirurgião ex--escravista de Bristol que ficara conhecido como o autor do relato mais descritivo e mais lido sobre as crueldades físicas do tráfico escravo, foi indicado para supervisionar a ressurreição da Província da Liberdade e negociar um acordo mais duradouro com o rei Jimmy. Mas perdeu literalmente o navio, e teve de ser enviado, junto com a esposa Anna Maria e o irmão William, no *Duke of Buccleuch*.[25]

Durante esses meses, Granville Sharp se sentiu atormentado por aflições excruciantes. Será que o caráter explicitamente comercial da Companhia da Baía de São Jorge significaria sacrificar sua utopia do Frankpledge? Será que seus diretores em Londres e os agentes que indicariam para a África iriam gerir os negros aos quais ele fizera a promessa solene da autogestão? Será que a grandiosa obra de construir a liberdade se renderia à obra menor de fazer dinheiro? Então se sentiu corroído por outro pressentimento. E o *povo* com o qual ele tentara construir seu local de liberdade? Quantas, entre as pessoas de confiança, tinham sobrevivido? Quantas, como o inqualificável Harry de Mane, o haviam traído? Como se conseguiria criar um novo mundo com apenas setenta ou oitenta almas? Sharp não tinha a menor disposição de peneirar de novo outros candidatos nas ruas de Wapping e Stepney. Estaria procurando em lugar errado? O reverendo Samuel Hopkins, que evidentemente era um bom homem, escrevera que havia negros livres em Rhode Island e outros locais como Massachusetts que tinham ouvido falar de seu empreendimento em Serra Leoa e queriam emigrar para lá — sair de um futuro americano incerto para a liberdade britânica. Como desejaria poder atendê-los!

E Granville Sharp ainda estava desejando e se amofinando quando o bom Senhor enviou sua divina providência. Ele soube que havia um negro, vindo da Nova Escócia para Londres, que ouvira falar de seu projeto. Ao que consta, esse homem tinha sido sargento do Exército britânico na última guerra americana, servindo nos Guias e Pioneiros. Antes fora escravo, cuidando de máquinas — como multidões de escravos iguais a ele, tinha fugido de seu dono na Carolina do Norte e ingressado nas forças do rei, entendendo que sua lealdade seria retribuída com a liberdade e terra suficiente para levar uma vida decente. Sharp, claro, já tinha ouvido esses casos entre os pobres de Londres que haviam lutado com os ingleses. Mas eram uns gatos-pingados de dar dó e não havia nada de dar dó naquele sargento musculoso, com cabelo grisalho nas têmporas — aquele sujeito calado, brabo, analfabeto, mas eloquente, que era Thomas Peters.

Peters tinha vindo da Nova Escócia por conta própria, encarregado por colegas negros que diziam ter sido seriamente prejudicados, portando um "Memorial" que ele mesmo rascunhara. Dirigido ao secretário de Estado William Grenville, o documento declarava que os desejos do rei haviam sido deixados de lado, e que a terra prometida não fora entregue. Sem amigos, Peters procurou quem pudesse recomendá-lo: o capitão George Martin, que tomara seu juramento ao investi-lo como sargento nos Pioneiros Negros; e Sir Henry Clinton, que se lembrava dele, apresentou-o a Wilberforce e até, por carta, a Grenville. Esse Peters falava de coisas caras ao coração de Granville Sharp: do ar inglês puro demais para que escravos o respirassem; da constituição inglesa que nunca toleraria a ignomínia e a indignidade da servidão; da Common Law, cuja equidade jamais encontrara igual na história do mundo. Por Deus, esse Peters era um homem e era também, se algum dia existiu uma coisa dessas, um autêntico bretão. Se na Nova Escócia houvesse outros como ele, a Província da Liberdade, se Deus quisesse, teria seus cidadãos. Sharp iria garantir que Thomas Peters tivesse uma audiência. Londres ouviria sua história.

8.

Os dois homens de meia-idade estavam sentados num aposento na Old Jewry. Sharp ficou ainda mais esquelético ao envelhecer, os olhos ainda penetrantes encimando as faces encovadas; Thomas Peters, também quinquagenário, se mostrava ora extrovertido, ora taciturno. Enquanto ouvia, Sharp começou a captar algo repulsivo. O peso das denúncias de Peters — o golpe que os Pioneiros e suas famílias tinham sofrido na Nova Escócia — começou a oprimi-lo. Não era só o fato de não haverem recebido a terra a eles prometida, ficando assim privados da pouca autossuficiência que teriam. Era muito pior do que isso. Dentro do país que devia ter sido o nascedouro de um novo império anglo-americano livre, tão imaculado como neve fresca, a velha nódoa se infiltrara de maneira obscena. Ao que parecia, havia escravidão na Nova Escócia. Por mais abominável que fosse, Sharp até entendia que os fazendeiros e comerciantes legalistas brancos em seu refúgio do Norte não permitissem que os "servos" se desatrelassem do jugo. Mas, quanto aos negros que haviam seguido lealmente a bandeira do rei, que eles e suas famílias tivessem sido de novo reduzidos à escravidão, mesmo que ela tivesse outro nome, Sharp achava inconcebivelmente odioso.

Mas era isso que Thomas Peters parecia estar dizendo. Que, sem terra e com fome, negros livres tinham sido obrigados a aceitar contratos tão punitivos que equivaliam a novos grilhões. Alguns até haviam sido apanhados e vendidos nas Índias Ocidentais, dissolvendo as famílias. Peters contou que seus parentes nas redondezas de Annapolis e em New Brunswick "já tinham sido reduzidos à Escravidão sem conseguir obter nenhum Socorro nos Tribunais do Rei". Peters falava com emoção de coisas monstruosas: de um conhecido seu, homem livre reduzido à escravidão, que "de fato perdeu a vida por Espancamento e Maus-Tratos de seu Senhor e um outro que fugiu da mesma Crueldade foi alvejado de modo desumano e mutilado por um Estranho atraído para lá devido ao anúncio público de uma Recompensa". Sharp, como de hábito, tinha alguém ao lado para registrar tudo isso, e ficou tão angustiado com os fatos que, ao ajudar Peters a redigir uma segunda versão de sua petição ao governo, garantiu que o documento expusesse não só a privação da terra, mas também a privação da liberdade. A seu juízo, a sentença de lorde Mansfield no caso Somerset devia ter mudado toda a situação: o que valia na Inglaterra devia valer na Nova Escócia. Um negro livre em Halifax devia ser protegido do transporte forçado como qualquer súdito do rei na Inglaterra.

No cerne da petição esboçada por Peters com a ajuda de Sharp estava um apelo à indivisibilidade da liberdade britânica. Era isso que, na opinião de ambos, diferenciava a Inglaterra dos Estados Unidos, onde a escravidão, embora abolida em quatro estados (Massachusetts, Vermont, Rhode Island e Pensilvânia), fora preservada em muitos outros. Por outro lado, como seria possível, escreveram eles, que

> a venturosa influência do Governo livre de Sua Majestade não conseguisse estender-se até a América para manter a Justiça e o Direito, concedendo a Proteção das Leis da Constituição da Inglaterra? [Dada] a opressiva Crueldade e Brutalidade de sua Servidão [...] Ofensiva em geral à natureza humana, porém mais particularmente ofensiva, lesiva e odiosa a seus irmãos de mesmo parentesco, as pessoas de Cor livres, [tampouco podiam] conceber que é de fato Intenção do Governo Britânico favorecer a Injustiça e tolerar a Escravidão.[1]

Então Peters narrava sua odisseia. As dificuldades começaram cedo, no navio *Joseph* que partiu de Nova York com eles a bordo. Peters, Murphy Steele, suas esposas Sally e Maria e um grupo de Pioneiros Negros — a maioria da Virgínia, das Carolinas e da Geórgia, homens que tinham cavado e cavoucado para o rei, despejado as necessidades de seus oficiais, junto com mulheres que haviam cozinhado e lavado a roupa dos coronéis — só embarcaram em Staten Island em data muito avançada da temporada de embarque.[2] O exército fora o último a sair de Nova York. Foi duro, o pequeno John "Nascido nas Linhas Britânicas" com apenas dezoito meses, e todos eles amontoados no porão de carga até que o navio finalmente levantou âncora na segunda semana de novembro, poucas semanas antes que afinal se arriasse a bandeira do rei em Nova York. Com bom tempo, a viagem para a Nova Escócia levava uma semana, no máximo duas. O *Joseph* se atrasara tanto que o mau tempo já tinha começado para valer, e um temporal, daqueles tremendos, pegou o brigue, desviando-o muito do curso e causando tantos danos que a única coisa a fazer, disseram-lhes de maneira um pouco suspeita, era aportar nas Bermudas e ficar lá esperando passar o inverno. Então lá ficaram eles, presos a bordo, fitando a ilha com suas brisas e fímbrias de areia rosada. E o que viram quando conseguiram chegar à praia, senão damas e cavalheiros com escravos a servi-los ao lado das carruagens nas alamedas ao longo das igrejas brancas, tal como acontecia na Carolina?

Foi somente em maio de 1784 que o *Joseph* retomou a viagem para a Nova Escócia, onde, segundo o que lhes haviam feito crer, os Pioneiros por fim receberiam o que lhes era devido. Peters levava um passaporte especial, assinado pelo coronel Allen Stewart, destinado a "todos os comandantes", atestando que ele havia servido "leal e honestamente", que era "um súdito bom e leal da Grã-Bretanha" e que conquistara "as boas graças de oficiais e de seus camaradas".[3]

O lugar onde tinham sido descarregados os outros que vieram antes, Shelburne, e o povoado negro vizinho, Birchtown, estava tão lotado que o navio foi instruído a seguir para Annapolis Royal, no lado norte da península. Quando desembarcaram, viram navios ancorados no pequeno porto ajeitado, um bastião fortificado com a artilharia na direção do oceano e algumas ruas com casas brancas, estalagens e quintais bem aparados seguindo numa linha paralela à água. Mas, de Annapolis, os negros foram enviados para o outro lado do rio, a um lugar chamado Digby, que não passava de uma fileira esparsa de cabanas miseráveis, as tábuas finas descamando na umidade salobra, com botecos espreitando em cantos enlameados perto do molhe. Os que tinham ido para Digby se apertavam em choças enfumaçadas. Mas nem lá foi considerado lugar apropriado para negros, de modo que eles foram descarregados ainda mais longe, em Little Joggin, cerca de sessenta famílias, com barracas ou choupanas cobertas de torrões de mato e casca de árvore, que serviam de abrigo. E quando perguntaram de novo, a resposta foi afirmativa, sim, teriam terra, a que afinal sabiam ter direito.

Mas, nesse meio-tempo, como iriam se sustentar e sustentar os filhos naquele ermo, com poucos e preciosos machados para circular pela área? Naturalmente, carpinteiros, serreiros e outros assim podiam fazer um barco e alcatroá-lo bem, pois havia muita madeira e resina na floresta; podiam percorrer as angras e sair para o mar ao chegar a primavera. Alguns de barco lançavam redes em Little Joggin para apanhar cavalas e arenques; outros, sem recursos para prover a família durante o inverno, tinham de deixá-la para trás e trabalhar durante meses a bordo dos navios pesqueiros de bacalhau ou salmão.[4]

Peters fora um dos que continuaram em frente. Vira as promessas postas de lado, de modo que os negros livres estavam precisando vender o pouco que tinham, e mesmo os serviços seus e de seus filhos, para poder comer. Se ele tinha coragem de expor suas reclamações, era apenas porque ganhara a confiança do governo local da província e assim achava que podia se comportar como homem livre. Os Pioneiros não deviam ser tão menosprezados, pois acontecia que eram qualificados justamente no tipo de trabalho necessário à região: abrir estradas entre a floresta virgem, construir pontes sobre charnecas salobras, fazer portos. Entre os 30 mil legalistas de lá, poucos sabiam ou se disporiam a fazer isso!

Portanto, em Brindley Town, que era como se chamava o povoado negro perto de Digby, o sargento Peters, com seus modos decididos, se tornou o ponto de referência, o homem de quem dependia o governo. Era a ele que deviam ser entregues as provisões para os negros: 342,92 quilos de farinha e 265,13 quilos de carne de porco, exatamente. Enquanto os legalistas estavam se instalando, foi solicitado ao governo que lhes desse provisões totalmente gratuitas durante o primeiro ano, 2/3 gratuitas no segundo ano e 1/3 gratuitas no terceiro ano. Depois disso, poderiam se virar por conta própria. Mas aquele porco e aquela farinha, mesmo parecendo muito, davam apenas para oitenta dias para 160 adultos e 25 crianças, ração que mal chegava até o final do verão, que dirá para o inverno. E no entanto, como declarou categoricamente um dos funcionários brancos, "É só o que vão receber".[5] Mesmo esse magro suprimento, porém, não chegou a Peters para a distribuição, mas foi desviado

1. Granville Sharp, *George Dance*, 1794, lápis (*National Portrait Gallery, Londres*)

2. A família Sharp, *de Johan Zoffany, 1779-81, óleo sobre tela (em empréstimo à National Portrait Gallery, Londres). Da esquerda para a direita, os irmãos Sharp: James (tocando serpentão), Granville (inclinado sobre o piano), William (em uniforme de Windsor levantando o chapéu) e John (vestido de preto)*

ACIMA
3. Dido e lady Elizabeth Murray, *Johan Zoffany, 1779-81, óleo sobre tela* (Coleção do conde de Mansfield, Scone Palace, Escócia)

ESQUERDA
4. General Sir Guy Carleton, lorde Dorchester (*original destruído*), cópia de Mabel B. Messer, 1923, óleo sobre tela (Library and Archives Canada)

PÁGINA OPOSTA
5. John Murray, quarto conde de Dunmore (*detalhe*), de Sir Joshua Reynolds, 1765, óleo sobre tela (Scottish National Portrait Gallery, Edimburgo)

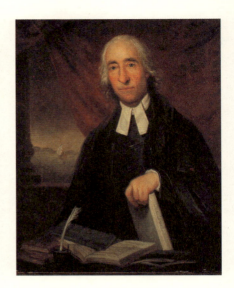

6. Thomas Clarkson, *de Carl Frederik von Breda, 1789, óleo sobre tela* (*National Portrait Gallery, Londres*)

7. James Ramsay, *de Carl Frederik von Breda, 1789, óleo sobre tela* (*National Portrait Gallery, Londres*)

8. William Wilberforce, *de Sir Thomas Lawrence, 1828, óleo sobre tela* (*National Portrait Gallery, Londres*)

9. *Medalhão abolicionista feito por Josiah Wedgwood, anos 1790, de jaspe, com a inscrição "Não sou homem e irmão?" (Wilberforce Museum, Hull City Museums and Art Galleries, Humberside)*

10. *John Eardley-Wilmot, de Benjamin West, 1812, óleo sobre tela (Yale Center for British Art, New Haven, Coleção Paul Mellon). No fundo, um quadro alegórico mostra os legalistas negros, tendo à frente William Franklin, recebidos pela Britânia em 1783*

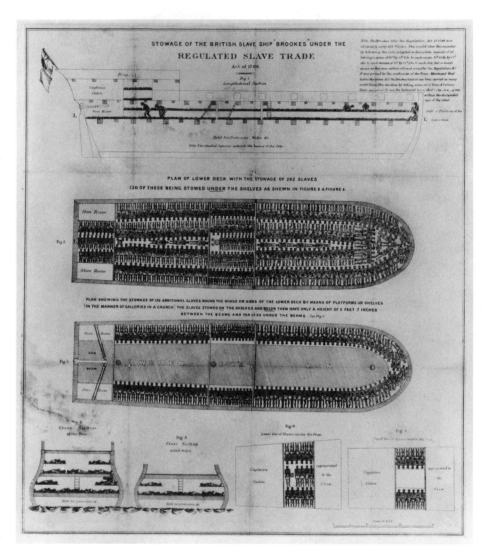

11. Porão de carga do navio negreiro inglês *Brookes* sob a Lei de Regulamentação do Tráfico Escravo de 1788, *American School*, gravura (*Library of Congress, Washington, DC*)

12. Um serrador negro em Shelburne, Nova Escócia, *William Booth, 1788, aquarela* (*Library and Archives Canada*)

13. John Parr, governador da Nova Escócia, *artista desconhecido, c. anos 1780, silhueta* (*Nova Scotia Archives and Records Management, Canadá*)

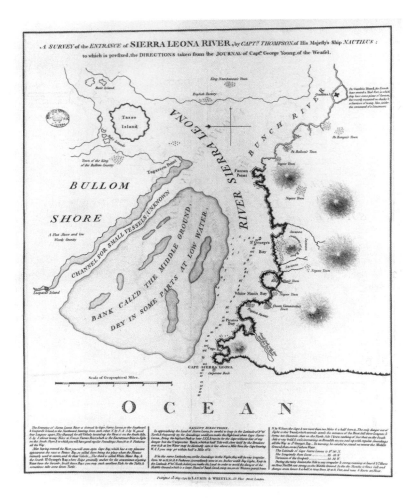

ACIMA
14. Um levantamento da entrada do rio Serra Leoa..., *desenhado em 1787 pelo capitão Thompson do HMS* Nautilus, *que escoltou três navios levando negros da Inglaterra. Um povoado negro, com o nome "Assentamento dos N. Pobres", aparece junto à baía de São Jorge (centro)*

PÁGINA OPOSTA, ACIMA
15. Uma vista da Província da Liberdade, *mostrando o assentamento negro livre no morro de São Jorge, in* Voyage à la Rivière de Sierra-Leone sur la côte d'Afrique..., *publicado em 1797, Paris, pelo capitão John Matthews, da Marinha Real*

ACIMA
16. Tenente John Clarkson, da Marinha Real, *artista desconhecido, c. anos 1790, miniatura (coleção particular)*

NO VERSO
17. *A frota negra saída da Nova Escócia com destino a Freetown, Serra Leoa, desenhada pelo tenente John Clarkson em seu diário manuscrito,* Mission to America, *1791-2. O brigue* Lucretia, *a nau capitânia de Clarkson, aparece no alto à direita (Collection of the New-York Historical Society)*

336

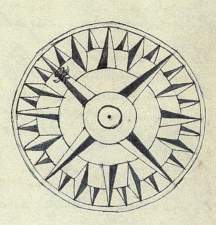

NO ALTO
18. *A frota negra ancorada no rio Serra Leoa*, pintada por John Beckett em 1792, aquarela

ACIMA, DIREITA E ESQUERDA
19 e 20. *A moeda de um dólar, 1791, cara e coroa, emitida pela Companhia de Serra Leoa*

PÁGINA OPOSTA
21. *Negras de Serra Leoa*, Francis B. Spilsbury, 1803, desenho, publicado em seu Account of a voyage to the Western Coast of Africa: performed by His Majesty's sloop *Favourite*, in the year 1805... [*Relato de uma viagem à costa ocidental da África: realizada pela chalupa de Sua Majestade* Favourite, *no ano de 1805...*], publicado em 1807, Londres

Negresses of Sierra Leone.

22. *Frederick Douglass, daguerreótipo, c. 1840-50*

para o reverendo Brudenell em Digby, que o guardou na igreja até ser recolhido por um certo Richard Hill, que por sua vez trancou a comida em seu porão, tornando-se o árbitro de quem pegaria o que e quando. Logo ficou claro que a farinha e a carne de porco só seriam aquinhoadas aos que concordassem em trabalhar na estrada de Digby para Annapolis, e isso na boa estação do ano, quando deviam estar limpando seus próprios terrenos. A promessa tinha sido alimento por três anos; o que receberam, se tivessem trabalhado na estrada, foi comida por três meses.

Então iam ser peões de novo, não iam? Brandir uma picareta e suar o sangue por um tiquinho de comida para ficar vivo? Era essa a promessa? Não, pois Peters sabia que o governo em Londres tinha feito questão de declarar que não precisariam se tornar peões assalariados e ficar sob as ordens de terceiros. Sir Guy Carleton, que tinha achado uma boa ideia manter os Pioneiros juntos para as obras públicas, também havia insistido que esse tipo de trabalho devia ser estritamente voluntário.[6] Mas aquilo mais parecia a escravidão de que tinham se livrado quando foram embora e juraram lealdade ao rei. E talvez fosse isso o que os legalistas brancos queriam, pois, desde a época em que todos partiram nos navios, os brancos deixaram absolutamente claro que achavam muito indelicado que tantos negros bancassem os importantes e ficassem sempre choramingando seus direitos. Voltava-se sempre à questão da terra, pois sem ela, e terminada a farinha e a carne de porco, que escolha tinham a não ser aceitar contratos de trabalho de vários anos para si, para as esposas e os filhos? As famílias se separaram, a preciosa liberdade não passava de palavra vazia.

O que tornava a situação ainda mais difícil era que os legalistas *brancos* pareciam não ter grandes problemas para se estabelecer em suas áreas. Nunca ninguém tinha dito, nem em Londres, nem em Halifax, que haveria diferença nas terras dos brancos e dos negros, apenas no tamanho dado aos oficiais (mil acres) e aos soldados rasos (cem acres). Quanto aos "refugiados comuns" — os que não tinham servido no Exército —, receberiam os mesmos cem acres, e mais cinquenta acres por cada membro da família. E decerto havia terra suficiente para distribuir a todos os 40 mil que tinham partido de Boston e Charleston, de Savannah e Nova York? Metade dos 26 milhões de acres da Nova Escócia tinha sido reservada para os legalistas, embora o governo tivesse separado o que poderia ser necessário para a extração de madeira para navios. (A madeira dos pinheiros e dos abetos vermelhos dava mastros fortes e flexíveis.)

Mas o governo também havia determinado que a terra seria distribuída proporcionalmente às perdas sofridas na América. Os que haviam sofrido perdas maiores receberiam maiores parcelas, e além disso receberiam antes dos que julgaram ter perdido pouco. Assim, os primeiros da fila eram os legalistas que antes possuíam fazendas, plantações — e escravos; depois os moradores das cidades, comerciantes e advogados; então os soldados comuns — não só ingleses, escoceses e irlandeses como também muitos hessianos e outros alemães que tinham embarcado nos navios. Lá no final da fila, claro, estavam os negros, os quais, julgava-se, não tinham perdido nada, afora os grilhões.

Assim, a mesma crítica feita aos Negros Pobres de Londres quando foram pedir o que lhes era devido — que deviam estar profundamente agradecidos à Sua Majestade pela liberdade e se sentir muito contentes com os restos, depois que os outros súditos leais tinham se servido — agora se ouvia em Halifax, Shelburne e Annapolis. Em vez dos cem acres de terra, seriam uns felizardos se recebessem de vinte a trinta, e mais, se tivessem sorte, um pequeno lote de "terreno urbano" para construir uma cabana. De modo geral, aqueles poucos acres seriam numa terra tão pedregosa ou tão densa de mato virgem que pouca utilidade teria para os brancos. Quase metade dos 3,5 mil negros — 10% da população legalista da Nova Escócia — acabou sem terra nenhuma.

Em resposta às reclamações de Peters sobre o atraso na distribuição das áreas, disseram-lhe que era de fato deplorável, mas que ele devia entender que havia uma lamentável falta de gente para fazer o levantamento topográfico da região e que a planta então tinha de ir primeiro para o gabinete do governador em Halifax e depois voltar para o agrimensor das Florestas do Rei, e que ele devia ter em conta que tudo isso levava tempo. Mas, de fato, em agosto de 1784 os teodolitos entraram em intensa atividade nas matas e na costa, e 20 mil legalistas brancos conseguiram de alguma maneira ocupar seus acres, ao passo que praticamente nenhum negro — nem, aliás, os soldados brancos desmobilizados — tinha sido assentado.[7] Foi aí que, frustrados com os atrasos, desconfiando que muitos deles eram deliberadamente manipulados para que os brancos em Digby e Annapolis pudessem explorar os negros como mão de obra barata, Peters e Steele haviam escrito direto ao governador John Parr em Halifax. Em nome de seus colegas Pioneiros Negros, eles perguntavam se as promessas feitas pelo general Clinton seriam cumpridas. Pois "quando a guerra acabou a gente devia ter nossa própria Liberdade para trabalhar e nos sustentar, o que desde que viemos para cá [...] não recebemos [...] a gente vai ficar muito agradecido a Vossa Excelência se tiver a bondade de conceder os Artigos autorizados pelo Governo para nós igual ao resto dos Soldados Licenciados do Exército de Sua Majestade".[8] Quanto às provisões devidas a eles, tinham sido detidas (pelos equivalentes do reverendo Brudenell) e "a gente [...] vai rezar sempre por Vossa Excelência se o senhor for tão bondoso que Mande Cumprir o que o Governo autorizou para nós igual ao resto". Parr, para o qual a própria existência de legalistas negros foi uma surpresa, visto que lorde North não se dera ao trabalho de informá-lo, na verdade não foi contrário. Escreveu ao agrimensor em Digby e Annapolis, o major Thomas Millidge, dizendo que aos peticionários negros deviam ser concedidas "as mais vantajosas Condições" e que ele devia "atender a seus desejos até onde estiver ao seu alcance".

Nada na Nova Escócia, porém, era simples assim. Em março de 1785, Millidge, que também estava preocupado com os negros, havia feito a medição e distribuído terrenos de um acre para as casas em Brindley Town, bem como os pequenos sítios de vinte acres aprovados por Parr. Na expectativa do despacho final, os negros estavam morando em Little Joggin, e depois de muito trabalho tinham conseguido algumas hortas onde plantavam um pouco de milho, nabos e batatas. "Os Negros estiveram num estado muito precário neste local até o verão passado [1784]", informou Millidge, até que "a certo custo [...] várias dessas pessoas construíram cabanas confortáveis onde agora têm a perspectiva [...] de ter, com diligência, um meio de vida confortável".[9] Mas em julho do mesmo ano, não muito antes do prazo em que, por fim, deveriam receber seus sítios, Millidge foi avisado por Charles Morris, o agrimensor das florestas do rei em Halifax, que infelizmente ele parecia ter cedido aos negros terras que já estavam reservadas para a Sociedade da Divulgação do Evangelho. A única saída era transferir as pessoas. Em defesa dos negros, Millidge insistiu que, "como os Negros agora estão no condado, os princípios de humanidade ditando que eu os torne úteis para si mesmos e para a sociedade, cabe lhes dar uma boa oportunidade para viver e não os perturbar".[10] Seu apelo caiu em ouvidos moucos. Não lhes deram terra nenhuma. Os negros tiveram de se virar como podiam.

Thomas Peters agradeceu a solicitude de Millidge. Mas estava farto da Nova Escócia: farto de seus militares formalistas, da soldadesca licenciada branca hostil e ressentida, dos sacerdotes santarrões, dos funcionários procrastinando as coisas, dos magistrados parciais. No outono de 1785, ele atravessou a baía de Fundy até a recém-criada província de New Brunswick, cujo governador era Thomas, o irmão de Sir Guy Carleton. Lá talvez recebesse um tratamento melhor, para si e para seu povo.

    Dentro e fora de Halifax, Parr, o "Garnizé Emproado", tinha lá seus inimigos — para começar, os que lhe deram o apelido, por ser um sujeito pequeno, estourado, com certo andar pomposo e marcial, embora ultimamente mancasse por causa da gota. Parr podia ser meio cabeçudo, mas, por outro lado, ser governador da Nova Escócia em 1783 era um cargo pouco compensador. Ele ainda era um daqueles tenentes-coronéis anglo-irlandeses aos quais os ingleses tinham confiado as tarefas mais ingratas do Império, como a evacuação após a fragorosa derrota americana. Toda a sua vida foi a serviço do Império: tinha sido secretário de James Wolfe (por meio do qual deve ter conhecido lorde Dunmore) e fora ferido muitas vezes na linha da Vigésima Infantaria. Portanto, não fazia parte de seu caráter recuar perante o dever. Além disso, para alguém que até então havia governado apenas a Torre de Londres (função que lhe valera o papel de vil carcereiro de Henry Laurens), a Nova Escócia era sem dúvida uma promoção. Lorde North fez sua nomeação em 1782, antes que a guerra tivesse oficialmente terminado, e enviou Parr à província para verificar se era adequada para receber as esperadas dezenas de milhares de refugiados legalistas.

    Para os políticos de Londres que decidiram converter a Nova Escócia no principal asilo dos legalistas despossuídos e desalojados, suas principais credenciais eram a proximidade de Nova York e da Nova Inglaterra e o território vazio. Em 1782, às vésperas da imigração legalista, havia apenas 10 mil moradores na província. Mas alguns viam a península atlântica, pedregosa e forrada de mata virgem, como algo muito mais grandioso. A Nova Escócia seria onde ressuscitaria uma nova América britânica. Ao contrário do Québec, não havia nenhuma grande população francesa obstinadamente católica para complicar as coisas. Dado o vasto território despovoado, metade do qual poderia ficar disponível para os imigrantes, North e Parr esperavam que cada legalista, se quisesse, poderia ter pelo menos quinhentos acres para recomeçar a vida. Quanto àqueles dois artigos sem os quais um Império americano jamais poderia prosperar — madeira e bacalhau —, existiam em abundância na Nova Escócia. Havia caça sob a forma de alces e cervos de rabo branco, e fortunas corriam por ali nas costas peludas das martas e ratos almiscarados. O clima era um inegável desafio: muitos palmos de neve no inverno, borrachudos no verão. Mas, com grande parte da orla banhada pela corrente do Golfo, benevolamente quente, a Nova Escócia era menos inóspita do que muitos supunham. Pelo menos era o que informavam os primeiros relatórios.

Não estavam totalmente errados. Ainda que a população esparsa se espalhasse pela costa comprida e cheia de meandros e nas ilhas baixas, deixando as florestas do interior para os lobos e os *mikmaqs* nativos, Halifax era a Bela Adormecida à espera do beijo do Império. Era uma combinação perfeita de porto e forte, situada num enorme abrigo natural, a boca escancarada de uma enseada com quase cinco quilômetros de largura. Os engenheiros portuários de meados do século XVIII deviam ter grandes ambições para o futuro dela, pois fizeram um porto com capacidade para abrigar mil navios ancorados e depois o cercaram com um muro grosso de granito. Na ponta ocidental do porto erguia-se um morro íngreme, e na encosta, filas de ruas cascalhadas, algumas com mais de dezesseis metros de largura, já estavam cheias de lojas — de velas, de chapéus, de armarinhos — e de casas altas e estreitas, com estrutura de madeira, subindo a ladeira, pintadas de branco ou amarelo-gema num alegre contraste com o cinza-ardósia do mar. Aos sábados, os agricultores de Dartmouth, Preston e outros vilarejos próximos apareciam em suas carroças com repolhos e nabos; as ruas se enchiam de gente de toda espécie, e as cervejarias de Halifax vendiam a rodo. Os sotaques que se ouviam nas tavernas escuras eram, como sempre, de irlandeses e escoceses das baixadas, mas também o arrastado do Maine e a fala de Massachusetts comendo letras dos oriundos da Nova Inglaterra, que haviam levado para o Norte sua experiência marítima e seu faro para negócios nos anos 1750 e 1760. Havia também outros estilos de linguagem mais carregados: as guturais travadas dos luteranos alemães e o patoá francês com a tônica nos ditongos dos acadianos, os afortunados que tinham conseguido fugir do Maine atravessando a baía de Fundy no começo dos anos 1750, antes que os ingleses, num surto de limpeza étnica estratégica, deportassem os restantes lá para o Sul, na Louisiana.

O morro, que olhava para o porto e para a cidade de Halifax, era encimado por uma cidadela tremendamente murada e armada, com pesados canhões apontando para o mar, para deter qualquer ideia de algum insolente ataque francês (ou, agora, americano). Logo abaixo do forte havia uma torre de relógio, e em torno da igreja diocesana anglicana de são Paulo (onde os negros eram banidos para os balcões) havia se formado uma pequena praça. Nos meses mais amenos do verão, a elite da cidade passeava à opaca luz do entardecer, tirando os chapéus, girando as sombrinhas e inclinando os bonés, enquanto as crianças rolavam bambolês como se — podia-se jurar — estivessem tomando a fresca em Bath ou Lyme Regis. Havia cafeterias, cordoarias, palácios da justiça, mercearias, cassinos, teatros, casas de espetáculos musicais, jornais, charlatães e meretrizes. Havia o Clube Britânico do Norte, onde os escoceses podiam prosear, trocar informações pessimistas sobre a situação terrível do comércio e menear a cabeça às loucuras deste mundo. Havia o Clube do Peixe Salgado, onde os anglo-irlandeses podiam falar mal dos escoceses e passar a garrafa. Havia rezas e gritarias, apostas e seduções. Era como inúmeras outras cidades comerciais setecentistas do império atlântico britânico: gananciosa, mexeriqueira, provinciana, com os olhos muito maiores do que a barriga.

Mas Halifax estava na escala certa para as ambições irrequietas de alguém como Michael Wallace, o negociante nascido na Escócia que embarcava produtos manufaturados de Glasgow e com eles comprava tabaco do rio James e açúcar mascavo de Havana, que vendia na Nova Escócia, junto com carvão de Cape Breton e linho irlandês. Wallace era o rei do morro de Halifax: presidente da Sociedade Britânica do Norte, o membro mais perspicaz do Conselho Executivo do governador (sem o qual o dito governador não mandaria acabar com os gatos de rua), tesoureiro da província, encarregado das estradas (uma bela fortuna a se fazer aí) e magistrado na Corte de Direito Civil, juiz da Corte do Almirantado. Com um olho nos aluguéis, Wallace também era proprietário de consideráveis extensões de terra perto de Dartmouth, do outro lado do rio Halifax, até Preston a leste. Mas Wallace não era só homem de negócios. Como toda sua turma na Velha e na Nova Escócia, ele praticava a caridade. A moeda que punha no prato de coleta dominical reverberava com um som grave, e não havia nada que ele não fizesse para fornecer aos infelizes órfãos uma formação cristã que os convertesse em probos britânicos para o novo Império americano — talvez marinheiros ou até comerciantes. Mas dentro de certos limites, claro; para existir ordem, tudo precisava de limites.[11]

À pequena Halifax de Michael Wallace, próspera e meticulosamente administrada, com suas ligações mercantis americanas (muitas delas com estados que cultivavam tabaco e cana-de-açúcar com trabalho escravo), na primavera, verão e outono de 1783 afluíram os aflitos, os amargurados e os amedrontados, às dezenas de milhares. Esses americanos britânicos tinha perdido muito, mas acima de tudo sua confiança de que ser britânico era o destino mais venturoso possível, visto que significava partilhar da onipotência imperial. Existe alguma coisa no mundo que seja mais patética e ao mesmo tempo mais desagradável do que a arrogância obstinada transtornada pela derrota? Todo dia essa gente temperava a sopa com o rancor. O que piorava a amargura deles era o fato de que, na grande maioria, nem eram realmente os abastados. Os que possuíam grandes fortunas tinham voltado à Inglaterra, para tentar esquecer que algum dia haviam sido americanos; ou foram para as Índias Ocidentais para refazer a fortuna com açúcar e os escravos que tinham trazido da Geórgia, da Carolina e da Flórida Oriental. Os refugiados na Nova Escócia eram, em grande parte, remediados que tinham apostado no cavalo errado — agricultores, pequenos comerciantes, advogados excêntricos; gente acostumada a um estilo de vida decente, que costumava incluir criados negros em casa para servi-los e peões para ajudar com as vacas, nos arados ou na cozinha. Um exemplo típico era Abraham Cunard, da Filadélfia: ele tinha uma pequena empresa de navegação no Chesapeake, havia mantido uma lealdade ferrenha à Coroa e partiu com o Exército britânico. Esperava, mesmo que fosse apenas com suas habilidades — carpintaria e construção de barcos — e com o trabalho dos filhos e uma concessão do governo, reiniciar a vida. A única coisa de que precisavam era um empurrãozinho para começar.

Alguns desses remediados receberam terra e colocação em Halifax, Annapolis e cercanias. Mas logo Halifax começou a transbordar pelas tampas. Parr, em carta a Guy Carleton, escreveu que "não há nenhuma Casa ou Teto para dar Abrigo a eles [os legalistas] [...] E se acrescento a Escassez e dificuldade de fornecer combustível e madeira para construção que é ainda maior, as muitas inconveniências e grande infortúnio que essas pessoas hão de sofrer se alguma vier para esta Província neste Inverno vão se mostrar claramente".[12]

Seria ainda pior para os que não eram remediados, pensou outro agrimensor, Benjamin Marston, o ex-comerciante de Massachusetts formado em Harvard. O que ele viu saindo dos navios foi simplesmente "um ajuntamento de tipos muito inadequados para o negócio em que tinham se metido, Barbeiros,

Alfaiates, Sapateiros e todas as espécies de artesãos criados e acostumados a viver em cidades grandes [...] com hábitos muito inadequados para empreitadas que exigem robustez, resolução, esforço e paciência".[13] O território de Marston, lugar onde em 1785 iria parar quase metade dos legalistas, por volta de 12 mil entre negros e brancos, tinha o nome de Port Roseway, e ficava a cerca de 210 quilômetros a sudoeste de Halifax, dando toda a volta pelo litoral extremamente denteado. Não havia estradas, de modo que a única maneira de viajar era seguir a costa perigosa e, enfrentando os ventos imprevisíveis, entrar nos poucos ancoradouros seguros — Liverpool, Yarmouth ou Lunenburg. Lá o viajante seria recebido por alguns barcos pesqueiros e pela velha escuna, ou mesmo por um brigue de dois mastros ancorado no pequeno porto; pelo coro rouquenho de gaivotas-prateadas e cormorões; pelo mais simples cais de tábuas rústicas; por uma pequena taverna com tabuleta mostrando a cara de um rei, duque, general ou almirante; um amontoado de chalés caiados de branco; e, invariavelmente, por uma igreja ou capela de madeira (ou ambos, pois os entusiasmos devocionais dos pescadores e construtores de navios eram muito peculiares). Em alguns locais onde a congregação e seu pastor achavam que tinham a revelação especial da Providência, a igreja ostentava uma agulha ou torre de campanário, com a estrutura às vezes realçada em preto, o que acabou se tornando o estilo próprio da península.

Assim seria em Port Roseway, cujo nome original era uma espécie de mistério para os milhares que chegavam. Como tanto ocorreu no Canadá, onde um fino verniz britânico foi aplicado a uma presença mais antiga, mais forte, mais arraigada, o nome de aparência inglesa ocultava um passado francês. Os marinheiros de Acádia, descendentes dos pescadores bretões, deram aos dois braços em ângulo oblíquo de um porto natural que cortava os bancos de areia o nome de Port-Rasoir, pela semelhança que tinham com os mariscos-faca que se espalhavam nas praias e angras. Os pescadores da Nova Inglaterra que haviam substituído os acadianos expulsos já tinham criado a corruptela "Roseway" para "Rasoir". Mas o porto, que em apenas cinco anos cresceria até se tornar a cidade mais povoada da América britânica (na verdade, com 12 mil habitantes, a quarta maior cidade de toda a América do Norte), precisava de um nome mais enfaticamente britânico. Assim, decidiu-se que o lugar receberia o nome do ministro do Tesouro e primeiro-ministro. Em 20 de julho, o governador Parr, num giro oficial pelos povoados legalistas, chegou à baía;

juramentou cinco juízes de paz, inclusive Benjamin Marston, um notário e um juiz de homicídios; providenciou a delimitação de quinhentos acres para uma residência de verão para ele; e então, da varanda de uma das maiores casas do local, declarou oficialmente que, a partir daquele momento, a cidade seria conhecida como Shelburne.[14]

Não era um bom começo. Lorde Shelburne, afinal, era o ministro que os legalistas consideravam o principal responsável pela traição que haviam sofrido, pois fora muito afoito em evacuar tropas britânicas que podiam ter exercido pressão para a restituição das propriedades confiscadas. Mas virou Shelburne, e Shelburne ficou: no começo um lugarejo apertado e desleixado que lutava para parecer cerimonioso (os maçons estavam em grande evidência) e que na verdade era bastante rústico. Com navios chegando toda semana para vomitar sua carga de exilados infelizes, inseguros e amedrontados, os molhes e as ruas que saíam de lá ficavam entupidos de baús amontoados e filas de barracas para abrigar os recém-chegados. Outros permaneciam nos barcos atracados onde se acendiam fogos à noite e as arruaças se ouviam em terra. E no meio de tudo aquilo havia cerca de mil soldados desmobilizados, infelizes e empobrecidos, o núcleo dos tumultos.[15] Havia uma escolha de mais de vinte tavernas onde podiam beber até perder os sentidos: as espeluncas de McGragh ou da sra. Lowrie, onde xingavam, vomitavam e brigavam. O pugilismo sem luvas, de punhos nus, se tornou um dos espetáculos favoritos, pois o Exército era um famoso viveiro de boxeadores; eram lutas cruéis que se arrastavam longamente, e só a exaustão e uma cara reduzida ao que os redatores de boxe, como Pierce Egan, chamavam de "papa vermelha" punham fim à questão e então se acertavam as apostas. Logo surgiram as casas de má fama, onde os soldados podiam descarregar suas paixões e se expor aos usuais furtos e infecções. Sempre que podiam, os legalistas de Shelburne dançavam, embora não houvesse muito motivo de comemoração para dançar. Dançavam nas tavernas e dançavam nas ruas entre os tocos de árvores, com suas jigas noturnas à luz de fogueiras. Assim, por ora, Shelburne era uma Wapping litorânea onde as capelas improvisadas dos virtuosos ficavam pegadas aos antros sujos dos pecadores.[16]

Nessa vila dos barracos, apertada e briguenta, lamacenta quando chovia, empoeirada em tempo seco, qualquer coisinha desencadeava situações feias. Havia madeira por toda parte, e os incêndios eram frequentes, as chamas subindo de repente dos produtos secos empilhados nas ruas durante o descarregamento dos navios que chegavam. Alguns achavam que o fogo era ateado de propósito pelos ressentidos e cobiçosos.[17] O desejo desesperado dos responsáveis pela administração da cidade era de que a população fosse atendida o mais rápido possível com a única coisa que era infalível para acalmar os ânimos: terra.

Era Benjamin Marston que supostamente devia consegui-la para eles. Embora não tivesse nenhuma experiência anterior em agrimensura, Marston, negociante legalista de Massachusetts, trabalhava o mais depressa possível para "assentar" as pessoas em seus lotes, sabendo que longas demoras só aprofundariam as suspeitas (fundamentadas) de que um pequeno grupo de legalistas abastados tinha algum tipo de aliança com os homens enviados de Halifax, como ele mesmo, para se adiantar e pegar as melhores terras. Esnobe, Marston resmungava o tempo todo contra os indivíduos sem educação, sem instrução e sem escrúpulos que tinham sido nomeados "capitães" de empresas legalistas em Nova York ("cavalheiros e, claro, suas esposas e filhas, damas sem natureza nem educação para aquele nível") e que agora desfilavam com ares muito altaneiros e poderosos. Pior, os capitães dessas "companhias" em que os legalistas haviam sido divididos — para fins mais administrativos que militares — formavam uma turma suscetível, muito dada a lançar desafios e travar duelos. Tudo isso deixava Marston nervoso. Em 4 de junho de 1783, num espetáculo de provocação truculenta exatamente um mês antes de os americanos comemorarem sua independência, os legalistas de Shelburne insistiram em celebrar o aniversário do rei, e além disso ao estilo anglo-americano tradicional, com bandeiras, hinos e os costumeiros fogos de artifício. Com tanta coisa para fazer, Marston se irritou com o desaforo gratuito da ideia. Mas o clima da Nova Escócia o ajudou no papel de balde de água fria: "Ao entardecer", registrou ele regozijando-se com o revés, "algumas belas pancadas de chuva que vieram muito oportunamente impedir os efeitos negativos de um absurdo *feu de joie* que foi encenado na boca da noite e que teria inflamado as ruas em cem lugares se não fosse a chuva. Um Baile hoje à noite — nosso Grupo inteiro vai, menos eu, e estou muito feliz de estar ausente".[18] No dia seguinte, todos menos Marston estavam dormindo para curar a ressaca. "Essa pobre gente é como um rebanho sem pastor", observou ele com sua habitual superioridade.

Era como se Marston, de colete e mangas de camisa puxando as linhas de medição nas matas enquanto sofria as picadas impiedosas dos borrachudos, estivesse revivendo seus piores dias em Boston, antes da revolução. Lá, antes de partir em 1776, Marston vira uma comunidade dilacerada pela má vontade entre plebeus e patrícios, e o governo levando a culpa. Em Shelburne, também o "espírito republicano", motivo de suas reclamações, era agravado pelo egoísmo da minoria que, de alguma forma, conseguiu arrebanhar os melhores lotes de cinquenta acres. Ele não sabia bem como aquilo acontecia, pois a distribuição seria por sorteio, mas tinha lá suas desconfianças. E Marston tentou se manter em guarda contra os especuladores e aventureiros de Halifax que se faziam de desamparados, ou mesmo contra pessoas à primeira vista inocentes que lhe davam presentes, como um certo capitão Maclean, que lhe enviou uma grande tartaruga verde, finíssima iguaria. "Agora fico em obrigação com ele. Ele está para receber um terreno residencial, mas isso não pode cegar meus olhos. Precisa disputar a mesma sorte dos vizinhos que não têm tartarugas para mandar." Não que Marston não tivesse uma visão mais grandiosa do que podia ser Shelburne; uma cidade elegante, com fineza e civilidade, ruas largas e arborizadas num clássico modelo de retícula urbana. Mas, com aquele material humano tão pouco promissor para povoar essa cidade ideal, ele se indagava se algum dia tal visão se materializaria.

No entanto, havia uma parcela da população que Marston achava que merecia atenção especial, e que, se fosse tratada de forma decente, retribuiria com lealdade e perseverança: os negros livres. Cerca de 15% dos legalistas que chegavam à Nova Escócia eram negros — talvez 5 mil ao todo —, embora apenas metade ou dois terços fossem britânicos livres, emancipados por ter servido na guerra (alguns outros "servos", como eram designados eufemisticamente, tinham recebido a alforria ao chegar). Parr e o conselho de Halifax tinham decidido dispersá-los pela província, o maior número indo para a área de Shelburne, onde os negros compunham quase metade da população. Mas grupos de cinquenta a cem famílias, entre elas a de Liberdade Britânica, se estabeleceram em Preston (sobretudo na área de Wallace), na região de Digby do outro lado do rio Annapolis, onde Peters tinha tentado se assentar; alguns outros estavam no local que logo se tornaria New Brunswick, e alguns, os mais afastados de todos, estavam na acidentada costa atlântica, a cerca de 160 quilômetros de Halifax, no condado de Guysborough, batido pelas águas do oceano.

Quinhentos negros foram para Shelburne na primeira onda de imigrantes, no verão de 1783. Muitos conseguiram trabalho imediatamente, pois era uma boa época para ser carpinteiro ou serrador, e se alojavam na cidade. Mas os legalistas brancos tinham sentimentos ambíguos em relação à presença de tantos negros soltos entre eles. Por um lado, dependiam de sua mão de obra barata. Por outro lado, ficavam furiosos com a insolência que os negros livres espalhavam entre seus escravos e criados domésticos. Quanto às "Folias Negras", de uma indecência chocante — tocar percussão, saltar, dançar, cantar —, tais divertimentos exuberantes eram vistos com maus olhos e acabaram sendo proibidos em Shelburne. Assim, infrações barulhentas ou licenciosas podiam resultar num tempinho na Casa de Correção. Também havia reclamações contra as brigas entre os negros, mesmo entre as mulheres. Uma certa "Negra Sally" foi mandada para a Casa de Correção por ter se pegado com "Diana, uma Negra", a qual, segundo Sally e sua amiga Jemimah, tinha lhe batido com um pau e uma baioneta! As três, Diana, Sally e Jemimah, foram condenadas a um período no reformatório, e Jemimah a dez chicotadas nas costas, por ter se metido na história.[19] Assim, quando mais 409 imigrantes negros livres — incluindo Henry Washington, Boston e Violet King, Cathern van Sayl e seu bebê Peter "Nascido nas Linhas Britânicas" — chegaram a Shelburne em agosto, a bordo do *L'Abondance*, decidiu-se que a única maneira de lidar com esses problemas seria criar um outro povoado, a dez quilômetros de Shelburne propriamente dita.

Em 28 de agosto, Marston foi inspecionar o local no braço noroeste da baía. Estava acompanhado por vários capitães negros livres que tinham sido nomeados para as "companhias" a bordo, entre eles Nathaniel Snowball, que pertencera à sra. Shrewsbury no condado Princess Ann, Virgínia; Caesar Perth, ex-escravo de Hardy Waller em Norfolk; e John Cuthbert, de Savannah. Mas o homem em que Marston mais confiava era o coronel Stephen Blucke — coronel apenas porque sucedera o chefe guerrilheiro da Brigada Negra de Nova York, o "coronel Tye", que havia morrido. Mas Blucke era feito de outro estofo, mais refinado do que Tye ou, a propósito, Snowball e Perth. Mulato livre de Barbados, era tão instruído que foi contratado tanto para dirigir uma escola da Sociedade de Divulgação do Evangelho quanto um navio pesqueiro. Como disse um oficial branco sem conseguir disfarçar o assombro, Blucke se conduzia "como um homem de trato surpreendente, sendo perfeitamente educado", enquanto sua esposa Margaret, também uma mulata livre, se comportava e se vestia da mesma maneira, dando-se ares muito semelhantes.[20] Os brancos achavam muito engraçado encontrar um negro que tomava como questão de amor-próprio usar um casaco de boa qualidade, uma camisa de folhos, um tricórnio, peruca e meias, o que produzia excelente efeito com o acessório da bengala. Pois não é que volta e meia chegava a ser visto aspirando uma pitada de rapé?[21] O fato de Blucke ter pretensões de ser considerado o fidalgo, magistrado e patriarca da nova cidade negra ficou claro quando mais tarde ele adquiriu, com a ajuda de Stephen Skinner, seu patrono legalista de Nova Jersey, cerca de duzentos acres de terra onde demarcou as linhas de uma casa tão imponente quanto as da King Street de Shelburne.[22]

Vinte anos antes, um especulador imobiliário chamado Alexander McNutt tentara criar uma colônia pesqueira e agrícola com imigrantes irlandeses no braço ocidental de Port Roseway. Com o usual otimismo de um incentivador, deu-lhe o nome de Nova Jerusalém, embora na verdade tenha durado poucos anos.[23] E a área reservada para os negros — que certamente procuravam a Jerusalém deles — parecia, na melhor das hipóteses, um desafio. Quem atravessasse de barco veria as potencialidades de uma bela enseada de pesca, a água correndo suavemente para uma terra plana e pantanosa, coberta de caniços brilhantes. O insólito par de esguias bétulas prateadas se erguia perto da água, como se nascesse dos baixios. Garças cinzentas se empoleiravam nas altas rochas de granito liso, esperando oportunidades. Dois riachos, ambos tingidos de um estranho vermelho-âmbar transparente, devido às pedras com óxido de ferro — mas cheios de peixes miúdos e vivazes —, corriam em leitos seixosos para desaguar nos baixios. Mas, aos fundos do brejo se discernia a usual cortina ameaçadora de abetos azuis, de mistura a alguns grupos de carvalhos e bordos. Nos poucos lugares em que haviam surgido clareiras naturais após a queda de antigas árvores de madeira dura, havia grandes blocos de granito, elefantinos no tamanho e na cor, mas orlados de líquen vermelho e amarelo. Era um local terrível para se pensar em lavoura — embora, à primeira vista, não desoladoramente impossível. As matas prometiam alces e caribus, e os negros eram excelentes caçadores, com muita experiência. O mais importante de tudo é que seria finalmente uma cidade de britânicos negros livres, a primeira cidade negra livre daquele tipo em toda a América. Em honra ao oficial que lhes dera os certificados de liberdade, ela recebeu o nome de Birchtown. E, mesmo que seus fundadores não tivessem previsto, Birchtown se tornou o refúgio dos escravos fugitivos dentro da Nova Escócia. Marston escreveu em seu relatório que, tendo inspecionado a terra, Blucke e os capitães se declararam "bem satisfeitos com ela".[24]

Mas, tão logo se viu algum potencial na área de Birchtown, ela atraiu imediatamente a atenção dos capitães brancos mais poderosos que, para grande desagrado de Marston, insistiram que já haviam solicitado os melhores terrenos. Tinham enviado o próprio agrimensor deles, "um certo sr. Sperling", à ponta ocidental da enseada com uma trena para demarcar lotes de cinquenta acres, e incluíram a área de Birchtown. Sperling recebera dois dólares por cabeça para marcar os terrenos reivindicados sem ter "sequer a sombra de uma licença". Em detrimento de sua popularidade já declinante entre os legalistas brancos, Marston fincou pé em favor dos negros de Birchtown. Pagaria o preço por essa posição de princípio.

A escritura, porém, era quase uma coisa apenas nominal. Quando as famílias começaram a se mudar para o local — os Anderson (Daniel, de 31 anos, sua esposa Deborah, Daniel Jr., com dois anos, e Barbara, de colo); os Dixon (Charles, verdadeiro patriarca, 48 anos, a esposa Dolly, Miles, de dezessete anos, Luke, de catorze, Richard, de treze, Sophia, Sally, de seis, e Polly, com apenas dezoito meses); Mingo Leslie, que tinha lutado como Dragão Negro, com a esposa Diana e a bebê Mary; a família Quack, composta somente de mulheres (a avó Elizabeth, as filhas Jenny e Sally e as netas Katy e Polly) — logo ficou evidente que, para ter alguma chance de começar bem, Birchtown ia precisar de auxílio ativo de Shelburne, onde seria menos provável obter algum préstimo. Daniel Anderson se declarou "agricultor" e Charles Dixon disse que era carpinteiro, e ambos chegaram com machados, mas pouco podiam fazer sem serras e parelhas de bois e cavalos para retirar as pedras e tocos antes que as fortes nevascas impossibilitassem o trabalho e antes que as árvores mirradas pudessem dar seus brotos residuais de primavera. Todo aquele trabalho iria inevitavelmente demandar dinheiro, mas o único jeito de conseguir dinheiro era trabalhando para a cidade, coisa que, por sua vez, roubaria aos birchtownenses o tempo necessário para transformar aquele ermo numa horta e numa lavoura. Mesmo supondo que a coisa se pusesse em andamento, ainda precisariam de provisões do governo para passar o primeiro inverno.

Poucas dessas expectativas se concretizaram. No verão de 1784, Shelburne, agora com cerca de 9 mil habitantes, de fato deu um incentivo para continuarem a construir sua própria vila — mas não o tipo de incentivo que esperavam. Em 26 de julho, Marston anotou a ocorrência de "Grande Tumulto hoje", obra dos veteranos do Exército do rei, ainda sem pagamento e na maioria sem local de morada. Reduzidos à miséria e à humilhação, passaram a achar que os negros estavam roubando trabalho deles ao aceitar salários muito menores do que qualquer branco se disporia a aceitar. De fato, a maioria dos negros trabalhava de graça, recebendo apenas comida e por vezes alojamento, pois ficavam sem receber seus salários meses ou até anos a fio. Os soldados brancos puseram a culpa nas vítimas, os "neguinhos". Apareceram em bando, empunhando porretes, urrando que iam botá-los para fora da cidade. Vinte casas de donos negros foram demolidas, os poucos pertences saqueados, os próprios negros, homens e mulheres, foram obrigados a fugir. Benjamin Marston, acusado de favorecer os "neguinhos", foi um alvo especial. Desnecessário dizer que nenhum dos líderes dos legalistas brancos em Shelburne, com os quais entrara em conflito por interferir em suas reivindicações de terras, ergueu um único dedo em sua defesa. Sozinho, apavorado, temendo o pior, Marston fugiu para a caserna local e só arriscou a pôr o pé para fora no dia seguinte para pegar o primeiro navio de volta a Halifax. Sua saída às pressas, conforme logo descobriu, tinha sido muito prudente. Alguns amigos foram visitá-lo na semana seguinte e lhe disseram que, se não tivesse ido embora tão rápido, provavelmente não teria sobrevivido. "Acho que fui perseguido até Point Carleton e se tivessem me achado passaria um mau pedaço entre um bando de patifes miseráveis. Acho sinceramente que teriam me enforcado."[25] A quebradeira continuou por dez dias, há registros de episódios esporádicos de violência e intimidação durante pelo menos um mês. A situação se mostrou tão grave que o governador foi pessoalmente a Shelburne, onde, depois de ouvir as queixas locais e exercer seu talento para as soluções de conveniência, Parr decidiu botar a culpa em Marston, e não nos serviços do agrimensor em Halifax, pelo atraso em distribuir terra aos soldados.

Um dos que perderam a casa durante a revolta foi o pastor batista David George, descrito por Simeon Perkins, um comerciante local, como sujeito "Muito Barulhento", que tinha continuado a pregar para seus fiéis no templo de Shelburne, mesmo quando a turba cercou o local com tochas acesas, ameaçando lhe atear fogo.[26] Mas David George não era homem de abandonar sua fé, pois, enquanto o Senhor estava com ele, não temia nenhum mal.

* * *

A obra resistiria, mas quantas atribulações lhe haviam surgido no caminho! Em Charleston, em outubro de 1782, David George, a esposa Phyllis e os quatro filhos tinham sido tragados pelo pânico que marcou o final do domínio britânico nas Carolinas, e por algum tempo ele ficou apartado da família. Navios como o *Free Briton* acolhiam às pressas negros livres que, em sua maioria, tinham obtido a liberdade por serviços à Coroa. Agora eram livres, mas odiados. Os legalistas brancos, que mal lhes abriam algum espaço na prancha dos navios, os odiavam por semear ideias pérfidas e ridículas de liberdade entre seus servos e escravos. Os americanos brancos, que outrora tinham suas propriedades atendidas por eles, perseguiriam e, se pudessem, matariam esses negros livres. E os negros ainda na servidão, que embarcaram com seus senhores, lhes invejavam a liberdade.

Eram 22 dias de viagem até Halifax, e David George escreveu que passou "muito mal a bordo".[27] Talvez a vontade tão intensa de pregar e converter piorasse as coisas. No porto nova-escociano cercado de montanhas, David conseguiu encontrar seu antigo benfeitor, o general James Paterson, e pôde afinal se reunir a Phyllis e às crianças. Mas naquela cidade pessoas de sua cor não podiam pregar para os negros, e muito menos ministrar o batismo (na verdade, não podiam sequer rezar em St. Paul's junto com os brancos). Então, quando o general Paterson foi a Shelburne, David foi junto com ele, por ora deixando a família em Halifax. Na cidade cheia de barracas, ele descobriu "muitos de minha cor", mas se deparou outra vez com a desconfiança e o ressentimento dos brancos. Essa hostilidade reforçou sua vocação e deu a David George uma certeza mais sólida do que nunca sobre o que deveria fazer. Essa necessidade o fez resplandecer.

> Comecei a cantar na primeira noite, nas matas de um acampamento, pois não havia nenhuma casa construída [...] O povo Negro veio [de] longe e perto, e aquilo era muito novo para eles: continuei assim todas as noites da semana e marquei uma reunião para o primeiro dia do Senhor num vale entre dois morros, perto do rio: e veio uma grande quantidade de Brancos e Negros, e fiquei tão transbordante de alegria por ter mais uma vez a oportunidade de pregar a palavra de Deus

que, depois de ter cantado o hino, as lágrimas me impediram de falar. À tarde nós nos reunimos outra vez no mesmo local e recebi grande liberdade do Senhor.[28]

Liberdade do Senhor. Era tudo o que ele queria. Cantemos sua infinita bondade. Agora havia reuniões todas as noites, e os muitos que ainda não conheciam o Evangelho vinham a David. As vozes se elevavam. Havia exultação e testemunho de fé. Mas "a gente Branca [de Shelburne], os juízes e todos, fizeram um alvoroço e disseram que eu devia ir para a mata, pois não podia ficar ali".[29] E ele teria sido expulso se não fosse um branco bondoso (sempre havia algum branco bondoso), e este o conhecia desde Savannah e agora lhe deu seu próprio terreno para ficar e construir uma casa. "Então derrubei troncos, tirei a casca e fiz uma cabana ajeitada e o povo afluía para a pregação toda noite, durante um mês, como se viesse tomar a ceia." Quando o governador John Parr foi a Shelburne, levou Phyllis e as seis crianças, junto com provisões para a família George suficientes para seis meses, e declarou que ele teria um quarto de acre para plantar comida. Havia água corrente em seu lote, "conveniente para batizar a qualquer momento", e, quando começou a nevar, David e seus ajudantes ergueram uma plataforma onde os fiéis pudessem ficar, pois em geral andavam descalços — embora ainda não houvesse nada para lhes cobrir a cabeça.

Os irmãos e as irmãs vinham e salmodiavam suas experiências diante de David e Phyllis, como se estivessem na frente do Grande Juiz e Pai, e aí recomeçavam as preces, os sermões e os hinos, e então, pouco antes do Natal, se deu o primeiro batismo no pequeno Jordão deles; e as paredes do templo se ergueram e todos os meses havia mais batizados, mesmo quando a água congelou. No verão seguinte, o rebanho contava com cinquenta batistas negros e o templo agora dispunha de piso e telhado, mesmo que ainda não tivesse nenhuma cadeira nem púlpito. Os George agora estavam num aperto danado, pois tinham gastado seus cobres para comprar pregos para o templo. Foram salvos graças à intervenção dos Taylor, um casal de missionários batistas de Londres, que lhes deram mudas de batatas. Agora a voz de David se fazia ouvir tão alto e sua obra de Deus era tão famosa que começou a aparecer gente branca, vindo bem além de Shelburne, primeiro por curiosidade e depois por intensa vontade; e isso era uma dádiva, mas também um problema. Um certo William Holmes, que morava em Jones Harbour, convertido à luz, mas ainda não purificado, foi até Shelburne em sua escuna, procurou David e lhe pediu para ir pregar na costa de Liverpool, o que ele fez, e, embora fosse uma congregação mista, quando David pregou os "cristãos se alegraram e juntos partilhamos um pequeno paraíso".[30] Então William e Deborah Holmes voltaram com David a Shelburne, deram o testemunho de fé na igreja e seriam batizados no Dia do Senhor.

> Seus parentes ficaram muito bravos; fizeram um escarcéu e tentaram impedir o batismo. A irmã da sra. Holmes, em especial, agarrou-a pelos cabelos para que ela não entrasse na água, mas os juízes de paz mandaram que se acalmasse e disseram que, se a sra. Holmes queria ser batizada, que o fosse. Então todos ficaram quietos. Logo depois disso, a perseguição aumentou tanto que achei que devia sair de Shelburne. Vários dos Negros tinham casas em meu lote; mas quarenta ou cinquenta soldados dispensados foram contratados e vieram com cordames de navio e derrubaram completamente minha residência e todas as casas deles e a Casa da Congregação eles teriam incendiado se o próprio cabeça da turba não tivesse impedido. Mas continuei a pregar nela até que uma noite eles vieram e se puseram na frente do púlpito e rogaram praga do que me fariam se eu pregasse outra vez. Mas continuei como pregador e no dia seguinte eles vieram e me deram pauladas e me arrastaram para um brejo. Voltei à noite e levei minha mulher e meus filhos para Birch Town, do outro lado do rio, onde os negros estavam assentados e lá parecia ter maior perspectiva de fazer o bem do que em Shelburne.[31]

Essa sensação de ter encontrado asilo em Birchtown durou poucos meses, pois os metodistas tinham feito bastante trabalho por ali. O missionário metodista William Black chegara em 1784 e encontrou duzentos fiéis ouvindo os sermões de Moses Wilkinson, o Cego. Black e Papá Moses eram ciosos de seu rebanho, e nenhum dos dois viu com muita simpatia o que entendiam ser a captura de apóstatas. Quando deram a saber sua posição em termos nada vagos, David decidiu retornar a Shelburne, de modo que atravessou de volta a baía, cortando o gelo com uma serra de braço, só para descobrir que seu templo tinha se transformado numa taverna. "O Negro Velho queria fazer desse lugar um paraíso", trombeteou o taverneiro em sua ausência, "mas eu vou fazer daqui um inferno." No entanto, ainda restavam amigos suficientes na cidade para providenciar sua restauração, e no ano seguinte, 1785, se iniciou o renascimento.

Nos anos seguintes, o "negro David" se tornou missionário itinerante, indo a pé de uma ponta a outra da Nova Escócia, criando sete igrejas batistas da "Nova Luz" e nomeando diáconos quando seguia em frente. Então foi para o norte, atravessando a baía de Fundy até New Brunswick, onde já era tão famoso por suas hosanas, suas exclamações molhadas de lágrimas e seus batizados em massa que, quando atracou em St. John, "algumas das pessoas que queriam ser batizadas ficaram tão alegres que largaram o serviço e deixaram seus senhores à mesa com garfo e faca na mão, para ir me encontrar na margem". Houve um grande batismo de negros e brancos, todos juntos no rio, homens e mulheres, as roupas indecorosamente molhadas, que causou tamanho escândalo que Thomas Carleton, o governador de New Brunswick, anunciou que, a partir daquele momento, David tinha autorização para ministrar apenas aos negros no interior.[32]

Mais travessias pelas águas, algumas cruéis mesmo para os fiéis servos do Senhor. Depois de ministrar e batizar em Preston, onde estavam reunidos Liberdade Britânica e seus colegas de assentamento, David pegou o caminho de volta, primeiro para Halifax e depois para Shelburne, num dos pequenos navios que faziam o percurso das costas sul e oeste. Mas veio um vendaval e o barco, com trinta passageiros a bordo, foi impelido para o mar alto, perdendo totalmente o curso. Baixou a neblina e a temperatura caiu. Sem cobertor para se esquentar, David enregelou, e a ulceração do frio subiu pelos pés, tornozelos e panturrilhas, até chegar aos joelhos. Quando finalmente ancoraram em Shelburne, ele tentou andar, mas caiu e ficou no chão até que veio alguém da igreja, e foi carregado para casa. "Depois disso, quando consegui andar um pouco, eu quis falar sobre a bondade do Senhor, e os irmãos fizeram um trenó de madeira e me levaram à Reunião." Na primavera, ele se sentiu um pouco melhor e conseguia andar um pouco por aqui e por ali, cambaleando, mas em geral continuou a ir para a capela puxado no trenó. Perdera as forças — mas não a centelha, isso nunca.

O rebanho de David George precisava do conforto de Deus porque muitas vezes era a única coisa que tinham. O inverno de 1785-6 foi rigoroso em

Birchtown, uma amostra do que vinha pela frente. Alguns assentados haviam recebido, nominalmente, seus lotes de vinte acres. Mas, sem junta de bois, era impossível lavrar a maior parte da terra. As moradias mal mereciam esse nome. Mesmo como choças, em geral eram chocantes de tão rudimentares, um buraco cavado com cerca de 1,80 metro de profundidade, a entrada inclinada como única fonte de iluminação; o chão sujo forrado de tábuas brutas ou às vezes só de folhas, e o telhado descaído feito de troncos e por vezes recoberto com casca de árvore ou com torrões de terra, ou com ambos ao mesmo tempo. Parecendo mais a toca subterrânea de um animal do que uma choça humana, essas moradias foram nos primeiros anos um abrigo, para quem lá dormia, contra as duas piores coisas que o inverno da Nova Escócia trazia: neves com um a 1,20 metro de altura, e nevascas com pelo menos o dobro de altura.[33] Mesmo assim, os moradores de Birchtown viviam à beira da inanição. A menos que o governo fizesse nova distribuição de alimentos, segundo a sucinta avaliação de um relatório enviado a Halifax, "eles vão morrer".[34] Assim o cereal e o melado, de vez em quando complementados com um pouco de bacalhau seco, continuaram por algum tempo depois de decorrido o primeiro ano.

Mas nunca era o suficiente para transformar a liberdade em algo além de uma mera ideia. Em Shelburne, os negros que voltaram à cidade após os motins encontraram trabalho como carpinteiros, serreiros, construtores de barcos, pescadores, marinheiros e em serviços gerais, enquanto as esposas e filhas eram cozinheiras e lavadeiras. Mas suas dificuldades pioraram quando a embrionária indústria baleeira, profundamente atingida pelas tarifas que o governo britânico impôs ao óleo e ao osso, se afundou. A pesca ao bacalhau, outrora promissora, também se retraiu, despejando muito mais gente no mercado de trabalho e diminuindo sua força de negociação. Shelburne se tornou o triste naufrágio do sonho frustrado de John Parr. Milhares de legalistas brancos, sobretudo os mais pobres, voltaram a Halifax ou retornaram aos Estados Unidos. Os que tinham um pouco mais de capital continuaram em suas casas na Water Street e na King Street, ou emigraram com criados e escravos para as Bahamas ou as Índias Ocidentais. O afundamento da economia legalista arrastou consigo os ocupantes dos portos e povoados do litoral: os fabricantes de barcos e pescadores de Lunenburg e Liverpool e os pequenos vilarejos satélites como Port l'Hébert e Lockeport. Ainda mais longe, nas costas da baía de Fundy, os negros livres e suas famílias tinham a opção entre aceitar contratos em termos draconianos ou morrer de fome.

Socialmente, a contratação em massa dos negros livres podia parecer uma espécie de reescravização, e foi como a caracterizou Thomas Peters, o representante deles, quando estava em Londres angariando apoio junto a Granville Sharp e outros de espírito semelhante. Mas os negros aflitos e empobrecidos que assinaram os contratos com patrões e patroas brancas eram da inflexível opinião de que não estavam tão inteiramente derrotados, nem tão esquecidos de sua condição e das promessas que lhes haviam sido feitas a ponto de se render de novo à escravidão. Os contratos (que vincularam não só negros, mas também muitos brancos pobres durante os anos da miséria nova-escociana) eram feitos por tempo determinado. Previa-se o fornecimento de moradia e alimentação, mas não substituindo, e sim se somando ao salário. O mero fato de haver um salário, por mais irrisório que fosse, já era em si um indicador legal, como muitos assalariados apontavam, de que não eram escravos. E era por isso que, quando os negros apresentavam queixa aos tribunais do condado nas Sessões Gerais sobre as dificuldades que enfrentavam pelo fato de não estar recebendo seus salários (demonstrando consciência de sua liberdade e de seus direitos protegidos por lei), ou quando insistiam em não ser confundidos com os negros que haviam chegado à Nova Escócia como escravos domésticos, faziam questão de frisar que, mesmo que morassem com os patrões, na verdade tinham salários atrasados a receber.

Os registros judiciais documentam uma luta feroz entre dois mundos. De um lado, a casta legalista branca, com muita gente oriunda do Sul americano, acostumada a ter escravos, supunha que a instituição seria defendida pelos tribunais da Nova Escócia. Tinham razão no sentido de que, nos anos 1780, a escravidão era legal *de facto* na província; liam-se os anúncios de vendas e leilões em Halifax. Mas o clima da opinião pública, moral e jurídica, estava mudando, tal como na Inglaterra e nos Estados Unidos ao norte do Potomac. Halifax se tornava mais parecida com a Londres pós-Mansfield. Na verdade, pelo menos alguns juízes consideraram que a sentença de Mansfield determinando que os negros não poderiam ser levados para fora da província sob coerção também era válida para a Nova Escócia. Outros, como o chefe de justiça Thomas Strange e o procurador-geral Sampson Blowers, davam início a uma campanha ativa para eliminar totalmente a escravidão na província. Assim, os legalistas escravocratas brancos e os que queriam converter a força de trabalho pobre composta por negros livres em mão de obra escrava se depararam com uma resistência muito encarniçada. Por mais sombrias que fossem suas condições, por mais que estivessem excluídos das eleições, por mais que lhes fosse recusado partilhar o culto religioso com os brancos, os negros ainda mantinham uma notável consciência de seus direitos — quer tivessem adquirido esse entendimento pelas notícias transatlânticas sobre os processos Mansfield, por ter tomado conhecimento das proclamações de Dunmore e Clinton, ou por ter aprendido quando estavam na ativa. Essa primeira geração dos afro-americanos britânicos livres travou uma luta contra a reescravização, e sobretudo contra a separação das famílias.

Os legalistas brancos mais inescrupulosos converteram em hábito calculado a mania de apagar a distinção crucial entre livres e não livres, e estavam acostumados a tratar os negros sob contrato como mercadoria vendável, recebendo dinheiro dos potenciais contratantes quando transferiam os negros "deles". Numa recíproca inversa, porém, havia muitos outros membros da comunidade legalista branca, amiúde ocupando posições oficiais, que reconheciam claramente a diferença entre trabalho por contrato e trabalho escravo. William Shaw, o chefe da polícia militar da Nova Escócia, por exemplo, enquanto fazia as listas de chamada para a revista das tropas na província, na primavera de 1784, descobriu (e grifou o comentário para dar ênfase) que *"muitos deles* [os negros] *não são propriedade das Pessoas com quem moram"*.[35] Mesmo assim, muitas vezes os brancos, que recorriam aos tribunais para reivindicar a propriedade, ficavam chocados ao ver que os negros "deles" tinham a iniciativa e o conhecimento para fazer a mesma coisa. Com efeito, alguns negros estavam dando sinais de ser seus próprios Granville Sharps.

Quando o capitão Thomas Hamilton e Daniel MacNeill sequestraram quatro negros de Halifax — Moses Reed, Jameson Davis, Phoebe Martin e Molly Sinclair — com a intenção de levá-los na chalupa de MacNeill e vendê-los nas Bahamas, nem lhes passou pela cabeça que seriam impedidos pelos tribunais.[36] Os dois homens, Reed e Davis, tinham fugido do dono em Bute County, na Carolina do Norte, juntando-se aos britânicos em Charleston, e haviam servido nos Voluntários da Irlanda, a companhia legalista de lorde Francis Rawdon. Seguindo a evacuação de 1782, tinham servido no Regimento Real da Carolina do Norte na Flórida Oriental, um deles provavelmente como criado de seu comandante, o tenente-coronel John Hamilton. Como muitos outros negros livres, foram reempregados na Nova Escócia por algum parente, nesse caso pelo capitão Thomas Hamilton, de Country Harbour. Na casa de Hamilton, Reed e Davis conheceram Phoebe Martin e Molly Sinclair, ambas nascidas na Carolina do Sul, também criadas, também trabalhando sem salário. Mas em momento algum, como depôs Phoebe Martin na corte, nem ela, nem nenhum dos outros jamais se considerou escravo de Hamilton.

Suspeitando que Hamilton tinha algum plano para eles, os quatro decidiram fugir, e seguiram para Halifax na primavera ou no começo do verão de 1786. Mas foram rastreados por um bando de cinco homens, entre eles MacNeill e o próprio Hamilton. Jameson Davis foi barbaramente espancado; subjugados, foram acorrentados e jogados no porão de um navio no porto. Mas a nau só foi até Shelburne, onde os negros seriam transferidos para outro navio, que os levaria ao Sul para a reescravização. Foi um erro. De alguma maneira a comunidade negra em Shelburne e Birchtown ficou sabendo de MacNeill e do navio, e o que ela soube era motivo de medo e ódio. Os magistrados receberam a informação de que os quatro negros estavam sendo levados sem ser ouvidos, e no espírito da disposição judicial pós-Mansfield contra o transporte à força foi concedida uma audiência para ouvi-los. Surpreso em ser chamado a juízo, MacNeill alegou que sua autorização para capturar os negros partira de ninguém menos que Michael Wallace, em sua autoridade de negociante atlântico, e de fato Wallace fora o organizador do transbordo em Shelburne e da venda. Mas, por cinco a dois, os magistrados das Sessões Gerais de Shelburne decidiram acreditar nas histórias apresentadas pelos negros, e não na autoridade de um dos homens mais poderosos de Halifax, e determinaram a soltura deles. Naquela época, a liberdade britânica ainda não tinha morrido na Nova Escócia.

Surpreendentemente, muitas das queixas negras que foram atendidas eram de mulheres. Como que se inspirando num manual de Granville Sharp, Susannah Connor recorreu à corte para impedir que John Harris lhe tirasse o filho Robert Gemmel, que era empregado e não escravo dele, e o levasse para fora do país, "contrariando as leis da província". Da mesma forma, Mary Westcoat e seu marido processaram James Cox para obter a libertação de um "menino negro chamado Stephen", e conseguiram a soltura quando Cox não pôde apresentar nenhuma nota de venda, nem sequer cláusula de contratação.[37]

Nem todos os casos tinham final feliz. Joseph Robbins declarou ao tribunal de Shelburne que tinha sido dono de dois negros, Pero e Tom, que agora viviam "na simulação de ser Negros Livres". Em réplica, Pero declarou que de fato fora propriedade de um rebelde, e não de um legalista; que tinha fugido, assim ganhando a liberdade; que havia concordado em ir com Robbins para St. Augustine, mas como homem livre, não como escravo; e que nunca fora vendido. Tom também contou uma história de ter fugido de um dono rebelde para a Charleston britânica. Mas a corte entregou os dois a Robin, como propriedade sua.[38]

Muito mais trágico foi o caso de Mary Postell, capturada por Jesse Gray para ser vendida e que foi intimada ao tribunal de Shelburne para apresentar provas da alegação de que era livre. Ela declarou à corte que tinha sido propriedade de um oficial rebelde americano, Elisha Postell, mas fugira e se refugiara "nas linhas britânicas" em Charleston, onde trabalhou nas fortificações e obras públicas com outros negros. Depois que ela e o marido William ficaram na pobreza, ele a convenceu de que seria mais seguro começar a trabalhar para Jesse Gray como criada doméstica e, na evacuação de Charleston, até ir com ele para a Flórida Oriental. Lá Mary trabalhou para Samuel, o irmão de Gray, e quando o território foi cedido à Espanha, ela foi para a Nova Escócia com Jesse Gray. No entanto, logo que ela descobriu que ele pretendia vendê-la, Mary tinha "deixado a Família dele, levando seus dois filhos, Flora e Nell, e foi morar numa casa onde foi contratada para aquela finalidade no setor norte da Cidade". Em abril de 1786, com algum ardil ou à força, ela e os filhos foram capturados por Gray e levados a Argyle, onde ele a vendeu a um certo sr. Mingham por 113 alqueires de batatas. Mary depois declarou que Gray lhe tinha tirado os filhos e vendido em outra parte. Sem escolha, ela ficou com Mingham por três anos, até que fugiu para vir a Shelburne e apresentar toda a questão perante o juiz.

Então foi a vez de Gray interrogá-la em juízo: batalha desigual, supõe-se. Mas Mary se defendeu; falou o que sabia. Não era verdade, perguntou Gray à negra, que na Flórida Oriental ela tinha pedido a "algumas pessoas" para *comprar* de volta a filha Flora de seu irmão Samuel — a dedução sendo que ela sabia que Nell estava escravizado? Não, disse Mary, não era verdade, nunca tinha dito tal coisa. Desconsiderando a negativa, Gray continuou a torpedear: e também não era verdade que ele mesmo comprara *a própria Mary* de um certo Joseph Rea em St. Augustine? Não, não era, repetiu Mary; ela nunca pertenceu a ninguém assim. Pressionada — e isso pode ter sido fatal em seu caso —, Mary disse que sim, ela não se importava em ser vendida ao sr. Mingham em troca daquelas batatas, pois faria qualquer coisa para se afastar de Jesse Gray, porque, disse referindo-se diretamente a Gray, "*ele* a tratava muito mal".

Foram chamadas testemunhas para as duas partes. Contra Gray, Mary chamou Scipio Wearing e sua esposa Diana. Wearing, que também tinha abandonado um dono americano, conhecera Mary em Charleston, e como pioneiro tinha trabalhado nas defesas de Charleston sob o coronel James Moncrief. Perdeu o contato com ela quando ele foi para Nova York e ela para a Flórida Oriental, mas Scipio não tinha a menor dúvida de que ela fugira de um dono rebelde e, portanto, tal como ele, tinha direito à sua plena liberdade. Seu testemunho de nada valeu. Gray, absolvido de sequestro ilegal, separou Mary dos filhos e, voltando com ela para a América, revendeu-a para seu irmão Samuel. Nell, a filha de Mary, ficou sob custódia da corte e, com o irmãozinho John, por certo terminou nas mãos dos funcionários do Departamento dos Pobres.

Mas Scipio Wearing teve um castigo muito mais pesado por sua temeridade em lançar dúvidas sobre a palavra de um homem como Jesse Gray. Ao voltar da corte, encontrou sua casa em chamas e com ela "se consumiu [a] totalidade de seus Móveis [...] Roupas e outros bens". Houve algo pior. Um dos filhos de Scipio e Diana estava em casa e morreu no incêndio. Scipio voltou ao tribunal, dessa vez rogando "pela assistência que esta Corte tivesse por bem lhe prestar". Disseram-lhe para fazer a solicitação aos Supervisores dos Pobres, onde pode ter recebido auxílio junto com Nell e John Postell.[39] Todos sabiam, claro, que o incêndio da casa e a morte resultante da criança tinham sido um ato de represália e vingança. Mas não se pôde provar nada; ninguém se apresentou, ninguém foi acusado.

Será que Mary Postell e Scipio Wearing, com suas famílias, teriam sido poupados a tais sofrimentos se estivessem em Birchtown? É possível, embora o povoado não estivesse inteiramente a salvo dos caçadores de escravos.[40] Pelo menos dois moradores tinham sido capturados durante uma suposta saída dos limites da cidade, aprisionados no tipo de navio que pertencia a Daniel MacNeill e vendidos nas Índias Ocidentais.[41] Embora não fosse impermeável à maldade, mesmo assim Birchtown, em 1787, era uma verdadeira comunidade, com cerca de duzentas famílias. Nessa época, os abrigos primitivos já tinham sido substituídos por cabanas modestas, provavelmente similares às choças que os ex-escravos tinham conhecido na África ou nas fazendas: uma única peça que mal teria nove metros quadrados, mas com sótão e porão subterrâneo para armazenar as provisões de inverno, mais uma lareira e chaminé, e o conjunto coberto por um telhado de toros com duas águas. Birchtown ainda era uma espécie de acampamento provisório, espremido entre a mata virgem, o lago Beaver e o oceano. Mesmo assim, como observou o patriarca metodista John Wesley do outro lado do Atlântico, era "a única cidade de negros que foi construída [no continente da] América". Escavações recentes revelaram fragmentos de vidro, pratos e vasilhas de cerâmica como louça inglesa, alguns decorados com motivos florais que sugerem um ambiente mais doméstico do que um mero acampamento tosco de caçadores e cavadores.[42] Birchtown não era propriamente um povoado dos arredores de Londres, mas tampouco era um lugar, como sustentaria o mito posterior, onde os assentados eram obrigados a viver em "cavernas". Ainda que fossem artesãos e pescadores em sua maioria, havia pelo menos trinta que se definiam como agricultores e vendiam seus produtos em Shelburne, como faziam os prestonianos em Halifax.[43] Blucke e a esposa Margaret dirigiam uma escola deles para garantir que a geração seguinte fosse alfabetizada, e havia também, claro, a igreja, elemento vital de Birchtown, disputada pelos metodistas, dominantes entre os fiéis, pelas "Novas Luzes" anglicanas da Conexão da Condessa de Huntingdon, e, apesar da fria acolhida inicial a David George, por um grupo de entusiásticos batistas, que se formou depois e se mostrou irrefreável. Então havia muito barulho aos domingos, e o fato de as igrejas em guerra às vezes fecharem as portas às rivais e aos missionários da seita errada apenas ressalta como Birchtown estava se tornando uma comunidade negra livre independente.

Nada disso bastou para impressionar alguns acompanhantes do príncipe William Henry (futuro rei Guilherme IV), que então estava numa base naval da Marinha Real na Nova Escócia. Alojado na caserna de Shelburne, o capitão Dyott e alguns amigos (mas não o príncipe) resolveram ir dar uma olhada em Birchtown, onde foram convidados pelo coronel Blucke e esposa para jantar. As visitas se sentiram satisfeitas em deixar o que Dyott pintou como um

> lugar de indescritível desgraça [...] suas choças miseráveis para proteger contra a inclemência do inverno da Nova Escócia e sua existência dependendo quase exclusivamente do que conseguem armazenar no verão. Creio que nunca vi tamanha

desgraça e pobreza tão intensamente perceptíveis na aparência e no rosto da espécie humana como nesses miseráveis párias.[44]

Mas Dyott foi a Birchtown em 1788, num dos momentos mais baixos de seu destino reconhecidamente difícil. No ano anterior ocorrera outra onda de epidemia de varíola, que nunca abandonara de todo os negros fugitivos e viajara com eles desde a Virgínia e as Carolinas, Boston e Nova York. A ruína da economia mercantil de Shelburne após 1786 significava que havia menor demanda de trabalho eventual, que antes lhes permitira complementar a magra subsistência; e a solução proposta pelas autoridades de Shelburne — transformar a cidade em porto livre, aberto ao comércio com os Estados Unidos — mais uma vez aterrorizou os negros, com a perspectiva de abrir seu refúgio aos caçadores de escravos que, como sabiam, ainda continuavam na busca incansável de recuperar "propriedades" humanas. Muitos negros de Birchtown ainda não tinham recebido seus terrenos e, quanto aos que receberam, requisitou-se a eles que fornecessem dias de "trabalho por lei" (em geral nas estradas) como condição para receberem assistência ou isenção da "taxa de liberação" [*quit rents*] que, conforme descobriram chocados, supostamente teriam de pagar. (A taxa de liberação era um anacronismo muito prático em termos fiscais, consistindo numa única parcela que se pagava todo ano ao governo em lugar da antiga prestação de serviços ou de bens em espécie, e causa de profundo agastamento entre os americanos antes da revolução.) Sir Guy Carleton, o novo governador do Canadá, havia prometido que esse imposto não seria cobrado dos legalistas, mas o governo de Londres, obtusamente, concedeu apenas uma suspensão temporária. Para coroar esses infortúnios, os invernos de 1787-8 e 1788-9 foram tão ferozes, e as estações da primavera e do verão foram tão frias e úmidas, que as lavouras, sobretudo de trigo e batatas, não deram nada e a fome cravou suas garras em Birchtown. Boston King, o escravo fugido da Carolina do Sul que sobrevivera à varíola e ao cativeiro americano, tinha se convertido ao metodismo em Birchtown. King, que passeava pelas florestas cobertas de neve para ruminar sobre os próprios pecados, relembrava aqueles anos como os tempos da fome: "Muitos dos pobres foram obrigados a vender seus melhores trajes por 2,5 quilos de farinha para subsistir. Quando tinham se desfeito de todas as roupas, mesmo dos cobertores, vários deles caíram mortos de fome. Alguns mataram e comem [sic] seus cães e gatos e a miséria e a desgraça prevaleciam em toda parte".⁴⁵ E concluiu que não havia outra saída, "para meu grande pesar", senão deixar Birchtown e encontrar trabalho onde fosse possível.

Não apenas o inverno foi cruel. À beira da mendicância, o esfarrapado Boston King percorria as ruas apregoando sua experiência de carpinteiro, e por fim encontrou um capitão que lhe encomendou uma caixa. Voltou a Birchtown, trabalhou dia e noite, e então, numa neve com um metro de altura, levou a caixa ao capitão. Foi pago com a moeda do desprezo.

> Para meu grande desapontamento, ele a rejeitou. Mas me deu instruções para fazer uma outra. Voltando para casa, acuado pela fome e pelo frio, caí várias vezes de fraqueza e achei que ia morrer ali mesmo. Mas, mesmo nessa situação, meu espírito estava resignado à vontade divina e se rejubilava em meio às atribulações; pois o Senhor me libertou de qualquer queixa e insatisfação, embora tivesse sobrado apenas meio quilo de fubá para o sustento meu e de minha mulher.

Arrastando a nova caixa por entre as nevascas, e temendo que o capitão mais uma vez recusasse a encomenda, King levou uma serra para desmontá-la e se poupar a agonia de trazê-la de volta. Mas dessa vez o capitão aceitou a peça e, o mais importante, pagou em farinha de milho. Depois King vendeu a caixa original por mais meia coroa e a serra por três xelins e nove *pence*. A ferramenta lhe custara um guinéu, cinco vezes mais do que lhe ofereciam agora, mas não estava em posição de regatear.

Sua sorte começou a virar. Logo King iria precisar da serra de volta, pois recebeu a encomenda de dois shelburnianos para construir três barcos de fundo chato para a próxima temporada de pesca ao salmão. Recebendo uma libra por cada um, e mais farinha de milho, além do piche e dos pregos necessários, King e a esposa Violet não precisaram seguir o destino de muitos amigos e vizinhos de Birchtown, que firmaram contratos de longo prazo. No inverno seguinte, ele fez mais algumas peças, e pelo visto era um carpinteiro qualificado o bastante para receber a encomenda de construir uma casa para um comerciante na baía Chedabucto. Quando chegou lá após o degelo, o comerciante lhe disse que tinha mudado de ideia, pois, pelo preço da construção, ele podia comprar uma casa nova já pronta. Mas ainda tinha serviço para King. Estava com falta de pessoal em seus barcos de pesca de salmão e preferia que

King trabalhasse nisso para ele. Era o mês de maio. Com toda probabilidade King não voltaria para junto de Violet e os filhos antes do outono. E ficou preocupado em ter de abandonar sua vocação como missionário e pregador laico metodista. Mas quanto a isso não precisava ter se preocupado, pois, ao aceitar o serviço, ele descobriu que os pescadores de Chedabucto eram blasfemos e estavam afundados no pecado: "Empenhei-me em exortá-los a fugir do castigo futuro e a se voltar para Jesus Nosso Senhor".

Eles deram risada e, naturalmente, a frota teve de enfrentar uma tempestade monstruosa no golfo de São Lourenço, e os marinheiros "achavam que cada instante seria o último". Quando o temporal se acalmou, viram-se nos Grand Banks, dentro de um nevoeiro denso e impenetrável em que o barco com os suprimentos, carregando todas as provisões para a temporada, simplesmente desapareceu. King redobrou suas orações a Deus misericordioso e foi ouvido. Duas semanas depois, o barco sumido reapareceu, e quatro dias depois reapareceram também os salmões cintilantes. Apesar dessas abundantes bênçãos, King ainda receava que o empreendimento estivesse em risco, devido às imundas blasfêmias de seu patrão, que era muito dado não só a explodir em acessos de fúria, mas também a tomar o santo nome do Senhor em vão durante tais explosões. Até onde recuavam suas lembranças, desde seus seis anos de idade, quando foi incumbido de olhar o gado de seu senhor na Carolina do Sul e seus camaradas lhe ensinaram as alegrias de rogar uma boa praga, King tinha um profundo sentimento de culpa por este pecado em particular. Como vaqueiro cochilando à sombra de uma grande árvore, havia sonhado que o mundo estava em chamas. Deus desceu sentado num "grande trono branco", o Juízo Final se aproximou — e ele foi incluído na tribo dos blasfemadores! Agora, anos depois, estava preso num barco com um sujeito cujo terrível linguajar punha a todos em risco, enquanto seguiam à deriva sobre as profundezas. Reunindo toda a sua coragem, King lembrou ao arquiblasfemador que "todos os juradores profanos terão seu lugar no lago que arde em fogo e enxofre". Por um breve tempo o capitão se recompôs e ficou quieto, mas na manhã seguinte lá estava ele atacado de novo, com demônios verbais saindo pela boca. Sem conseguir se fazer de surdo à torrente de impiedades, Boston King, com certa temeridade, baniu o capitão de seu próprio barco, pedindo as ordens do dia com antecedência e mantendo-se a mais de um metro de distância, "pois, se ele continuasse com seu linguajar horrível, eu não seria capaz de cumprir meu dever. A partir daquele momento ele não me incomodou mais e eu me senti muito satisfeito por não ter ninguém para me perturbar".

Surgiram outros problemas. Mal tinham voltado de Chedabucto, os barcos saíram de novo, dessa vez para a pesca do arenque, e enfrentaram outro temporal do Atlântico Norte. Mas, finalmente, encerrando-se o contrato nos fins de outubro, ele pôde voltar para Violet e seus sermões laicos, cerca de quinze libras mais rico e dono de dois barris de peixe. Com essa pequena fortuna, Boston King conseguiu escapar à desgraça que havia se abatido sobre outros membros de sua comunidade. "Pude ter roupas para minha esposa e para mim, e meu estoque de inverno consistia em um barril de farinha, três alqueires de milho, nove galões de melaço, vinte alqueires de batatas que minha mulher tinha plantado em minha ausência e os dois barris de peixe, de forma que este foi o melhor inverno que vi em Birchtown."

Portanto, lutando contra a alta probabilidade em contrário e um arraigado preconceito, era possível sobreviver na América britânica e preservar a liberdade. Mas Thomas Peters, agora em New Brunswick, certamente não pensava assim. Em Fredericton e St. John, não tinha se saído melhor do que em Digby e Brindley Town, e o governador Thomas Carleton não se mostrara mais receptivo a suas petições e reclamações do que o governador John Parr. A terra ainda não tinha sido distribuída conforme o solicitado. Ou, nos casos em que o fora, como em St. John, ficava longe demais — quase trinta quilômetros — dos lotes urbanos onde os assentados tinham casa. Alguns dos brancos mais abastados em New Brunswick, como Stair Agnew, Beverley Robinson e o reverendo Jonathan O'dell, tinham vindo exatamente da mesma região de latifúndios de onde ele fugira, na Virgínia e em Maryland, trazendo todo seu séquito de escravos.[46] Assim, não chegava a surpreender que os negros, além de não ter voz nem receber tratamento justo nos tribunais, ainda precisassem pagar impostos e trabalhar nas estradas. Por uma questão de sobrevivência, tinham sido obrigados a aceitar serviços por uma ninharia, e nem isso recebiam — e por um período mais longo do que o estabelecido nos contratos. Quando, quase morrendo de fome e em profundo desespero, eram obrigados a pegar um pão, o chicote caía nas costas deles, homens e mulheres, e o sangue lhes escorria da carne dilacerada, ou, pior, iam para a forca. Isso não era escravidão?

Ao contrário de David George e Boston King, Thomas Peters não conseguia enxergar todas essas atribulações como coisas enviadas por Deus enquanto parte de seus misteriosos desígnios para o povo. Mas ainda tinha fé no rei, na concessão de sua liberdade britânica. Não confiava, porém, nos homens postos pelo governo em New Brunswick e na Nova Escócia. Assim, iletrado mas temível, Peters virou político — o primeiríssimo líder reconhecido dos afro-americanos. Regularmente seguiam petições em nome de "Thomas PETERS, um Homem Negro Sargento dos Antigos Pioneiros Negros que Serviram Sua Majestade sete anos" para o governador Thomas Carleton (que às vezes até respondia).[47] Peters escrevia sobre tudo o que afetava os negros: a distribuição ou falta de distribuição de suas terras; as escolas beneficentes; a isenção de impostos e serviços em tempos de calamidade. Afinal, por que os negros, sendo tão pobres, tinham de pagar, em vez de receber, o imposto dos pobres? Aos poucos, com sua energia e determinação, ele passou a ser reconhecido na província como a "Única Pessoa apontada e Indicada para Atuar em favor e em nome de todos nós; em todos os assuntos, Civis e Religiosos".[48]

Todavia, de modo geral, Peters se deparou em New Brunswick com a mesma hostilidade e procrastinação que havia encontrado na Nova Escócia. Nada mudaria, concluiu ele, a menos que desse um jeito de chegar aos ouvidos do governo — em Londres, e não em Halifax ou St. John. A certa altura de 1790, ele esboçou seu "Memorial" para William Wyndham Grenville, o secretário de Estado, expondo os serviços que os negros haviam prestado na guerra, lembrando ao governo o que havia sido prometido e arrolando a falta de materialização de tais promessas. Então foi pessoalmente com sua petição de um lado e outro da baía de Fundy, por fim conseguindo pegar as marcas de 202 famílias de negros livres nas duas províncias e que o nomeassem como representante devidamente encarregado de procurar socorro para suas aflições. Peters então pegou sua nomeação, sua petição e o precioso passaporte assinado pelo capitão Stewart e foi para Halifax, para tomar um navio até Londres. Naturalmente se expunha a grande perigo, pois os negros da Nova Escócia viviam sendo capturados para venda, a despeito de qualquer pedaço de papel que achassem que iria protegê-los. Mas coragem não faltava a Thomas Peters e ele ardia de determinação. Pode até ter trabalhado a bordo para pagar sua passagem.

Já em Londres, provavelmente entrou em contato com Equiano e Cugoano, ambos agora festejadíssimos como autores e testemunhas da tragédia escravista. Peters deve ter procurado seus antigos oficiais dos Pioneiros, e com o auxílio deles foi costurando seu caminho entre a rede dos grandes e dos bons. Embora não tenha recebido tratamento de celebridade, a exemplo de outros visitantes exóticos como o príncipe taitiano Omai ou os índios Creek, que então estavam na cidade para fazer uma petição pelo comércio com as Índias Ocidentais, Thomas Peters, ao aparecer saído do nada, se transformou no mensageiro de uma tragédia épica, o portador, como escreveu o general Clinton ao secretário de Estado Grenville, de "uma história melancólica". Mas, a despeito disso, e para começar, Peters naturalmente iria procurar Granville Sharp. E depois que terminou de enumerar as queixas de seu povo, e depois que Granville terminou de lhe assegurar que elas seriam encaminhadas aos mais altos escalões, os dois cansados guerreiros avaliaram um ao outro e Sharp perguntou a Peters se, por algum acaso, ele tinha ouvido falar daquele lugar na África, a Província da Liberdade. E sim, por acaso Peters ouvira sim.

Tinha sido num jantar, em algum local na Nova Escócia ou em New Brunswick. Os negros, como sempre, estavam servindo à mesa, de pé, encostados à parede, tratados como se fossem surdos, mudos e invisíveis. Enquanto as garrafas deslizavam suavemente pelo mogno da mesa, a conversa discorria sobre Serra Leoa e o homem cuja fantasia mais peculiar era levar os negros de volta para a África: Granville Sharp. De pronto, atrás das cadeiras, ouvidos se aguçaram e olhos se arregalaram. Na América do Norte, dificilmente havia algum negro, livre ou escravo, que não conhecesse aquelas duas palavras: Granville Sharp. A notícia foi levada ao povo e ao homem que se tornara seu defensor e representante, Thomas Peters.[49] Sua primeira preocupação sempre tinha sido corrigir os erros ali na América britânica, mas essa história de Serra Leoa o pôs a pensar. Devia entender, quiçá, que haveria uma volta ao lar?

PARTE DOIS

John

9.

New Palace Yard, Westminster, 26 de maio de 1791: um melancólico conclave estava reunido numa sala acima da Cafeteria do Parlamento. O grupo de homens sobriamente vestidos, treze deles, se esforçava ao máximo para não sentir um profundo desalento, mas sem pleno êxito. Como estavam perto do Parlamento, e, no entanto, como estavam longe de conseguir que este cumprisse sua obrigação perante o tribunal de Deus e da história britânica!

O Comitê para Efetivar a Abolição do Tráfico de Escravos estava se reunindo uma semana após o indeferimento da moção de William Wilberforce para interrupção da importação de escravos nas Índias Ocidentais, às três e meia da manhã de 19 de abril, com a acabrunhante contagem de 163 a 88 votos. William Pitt, Charles James Fox e Edmund Burke haviam se pronunciado em favor da moção de Wilberforce. O discurso de William Smith à Câmara tinha sido tão eloquente que Fox rompeu em lágrimas e teve de se esconder atrás da cadeira do orador até recuperar a compostura.[1] Eram os gigantes da Câmara, como reconhecia um dos adversários da moção, acrescentando, porém, que "os oradores menores, os nanicos, os pigmeus [...] [mesmo assim] sairiam vitoriosos". Assistindo da galeria, Thomas Clarkson concordava desanimado. Como era irritante que a eloquência de Pitt e Fox (que raras vezes estavam de acordo) passasse despercebida, enquanto desvarios malucos do prefeito de Londres, protestando que o fim do tráfico negreiro arruinaria completamente o mercado do bacalhau de quinta categoria da Terra Nova (a dieta dos escravos, supunha ele), tinham sido ouvidos até com certo respeito. O comitê enfrentou o desastre com galhardia. Era uma "protelação", não uma derrota, declararam seus membros, e para que nenhum apologista da Coisa Amaldiçoada se iludisse, eles iriam "renovar sua firme declaração de que jamais desistirão de apelar a seus Conterrâneos até que o intercâmbio comercial com a África deixe de ser conspurcado com o sangue de seus Habitantes".[2]

Mas a verdade era que, para Thomas Clarkson, William Wilberforce, Granville Sharp e os demais membros do comitê, a votação de 19 de abril foi um golpe tremendo, pois ocorrera após quatro anos da mais ampla mobilização da opinião pública vista na Inglaterra. Clarkson, incansável, tinha percorrido o país de norte a sul, de leste a oeste, torturado por hemorroidas, raramente tendo mais de quatro horas de sono por noite. Conseguira que os bons e íntegros se manifestassem aos milhares, convertera outros, obtivera assinaturas para as petições em massa, distribuíra material impresso, exibira seus "exemplares" de grilhetas, ferros de marcar e o *speculum oris*, que abria a boca dos escravos à força para empurrar comida, e espalhara caixas e caixas dos medalhões "Não Sou Homem e Irmão?". Depois da votação, Clarkson sentiu recair sobre si todo o peso de seu esgotamento, e os amigos começaram a temer por sua saúde. Mas ele não iria desistir agora, por mais penosa que fosse a rejeição do Parlamento.

Como porta-voz do comitê no Parlamento, Wilberforce deve ter sofrido ainda mais com a rejeição. Tinha sacrificado a saúde pela causa, e ficou totalmente derreado durante algumas semanas em 1788, mas de alguma forma conseguira se recompor para fazer discursos com três horas de duração não só contra a desumanidade do tráfico, como também contra sua falta de tato político. Referindo-se à grande agitação no país, cujas provas eram a cada dia mais inequívocas (e também às campanhas pela reforma parlamentar, que denunciavam a Câmara dos Comuns como um antro de corrupção), Wilberforce lançara um desafio à Câmara: "Não permitamos que o Parlamento seja o único corpo insensível ao princípio da justiça natural".[3] Mas isso foi em maio de 1789, quando o exaustivo relatório do Conselho Privado foi apresentado à discussão na Câmara dos Comuns, e o comitê estava inundando os parlamentares com enxurradas de folhetos sobre as condições no navio negreiro *Brookes* e relatos da escravização na costa da Guiné. Apesar ou possivelmente por causa dessa saturação, os adversários das "Proposições" de Wilberforce para pôr fim ao tráfico alegaram que os Comuns, devido à "insuficiência" de provas, ainda precisariam montar sua própria comissão de inquérito. Com o gabinete ministerial de Pitt profundamente dividido sobre a questão, impedindo que o primeiro-ministro declarasse o fim do tráfico como medida do governo, era inevitável que as forças da contemporização prevalecessem.

A procrastinação, o mais requintado vício da política britânica, lançou seu feitiço de Morfeu. A reunião de provas, essa máquina de obstrução parlamentar, criou novamente empecilhos aos trabalhos, frustrando as tentativas do comitê de acelerar as decisões e se arrastando (pois, claro, era essa a ideia) até o final do mandato parlamentar. O novo Parlamento só voltaria a se reunir em novembro de 1790. Durante a campanha eleitoral em Liverpool, nesse meio-tempo, os defensores do tráfico, como Banastre Tarleton, estavam tão confiantes que apareciam nas plataformas dos comícios com uma bandeira mostrando um negro acorrentado.[4]

Nesse ínterim, em 20 de julho, morreu o patriarca fundador do abolicionismo, James Ramsay, que ainda era o flagelo dos "capitães assassinos da Guiné" e dos "fazendeiros de cana opressores" que o haviam acusado, em seu leito de enfermo, de "humanidade exagerada" em relação aos africanos. Ele morreu, provavelmente de câncer no estômago, em Teston Hall, a residência de Sir Charles Middleton, sem saber se a medida parlamentar seria aprovada, mas expressando, conforme escreveu Clarkson, "grande satisfação por ter sido um instrumento na mão de seu misericordioso Criador para promover Seus benévolos desígnios em relação a uma parcela aflita de Suas criaturas".[5] Wilberforce foi mais sucinto em seu diário: "Soube que o pobre Ramsay morreu ontem às dez horas. Tinha um sorriso na face".[6] Talvez Ramsay estivesse sorrindo à lembrança das palavras de Hannah More, a grande evangélica, dizendo que Teston seria considerada a "Runnymede* dos Negros" pelas gerações futuras.

Aconteceu uma coisa mais séria no longo intervalo entre o primeiro grande discurso de Wilberforce na primavera de 1789 e seu segundo discurso em

---

* Local onde teria sido selada a Magna Carta em 1215. (N. T.)

abril de 1791: a queda da monarquia francesa. Para os amigos da humanidade, entre os quais Clarkson e Sharp em particular se incluíam, foi causa de grande regozijo, como questão de princípio e também de interesse. Uma previsível objeção de seus adversários ao fim do tráfico escravo britânico sempre fora que isso seria entregar um comércio imensamente lucrativo ao arqui-inimigo, cujo império iria florescer enquanto o de Albion definharia. A posição pública do comitê era que o açúcar produzido com mão de obra livre suplantaria o produzido com mão de obra escrava e assim tomaria conta do mercado mundial, mas, em particular, os membros do comitê reconheciam o efeito desse argumento mercantilista contra a abolição sobre os políticos no poder. Renunciar à participação britânica no tráfico escravo seria simplesmente entregar o negócio ao velho inimigo transatlântico. Assim, havia um grande interesse, nos dois sentidos do termo, nas notícias de uma incipiente campanha *francesa* contra o tráfico de escravos nos anos que se seguiram a 1787. No inverno de 1788-9, quando as eleições para os Estados Gerais estavam acontecendo, Thomas Clarkson enviou seu irmão mais novo, John, que tinha servido na Marinha no Caribe, a Le Havre, o mais ativo de todos os entrepostos franceses de açúcar e escravos, para coletar mais indicações sobre a crueldade do tráfico, que seriam apresentadas como provas ao Conselho Privado.

Mas Thomas Clarkson tinha um outro motivo para que seu irmão cruzasse o canal: cultivar relações fraternas com a Société des Amis des Noirs (Sociedade dos Amigos dos Negros), recentemente fundada pelo jovem advogado Jacques-Pierre Brissot. O francês estivera em Londres em 1787, onde se converteu à maneira de pensar de Clarkson. De volta à França, tinha recrutado para a causa os maiores nomes aristocráticos da reforma iluminista: o marquês de Lafayette, o visconde de Mirabeau e o marquês de Condorcet. Se os franceses rumassem para a abolição do tráfico na mesma época dos ingleses, o argumento dos fazendeiros, de que o velho inimigo tiraria proveito da abolição, perderia força.

Até a primavera e o verão de 1789, essa ideia de uma fraternidade abolicionista dos dois lados do canal pode ter parecido indevidamente otimista — quando menos porque o setor açucareiro francês nunca conhecera uma maior disparada na produção e nos lucros do que nos últimos anos do *ancien régime*. Mas a criação de uma Assembleia Nacional em Versalhes e a queda da Bastilha mudaram tudo. Vibrando com o que tinha lido e ouvido, esperando fazer o que pudesse para persuadir a Assembleia Nacional a abraçar a causa, Thomas Clarkson, que mal falava francês, decidiu embarcar numa peregrinação. Chegou a Paris na segunda semana de agosto de 1789, no momento em que a cidade estava no auge de sua euforia revolucionária. A Guarda Nacional de Lafayette tinha acabado de introduzir a roseta tricolor, a qual entrou de imediato numa produção política em massa: o tricolor já estava em fitas, faixas, broches, distintivos e, por fim, bandeiras. O inglês grandão, que parecia um touro, percorria aquele festival jubiloso de liberdade com seus sentidos agradavelmente abalados, vagueando com petulância (assim considerava) entre cuspidores de fogo e ursos dançarinos enquanto sentia os ouvidos retinirem com a música da esperança. No centro dos festejos estava a grande demolição. As turmas de trabalho do "patriota" Palloy, com o reforço de legiões de voluntários excitados, estavam começando a pôr abaixo a Bastilha, pedra por pedra.[7] Ali já tinha se transformado no local de celebração pública mais frequentado de Paris. Serviam-se bebidas aos turistas, enquanto a recente fornada de cidadãos acrescentava pedras na vala já transbordante. Atropelando-se com a multidão para visitar as celas escuras e abafadas, Clarkson descobriu uma inscrição em latim, riscada numa parede: "[Nome ilegível] escreveu esta Linha com a angústia no coração". Comovido, ele pagou dois operários de Palloy para tirar a pedra, que levou como lembrança.[8]

Thomas Clarkson se converteu instantaneamente, e com toda a sinceridade, ao culto da possibilidade universal. Em 4 de agosto os nobres da França, transformados em cidadãos na Assembleia Nacional, tinham entregado com pompa suas prerrogativas feudais à fogueira da história. Não havia mais *seigneurs*; por que, então, ainda haveria de existir escravos? Como calhou que os aliados mais próximos de Clarkson nessa causa eram justamente os dois homens de maior influência na França naquele momento — Lafayette e Mirabeau —, ele não estava errado em se sentir esperançoso. À generosa mesa de Lafayette ele conheceu seis "Deputados de Cor", mulatos de Santo Domingo, nas Índias Ocidentais francesas, ostentando orgulhosamente a roseta tricolor e a Ordem de São Luís, que estavam em Paris para reivindicar igualdade de representação com os brancos.[9] Quando Clarkson lhes perguntou se eles também (pois alguns eram senhores de escravos) seriam a favor da abolição do tráfico, responderam que o tráfico era "o pai de todas as misérias" na ilha e a causa de "odiosas distinções" entre brancos e pessoas de cor. Um desses delegados que foram visitar Clarkson era Vincent Ogé, o qual, de volta a Santo Domingo e furioso com o assassinato de colegas crioulos que buscavam seus direitos de cidadania, armou seus escravos e deu início a uma rebelião. Ogé foi capturado e despedaçado no suplício da roda, inaugurando uma guerra longa e sangrenta que terminaria com a criação do Haiti.

Clarkson mandou vir da Inglaterra mil cópias da famosa gravura do navio negreiro, junto com ilustrações coloridas à mão, e as distribuiu largamente aos membros receptivos da Assembleia Nacional. Quando ganhou seu exemplar da gravura do *Brookes*, Mirabeau se converteu em alegre propagandista, encomendando uma maquete de madeira com um metro de comprimento para servir de assunto de conversa à sua mesa de jantar, com minúsculos escravinhos negros removíveis socados no convés. Mas, quando o grande Demóstenes da revolução sondou os colegas na Assembleia Nacional, descobriu que apenas trezentos dos 1200 deputados apoiavam a abolição, e que o pragmatismo interveio da mesma maneira decisiva com que interviria em Westminster dois anos depois — e exatamente pela mesma razão. Ponham-se a *fraternité* e os Direitos Indivisíveis dos Homens e Cidadãos contra o interesse imperialista nacional, e mesmo o mais grandiloquente amigo da humanidade irá se recolher à concha de um empedernido chauvinista. A prioridade absoluta, repetiam sem parar a Clarkson, era assegurar a revolução, e qualquer coisa que pudesse parecer, mesmo injustamente, capaz de prejudicá-la seria vista com desconfiança. O próprio Clarkson se tornou alvo de ataque dos militantes, chegando a ser acusado de ser um espião inglês.[10] Lafayette fez um discurso enjoativo para Clarkson, pouco antes de sua volta a Londres em fevereiro de 1790, que "ele esperava estar próximo o dia em que as duas grandes nações, que até agora tinham se distinguido apenas pela mútua hostilidade, iriam se unir em tão sublime medida [a abolição] e que levariam avante sua união com uma outra ainda mais bela, para a preservação da paz eterna e universal".[11] Na mútua adoção da liberdade, sugeria Lafayette, as duas nações poderiam até se tornar uma só! Mas era precisamente esse medo de que Lafayette fosse um cosmopolita aristocrático que o tornava suspeito aos olhos de militantes revolucionários mais estreitos, sobretudo em Paris. O fato nu e cru era que, a despeito de todas as declarações de fraternidade universal entre os homens, a revolução dizia respeito sempre, essencialmente, à recriação da França *toute seule*.

De volta à Inglaterra, exatamente essas dúvidas sobre a lealdade agora sombreavam os pensamentos de Clarkson, tornando seu trabalho mais complicado, o que só fez piorar quando, em 1791, num impulso ele se juntou às comemorações em Londres pelo Dia da Bastilha. Tinha acontecido muita coisa na França para empanar, a alguns olhos ingleses, o brilho original do verão de 1789: as execuções nas *lanternes*; as cenas em Versalhes, quando multidões de feirantes e outros cidadãos irromperam nos aposentos privados do rei e da rainha, obrigando-os a abraçar em público a bandeira tricolor e a andar numa ignominiosa marcha de volta a Paris. As notícias melodramáticas e exageradas sobre agressões físicas à pessoa de Maria Antonieta e o massacre da Guarda Suíça acabaram transformando Edmund Burke, com sua índole romântica, de ardente defensor em inimigo irreversivelmente indignado da revolução, para o grande pesar de Clarkson. Burke continuou a apoiar o Comitê pela Abolição, mas outros suspenderam seu apoio por causa da acusação do setor açucareiro de que abolir o tráfico escravo equivalia a incentivar o "revolucionarismo". Quando estourou uma rebelião sangrenta em Santo Domingo, disseram que isso corroborava o argumento deles de que qualquer interferência no *status quo* terminaria fatalmente em massacre e destruição. Clarkson lembrou que as Índias Ocidentais haviam presenciado várias rebeliões muito antes do início da campanha abolicionista, e que *não* fazer nada a respeito era cortejar justo aquele tipo de catástrofe que se desenrolava nas ilhas canavieiras francesas. Mas o argumento caiu em ouvidos moucos. Pelo contrário, as eternas perorações sobre o bem-estar e a segurança expressamente imperial britânica, ameaçados, diziam seus guardiães, por interferências utópicas equivocadas, tiveram efeito sobre a votação parlamentar de 19 de abril de 1791. Nessa altura, os defensores da abolição na França não estavam em condições de contribuir para uma campanha conjunta. Lafayette estava sob cerco, suspeito de conivência com a rainha para restaurar o poder monárquico. Mirabeau, sobre quem recaíra igual suspeita, tinha morrido, e assim, por ora, o que poderia prestar um serviço não apenas retórico seria a visão grandiosa de uma abolição imperial francesa. Por que, então, indagavam os antiabolicionistas, presentear uma França ainda mais perigosamente belicosa e fanática com a destruição do setor açucareiro britânico?

O argumento fez seus estragos e os abolicionistas perderam a votação. Mas seria possível salvar alguma coisa da "protelação"? Para sustentar a fé das dezenas de milhares de britânicos que tinham se alistado na cruzada contra o tráfico escravo nos últimos quatro anos, fazia-se necessária alguma ação enérgica. Reagindo, como sempre, à crise do momento, Clarkson topou com uma ideia de imensa simplicidade e criatividade: o repúdio ao açúcar das Índias Ocidentais. Proclamado como produto manchado com o sangue de africanos, o açúcar foi declarado um veneno moral. Milhares atenderam ao apelo, trocando o açúcar caribenho pelo açúcar das Índias Orientais, ou substituindo-o por mel ou melado de bordo. A campanha saiu dos fornos londrinos para os vicariatos escoceses e, com seu apelo doméstico, converteu mães, esposas e cozinheiras em guardiãs da saúde cristã.[12]

Era também um projeto que, se tivesse o apoio do governo, poderia compensar a derrota da moção de Wilberforce. A presença de Thomas Peters em Londres, com sua receptividade à ideia de que os negros livres da Nova Escócia poderiam se dispor a mudar para Serra Leoa, subitamente deu um brilho muito maior às perspectivas de ressuscitar a Província da Liberdade. Com a atuação da Companhia da Baía de São Jorge, que enviara o *Lapwing* para recolher os sobreviventes do ataque do rei Jimmy, Clarkson e colegas alimentaram uma ambiciosa imagem de Serra Leoa como um farol de energia moral e comercial se irradiando pelo continente africano adentro. Em 1788, Clarkson se encontrara com o naturalista sueco Carl Bernhard Wadstrom, que havia estado na África Ocidental, e ajudou a divulgar o ataque da Suécia ao tráfico negreiro. Ao contrário de Smeathman, Wadstrom parecia ser sensato e científico ao extremo; e sua avaliação relativamente otimista do potencial da região, na verdade sua ansiedade em voltar e ajudar a estabelecer uma província livre na área, contagiou Thomas e John Clarkson com um novo acesso de entusiasmo. Disseram a Sharp que teriam a maior satisfação em ir pessoalmente a Serra Leoa, e foram tão convincentes que Sharp transmitiu com alegria essa notícia aos assentados, pedindo-lhes que reservassem lotes de terra para os distintos cavalheiros de Cambridgeshire que iriam chegar.

A questão da campanha parlamentar e o incêndio do assentamento haviam adiado o projeto. Mas Thomas Clarkson ainda mantinha sua visão otimista. Ao fundo da vila renascida, num porto movimentado, se estenderiam centenas de sítios intensamente cultivados por seus donos, plantando melão, feijão e arroz para consumo próprio, e algodão, borracha, pimenta, corantes, café e, claro, cana-de-açúcar para o mercado. Num piscar de olhos, achava Clarkson, o açúcar livre cortaria pela metade o preço mundial e conquistaria o mercado global. E como nenhum outro lugar de toda a África rivalizava com

Serra Leoa como porto natural, seria também um centro de importação e exportação de produtos de toda a costa africana ocidental e até do comércio das caravanas que atravessavam o Saara! O marfim e o ouro iriam para a baía de São Jorge, e pela primeira vez não chegariam às costas de escravos. Num minuto os britânicos estariam comerciando com 50 milhões de africanos. O projeto de substituir a velha e infame Companhia Africana Real, que não tinha feito praticamente nada além de escravos, pela Companhia de Serra Leoa, que proibiria rigorosamente o tráfico negreiro, foi levado ao governo. Teve uma acolhida calorosa junto a Henry Dundas, o ministro das Colônias do gabinete Pitt — quando menos porque parecia uma maneira de se antecipar aos franceses, sempre oportunistas.

As notícias enviadas por Alexander Falconbridge, o agente da companhia em Serra Leoa, animaram ainda mais os defensores do projeto. Ao subir o rio, ele tinha encontrado 64 sobreviventes da Província da Liberdade — um número de remanescentes deploravelmente pequeno, sem dúvida, dos quatrocentos embarcados no *Atlantic* e no *Belisarius* quatro anos antes. Mas Falconbridge informava que, a despeito das dificuldades, eles não estavam dispostos a parar por ali. Pelo contrário, tinham ficado felicíssimos ao ver que não foram esquecidos, e disseram a Falconbridge que gostariam muito de voltar ao local do povoado original.

Falconbridge, o ex-cirurgião de navios negreiros, agora fez de tudo para ressuscitar a Província da Liberdade. Em Robana foram recebidos em audiência — muito embora Anna Maria tivesse flagrado o Naimbana em "trajes caseiros [...] com túnica e calças brancas soltas".[13] Durante o encontro, o Naimbana trocou três vezes suas roupas esplendorosas, de um casaco púrpura para um manto de veludo negro e depois para uma capa escarlate, com um sorriso constante no rosto enquanto casquinava dos "tratantes" estrangeiros e expressava (por intermédio de Griffith, seu genro e intérprete afro-americano) calorosa amizade por seu irmão, rei George. Depois de receber 1500 "barras" e 39 libras, ele concordou em renovar o arrendamento da terra que fora originalmente concedida a Thompson e aos assentados. Falconbridge enviou seu representante grego com o escaler subir o rio até a ilha de Pa Boson, o chefe que dera abrigo aos fugitivos. Enquanto isso, Anna Maria percorreu Robana com uma mescla de horror e excitação, numa paisagem de fetiches (cutelos enferrujados e restos animais) ao pé de estacas. Olhou bem de perto, talvez demais, o brilho dos corpos profusamente untados com óleo de palma, ouviu os tambores temnés, admirou o brilhante tafetá listrado das roupas das rainhas, ficou embasbacada com os seios caídos e oscilantes das mulheres maduras, moda que, conforme descobriu espantada, era cobiçada por toda a gente local.

Não muito longe do morro do capitão Thompson havia uma aldeia temné abandonada, com dezessete palhoças, e foi tida como adequada para o renascimento da vila. Quando o escaler chegou, trazendo o trôpego grupo dos negros com as sete esposas brancas que Anna Maria concluiu que deviam ter sido prostitutas, ela achou que era um dos espetáculos mais deprimentes que vira em toda a sua vida. Mas o ar de miséria se desfez, pelo menos por algum tempo, quando Falconbridge distribuiu roupas que tinham vindo no *Lapwing*, e fez um discurso para levantar o moral, digno de um prefeito de vilarejo ou de um brigadeiro sitiado, prometendo, se eles se mostrassem dispostos, que teriam ferramentas e armas para se proteger, e que tudo ficaria bem. Por fim, com um floreio, "ele denominou o local GRANVILLE TOWN, em homenagem ao amigo e benfeitor deles, GRANVILLE Sharp Esq., por cujas instâncias eles haviam recebido a assistência que agora lhes era concedida".[14] Viva! Deus abençoe.

Então, afinal, os restantes foram resgatados. Junto com os Pioneiros Negros, que Peters traria da Nova Escócia, ainda poderiam transformar Granville Town em alguma coisa. O único que não estava muito satisfeito com aquilo tudo era o próprio Granville. Tinham-lhe assegurado, inclusive Clarkson, que a nova Companhia de Serra Leoa seria um punhal no coração do tráfico negreiro, mas ele não acreditava muito. Seu sonho de uma sociedade erguida sobre a base de um Frankpledge negro tinha se desfeito, destruído não só pelas tochas do rei Jimmy, mas também pela cupidez e pusilanimidade dos brancos. Pois esse novo lugar seria, protestou ele, escrevendo a palavra apenas muito a contragosto, uma *colônia*. Jamais pensara que algum dia iria se meter a criar colônias comerciais. A Província da Liberdade tinha pertencido aos que moraram nela (não fazia mal que, na verdade, pertencesse aos temnés e aos xerbros.) Agora seria propriedade da Companhia de Serra Leoa, e os assentados estariam lá apenas por obra e graça da companhia. Certamente, com o agravamento da situação, ele se dispusera a transferir a administração para a Companhia da Baía de São Jorge, mas sob a condição de que a sacrossanta natureza política essencial da Província da Liberdade — a autogestão, a vigilância, a propriedade das terras — fosse preservada. Nas propostas de incorporação da nova companhia, parecia que tudo isso tinha sido posto de lado, substituído pela administração à distância a cargo de um conselho de diretores e, pior ainda, de seus membros nomeados (brancos, supunha ele) na própria Serra Leoa. O que sobrara? Só guardas e jurados negros? Sumira a ideia da moeda em unidades de trabalho público comunitário; sumira sua experiência da democracia negra direta nas assembleias do Conselho Comunal; sumira a justiça, a "liberdade" que havia constituído o cerne de seu empreendimento.

O que Sharp devia fazer? Não podia abandonar totalmente a iniciativa, como haviam feito Equiano e Cugoano. Ele sabia que os escassos sobreviventes na África ainda confiavam nele, e que lhes devia todo o desvelo caridoso que ainda tivesse condições de exercer. Seu nome ainda significava alguma coisa. Assim, com profundas apreensões, Granville Sharp aceitou a nova companhia e até um assento na diretoria. Mas fez questão de escrever a parlamentares favoráveis solicitando a provisão de certas salvaguardas para os assentados. Sua preocupação era que, num sistema mais puramente comercial, os moradores fossem obrigados a vender os produtos a preços baixos à companhia, que então os revenderia a preços altos na Inglaterra. Se os preços não fossem satisfatórios para eles, os assentados deviam ter a possibilidade de embarcar pessoalmente os produtos, a preços simbólicos. Devia ficar claro que ocupavam suas terras como donos e não rendeiros, e que elas seriam automaticamente transmitidas a seus filhos. Qualquer terreno que não fosse cultivado deveria se tornar terra comunal, onde os assentados poderiam caçar, pescar ou pôr gado para pastar. E, o mais importante, devia haver um único sistema judicial, sem discriminação de cor.

Alguns dispositivos de Sharp se tornaram cláusulas da incorporação. Mas, mesmo como um exercício de colonialismo capitalista, a companhia ainda enfrentou uma oposição acirrada do setor açucareiro e escravista, sobretudo em Liverpool. Mas Thomas Clarkson estava otimista. A seu ver, muitos parlamentares estavam com sentimento de culpa por causa do voto contra a abolição do tráfico negreiro e votariam a favor da companhia, ou pelo menos se absteriam, para se sentir um pouco mais cristãos. Tinha razão: a proposta foi aprovada com folga nas duas Câmaras. A companhia passou a existir em julho de 1791, tendo como primeiro presidente Henry Thornton, um jovem banqueiro evangélico (e primo de William Wilberforce). Com a mobilização do capital dos crentes, sobretudo quakers e evangélicos, criou-se um fundo inicial de 42 mil libras. Thomas Clarkson, agora como diretor da companhia, deu andamento a sua nova paixão, alardeando os milhões de africanos que logo estariam comerciando com a Inglaterra. Como uma câmara de comércio de uma pessoa só, ele desenvolveu o hábito de ter amostras de grãos de café e pimenta nos bolsos, que dava aos convidados para experimentar, tendo antes torrado o café numa pá em cima de um braseiro ao ar livre.[15]

Uma nova página do épico dos afro-americanos que haviam optado pela liberdade britânica estava prestes a ser virada. Mas todos os envolvidos no renascer do empreendimento de Serra Leoa reconheciam que seu êxito dependia da transfusão de sangue novo da Nova Escócia. Quando se lamentava o destino do primeiro assentamento, tornou-se corriqueiro observar que talvez não tivesse sido feito com um material humano dos mais promissores; que *aqueles* "negros pobres", afinal, tinham dependido de caridade por anos e estranharam os desafios do trabalho árduo. Mas os nova-escocianos, pelo que dissera Peters, formavam a nata dos legalistas negros e não precisariam de sermões sobre a importância da perseverança na adversidade. Quantos emigrariam, porém, não se sabia. Henry Dundas, em nome do governo, imaginava não mais do que umas trinta famílias, o que mesmo assim seria um bom começo e talvez o máximo que o incipiente povoado por ora conseguiria absorver. Nas conversas com Clarkson, o próprio Peters calculava umas cento e poucas almas, não mais que isso. Mas, mesmo que muitos outros quisessem se mudar, seria com as bênçãos e a proteção do governo de Sua Majestade. Em 6 de agosto, Dundas escreveu ao governador Parr e ao governador Thomas Carleton no Canadá, anexando cópias da petição de Peters, dando a entender que deveriam atender às reclamações. Instaurariam um inquérito para ver se as terras não haviam sido distribuídas, pois, se Peters estivesse certo, seu povo "por certo teria fortes motivos de queixa". Devia-se proceder à retificação, mas o governo tinha a obrigação de fornecer passagem gratuita para Serra Leoa e reassentamento em terras de lá para todos os negros que não quisessem ficar na Nova Escócia, ou, se considerassem a alternativa mais atraente, iriam prestar serviço militar em regimentos negros livres nas Índias Ocidentais.[16] O fato de dois governadores coloniais britânicos receberem ordens do governo de Westminster para dar atenção substancial às reclamações e preocupações de um sargento iletrado dos Pioneiros Negros, um sujeito que tinham descartado como um chato impertinente, era uma guinada inesperada e impressionante.

O próprio Peters voltaria à Nova Escócia para divulgar a notícia entre as comunidades negras. Além disso, agentes locais especialmente indicados pela companhia iriam entrevistar e reunir todos os que quisessem emigrar, fosse para a África ou para o Caribe. Mas, em vista do que Peters lhes contara sobre a conduta dos legalistas brancos em relação aos negros, sem mencionar que os usavam como mão de obra barata, Clarkson e Sharp receavam que seu sargento não conseguisse assegurar a fiel execução dos desejos do governo e da companhia. Alguém mais, alguém branco, precisava ir à Nova Escócia: alguém de determinação tenaz, integridade inatacável e energia inesgotável; alguém capaz não só de examinar os negros, mas de fretar um navio, organizar a viagem e acompanhá-lo em segurança até Serra Leoa, onde um "supervisor" nomeado pela companhia assumiria o encargo.

Quebraram a cabeça, tentando imaginar quem se enquadraria nesse modelo. Thomas estava ocupado demais para ser dispensado. Mas aí, numa súbita e inesperada alternância de alegria e gravidade, ele pensou no irmão.

Ele sempre tinha sido o "outro" Clarkson — Johnny, segundo filho, extremamente afável, de gênio tranquilo, temperamento sossegado, não uma grande máquina de ideias e ações como o irmão Thomas, e talvez não destinado a grandes coisas, mas sempre disposto a cumprir seu dever e sem objeções. Os dois irmãos eram muito chegados, talvez por serem tão diferentes (exceto pelo mesmo nariz avantajado dos Clarkson), e se a profissão fosse determinada pelo físico e pelo temperamento, teriam de trocar de lugar. O sacerdote Thomas era de estrutura óssea vigorosa, de queixo quadrado, testa larga, troncudo como um cavalo de tração, sem o menor jeito para conversas amenas. O oficial da Marinha John era magro, alto, muito sociável, de traços bastante delicados, com uma disposição vivaz e uma delicadeza de sentimentos que, ao lado do inflexível Thomas, o faziam parecer quase frívolo. O irmão mais novo tinha um respeito pelo irmão mais velho como todo o resto dos ingleses bem-intencionados, ou seja, servil.

Mas o jovem John Clarkson certamente não estivera resguardado dos golpes do mundo. Tinha dois anos de idade quando seu pai, o mestre-escola de Wisbech, morreu, deixando a viúva Anne não só desconsolada, mas vítima de um reumatismo que a incapacitava. Todos os anos ela levava os três filhos (pois havia uma irmã, também chamada Anne) para ficar com os primos, os Gibbs de Horkesley Park, em Essex. Lá, em meio à paisagem campestre com jardins planejados que se usava na época (carneiros ornamentais, janelas altas com caixilhos), os jovens Clarkson encontravam casacos azuis e galões dourados, pois os Gibbs tinham se casado no clã naval dos Rowley, e foi com o capitão Joshua Rowley que John Clarkson, aos doze anos de idade, entrou na Marinha Real. Assim, enquanto Thomas fazia análises gramaticais de poesia latina e mergulhava em Erasmo na St. Paul's School, o cadete John amarrava sua rede a bordo do HMS *Monarch*, um navio de guerra de 74 canhões. Lá ele entrançava cordas, debatia-se empenhadamente com seus sextantes e quadrantes, escalava o mastro do navio para ficar de vigia, e aprendeu que tinha obrigação de ficar ao lado dos canhões durante uma ação, com a pistola preparada, pronto para disparar em qualquer um que tentasse escapar no convés.[17]

Em cinco anos e meio como cadete, aspirante e tenente em ação, John Clarkson serviu em nove navios, desde um vaso de guerra de terceira categoria como o *Monarch* até uma fragata veloz e predatória chamada *Proserpine*, terminando na chalupa de ataque *Bloodhound*, pequena e bem-alinhada. Seu período de aprendizado naval coincidiu quase totalmente com o conflito americano, de forma que, quando foi promovido a tenente em março de 1783, já tinha experiência de quase tudo que a Marinha de guerra podia lhe dar. Ainda mal saído da infância, viu marinheiros despencarem de ponta-cabeça do alto do mastro principal, um deles se espatifando sobre os canhões; familiarizou-se com a severa cerimônia de açoitamentos diários (o estalido dos golpes, grunhidos, carne viva lavada com salmoura); sentiu a revoltante impotência de um grande navio imobilizado num temporal violento, a popa totalmente descontrolada enquanto a tripulação, num frenesi, alijava tudo o que havia a bordo, exceto os canhões; apresentou-se em voz rouca quando o rei, conduzido num barco a remo, vistoriou a frota na Revista de Spithead; sentiu nos ossos a vibração e os estilhaços do impacto direto de um costado, tão violento que parecia que o navio ia se desfazer; observou impotente quando as velas mestras consumidas pelo fogo caíram, amortalhando o convés como uma ave marinha esfrangalhada e caída de repente; escorregou no sangue enlameado do tombadilho na área dos canhões, apesar da camada de areia para absorvê-lo; viu um oficial perder um braço arrancado por um canhonaço e nem esboçar um gemido; afligiu-se com as manobras de torturante prudência para entrar ou sair das linhas de fogo; e, o pior de tudo, assistiu paralisado à brutal carnificina de uma abordagem desigual, seus colegas de navio lançando gritos de guerra enquanto abriam caminho a tiros, golpes e cuteladas entre a tripulação lamentavelmente decidida de uma pequena chalupa francesa, a *Sphinx*, massacre que jamais conseguiria esquecer de todo.[18]

Em meio a tanta ação, não havia tempo nem espaço nem sentido para que o aspirante Clarkson desenvolvesse melindres de consciência. Durante grande parte da Guerra Revolucionária americana, John esteve estacionado no Caribe, onde o almirante Rodney recebeu ordens do Almirantado de se ocupar com os franceses o máximo que pudesse, para impedi-los de bloquear a América britânica ou de capturar ilhas canavieiras inglesas. Se ao mesmo tempo ele conseguisse pegar alguns navios deles ou dos espanhóis, os Senhores do Mar ficariam extremamente gratos. Naqueles anos John Clarkson estava cercado de escravidão por todos os lados, e não mostrou nenhum sinal de se incomodar com isso. Alguns dos artilheiros e polvoristas eram escravos, outros eram livres. No porto, em Barbados e Santa Luiza, eram escravos que manobravam os escaleres, pilotavam os navios para uma boa ancoragem, transportavam barriletes nos carrinhos e fardos nas costas, e perto do cais sempre havia leilões de africanos acorrentados. Na lânguida Jamaica, ele ouviu os tambores das festas de Jump-Up e John Canoe; assistiu ao desfile das mulatas com seus cetins ao sol; viu jovens fazendeiros, alguns de sua idade ou até menos, quase amarelos de febres e orgias, caírem de bêbados ao sair dos bares — e nunca, jamais, lhe passou pela cabeça se preocupar com as iniquidades daquele mundo.

Isso foi antes da atrocidade do *Zong*; antes da epifania de seu irmão Thomas na beira da estrada em Hertfordshire, antes de sequer ter ouvido falar em Granville Sharp e James Ramsay. Porém mal John acabara de vestir seu casaco de tenente quando a guerra contra os americanos e os franceses terminou. Como milhares de outros jovens oficiais, seu navio foi dispensado e ele ficou a meio soldo. Acionaram-se contatos e amigos da família para ver se alguém conseguia um navio para John, mas sem resultado; e ele conseguiu se safar de uma entrevista com lorde Howe para o comando de um pequeno escaler na costa oriental da Inglaterra. Numa atípica indefinição, ele ingressou, mais à deriva do que num firme rumo, na contagiosa aura do ardor incessante de seu irmão mais velho. Começou a ler, a falar, a respirar abolição, e aí, com sua própria dose de autêntico fervor emocional, a agir. Afinal, ele tinha uma contribuição prática a trazer para a campanha de Clarkson e Wilberforce: a experiência própria nas Índias Ocidentais e em assuntos náuticos. John ajudou Thomas a esquadrinhar a zona das docas em busca de testemunhas arredias e depoimentos relutantes; examinou notas de embarque com um olho de marinheiro; fez um relatório de tudo isso para o comitê a cujas reuniões comparecia meticulosamente. Alguns antigos colegas de Marinha não gostaram dessa conversão. Um deles, John Matthews, tinha publicado uma apresentação de Serra Leoa, para onde fora, a fim de defender o tráfico negreiro. Os Rowley fecharam a cara, resmungaram que essas coisas sempre tinham existido e que mais valia deixar em paz. O bispo de Bangor disse a John que tudo bem, que seja, mas eles têm uns narizes tão desagradáveis, não é? Ao que o rapaz respondeu, no leve tom de bom-mocismo, mas moralmente impecável, que se tornaria a marca do novo John Clarkson, que ele tinha certeza de que Deus jamais faria algo desagradável.

Continuava a querer um comando. E pouco tempo depois, com o medo de uma guerra — contra a Espanha, e não contra a França — apareceu uma oportunidade sob a forma da velha capitânia de Rodney, HMS *Sandwich*, agora reduzida a operar como estação para receber os infelizes recrutados à força para o serviço militar na Marinha. Era o posto mais deprimente que se podia imaginar, que Jonas Hanway e Granville Sharp tinham combatido, dedicando grandes energias a esse ataque. Mas pela última vez John Clarkson pôs a carreira acima de sua consciência humana. Ainda que os dois irmãos não tenham rompido totalmente as relações por causa desse serviço degradante, Thomas ficou agastado com a defecção de John e passou a procurar e dar assistência às mulheres e filhos dos homens apreendidos pelas turmas de recrutamento forçado. Uma delas, com a mente perturbada e um nenê nos braços, disse a Thomas que seu marido estava no *Sandwich*. Foram de barco até o navio, onde John deu ao irmão e à mulher em prantos a triste notícia de que o homem já tinha zarpado.[19]

O atrito terminou quando o *Sandwich* foi desativado em maio de 1791, mais ou menos na época em que a Companhia de Serra Leoa conseguiu sua autorização do governo. John estava de novo disponível, e reconciliado com o irmão febrilmente assoberbado. Viu-se numa encruzilhada. Ele estava noivo de Susannah Lee, filha de um banqueiro da City e dono de terras na East Anglia, com uma auspiciosa perspectiva matrimonial. Aos 27 anos, John podia antever a vida inofensiva de um cavalheiro no campo, muito piedoso e com inclinações filantrópicas — se não fosse reconvocado para a Marinha. Mas as pessoas a que era mais ligado — seu irmão Thomas e William Wilberforce — tinham ideias completamente diferentes.

Parece provável que John, sabendo que a companhia queria alguém que fosse para a Nova Escócia para secundar os esforços de Peters, tenha se oferecido voluntariamente, sem precisar ser empurrado por Thomas. Mas devia saber o quanto essa iniciativa agradaria o irmão, e que a integridade desse cargo apagaria a infâmia do outro. Do ponto de vista da companhia e do comitê, seria impossível alguém melhor. John Clarkson ainda era jovem, com apenas 27 anos — mas o primeiro-ministro Pitt tinha alcançado seu alto posto com três anos a menos! E se fosse se realizar alguma viagem da Nova Escócia para a Serra Leoa, quem melhor para conduzi-la do que o tenente, visto que ele representava a união entre a experiência naval e o fervor da devoção religiosa?

Um elemento ainda mais instigador talvez tenha sido o fato incontestável de que William Wilberforce o amava pelo menos tanto quanto o próprio irmão. Com seu jeito levado e travesso, John era um contraponto revigorante à solenidade e à bondade circunspecta de Thomas. Com John se podia brincar. Wilberforce, cinco anos mais velho, tratava-o nas cartas e às vezes ao vivo como "caro almirante", e os dois davam a impressão de trocar piscadelas e até algumas molecagens. Cercados por toda aquela gravidade, ainda pareciam garotos. Mas os garotos faziam trabalho de homem, e como bons beatos. Wilberforce não tinha a menor dúvida que a "Missão", como já a chamavam, seria obra do jovem tenente. Providenciou pessoalmente que membros do governo, como Dundas e Evan Nepean, o subsecretário responsável pelos assuntos canadenses, fornecessem as necessárias cartas de instrução, autorização e apresentação que facilitariam as tarefas de John em Halifax. A Nepean, Wilberforce escreveu dizendo que tinha a mais profunda confiança em John Clarkson, um "jovem Homem de enorme mérito & mil boas qualidades profissionais & pessoais, entre as quais, creia-me, inclui-se a discrição [...] acrescente-se a tudo isso que ele é uma pessoa por quem nutro uma Consideração muito sincera".[20] Em 5 de agosto, John Clarkson solicitou e recebeu um ano de licença da Marinha.

Seu irmão Thomas, claro, não ia diminuir o ritmo. Estava de novo percorrendo a Inglaterra, promovendo a Campanha Contra a Sacarina, como se chamava agora, e coletando subscrições para Serra Leoa. Só andava a passeio à noite. Escrevia cartas enquanto comia. Quando seu anfitrião em Shropshire, o reverendo Plymley, chegou um pouco atrasado para o jantar, Clarkson manifestou seu pesar pelos preciosos minutos desperdiçados e fez que Katherine Plymley, a irmã do sacerdote, lhe arranjasse pena, tinta e escrivaninha. Depois de agradecer, Clarkson lhe sugeriu que ela concordasse em apor o sinete nas cartas enquanto ele terminava depressa, para evitar mais perda de tempo. Sempre pensando no bem da causa, Thomas recomendou a John que fizesse um diário de sua missão, pois achava que tal documento, devidamente editado e publicado (por ele), seria de valor inestimável para a cruzada antiescravista. Obediente como sempre, John prometeu que faria.[21] Então foi visitar a noiva Susannah, para pegar sua bênção ou, pelo menos, sua concordância com o adiamento das núpcias. Afinal não se ausentaria por anos a fio. Seu trabalho era ver se havia na Nova Escócia pessoas interessadas pela colônia de Serra Leoa; caso afirmativo, era levá-las até lá. E só. A companhia, então, indicaria a seu critério um governador ou um supervisor. Dentro de um ano, no máximo, estaria de volta; satisfeito, confiava ele, com o devido cumprimento de uma elevada incumbência.

John embarcou no *Ark* em Gravesend, a 32 quilômetros de Londres. Então, de chofre, seu irmão mais velho pareceu acometido de um surto de preocupação com o empreendimento. "Nos Rios da África, tenha cuidado com os Jacarés e em terra com as cobras",[22] escreveu Thomas numa carta de despedida; mas esse conselho de prudência não bastou para sua ansiedade. Não conseguia se separar de John; precisava de uma despedida mais completa. E os ventos — adversos e turbulentos — estavam a seu favor, embora contra o *Ark*. Estava fora de questão avançar até o Atlântico. Thomas, que raras vezes interrompia seu itinerário cuidadosamente programado por algo tão sentimental, dessa vez o alterou com visitas a Plymouth e Exeter, e cavalgou furiosamente para o sudoeste, tentando descobrir onde tinha atracado o *Ark*, por fim alcançando John em Weymouth. Foi um último encontro sério, com um último abraço e — pois afinal eram os Clarkson — por certo uma aflita oração em silêncio.

Terá sido no meio do Atlântico, com um nevoeiro outonal tão cerrado que o *Ark* quase colidiu com um brigue bem a sotavento, que John Clarkson teve pela primeira vez a inoportuna sensação de estar afundando? Continuava a lembrar o estranho conselho que lhe dera Wilberforce antes de embarcar.

Não fique muito perto de Peters, escreveu-lhe Wilberforce no começo de agosto, para não ter parte em nenhum erro em que ele possa incorrer; cultive boas relações com os governadores; tenha cuidado em não exagerar o projeto.[23] Não era conselho que reforçasse sua serenidade, que volta e meia se sombreava como as ondas à luz do sol interceptada pelas nuvens.

> Durante a viagem, meu espírito ficou constantemente ocupado com a importância de minha missão. Vejo-a de outro ponto de vista, diferente do que tinha quando de início ofereci meus serviços, pois então estava influenciado pelos sentimentos do momento, devido à história comovente que eu tinha ouvido Peters contar e à dificuldade que os Diretores pareciam ter em encontrar uma pessoa adequada para conduzi-la; mas quando fui para o mar e tive tempo para refletir, o caso se alterou. Então tive folga para perceber a magnitude do empreendimento e, embora sentisse o mesmo desejo de ajudar essas pessoas desafortunadas, quase recuei da responsabilidade que havia tomado a mim, mas, tendo embarcado nisso, não tinha alternativa senão prosseguir.[24]

Então ele iria ser mais um Jonas do que um Moisés? O autoquestionamento constante era um costume da mentalidade evangélica. Mas até então ele não tinha sido muito assediado por aquelas dúvidas que afluem numa torrente, junto com os chamados ao dever, igualmente severos. E se Peters, a despeito de toda a sua evidente integridade e paixão, *não* estivesse certo, e para os negros seria melhor continuar onde estavam? Pois Serra Leoa, claro, teria seu próprio sortimento de riscos e perigos. Ora, então ele seria profundamente culpado por enganá-los. Bem, era verdade que trazia um documento, na forma de um folheto publicado pela companhia em agosto de 1791, que seria entregue ou lido aos negros, e que prometia exatamente aquilo que não possuíam no momento: uma área de plantio garantida (vinte acres por homem, dez para a esposa, e cinco para cada filho), e um sistema judicial que incluiria jurados negros. O folheto também trazia o primeiro documento explícito contra a discriminação racial de toda a história ocidental, uma determinação estrita do governo de que "os direitos e deveres civis, militares e comerciais de negros e brancos serão os mesmos e assegurados da mesma maneira".[25] E, acima de tudo, como insistira Sharp, não se admitiria a escravidão em Granville Town, e nenhum agente da companhia, e muito menos nenhum assentado, poderia se envolver no tráfico escravo. Então seria um lugar novo para eles, com certeza melhor do que a experiência que tinham na Nova Escócia. Mesmo assim, refletiu Clarkson, era obrigação sua com eles (e talvez consigo mesmo), conforme aconselhara Wilberforce, não propagandear esse futuro com entusiasmo excessivo, para que apenas os mais determinados decidissem ir. Ele simplesmente exporia a política da companhia e do governo de Sua Majestade, e então deixaria que "fizessem sua própria escolha, pois eu os considerava homens dotados com os mesmos sentimentos que eu e, portanto, não ousaria brincar com o destino deles".

Em 7 de outubro, o *Ark* fundeou âncora no largo porto de Halifax. De pé no tombadilho, Clarkson ficou encantado com a mistura desordenada de casas brancas e amarelas na encosta do morro. Mas já estava nervoso e impaciente para começar sua tarefa. Alugaram quartos no estabelecimento onde os comerciantes tomavam café, no porto, onde Clarkson tinha sido chamado por Lawrence Hartshorne, o negociante quaker que era o agente da companhia na região de Halifax e que lhe causou imediata impressão com sua franqueza e modéstia, qualidades que descobriria serem escassas entre os outros nova-escocianos. Um grupo de swedenborguianos fez uma aparição; eram especialmente favoráveis à missão de Clarkson, pois a Igreja deles professava a crença de que nos africanos se encontraria o verdadeiro espírito impoluto do cristianismo. Clarkson soube que Thomas Peters chegara antes deles e já tinha ido para Annapolis. Julgou improvável que Peters tivesse recebido uma acolhida calorosa e cooperativa por parte do governador Parr.

Naquela mesma tarde, John Clarkson compareceu com suas instruções à presença de Parr, o qual, mesmo antes da chegada de Peters, já estava informado sobre os dois pela carta de Dundas em 6 de agosto. O que Clarkson não sabia era que viera outra mensagem de Evan Nepean, que, num gesto de misteriosa deslealdade, já havia minado sua autoridade. A essência do bilhete de Nepean era aconselhar Parr a não apressar indevidamente a missão de Clarkson. Aliás, se fosse possível atrasá-la um pouco, seria muito bom. Não está muito claro por que cargas-d'água Nepean (e talvez Dundas) quis apresentar as ressalvas contra o espírito e a letra de suas próprias instruções oficiais de maneira tão direta, a não ser que elas condiziam com a opinião de Parr de que promover a expedição para Serra Leoa seria despertar problemas entre os legalistas brancos, e talvez até acelerar uma defecção em massa de volta para os Estados Unidos. E Parr e Thomas Carleton, claro, estavam decididos a objetar contra o conteúdo implícito das reclamações de Peters, pois refletia negativamente sobre a autoridade deles.

No dia seguinte Parr ofereceu um jantar a Clarkson, com a presença dos notáveis de Halifax. Entre eles estavam Michael Wallace, naturalmente, e o bispo Inglis, que tinha sido vigário da Igreja Trinitária em Nova York e que era, na melhor das hipóteses, indiferente aos negros (os bancos de sua igreja, afinal, estavam vetados a eles, que só podiam ficar na galeria). À mesa se encontrava também um certo sr. Hammond, diplomata britânico nos Estados Unidos, que tinha ido para Halifax no paquete de Falmouth. Suspeitamente incentivado pelo governador, Hammond disse que a bordo tinha ouvido notícias da destruição do povoado em Serra Leoa, aniquilado pelos nativos locais. O lúgubre relato levou Parr a soltar algumas exclamações de ceticismo sobre a prudência de qualquer saída em massa de negros nova-escocianos rumo a destino tão perigoso. Clarkson, naturalmente, estava a par do ataque do rei Jimmy em 1790, e imaginou que essa notícia se referia a outro suposto ataque contra a aldeia restaurada por Falconbridge. Mas, já alerta ao que parecia ser uma campanha interesseira de dissuasão, Clarkson descartou a veracidade dessa "informação" mais recente. Parr, porém, não desistiu, insistindo que tinha ouvido muitos relatos parecidos sobre o infeliz destino dos assentados em Serra Leoa. Foi então que, à mesa de Parr, com taças e pratarias como pano de fundo, o rapaz alto e nervoso em seu casaco de tenente, o rosto e os olhos brilhantes, descobriu sua autoridade pessoal. Os diretores da companhia e o governo de Sua Majestade, disse com energia (e de jeito um pouco imperativo), não teriam aprovado sua missão nem o autorizariam a oferecer transporte para Serra Leoa, se tivessem alguma razão para crer em tais informes. Devia haver algum infeliz mal-entendido por parte desses informantes. A essa altura, como registrou Clarkson em seu diário, "a conversa cessou, com o governador mandando servir os copos [...] Pude ver com clareza que o governador preferiria que eu não me saísse bem em minha tarefa [...] talvez com a ideia de que, se as pessoas fossem contrárias a deixar a província, seria um bom argumento para provar que estavam satisfeitas".

Ainda assim, as notícias preocuparam Clarkson depois que ele começou a divulgar a proposta da companhia de oferecer reassentamento em Halifax e povoados vizinhos, como Preston, e a se fazer perguntas. Seria prudente o envio de "armas e munições [...] com um Armeiro adequado" a Serra Leoa?

Mas então ele não podia evitar que a imaginação romântica tomasse conta. Visões de "seus" negros sendo atacados por tribos hostis na chegada à África o acometiam; o pior é que seus patrões em Londres lhe escondiam alguma coisa e *sabiam* que ele daria com os burros n'água. Por que, então, que importância *ele* tinha? E como se perdoaria por fazer os negros sofrerem mais ainda?

"Agora vou lhe dizer", escreveu John a um leitor imaginário — ele mesmo, talvez, ou o irmão —, caindo na sintaxe estropiada de um fluxo de consciência que traía sua agitação interior:

> o que certamente vai acontecer se eu encontrar qualquer resistência resoluta [na África] enquanto as pessoas estão sob minha proteção; vou manter como coisa mais importante em meus pensamentos que estou com vários homens inocentes a meu cargo, muitos dos quais estavam confortavelmente estabelecidos em paz e tranquilidade e que estariam muito satisfeitos se não fosse a inclemência do clima durante uma parte do ano — que essas pessoas depositaram confiança em mim para cumprir as promessas feitas pela Companhia e às quais assegurei que não havia nenhum perigo imediato da parte dos reis do país, mas que julguei necessário que todos os bons cidadãos estivessem em guarda — que esses pobres desafortunados têm, desde que a Europa se declarou iluminista, vivido a maior traição, opressão, assassinato e tudo o que há de baixeza, que não sou capaz de nomear um exemplo em que um grupo deles reunidos tenha conseguido o cumprimento consciencioso das promessas feitas a eles; e portanto, depois de considerar o que eu disse com toda consciência e sobretudo depois de lembrar que essas pessoas estavam em paz e tranquilidade antes de depositarem sua confiança em mim, farei de tudo (supondo que encontremos resistência) para convencê-los da integridade e sinceridade do meu coração para com eles, e declaro que você nunca mais me verá se acontecer algo desse gênero, pois prefiro sacrificar minha vida na defesa do mais humilde deles a bordo a que venham nutrir a menor dúvida sobre a sinceridade de minhas intenções.[26]

O que exatamente John Clarkson estava ameaçando, caso descobrisse, ao final da travessia do oceano, que havia sido iludido de propósito e, pior, havia iludido involuntariamente os negros? Resistência armada? Suicídio? E o que o levara de repente a tal desabafo pessoal apaixonado e até violento?

Para começar, Clarkson mantinha contato em Halifax com homens plenamente dispostos a confirmar os relatos dos sistemáticos maus-tratos a que eram submetidos os negros livres. Os dois principais membros da justiça da Nova Escócia, o presidente da Suprema Corte, Sampson Blowers, e o procurador-geral, Thomas Strange, ouviam constantemente casos que os chocavam e afligiam, e que na verdade os converteram na guarda avançada de uma pequena facção em Halifax favorável à proibição total da escravidão na província. Depois Lawrence Hartshorne o apresentara aos legalistas quakers, que, junto com os Amigos na Inglaterra e na América, sempre tinham sido dessa mesma posição.

O mais provável, porém, é que o contato pessoal de Clarkson com os próprios negros, sobretudo em Preston, tenha lhe causado grande perturbação. Outra das múltiplas preocupações que o assediavam desde que se mudara do café para outros aposentos alugados perto do porto, referia-se aos procedimentos para permitir que os emigrantes potenciais saíssem da Nova Escócia e de New Brunswick. A companhia tinha insistido que todos deveriam ser examinados por sua "diligência, honestidade e sobriedade". Apenas os homens e as mulheres que mostrassem essas três qualidades receberiam os "certificados de aprovação" que, com efeito, seriam o passaporte para o local que os diretores decidiram denominar (sem maiores referências ao excêntrico sr. Sharp) "Freetown". Mas Clarkson e Hartshorne alimentavam profundas desconfianças em relação aos agentes encarregados de divulgar a notícia aos negros e de expedir aqueles atestados de idoneidade. Os legalistas brancos já estavam aborrecidos com a perspectiva da partida dos negros mais aptos e preparados. Por que haveriam de ajudá-los dando referências? Assim Clarkson resolveu que iria visitar pessoalmente o maior número possível de negros livres em toda a península, leria para eles a proposta da companhia, anotaria os nomes de quem manifestasse interesse em ir, avaliaria o preparo deles e assinaria os certificados. "Os brancos agora ameaçam negar atestados de caráter para obrigar os negros a ficar nesta província; mas, se vejo a cabana de um homem em ordem decente, sua terra cultivada da maneira como é possível e se tem vários alqueires de Batatas [...] não vou lhe recusar nenhum certificado se seu caráter geral é bom."[27]

Por esse motivo foi a Preston, seguindo do norte um pouco para o interior, na margem do rio Halifax que dava para Dartmouth, junto com Hartshorne e James Putnam, o inspetor de quartel de Halifax, que tinha o povo de lá em alto conceito.[28] Pois o que Clarkson tinha visto no povoado evidentemente confundira ainda mais seus sentimentos pessoais já confusos acerca de todo o empreendimento.

O vilarejo, um dos poucos em que havia brancos e negros, era paupérrimo, os lavradores lutando para arrancar alguma coisa do solo escasso e varrido pelo vento. Os visitantes ouviram dos prestonianos histórias sinistras de contratos de trabalho fraudulentos que mantinham crianças por um prazo muito maior do que entendiam que havia sido combinado; as ameaças de venda; os horrores de sempre. E apenas cerca de metade dos prestonianos possuía alguma terra. Os que tinham uma área pequena "trabalharam tanto o solo que ele se esgotou e não rende nem metade da safra".[29] Mas havia outros que realmente haviam recebido seus quarenta acres, como Liberdade Britânica, além do "terreno na cidade" onde ele construíra um pequeno barraco. Tendo sobrevivido aos piores invernos e aos anos de fome de 1788-90, os que resistiram tinham conseguido certo rendimento das terras, vendendo batatas, milho e frangos no mercado de Halifax, e com uma margem suficiente para poder contratar com Clarkson o fornecimento de aves poedeiras para a frota africana.

Mais significativo ainda foi o fato de Clarkson poder ver que as cento e poucas famílias de Preston estavam aglutinadas em algo que ele reconhecia como uma autêntica vila, isto é, tinham escola e igreja, consagrada em data recente. A escola, mantida com um subsídio da Inglaterra, era dirigida por Catherine Abernathy, esposa de um dos lavradores, Adam Abernathy; ela ensinava a cerca de trinta crianças os rudimentos de leitura, redação, religião e aritmética. Algum tempo antes, houvera queixas quanto à peculiaridade das inclinações espirituais da sra. Abernathy e ao excessivo entusiasmo com que ela lhes comunicava suas ordens.[30] Mas evidentemente ela tinha se controlado um pouco, atinha-se ao catecismo anglicano e sua escolinha, uma sala construída de troncos pelos negros, agora era considerada exemplar. A igreja era compartilhada pelos três principais grupos religiosos. David George, que tinha visitado Preston antes do infortúnio que lhe enregelara as pernas, ordenara que um de seus diáconos, Hector Peters (nenhum parentesco com Thomas), fosse o pastor dos batistas e batizasse novos convertidos. Também havia espaço para o número considerável de seguidores da Conexão das "Novas Luzes" da condessa de Huntingdon, uma forma mais rigorosamente calvinista do anglicanismo que fora difundida pelo missionário John Marrant — o mesmo Marrant que servira na Marinha Real e fora cumprimentado pelo cacique índio legalista durante a entrada triunfal do general Clinton em Charleston em 1780. E, não menos importante, o pastor metodista era Boston King, o ex-escravo peripatético, carpinteiro fazedor de caixas e construtor de barcos de Birchtown, pescador de salmão e flagelo dos blasfemadores, que fora enviado por sua igreja para ficar em Preston. Lá, durante algum tempo, ele pelejou com sua constrangedora falta de conhecimento quando os brancos vinham ouvir seus sermões e para manter sua pequena congregação negra com cerca de trinta seguidores. Quando ele pregava Tiago 2:19 ("Tu crês que há um só Deus; fazes bem. Os demônios também creem e tremem"), "a presença divina pareceu descer sobre a congregação. Alguns caíram estendidos no chão como se estivessem mortos; e outros clamavam por misericórdia". Depois do culto, uma certa srta. F bateu à porta da capela e declarou que tinha visto a luz, e então "todos os presentes se desfizeram em lágrimas de alegria ao ouvir suas declarações [e] a partir de então o serviço do Senhor prosperou entre nós de uma maneira maravilhosa".[31]

Assim, os laços comunitários em Preston eram de uma solidez suficiente para despertar profunda emoção em Clarkson. Ele percebeu como os negros da aldeia eram autênticos vizinhos, no sentido de que costumavam cuidar uns dos filhos dos outros, mesmo quando não eram parentes, ou os levavam para casa quando um dos pais precisava sair para trabalhar. Idealizando Preston como fez (referindo-se a seus moradores, às vésperas de partir, como "a flor do povo negro"), não surpreende que sua preocupação em desenraizá-los jamais tenha desaparecido por completo. O fato de tantos prestonianos, ao ouvir falar da proposta da companhia sobre uma mudança para Serra Leoa, reagirem com tanto entusiasmo — 79 foram a Halifax para se inscrever — apenas intensificava as angústias de Clarkson; especialmente porque queriam garantias dele de que, na África, não seriam transformados em "escravos por dívida" como na Nova Escócia. O que tranquilizava Clarkson de que estava fazendo o certo era a enxurrada de histórias aflitivas sobre os revoltantes maus-tratos que os assentados habitualmente sofriam nas mãos dos brancos — muitos tinham sido reduzidos a rendeiros, trabalhando para os proprietários brancos em troca de um mínimo para a subsistência. No cômputo geral, ele tinha certeza de que estava agindo bem. E, afinal, singraria com eles cada légua do vasto e perigoso oceano.

Se pudermos realizar nossos desejos de navegar juntos, ficarei muito feliz, pois estou profundamente interessado no bem-estar desse pobre povo oprimido; na verdade, nunca encarei a tarefa que me comprometi a realizar com todo o grau de respeito que sinto neste momento [...] Tenho pedido a todos os que afirmam querer ir comigo que reflitam sobre o perigo que estão a ponto de enfrentar, e que, se decidirem convictamente me acompanhar, devem a partir desse momento me ver como seu Guardião e Protetor e que em troca esperarei deles obediência e bom comportamento.[32]

A escuna *Dolphin*, de trinta toneladas, um dos vários pequenos navios que percorriam as águas costeiras a sul e oeste de Halifax, estava enfrentando dificuldades na navegação, pois era final de outubro e soprava um vento constante contrário, vindo do Atlântico Norte. A bordo estavam John Clarkson e o jovem médico indicado pela Companhia de Serra Leoa, dr. Charles Taylor, que devia acompanhar os emigrantes até a África, e talvez ficar e clinicar em Freetown. Os dois homens se davam bem, e concordavam com a importância de suas atribuições. Mas reconheciam que se aproximava um momento crítico. Clarkson e Taylor estavam indo para Shelburne e Birchtown, onde morava a maioria dos negros livres na província. Já surpreendido pelo entusiasmo com que haviam sido recebidas suas propostas em Preston e Halifax, Clarkson ficava imaginando o que encontraria em Shelburne. Ele tinha recebido uma carta do coronel Stephen Blucke, mestre-escola e, pelo visto, uma espécie de magistrado em Birchtown, pedindo-lhe mais informações. Levava-as pessoalmente.

Como acontecia naquela época do ano na Nova Escócia, uma bela manhã se converteu numa tarde horrível quando, ao sul de Liverpool, ergueu-se uma rajada de vento do nordeste e o *Dolphin* começou a jogar. A ventania aumentou e o mestre da escuna decidiu entrar numa enseada e esperar o tempo amainar. O abrigo não passava de uma angra onde um rio largo corria suavemente para o mar encapelado. Havia um cais rudimentar e alguns barcos de pesca, na maioria pouco maiores do que um barco a remo, chacoalhando nas amarras; uma praia sem graça onde a areia amarelo-escura, com seixos espalhados e conchas de mexilhões esvaziadas pelo bico das gaivotas, desaparecia nos usuais brejos de juncos e caniços; árvores esparsas batidas pelos ventos apontando por trás de rochas altas e nuas. Em algum lugar grasnavam gansos. À margem oriental do rio havia algumas choças esparsas com aspecto miserável, muito castigadas pelas intempéries, não parecendo muito firmes contra os golpes do inverno que se aproximava. E no entanto essa aldeola deploravelmente dispersa tinha um nome grandioso, Port l'Hébert, dado por algum intrépido acadiano imaginando um porto situado nesse largo curso d'água, que algum dia levaria bacalhau salgado para as Índias Francesas e, quiçá, junto com peles, de volta para a própria Britânia. Clarkson, já um *connoisseur* da indigência rústica, temia o pior, sua pitoresca reação ao cenário ermo ("uma mata sem fim se apresentando a todos os ângulos de visão") rivalizando com sua melancólica impressão de ser a sobrevivência em Port l'Hébert tênue como um fio. Ao lado das choças, "alguns desditosos habitantes" tinham limpado umas desoladas leiras de terra onde um resto de folhas amarfanhadas sugeria uma recente colheita de milho. As vacas e carneiros avulsos perambulavam pela lama. Como era possível enfrentar o inverno num lugar desses, indagava-se Clarkson, imaginando os moradores a "atravessar as matas com o cão e a arma, devidamente equipados com calçados para a neve, em busca de aves selvagens, alces, cervos, caribus".[33]

A ventania tinha piorado, agora acompanhada de um temporal. Por curiosidade e necessidade, Clarkson e Taylor bateram à porta de um dos casebres, uma cabana de troncos coberta de gravetos e resina, e para seu assombro se depararam "com a mais agradável acolhida de uma jovem [branca] com cerca de quinze anos de idade, incumbida de cuidar da casa e de dois pequeninos, seus irmãos, durante a ausência dos pais, que por vários dias estavam coletando seu estoque de batatas para o inverno, do outro lado do rio". Ela se chamava Jenny Lavendar e, à imaginação de John Clarkson, era realmente a própria essência da fragrância sentimental por trás de sua aparência simples. "Sua conduta e gentil atenção fariam crer numa pessoa do mais alto nível e educação [...] suas maneiras tão simples, suaves e sem afetação, sua atitude geral tão modesta e respeitosa me deixaram sem palavras para expressar a estima que senti por essa amável mocinha." Com a chuva caindo forte lá fora, Jenny ofereceu aos cavalheiros o que tinha: batatas, leitelho e um "pouco de peixe salgado". Foi um banquete. A seguir Taylor e Clarkson se levantaram com esforço e saíram do casebre, mas perceberam, na escuridão de breu, que o riachinho que tinham vadeado para chegar à cabana agora subira tanto que era intransponível. Com certa dificuldade, reencontraram o caminho para voltar à cabana de Jenny e foram recebidos pela "pequena anfitriã com sua peculiar boa vontade"; então, desculpando-se pela austeridade do alojamento, ainda pior, disse ela, agravada pelo fato de seus pais trancarem tantas coisas quando estavam ausentes, ofereceu aos cavalheiros a cama "que acomodava um pequeno bebê", um de seus irmãos. Enquanto os dois homens dormiam em relativo conforto, Jenny ficou acordada a noite inteira cuidando do fogo "para que percebêssemos menos a inclemência do tempo. O vento e a chuva fustigavam todas as partes da casa".

Na manhã seguinte, dia 2 de outubro, a tempestade não tinha praticamente diminuído em nada, mas Clarkson e Taylor conseguiram chegar ao *Dolphin*, pegaram algumas provisões e as levaram de volta a Jenny Lavendar em sinal de gratidão. Com a escuna ainda presa na angra, decidiram tentar alcançar as cabanas dos rendeiros negros na outra ponta oriental do rio, o que significava subir pela margem e depois virar para o interior. O local era tão cheio de brejos e emaranhados de arbustos que somente as trilhas de caça dos *mikmaqs* ofereciam algum caminho. Finalmente chegaram a uma triste clareira onde encontraram duas famílias negras, visivelmente despossuídas: os Shepherd e os Martin, ambas de escravos fugidos de Norfolk, Virgínia. A esposa de Thomas Shepherd estava doente e ele reclamou muito com Clarkson sobre a necessidade de trabalhar como meeiro — de lhe negarem terra por tanto tempo que não teve escolha a não ser trabalhar como meeiro para um branco. "Isso os reduziu a tal estado de indigência", escreveu Clarkson, "que, para satisfazer o senhorio [...] foram obrigados a vender todos os seus bens, suas roupas e até as próprias camas." Ele lhes expôs as propostas, mesmo sendo improvável que Shepherd, sexagenário e com a esposa doente, fosse para a África. Clarkson resolveu que, assim que chegasse a Shelburne, mandaria que entregassem remédios à mulher. Já os Martin pareciam feitos de um material mais promissor para Freetown.

De volta à casa dos Lavendar, Clarkson encontrou os pais de Jenny, que rogaram ao cavalheiro que ficasse mais uma noite e então desapareceram de novo na mata para pegar lenha. Antes que saíssem, Clarkson refletiu sobre as infelizes circunstâncias que haviam "enterrado" uma tão "preciosa alma" como Jenny Lavendar numa região agreste, "isolada para sempre dos confortos sociais da humanidade em estado de sociedade".[34] Retomando a viagem interrompida no *Dolphin*, Clarkson refletiu sobre o significado do episódio em Port l'Hébert: a bondade e simplicidade dos pobres, brancos ou negros, à mercê do poder e da riqueza distante, mas não de todo despojados de sua dignidade e generosidade.

No embarcadouro em Shelburne, Clarkson literalmente trombou com um pastor negro prestes a embarcar para Halifax. Era o batista David George. Ele tinha ouvido falar do projeto em Serra Leoa e, em nome de sua congregação em Shelburne, queria saber mais a respeito. Agora teria informações em primeira mão. Os dois homens, tão profundamente diferentes, mas igualados na integridade e paixão, sentiram de imediato um mútuo entusiasmo. Mas George parecia nervoso e, depois que Clarkson se acomodou em seus aposentos e se preparou para recebê-lo, o pastor expôs as razões de seu nervosismo. Furiosos com a perspectiva de perder a fonte de mão de obra barata, sobretudo agora que a economia da cidade estava numa pasmaceira, os brancos haviam iniciado uma campanha de dissuasão. Stephen Skinner, que tinha sido encarregado de organizar a seleção e o embarque, não estava fazendo praticamente nada para detê-la — muito pelo contrário.

Começaram a circular os boatos de que, chegados à África, os negros seriam vendidos como escravos; que quase ninguém que ia para Serra Leoa sobrevivia ao primeiro ano; que teriam de pagar um pesado imposto territorial. (De fato, havia uma boa parcela de verdade na última alegação, embora Clarkson ainda não tivesse notícia dela.) Por outro lado, a proposta de tentar reviver Shelburne transformando-a num porto livre, abrindo-a ao comércio americano, tinha aterrorizado todos os negros livres de lá e de Birchtown, que só conseguiam antever a vinda dos antigos senhores e caçadores de escravos, e já se imaginavam de novo acorrentados, de volta à Virgínia e às Carolinas. Assim, disse George a Clarkson, eles tinham medo de ficar, mas estavam preocupados em partir. Com efeito, a comunidade de Birchtown estava dividida entre um grupo com cerca de cinquenta famílias, liderado por Stephen Blucke, mais propenso a ficar, e as demais famílias, ansiosas em partir antes que fosse demasiado tarde. O clima em Shelburne, em relação ao empreendimento de Serra Leoa, andava tão pesado que George (que fora diretamente atingido) sentiu a violência pairando de novo no ar.

> Ele disse que [...] se soubessem na cidade que ele tinha conversado conosco em particular, sua vida correria perigo [...] aconselhou-nos a não aparecer na cidade ou no campo depois de escurecer, pois, como alguns habitantes eram homens dos

mais baixos princípios, nossa atividade neste porto poderia provavelmente induzi-los a nos atacar.

Clarkson e Taylor tinham intenção de ir até Digby e Annapolis ao norte, atravessando, provavelmente a pé, o estreito da península, numa viagem de uns 120 quilômetros, mas agora levaram a sério os conselhos de amigo de George e mudaram de plano, pois "parecia provável que sofrêssemos uma emboscada de algumas dessas pessoas violentas".

No dia seguinte, 26 de outubro, acompanhado por Taylor, Clarkson atravessou a baía até Birchtown, onde iria apresentar as propostas da companhia e do governo diretamente aos negros livres, numa reunião geral. George tinha avisado que havia tanta gente interessada que seria uma espécie de assembleia ao ar livre, mas naquela manhã chovia forte, uma daquelas chuvas de encharcar, e a reunião se deu na capela metodista de Moses Wilkinson. Sob o toró, os negros de Birchtown — entre eles Henry Washington, Caesar e Mary Perth, Cato Perkins e respectivas famílias — afluíram para a capela. Chegou Papá Moses, carregado em sua liteira e acompanhado por seus fiéis, e então os batistas e os seguidores das Novas Luzes acorreram todos num tropel, até que a capela começou a transbordar de gente, homens, mulheres, crianças; os retardatários se apinharam na entrada, do lado de fora, esforçando-se para escutar o que diziam, contra o barulho das bátegas de chuva. John Clarkson nunca tinha enfrentado uma situação dessas na vida; nenhuma batalha naval jamais o inundara com aquelas "tremendas sensações". Quando subiu ao púlpito, estava animado, sentindo-se nas alturas com a indiscutível nobreza de sua missão, e ao mesmo tempo se sentindo quase esmagado pelo peso da responsabilidade. Pigarreou, mas, com as palavras quase lhe fugindo, decidiu refugiar-se numa leitura oficial e tirou do casaco um documento bastante manuseado: "Considerando que a futura felicidade, o bem-estar e talvez a vida dessas pobres criaturas dependiam em grande medida do discurso que eu estava para pronunciar", escreveu mais tarde, "e vendo os olhos e as atenções de todos sobre mim, julguei melhor expor-lhes as intenções do Governo na carta do sr. Dundas aos governadores Parr e Carleton".

Então espargiu as fórmulas secas e áridas sobre as faces que o fitavam lá de baixo. "Em consideração por seus serviços" durante a guerra, e vendo que alguns — muitos — deles não haviam recebido a terra a que tinham direito, o governo de Sua Majestade havia orientado os governadores a proceder rapidamente à retificação "e numa situação tão vantajosa que pudesse servir como certa compensação pelo atraso". Aquilo era incrível, vindo de um cavalheiro britânico branco. Ele prosseguiu. Se houvesse alguém (e havia mesmo um ou outro) que quisesse aceitar a proposta de servir no Exército nas Índias Ocidentais, devia entender que também teria sua liberdade garantida por Sua Majestade e, quando desse baixa, teria direito à mesma concessão de terras. Se alguém preferisse ir para Serra Leoa, o governo forneceria transporte gratuito, mas, chegando lá, a pessoa ficaria a cargo da companhia, que lhe oferecia terras. Apesar dos boatos, garantiu Clarkson aos ouvintes, eles não teriam de pagar imposto territorial, mas pagariam uma taxa geral para o fundo de defesa comum e instituições públicas, como escolas e hospitais. Se essa opção os atraísse, ele lhes solicitava encarecidamente que "pesassem bem no espírito e não permitissem ser iludidos, de um lado, por relatos exagerados sobre a fertilidade do solo ou, de outro, por imagens de um clima terrível". Se quisessem sobreviver, prosperar, teriam de trabalhar muito e dar duro, do contrário certamente passariam fome e "eu esperava que não me culpassem se as coisas não saíssem de acordo com suas expectativas". E, acima de tudo, não deviam se apressar demais em vender suas terras e pertences, queimando as pontes atrás de si.

Clarkson, de pé ali no púlpito de Moses Wilkinson, cumprira seu dever. Tinha sido severo e cauteloso como prometera a si mesmo. Mesmo assim, constantemente se erguiam exclamações e gritos de alegria e exultação quando ele dizia alguma coisa sobre a terra deles ou sobre a África, como se fosse um profeta. E no final — não conseguiu evitar — ele teve de se oferecer como o pai patriarca, o Moisés branco deles. Logo que todos chegassem a Halifax, disse Clarkson:

> [...] deveriam me ver como amigo e protetor deles; que sempre estaria feliz em atender a suas reclamações e disposto a defendê-los com minha vida, e em troca eu esperava o bom comportamento deles durante a viagem, que me dessem o mínimo de problema possível e se prestassem de bom grado sempre que lhes fosse solicitada alguma ajuda, dando-lhes a entender, porém, que este último pedido seria totalmente voluntário da parte deles, pois deviam se considerar sob todos os aspectos passageiros [não escravos!], não se adotaria nenhum método

compulsório sobre eles, e não se toleraria em hipótese alguma que nenhum marinheiro branco levantasse impunemente a mão contra eles.[35]

Clarkson fez promessa solene de que, quando chegassem à África, ele mesmo providenciaria para que cada um recebesse a terra que lhe cabia e "declarei que só os deixaria quando cada um deles me garantisse que estava plenamente satisfeito".[36]

Jamais branco algum se dirigira a eles em tais termos. Tinham sofrido o cativeiro, e depois a degradação. Tinham sido vendidos, açoitados, obrigados a trabalhar como animais. E aí haviam enfrentado os terrores da fuga; tinham visto corpos devastados pela varíola, abandonados e insepultos na praia, soldados e Pioneiros mortos à bala; tinham congelado nas vastidões desertas do inverno nova-escociano e tinham-lhes roubado seus direitos; e mesmo assim, de certa forma, graças a seus pastores e ministros de Deus, ainda não haviam abandonado totalmente as esperanças. E ali estava aquele jovem oficial pálido, em sua casaca azul, magro como um caniço, dizendo aquelas coisas que lhes abriam os olhos, os ouvidos, o coração. Clarkson terminou, e houve mais uma explosão de imenso júbilo na congregação, com gritos de aprovação e louvor. Quando desceu do púlpito, viu-se inundado por uma alegria efusiva e turbulenta.

> Eles me garantiram que o desejo de embarcar para a África era unânime, dizendo-me que era um desperdício o trabalho deles na terra deste país e que seus maiores esforços mal davam para mantê-los [...] que, estando afundados no degrau mais baixo da miséria, a condição deles não teria outra forma de melhorar e, como já tinham decidido deixar este país, não se deixariam abalar em sua resolução, mesmo que a consequência fosse a doença ou até a morte.

Alguns que tinham nascido lá disseram, referindo-se às pimenteiras que lembravam a infância, que estariam voltando "para sua querida Malagueta".[37]

Um deles expôs a questão à sua maneira, quando foi ver Clarkson em seus alojamentos em Shelburne no horário de 9h às 13h, que havia reservado para entrevistar os interessados em emigrar.

> Pois bem, meu amigo, suponho que você tem pleno conhecimento da natureza das propostas que lhe são oferecidas por Sua Majestade...

Não sinhô, mim não sabe, mim não precisa, mim trabalha feito escravo, não pode ser pior sinhô em lugar nium do mundo então mim decidiu vai com sinhô se deixar...

Você deve levar em conta que é um novo povoamento e que, para se manter em saúde, deve esperar encontrar muitas dificuldades se se engajar nisso...

Mim sabe isso sinhô, mim pode trabalhar muito, mim não importa clima, se um morre melhor mim morrê na terra de eu em vez desse lugar gelado.[38]

Nem todos em Birchtown quiseram ir. Stephen Blucke, na verdade, tinha encarado todo o negócio como uma espécie de afronta à sua liderança. Stephen Skinner e outros notáveis de Shelburne haviam insistido com ele para que fizesse tudo a seu alcance para dissuadir os potenciais emigrantes. Fez-se uma oferta de carneiros e uma vaca para quem quisesse ficar. Cerca de cinquenta aceitaram, e Blucke anotou os nomes deles e mandou a lista para o governador Parr.

Mas a cena dentro e fora dos aposentos de Clarkson em Shelburne, todas as manhãs entre 27 e 30 de outubro, era extraordinária: as salas ficavam abarrotadas de gente e, enquanto Stephen Skinner arrolava seus nomes no papel, a longa fila de gente que esperava pacientemente lá fora ia aos poucos ocupando o lugar ali dentro. Apesar de todas as suas dúvidas sobre o empreendimento, Skinner, legalista tenaz, ficou comovido com o espetáculo, e no jantar com Clarkson, após o primeiro dia de entrevistas, fez um comentário elogioso que lhe era pouco usual, dizendo que, a despeito do que acontecesse com eles e com toda aquela iniciativa, ele, Skinner, sempre defenderia a conduta de Clarkson como justa, equitativa e inatacável. Na verdade, se não todos, pelo menos a maioria dos shelburnianos com quem ele tinha conversado era da mesma opinião. David George, ainda com profundo receio por si e por Clarkson, tinha uma visão menos otimista, pois sofria ameaças pessoais e (como sempre) violentas por levar seus batistas em massa.

Nas manhãs subsequentes, Clarkson teve dificuldade em manter a compostura. Muitos negros que iam vê-lo diziam que precisavam ir, não por eles mesmos, mas por causa dos filhos, que mereciam algo melhor. E esse altruísmo, expresso com tanta naturalidade, muitas vezes era dolorosamente heroico. Um negro de nome John Coltress, ainda escravo, decidira se resignar a se separar da esposa e dos filhos, pois estes eram livres e podiam partir.

Com lágrimas correndo pelas faces, ele disse que, embora essa separação fosse como a morte para ele, mesmo assim tinha decidido renunciar a eles para sempre, pois estava convencido de que tal medida iria, ao fim e ao cabo, dar-lhes uma situação feliz e confortável — disse que não se importava consigo mesmo nem com as crueldades que poderia vir a sofrer, pois, embora mergulhado na mais sórdida condição de miséria, sempre poderia se alegrar com a agradável reflexão de que a esposa e filhos estavam bem. Muitas coisas mais disse ele, e que é impossível transmitir em linguagem adequada a nossos sentimentos nessa ocasião. A sala, como de hábito, estava lotada, ouvindo esse discurso emocionado, e todos, negros e brancos, se sentiram tocados pelos nobres e elevados sentimentos desse pobre Escravo, unânimes em prestar um sincero tributo em lágrimas a tal exemplo de heroísmo sem paralelo. Fiquei tão comovido que, admirando o homem e sentindo comiseração por seu estado, lhe disse que eu compraria sua liberdade se pudesse, e escrevi a seu senhor imediatamente após.[39]

Skinner, porém, informou a Clarkson que as "complexidades" da lei impediam isso, pelo menos no curto período que ele permaneceria em Shelburne, pois Coltress fazia parte de uma complicada disputa de propriedades em que estava envolvido seu dono, Greggs Farish. Relutante, Clarkson se resignou com sua impotência, por ora, em libertar Coltress. Ele insistiu no assunto, mas o dono continuou inflexível. Os Coltress ficariam juntos, mas nenhum deles iria para Serra Leoa.

Clarkson logo percebeu que a lentidão dos tribunais não ajudaria os negros, de forma que algumas vezes se dispôs a ignorá-los por completo. Ouvira falar em Birchtown de um negro que tinha um filho em contrato de aprendiz com um açougueiro de Shelburne, homem "do caráter mais vil e dissoluto", que resolvera voltar para a América e fixar residência em Boston. O garoto também iria, arrancado à família e a um futuro em Serra Leoa. Indignado, Clarkson recorreu aos magistrados de Shelburne, mas foi informado de que, sob os termos do contrato, o açougueiro realmente tinha o direito de levá-lo para onde quisesse. Pior, Clarkson tinha certeza de que, uma vez nos Estados Unidos, o açougueiro iria vender o menino como escravo. A questão parecia simples — liberdade britânica ou escravidão americana? O navio estava embarcando a carga e os passageiros no porto. Não havia tempo a perder. E qual foi o conselho que o representante do governo de Sua Majestade e da Companhia de Serra Leoa deu ao pai? Rapte seu filho. Esconda-o na mata até o navio zarpar. Faça isso. Cuidaremos de um processo depois que o açougueiro tiver ido embora. E uma certa tarde o pai foi em segredo até John Clarkson e disse: feito.[40]

Era o certo. "Tendo obtido o melhor parecer jurídico sobre o assunto, afiancei o menino e me apresentei abertamente para justificar a medida, mas, não aparecendo ninguém contra ele, o garoto continuou com sua família e foi inscrito para o embarque."

Tinha começado a nevar. A bordo do *Deborah*, voltando para Halifax, Clarkson sentiu o frio cortante. Em 4 de novembro, dois dias antes de partir, David George, a quem agora chamava de amigo, tinha ido visitá-lo. George estava mais ansioso do que nunca, achando que se usaria alguma espécie de força física para impedir a partida dos batistas. Mas era tarde demais para a intimidação. Apesar das advertências de Clarkson contra gestos precipitados, George tinha vendido seus cinquenta acres, dissera a Phyllis e aos seis filhos que o futuro deles estava na África, e agora estava impaciente para ir. Clarkson ficou refletindo se seu sucesso em Shelburne e Birchtown não teria sido excessivo; que alguns dos negros, em pânico com a volta dos senhores americanos ao porto livre, tinham agido rápido demais, vendendo barato suas terras a especuladores inescrupulosos, felizes em agarrar galinhas mortas. As coisas estavam acontecendo impetuosamente demais. Ele e a companhia tinham imaginado que dois ou três navios seriam suficientes para qualquer emigração. Mas, em apenas três dias, tinham se inscrito 514 birchtownenses (150 homens, 147 mulheres e 217 crianças), de modo que agora Clarkson tinha de pensar em fretar e equipar uma frota inteira para o êxodo negro a seu cargo. Iria precisar de toda ajuda que conseguisse em Halifax.

Mas, pelo contrário, encontrou obstáculos por toda parte. A imprensa de Halifax havia publicado um ataque feroz a ele e ao projeto de Serra Leoa, em matéria assinada por um certo "Philanthropos". Dizia que o projeto era no mínimo mal orientado, e que podia até ser um artifício malicioso para minar as perspectivas da Nova Escócia legalista. Se fossem tolos a ponto de ir, escrevia o articulista, os negros por certo encontrariam a reescravização, a doença e em pouco tempo a morte. Uma delegação de negros de Preston foi visitar Clarkson em seus aposentos, expressamente para avisá-lo de que os brancos iriam ler para os negros este e outros artigos com o fito de dissuadi-los e para lhe reassegurar que tinham o maior desdém por tais pessoas e suas declarações. O *Weekly Chronicle* reconhecia que "uma proporção muito considerável da Irmandade escura" parecia decidida a emigrar, e pediu à companhia que aceitasse toda e qualquer inscrição, para que não restassem na província apenas "os mutilados, os coxos, os cegos e os preguiçosos".[41] O mais importante é que Clarkson descobriu que o governador Parr tinha decretado o encerramento das inscrições em Shelburne. Em 12 de novembro, quando ambos jantaram juntos, Parr explicou que tinha feito isso no interesse dos próprios negros, estando tantos deles "enfeitiçados com a ideia de uma mudança de situação que lhe parecia a maneira de enviar muitos para o túmulo".[42] Clarkson ficou ofendido com a insinuação de que tivera intenção de enganar os negros, dizendo que, na realidade, ao ver o que eles tinham de suportar na Nova Escócia, era da opinião pessoal — nunca apresentada a nenhum negro, fosse em público ou em privado — de que Serra Leoa só podia ser melhor. Além disso, prosseguiu, era um insulto aos negros e à política da companhia supor que os negros fossem incapazes de decidir sobre o próprio futuro. "O governador replicou que eu podia pensar assim, mas que ele era de opinião contrária."

Duas semanas depois John Parr morreu, com 66 anos, derrubado por um violento ataque de gota. Em 29 de novembro houve um pomposo enterro que Clarkson, pouco caridosamente, considerou extravagante em vista "da pouca competência [de Parr] [...] em minha opinião não talhado para o cargo que ocupava".[43] As atribuições de Parr foram temporariamente assumidas pelo presidente do Conselho do Governo, Richard Bulkeley; mas a morte súbita do governador enfraqueceu de modo inquestionável a obstrução ao trabalho de Clarkson no exato momento em que ele mais precisava afirmar sua autoridade.

Os emigrantes agora começavam a chegar a Halifax em número tão grande que estavam transformando todo o caráter do empreendimento. As inscrições em Shelburne tinham chegado a 560 nomes (embora Clarkson achasse que nem todos teriam autorização de partir). Quase toda a Preston negra, pelo menos mais 250 pessoas, estava resolvida a ir. Ele tinha ido pessoalmente a Windsor, cerca de 65 quilômetros a noroeste de Halifax, para anunciar as propostas a negros que viviam isolados. Ao atravessar a densa camada de neve, por alguns momentos Clarkson suspendeu suas ansiedades administrativas perdendo-se na visão sublime e romântica do panorama: pirâmides compactas de abetos vermelhos recobrindo as encostas, todas envoltas em mantos de neve glacial.[44]

No dia do enterro de Parr, Thomas Peters, que Clarkson não via desde que saíram de Londres, chegou a Halifax com noventa e poucas pessoas da área de Annapolis e de New Brunswick. Ele teve de aguentar muitos boatos, inclusive calúnias de que estaria armando uma cilada para os negros que, depois, seriam vendidos pela companhia, e Peters supostamente embolsaria uma comissão por cada reescravização. Quando reuniu o povo que continuava impermeável às difamações em Digby, Peters foi insultado e espancado nas ruas. Pelo menos uma vez a lei estava incontestavelmente a seu lado, mas, sabendo que o atacante estava bêbado, ele tomou a magnânima decisão de, voltando à cidade, não entrar com um processo.[45]

Casos como o ataque a Peters reforçaram a vontade de Clarkson de acelerar o êxodo. Mas, dia a dia, o empreendimento se tornava mais ambicioso. Mesmo nos cálculos mais conservadores, ele teria sob sua proteção pelo menos oitocentas e provavelmente mais de mil almas. O inverno se aproximava com rapidez, e mesmo que ele conseguisse zarpar antes de 20 de dezembro, conforme esperava, precisaria encontrar um abrigo temporário em Halifax para todas aquelas pessoas, muitas à beira da miséria, sem roupas de frio, enquanto ele fretava, equipava e inspecionava com rigor uma frota que, agora, precisava ser de tamanho razoável. Com o povo de Shelburne pronto para partir *en masse*, Clarkson tentou freneticamente dar instruções detalhadas a David George e aos demais líderes, como se fosse um Noé cuidando da entrada na arca. Haveria uma cota de um cachorro para seis famílias (embora, em geral, abrandasse a regra para os filhotes). Não se permitiriam porcos a bordo, mas frangos e aves domésticas seriam admitidos; poderiam levar pequenas camas e acolchoados, mas não mesas nem cadeiras, porque ocupavam espaço demais. As panelas e frigideiras deviam ser acondicionadas em barris lacrados, para não ficar batendo e se espalhando pelos porões de carga no mar agitado, atingindo os passageiros.[46] Clarkson também começava a dar atenção às necessidades físicas de seus passageiros negros. Como ele sabia, alguns haviam iniciado suas jornadas saindo da África como escravos, e quase com toda a certeza nunca tinham esquecido o horror da travessia. As condições de seus navios jamais deveriam voltar a despertar aquelas lembranças traumáticas. Com a imagem do negreiro *Brookes* impressa no espírito, Clarkson especificou que o espaço para cada passageiro deveria ter pelo menos 1,5 metro de largura, e que nos navios com convés duplo devia haver uma boa folga de pelo menos 1,5 metro entre as cobertas. Nos navios que não dispusessem desse espaço, deveriam abrir escotilhas para permitir a ventilação dos compartimentos e a saída do ar poluído. A dieta não deveria se resumir ao usual biscoito de marinheiro, duro e carunchado, e sim incluir boas quantidades de peixe, carne bovina e carne suína salgada ou curada.

Tudo isso custava dinheiro, que talvez os diretores da companhia não tivessem incluído no orçamento inicial. (As despesas, ao final, chegaram a quase 16 mil libras, o triplo das despesas anuais do governo civil da Nova Escócia.) As cartas de Clarkson a Henry Thornton e Wilberforce ao longo de novembro assumiram um novo tom de urgência cada vez maior, até porque não tinha recebido uma única linha de Londres desde sua chegada. Agora, à luz da realidade, a brincadeira de Wilberforce, chamando-o de "almirante", tinha perdido a graça. "Tenho certeza de que você sentirá por mim ao saber que devo assumir o comando e direção de nada menos que oito navios", escreveu Clarkson, "que, espero eu, até 20 de dezembro estarão prontos para zarpar." Não podia garantir de forma alguma que, se tivesse tido um vislumbre da magnitude da tarefa, teria aceitado a incumbência, mas, como agora estava comprometido, sem dúvida iria perseverar. Reassegurou aos diretores que as pessoas que estaria levando, tal como haviam esperado, eram "na maioria... melhores do que qualquer um na categoria dos trabalhadores na Inglaterra. Eu os mediria pelo juízo sólido, entendimento rápido, raciocínio claro, gratidão, afeto pelas esposas e filhos e boa vontade com os vizinhos". Mesmo assim, seria de imensa ajuda para ele, em seus procedimentos quando menos em relação aos nova-escocianos brancos recalcitrantes ou aos empreiteiros e fornecedores duvidosos, se os diretores lhe fornecessem mais algumas orientações antes da partida.

Talvez John Clarkson não tivesse recebido notícias dos diretores (inclusive seu irmão), mas eles por certo sabiam de tudo a seu respeito. A notícia de que, em vez de cem, seriam mais de mil nova-escocianos negros indo para Serra Leoa eletrizou a companhia e operou maravilhas em seus fundos. O capital original de 42 mil libras subiu para 100 mil, e depois para 235 mil libras, todos plenamente realizados. Enquanto promovia a Campanha Antissacarina,

Thomas Clarkson percorria o país com seus grãos de pimenta, entoando os louvores de uma colônia que não só redimiria o comércio da abominação escravista, mas iniciaria uma inevitável transformação do continente africano inteiro. Sem dúvida irradiava uma secreta satisfação com o que o irmão já tinha realizado. Henry Thornton suspendeu suas atividades no setor financeiro para dedicar tempo e energia à mesma causa. O que se iniciara como um consolo pelos prejuízos do comércio antiescravista agora havia assumido vida própria. Mesmo Granville Sharp, que ainda era um dos diretores, parecia ter se conformado com a questão em nome do bem maior. Disseram-lhe que ainda haveria *tithingmen* e *hundredors* eleitos em Freetown, muito embora fossem atuar apenas como meros oficiais de justiça.

Sob outros aspectos, porém, as instruções adicionais redigidas pela companhia em novembro de 1791, e que estariam à espera de John Clarkson quando ele chegasse a Serra Leoa, se afastavam de maneira drástica e chocante dos princípios que ele havia levado à Nova Escócia. A alteração mais séria, e que causaria muitos problemas futuros, se referia à questão tributária. Em resposta a perguntas ansiosas dos negros, Clarkson tinha garantido especificamente que não haveria nenhum imposto sobre a terra, mas a companhia decidiu criar uma taxa — uma tarifa bastante pesada de um xelim anual no primeiro ano, que subiria 4% depois de três anos. Numa carta à espera em Serra Leoa, Henry Thornton explicava a Clarkson que a companhia optara por esse meio de recuperar "todas as nossas imensas despesas" em vez de direitos aduaneiros sobre a produção, e acrescentava que "confio que os Negros não irão considerá-lo razão de queixa". Iriam considerar, sim.

E tampouco iriam governar Freetown, exceto na questão do policiamento local. E isso também seria uma surpresa desagradável e fonte de profunda insatisfação. Um branco, que encontrou um grupo de negros a caminho de Shelburne, perguntou aonde estavam indo, e lhe responderam que iam para Serra Leoa onde todos seriam "majestades".[47] E certamente a maioria deles pensava que negros e brancos seriam "magistrados" em sua própria comunidade. Mas a companhia tinha proibido a possibilidade e substituiu a assembleia de homens livres de Granville Sharp por um supervisor e um corpo de conselheiros brancos, num molde mais semelhante à administração britânica de Madras ou Bombaim do que à política experimental originalmente concebida para Serra Leoa. Os conselheiros seriam, em grande parte, os profissionais liberais tidos como os administradores necessários da fundação: um agrimensor, um engenheiro de obras, um médico, um agrônomo, um capelão e assim por diante, todos eles, pensava a companhia, cuidadosamente selecionados por sua integridade, seu entusiasmo com o projeto de assentamento e sua escrupulosidade em atender à diretriz contra qualquer discriminação de cor em assuntos de justiça e administração. O primeiro supervisor deveria ser um oficial da Marinha inativo de nome Henry Hew Dalrymple, que tinha apresentado ao Conselho Privado seu depoimento sobre os horrores que presenciara nas feitorias escravas em Gorée. Dalrymple se sentiu tão profundamente abalado que, quando herdou uma fazenda em Grenada, libertou seus escravos e desativou o local.[48]

Mas houve alguém que não gostou dessa preferência: o agente da companhia Alexander Falconbridge, que voltara de Serra Leoa para a Inglaterra no final de setembro de 1791, poucas semanas após a partida de Clarkson. Ele e a esposa Anna Maria tinham sobrevivido ao pesadelo da viagem de volta, no minúsculo *Lapwing*, de 34 toneladas: quase engolidos pelos ciclones *en route* para o arquipélago de Cabo Verde, o gado a bordo varrido amurada afora, quase todos os nove tripulantes e passageiros com doenças e febres violentas, a água potável vazando dos tonéis crivados de furos de carunchos marinhos. Anna Maria sobreviveu com uma xícara diária de papa de farinha com sal e água de chuva.[49] Depois de um período de recuperação, navegaram por entre as ilhas, só que o navio encalhou. Certamente teriam se chocado contra as pedras da praia de São Tomé se Anna Maria, andando pelo convés numa noite enluarada, não tivesse visto o desastre iminente e despertado os tripulantes bem em cima da hora. Com medo de que a escuna batesse, os passageiros tomaram um bote (Anna levando "algumas mudas e nossa roupa de cama") apenas para descobrir que não havia nenhum local entre as pedras que pudesse oferecer alguma espécie de desembarque seguro. "A decepção se estampou em todos os rostos! O que faremos, o que é melhor fazer, era o clamor unânime. Consciente da insignificância de uma mulher em tais assuntos, fiquei em silêncio até que, encontrando um vazio geral de opiniões entre os homens, arrisquei-me a dizer: 'Vamos voltar ao *Lapwing* e depor nossa confiança n'Ele que é onipotente e cujos desígnios são sempre justos'." Ajudado ou não pela Providência, o instinto de Anna se mostrou correto. O navio acabou desencalhando — mas apenas para rumar direto para uma outra "tremenda tempestade" entre Cabo Verde e os Açores, que durou cinco dias, "aumentando os sofrimentos [...] quase insuperáveis e acima de qualquer descrição".

Tendo o agente chegado são e salvo, a companhia parece ter somado o insulto às injúrias sofridas por Falconbridge, visto que foi preterido por Dalrymple, embora os assentados restantes tivessem a esperança de ser ele o governador. Mesmo após várias discussões com Dalrymple, sérias a ponto de os diretores dispensarem os serviços do novo governador, Falconbridge não foi indicado para substituí-lo, e sim nomeado como "agente comercial" — embora com o salário triplicado, a 250 libras por ano, e a responsabilidade de gerenciar os investimentos da companhia em Serra Leoa.

Ao saber da escala da emigração projetada de John Clarkson, e a despeito de seu apreço por Thomas, Falconbridge considerou o plano imprudente, ou, como expôs Anna Maria (possivelmente em retrospecto), "um esquema prematuro, estouvado e maldigerido".[50] Mesmo assim, quaisquer que fossem as reservas do casal Falconbridge, foram deixadas de lado com a apresentação de uma prova aos diretores que prometia grandes coisas para o futuro de Freetown. Era o "Príncipe Negro". John Frederic, filho do Naimbana de Robana, com 29 anos de idade, fora enviado, provavelmente por influência do genro do rei, Abraham Elliott Griffith, para estudar na Inglaterra. (Minimizando os riscos de suas apostas, como pragmático governante que era, o Naimbana tinha enviado um outro filho para a França.) O filho do rei com destino à Inglaterra levava uma carta do pai para Granville Sharp, prometendo proteger os povoadores e declarando que continuava "afeiçoado ao povo da Grã-Bretanha, causa pela qual tive de enfrentar inúmeros insultos deles, mais do que receberia de qualquer outro país". Esperava que Sharp cuidasse de seu filho e "não lhe permita se conduzir a não ser da maneira que você pessoalmente julgue correta".[51]

O "Príncipe Negro", que havia compartilhado todas as privações da viagem do *Lapwing*, foi descrito pela não preconceituosa Anna Maria como "uma pessoa mais baixa que o normal, tendendo à obesidade, sua pele de negro quase azeviche, olhos agudamente inteligentes, nariz chato, dentes separados e afiados em ponta conforme o costume do país, as pernas um pouco arqueadas e o porte viril e confiante".[52] Mas caso se convertesse, pela educação e cultivo, em amigo e aliado de Freetown, e visto que não estaria longe o momento de suceder o velho Naimbana, o povoado estaria assegurado contra qualquer repetição do desastre do rei Jimmy.

Convidado a se hospedar na casa de Henry Thornton em Kent, e recebendo como tutor um certo reverendo Gambier, o príncipe foi batizado tendo como padrinhos Thornton e Sharp. Não tardou para que Sharp pudesse escrever ao Naimbana dizendo que seu filho mostrava "boa disposição natural, modéstia [...] grande diligência e dedicação nos estudos". Com efeito, informaram seus tutores, John Frederick mal se dispunha a interromper suas leituras e "expressaria pesar se fosse deixado em qualquer companhia que não lhe trouxesse algum aprimoramento durante o tempo que passassem juntos". Quando Thomas Clarkson o levou para conhecer os estaleiros de Plymouth, o jovem africano não pôde entender o que estava fazendo ali quando podia estar em Londres, mergulhado em seus livros. Mas, se o "Príncipe Negro" parecia um modelo quase inacreditável de aplicação aos estudos, nunca esquecia que era negro e africano. Consta que "reagia rapidamente em todos os sentimentos e seu ânimo às vezes se acalorava", sobretudo quando suspeitava estar sendo atraído para o tema de Serra Leoa apenas para que os brancos e brancas pudessem ostentar sua superioridade. Na verdade o príncipe era um especialista em ironias, retrucando aos que pretendiam fazer comparações negativas que não era de se esperar que um país tão "desfavoravelmente aquinhoado pelas circunstâncias" como Serra Leoa fosse capaz de qualquer realização que o tornasse merecedor de ser tema de conversa entre britânicos. Quando alguém deixava escapar um comentário ofensivo ou arrogante sobre os africanos, "ele explodia numa linguagem violenta e vingativa, e quando lembrado do dever cristão de perdoar os inimigos, respondia que, 'se um homem rouba meu dinheiro, posso perdoá-lo; se um homem atira em mim ou tenta me esfaquear, posso perdoá-lo; se um homem vende a mim e à minha família para um navio negreiro, para que passemos todo o resto de nossos dias em escravidão nas Índias Ocidentais, posso perdoá-lo, mas", erguendo-se da cadeira em grande emoção, "se um homem tira o caráter do povo de meu país, jamais poderei perdoá-lo".[53]

Evidentemente, Serra Leoa seria a menina dos olhos não só daqueles que tinham se apresentado como seus benfeitores.

Dia após dia, o tenente estava se transformando num messias, num relutante salvador torturado por dúvidas incessantes sobre seu valor pessoal e o destino de sua missão. No entanto, pelo bem de seu povo (e agora, em dezembro, eles eram seu povo), John Clarkson guardava seus medos e terrores para si, sem confiar sequer no bom Lawrence Hartshorne. Todos os dias, desde que fizera saber que seus aposentos em Shelburne estavam abertos aos negros para responder a perguntas e ouvir reclamações, via-se inundado por multidões. Ficavam dois ou três atrás, e os outros em fila na porta aberta, enquanto um deles desfiava todos os problemas que os preocupavam ou ameaçavam impedir a partida: dívidas em que tinham incorrido por artimanhas fraudulentas, contratos com prazos falsificados, sequestros, intimidações verbais e físicas. Para sua grande surpresa, também compareciam soldados brancos, britânicos e hessianos, desesperados para ir embora, suplicando "com lágrimas nos olhos" uma passagem para Serra Leoa, coisa que não podia dar, embora também sentisse muito por eles.[54]

Ainda que Clarkson imaginasse que não havia mais nada que pudesse chocá-lo, algumas histórias que ouvia ainda lhe despertavam uma tremenda fúria. Certa tarde, uma mulher frágil chamada Lydia Jackson foi vê-lo e contou uma história aterradora.[55] Ela e o marido tinham morado perto de Manchester, de onde o marido saiu para procurar serviço. Vendo-a em "grande necessidade", um legalista local, Henry Hedley, lhe ofereceu emprego na casa dele em troca de comida e moradia. Lydia se mudou, mas depois de oito dias Hedley cobrou aluguel pela acomodação. Sabendo que Lydia não tinha recursos, ele lhe deu a alternativa de um contrato por sete anos. Como ela recusou, ele lhe propôs um contrato de um ano, apresentou os papéis e ela pôs sua marca — só que o prazo não era de um ano, como ela pensava, e sim de 39 anos! Ainda ignorando esse infortúnio, Lydia foi avisada no dia seguinte que cumpriria seu ano na casa de um certo dr. John Bolman de Lunenburg, e foi embarcada numa escuna que seguia para aquele porto. Bolman, um médico hessiano que tinha servido no Exército, avisou-lhe de saída que tinha pagado vinte libras por ela, que lhe pertencia por 39 anos e que seria melhor resignar-se com seu destino. Os métodos de Bolman para despertar essa resignação consistiam em doses regulares de agressões físicas. Lydia contou a Clarkson que era espancada com tenazes de lareira, amarrada com cordas no rosto que lhe cortavam a carne, e que no oitavo mês de gravidez Bolman a derrubou no chão e lhe pisoteou a barriga.

Como outros negros livres, Lydia Jackson, embora analfabeta, acreditava que podia recorrer aos tribunais e encontrou um advogado em Lunenburg disposto a defender sua causa. Mas na corte, no banco de testemunhas, ela silenciou, intimidada pelo terrível Bolman; caso encerrado. De volta à casa dele, Bolman lhe disse que estava farto de uma pessoa tão ingrata, mandou-a trabalhar em sua fazenda, dando instruções aos criados que batessem nela quando julgassem adequado, e periodicamente ameaçava vendê-la como escrava a um fazendeiro das Índias Ocidentais. Lydia aguentou mais três anos desse inferno antes de fugir, atravessando e correndo pela mata até Halifax, onde contou sua desgraça ao juiz Blowers e ao procurador-geral Strange. Como eles não fizeram nada, ela recorreu a John Clarkson. Comovido, ele levou o caso a um advogado amigo, que alertou que, se ela acionasse Bolman por fraude e salários atrasados, o processo demoraria tanto que a frota para Serra Leoa partiria sem ela. Com delicadeza, mesmo entendendo o sentimento inflamado de Lydia Jackson pela injustiça não reparada, Clarkson a aconselhou a não entrar com uma ação judicial, que duvidava que ela conseguiria ganhar. Ele não ousará pegá-la agora que sabe que você está sob minha proteção, foi o consolo de Clarkson a ela. Deixe-o com seu fel; construa uma vida nova e livre na África.

Cada vez mais Clarkson procurava encontrar maneiras de contornar a lei ou de abrandar seu rigor, sobretudo no que se referia aos prazos de contrato. O que mais o angustiava era a ideia de que o embarque para Serra Leoa poderia dividir famílias, alguns membros podendo e outros não podendo partir, e algumas vezes interveio pessoalmente para tentar convencer os patrões a autorizar a ida dos empregados. A filha menina de Caesar Smith tinha ainda três anos de contrato para cumprir com certos sr. e sra. Hughes, e depois disso, raciocinou Clarkson com melancolia, tendo os pais ido embora, "essa criança será vendida como escrava". Não conseguindo persuadir Hughes, Clarkson lançou mão de uma abordagem sentimental à esposa:

> Visitei a sra. Hughes e lhe supliquei da maneira mais comovente para convencê-la a renunciar à menina; dirigi-me a ela como mãe e descrevi a angústia de toda a família de Smith à ideia de deixar a menina para trás e trouxe-lhe à lembrança as circunstâncias que levaram a criança a entrar num contrato por cinco anos, que ocorreu porque a família de Smith havia perdido tudo o que tinha no mundo ao ter sua casa incendiada [...] que a pobre Mãe vivia em lágrimas pela filha e, portanto, eu esperava que ela se sentisse naquela situação e fizesse o que gostaria que tivessem feito por ela.

A sra. Hughes se manteve impassível, Clarkson anotando pesaroso que "não consegui causar a menor impressão".[56]

Por vezes, entre a angústia e o desespero, aquilo era demais. Em 12 de dezembro, na iminência de um colapso, Clarkson escreveu:

> Hoje cheguei em casa às quatro extremamente mal de ansiedade e cansaço — É impossível descrever minha situação diária. São pelo menos oitocentas almas de todos os tipos aqui sob meus cuidados particulares, que recorrem a mim para todas as suas menores necessidades, apesar dos regulamentos que fiz para evitar isso, e responder a cada uma delas me atordoa mais do que qualquer outra parte do trabalho.

Mas, sempre que ele estava à beira do esgotamento, algum novo caso de vergonhosa obstrução dos patrões, funcionários ou magistrados locais frustrando o desejo dos negros que queriam partir recarregava as baterias de indignação de Clarkson e ele voltava a entrar em ação para defendê-los. Três dias antes, um grupo de homens de New Brunswick tinha entrado num tropel sala adentro: Richard Corankapone, William Taylor, Sampson Heywood e Nathaniel Ladd. Antes de autorizar a partida dos quatro, os funcionários de St. John e outros locais das duas províncias tinham exigido os certificados originais do general Birch ou outros passaportes da época da guerra americana, atestando seus serviços à Coroa. Muitas vezes os negros tinham guardado em segurança esses papéis que iam amarelecendo; mas, em vista de tudo o que lhes sucedera, havia quem não conseguisse apresentá-los na hora. Como assinalou Clarkson, para que os nova-brunswickenses negros pudessem ter registrado (conforme era permitido) suas concessões de terra em St. John, em algum momento do passado deviam ter apresentado tais documentos; mas, como agora não estavam com eles nas mãos, eram impedidos no último minuto de embarcar no navio que levava os outros nova-brunswickenses ao grande "encontro" em Halifax.

Tal revés, porém, não os deteve. "Essas pessoas estavam decididas a deixar com risco de vida um país cujos habitantes os tratavam com tanta barbaridade." Tinham seguido a longa estrada que contornava a baía de Fundy — cerca de 550 quilômetros nos rigores do auge do inverno, "o percurso deles passando, em alguns dias, por partes que não duvido jamais ter sido visitadas por homem algum". Havia um quinto companheiro, mas ele começou a capengar mal tinham se afastado uns sessenta quilômetros de Halifax, e insistiu que deviam prosseguir para não perder o navio, embora fosse "esperado a qualquer momento". Comovido com essa perseverança épica, Clarkson confessou a seu diário que bem gostaria de dar alguma espécie de recompensa imediata aos quatro, mas, como havia tantas pessoas a seus cuidados sofrendo agudamente, precisava guardar-se de qualquer gesto que pudesse ser mal interpretado e visto como favoritismo. "A prudência [deve] prevalecer sobre meus melhores sentimentos até eu ter uma oportunidade adequada de me entregar a eles."[57]

Enquanto isso, os negros continuavam a chegar a Halifax vindos de todas as partes das duas províncias marítimas: oitenta de Annapolis, e mais de quinhentos de Shelburne e Birchtown, entre eles cinquenta nascidos na África, como John Kizell, sobrinho de um chefe xerbro, que fora sequestrado aos doze anos e agora finalmente retornaria ao lar. E, como Kizell, a imensa maioria dos emigrantes estava partindo em família: maridos, mulheres, às vezes três ou quatro filhos. Entre as grávidas que chegavam a Halifax, Taylor calculou que pelo menos sete ou oito dariam à luz durante a travessia do Atlântico. Reúna-se um grupo de famílias, simples, honestas, trabalhadoras e cristãs, com um repertório quase completo de habilidades artesanais — ferreiros, serradores, pescadores, lavradores, curtidores, padeiros, tecelães —, e certamente se tem os elementos essenciais de uma pequena cidade idealmente constituída, com seu próprio comércio. Essa nova Freetown era a exata concepção romântica tardossetecentista de uma comunidade ideal: nem o inferno de uma fábrica, nem o apêndice de alguma propriedade aristocrática. Sem o cruel criminoso e sem o latifundiário supérfluo, seria a Alegre Inglaterra negra tropical.

Mas naquele momento Clarkson estava com um sério problema para encontrar acomodações provisórias, que se tornou ainda mais urgente quando viu chegar 22 embarcações ao porto de Halifax, trazendo gente de Shelburne. Em vista das tortuosas negociações com o ubíquo empresário Michael Wallace, que tinha empreitado o contrato da frota, não se sabia exatamente quando os quinze navios agora necessários para o transporte estariam prontos para a viagem, embora o tempo fosse essencial se quisessem chegar a Serra Leoa antes do início das chuvas torrenciais. No dia em que chegaram os shelburnianos, Clarkson e Hartshorne percorreram toda a zona portuária procurando um depósito que pudessem usar como abrigo temporário. Descobrindo que os

Barracões da Câmara Açucareira serviriam, mandaram limpar, instalar fogões e armações de madeira para os colchões, e conseguiram de alguma maneira que ficassem prontos na mesma noite. Foi bem na hora. Muitos negros não tinham roupas adequadas para o frio do inverno, e Clarkson apelou ao governador em exercício, Bulkeley, pedindo a distribuição imediata de mudas de roupa, saias, calças e jaquetas, "pois mais da metade das pessoas de Shelburne estão inteiramente nuas".[58] A Câmara do Açúcar logo ficou tão lotada que Clarkson começou a se preocupar, e com boas razões, com o contágio de doenças — em especial a varíola — e transferiu duzentas pessoas para outro armazém. Nas horas em que sucumbia à sensação esmagadora da pura e simples inviabilidade de todo o empreendimento, Clarkson ia até os barracões na hora do culto e se esgueirava por uma porta traseira, o único rosto branco num mar de negros cantando, ondulando, entregando-se ao êxtase do momento. Os metodistas tinham os melhores sermões, e o Cego Moses Wilkinson se elevava nas asas de suas sonoras orações: "Durante o discurso desse homem, muitas vezes eu me sentia aflito por ele, seus sentimentos eram tão sublimes e ele ia se elevando a tal clímax que eu tinha medo que lhe acontecesse alguma coisa". Mas as melhores vozes eram as dos batistas de David George, que se reuniam no alto da Câmara do Açúcar:

> Não lembro jamais ter ouvido os Salmos cantados de maneira tão fascinante em toda a minha vida; a massa dos negros presentes parecia mais sensível ao canto do que à reza das orações — saí antes do que gostaria, receando que David George, se me visse, poderia ficar desconcertado, mas tenho uma opinião boa demais a seu respeito para achar que a presença de alguém iria impedi-lo o mínimo que fosse de elevar seus louvores ao Criador.[59]

O contato com Michael Wallace trouxe Clarkson de volta ao chão. Tendo sempre em mente os horrores da travessia anterior, ele tinha decidido pecar pelo lado da prodigalidade alimentar. A refeição matinal seriam 225 gramas de flocos de cereais (como mingau adoçado com melado ou açúcar mascavo), a refeição principal teria 450 gramas de peixe salgado, novecentos gramas de batatas e trinta gramas de manteiga, ou 450 gramas de carne bovina ou suína e 570 gramas de creme de ervilhas, ou bacon com nabos; e a refeição da noite teria arroz ou de novo flocos de cereais. Haveria chá, pão, cerveja, vinagre e um pouco de vinho para os adoentados. Tal prodigalidade, claro, foi uma bonança para os fornecedores locais de Halifax que, junto com os fornecedores de velas, madeira e roupas para os navios, de repente começaram a apreciar, afinal, o valor do grande êxodo negro da Nova Escócia. Os quinze vasos — alguns deles navios na plena acepção do termo com duzentas toneladas, como o *Eleanor* e o *Venus*, e um maior número de brigues pouco maiores do que uma escuna costeira — foram necessariamente obtidos entre as frotas locais da península, junto com os capitães e os tripulantes. Clarkson não podia esperar muito mais, e portanto teve de confiar em Wallace para contratar os fretes e as provisões a preço justo. Ele desconfiava que estavam se aproveitando, e quando se sentia enganado, o que aconteceu algumas vezes, ele e o escocês tinham brigas sérias.

Ao mesmo tempo que tentava liberar seus emigrantes negros de dívidas pendentes e de contratos proibitivos, Clarkson tinha de ser um escrupuloso almirante da frota, inspecionando a tudo e a todos, desde as barricas de carne bovina e suína em salmoura até o novo tombadilho interno, que tinha muitas pranchas de madeira ainda verde, que ele mandou secar totalmente com carvão em brasa antes de considerá-lo pronto para uso. Surgiram novos temporais, nem todos meteorológicos. Poucos dias antes do Natal, alguns passageiros negros já a bordo, Clarkson anotou em seu diário uma discussão brusca e agourenta com Thomas Peters, provavelmente sobre o rigor da disciplina que pedira aos negros que observassem a bordo. "Não consegui fazê-lo entender como era necessário para a regularidade e a subordinação [...] ele ainda persistiu em sua obstinação; irritou-me ao extremo e fui dormir muito indisposto."[60]

Alguns dias depois, ele fez um gesto de reconciliação. Quando Peters o procurou pedindo compra e distribuição de carne fresca para todos os negros, em comemoração ao último Natal que passariam na América, Clarkson atendeu na hora e de bom grado. Sentia-se cada vez mais consumido pelos problemas de administração humana, incapaz de encontrar um equilíbrio saudável entre a autoridade e a caridade, e todos os dias surgiam novos problemas a preocupá-lo. Era assediado em seus aposentos por famílias pedindo para ficar no mesmo navio em que estavam os amigos e vizinhos; outras pediam exatamente o contrário. As ventanias de inverno ainda impediam a partida, mas havia alguns navios ancorados no molhe de Halifax. Com o granizo e a chuva gelada caindo sem parar, os negros estavam começando a carregar baús, cachorros, galinhas, panelas, frigideiras, colchões, além das caixinhas de sementes que prudentemente resolveram levar — abóbora e moranga, sálvia, tomilho e beldroega, repolho e melancia. No meio dos preparativos, o supervisor do porto de Halifax de repente mandou que descarregassem tudo de novo — castigo, disse ele, por não lhe terem pedido permissão expressa para subir. Exasperado, perdendo a paciência, Clarkson escreveu acidamente: "Lamento observar como o interesse do Governo é mal atendido mesmo por aqueles cuja conduta deveria ser norteada pelos mais elevados sentimentos de Honra e Patriotismo". Os mestres dos navios — em especial Samuel Wickham, amigo de Hartshorne e, como Clarkson, tenente a meio soldo — lhe pareciam uma companhia bastante decente, sobretudo depois de um jantar na semana anterior ao Natal, quando se levantaram, encheram os copos e brindaram em uníssono à "saúde do almirante". Ao brinde seguiram-se três entusiásticos vivas, gesto que Clarkson apreciou devidamente, embora preferisse que a sequência não fosse a bebedeira que continuou até a uma da manhã.

Nada lhe roía tanto o espírito quanto a decisão de evitar qualquer coisa na viagem capaz de lembrar a qualquer negro uma travessia escrava. Nunca a palavra "solidariedade", exigindo que os mais afortunados fossem sensíveis aos sentimentos e às susceptibilidades físicas dos menos afortunados, significou tanto para um tenente da Marinha Real. A lista impressa de regras, distribuída a todos os mestres dos navios, era de fato uma inversão completa de tudo o que ele e o irmão Thomas tinham aprendido a respeito de negreiros como o *Brookes*. Primeiro, os navios deviam ser impecáveis. Os tombadilhos e o espaço entre eles deviam ser varridos três vezes por dia. Após o desjejum, devia-se limpar meticulosamente o local da cama de cada negro, e devia-se passar um esfregão nos andares de baixo três vezes por semana, de manhã (para dar tempo de secar), usando vinagre aquecido em ferro quente, para que "o vapor possa entrar em todas as frestas" com uma fumigação eficaz. Sempre que o tempo permitisse, as roupas de cama deviam ficar arejando no convés, e poderiam lavar roupas duas vezes por semana. Quando se abrissem as caixas de carne salgada, bovina e suína, devia-se declarar a quantidade exata aos capitães negros que Clarkson iria nomear, e se estivesse faltando alguma coisa, a diferença seria lançada no diário de bordo. Os baús dos negros deviam ficar protegidos no convés, podendo ser abertos num determinado dia por quinzena, caso os donos precisassem pegar algum objeto. Clarkson chegou a exigir que os mestres dos navios fizessem uma inspeção diária dos equipamentos sanitários a bordo.[61]

Pelos padrões do século XVIII, tudo isso era absolutamente extraordinário — e deve ter sido planejado por Clarkson pensando também nos tripulantes brancos, além dos negros, pois a mortandade da tripulação nos navios negreiros era um tema corrente na literatura abolicionista. Ainda mais admiráveis foram as instruções de Clarkson aos capitães sobre o comportamento que deviam adotar em relação aos negros. "Eu receava", escreveu ele logo antes de zarpar, "que os Capitães e marinheiros dos diversos navios não se comportassem com seus passageiros com aquela bondade e atenção que haviam prometido (sendo os Negros considerados nesta Província a uma luz não melhor com que se consideram os animais)." Clarkson insistiu que os negros fossem "considerados passageiros que pagaram por sua acomodação o preço cobrado pelos Donos" e que os capitães garantissem que os negros não fossem submetidos a "linguagem grosseira e desrespeito como ocorre com demasiada frequência, mas que vocês e suas tripulações tenham paciência com aqueles desafortunados que o Rei se empenha em tornar mais felizes, enviando-os para sua costa natal".[62]

Clarkson pediu que tais atenções fossem irrestritamente recíprocas. Assumindo os modos e maneiras de um pároco, o almirante solicitou aos negros que mostrassem:

> [...] uma conduta modesta e decorosa em relação aos oficiais do navio levando em conta o velho provérbio "palavras mansas afastam a cólera"; recomendamos evitar brigas, não tomar liberdade com os marinheiros, para que eles por sua vez não tomem liberdade com vocês e com uma conduta imprópria criem distúrbios, conviver em termos amigáveis entre si, ter tolerância e paciência mútua; considerando que pequenos inconvenientes ou dificuldades que possam encontrar durante a travessia serão de curta duração, recomendamos também uma atenção especial ao culto a Deus da melhor maneira que lhes for possível, lembrando constantemente com humilde gratidão a bondade e o poder do Senhor e que, se vocês se conduzirem de maneira que Lhe apraza, serão felizes.[63]

Se essa frota fundadora da Companhia de Serra Leoa não corria o menor risco de ser confundida com uma expedição escravista, tampouco parecia qualquer outro tipo de viagem marítima — naval ou mercantil. O que John Clarkson concebeu foi uma república cristã multirracial flutuante: rumo à liberdade, à glória e às merecidas bênçãos de Deus. A jornada não era apenas uma fuga da servidão, como todas as anteriores; seria uma viagem experimental de transformação social. Como não se toleraria nenhuma distinção entre brancos e negros, escreveu Clarkson, "eles [os negros] vão se tornar Homens". E mais: ele queria que os negros, em sua própria terra, abandonassem todos os velhos hábitos de servilidade, não só como escravos, mas também como servos.

> Eu [...] disse aos homens que terei de formar uma opinião muito desfavorável sobre os que possam mostrar alguma propensão a ser servos quando têm oportunidade de se tornar, se quiserem, seus próprios senhores e membros valiosos da sociedade e que [...] o caráter do povo Negro a partir daí dependerá da maneira como se conduzem e que o destino de milhões de sua cor será parcialmente afetado por ela.[64]

E agora era o momento de começarem a exercer sua autoridade. Clarkson nomeou quarenta capitães negros, entre eles Peters, Steele, um outro pioneiro vindo originalmente de St. Croix, Henry Beverhout, David George e Boston King, que se distribuiriam entre os navios. A bordo teriam poderes de supervisão e até autoridade judicial. Em casos de bebedeiras ou brigas, o capitão negro indicaria um conselho de cinco pessoas para ouvir a queixa e dar a sentença. Só os casos de roubo, violência ou conduta imprópria com as mulheres seriam levados a Clarkson.

Assim, se a visão de Granville Sharp de uma democracia negra com autogestão já fora sacrificada às exigências de uma colônia mercantil, pelo menos Clarkson fez grandes avanços para dar aos negros, numa viagem fadada a enfrentar todo tipo de problema, o sentimento de que tinham seu destino nas próprias mãos. E em alguns aspectos a paixão de Clarkson pelos afro-americanos foi muito além de qualquer coisa que Sharp pudesse algum dia sentir. Os negros em Londres, para Sharp, tinham sido uma causa, e seu contato esteve limitado aos casos que ele patrocinara, aos "Negros Pobres" cujo destino lhe havia causado muita tristeza, e aos eloquentes defensores como Equiano e Cugoano. John Clarkson, por sua vez, que havia passado anos no Caribe escravocrata sem jamais sentir raiva ou espanto com o que presenciava todo dia na Jamaica ou em Barbados, teve uma autêntica conversão paulina. Durante quase três meses esteve cercado constantemente pelos negros livres. Velhos, moças, crianças haviam se aglomerado ao seu redor, tinham aberto as portas e os sentimentos dele, que de súbito se alargaram em profunda solidariedade por seus sofrimentos; ele lhes dera conselhos na desgraça, entendera sua profunda amargura e desolação, enfurecera-se com os brancos que considerava responsáveis por tudo aquilo. Cuidava pessoalmente de cada um deles; ficou triste quando Sarah, a mulher de um outro pioneiro, Charles Wilkinson, morreu depois de um aborto durante a viagem de Shelburne, e ficou fora de si, furioso, quando Thomas Miles morreu a bordo de um dos navios no porto, asfixiado pela fumaça dos carvões usados para secar a madeira verde das pranchas, acidente que ele tinha certeza seria evitável se tivessem seguido suas instruções sobre a ventilação. Clarkson resolveu embarcar, não num dos navios maiores, mas no brigue que havia designado como hospital da frota, onde estaria a maior parte dos velhos e doentes. Esperava que isso "convencesse os negros de meu profundo e abnegado empenho".[65] Eles já tinham sofrido muitas traições vergonhosas. Ele os protegeria. Seria a liberdade britânica deles ou morreria em sua defesa.

Na véspera do Ano-Novo houve uma inesperada mudança nos céus. Os vendavais de inverno, que tinham retardado a partida e quase emborcado uma das escunas mais leves no porto, desapareceram e deram lugar a "um tempo agradabilíssimo, que nem os habitantes mais antigos jamais tinham visto". Clarkson deduziu a lição óbvia: "de fato parece que a Providência favorece o projeto". Na manhã seguinte, o Dia do Ano-Novo de 1792, houve outra agradável surpresa. "Pouco antes das oito da manhã, trinta dos Negros que iam para Serra Leoa vieram à minha porta, cada qual com uma arma, para me dar salvas e desejar feliz ano-novo."[66] Encantado, mas mantendo a atitude de decoro e correção, Clarkson perguntou se fariam a gentileza de ir ao embarcadouro, onde seria içada sua flâmula pessoal no *Lucretia* e lá poderiam fazer a saudação adequada. Seu estado de espírito agora sofria saltos bruscos. Num dos navios nascera um casal de gêmeos, e a mãe e os nenês estavam ótimos; mas logo a seguir Clarkson soube que por alguma razão um homem no *Somerset* se sufocara sob o convés — tinha certeza de que foi exatamente pelo tipo de negligência para o qual tanto alertara os capitães. Era bom, pensou ele, que viajasse no brigue destinado a servir de navio-hospital, junto com as pessoas em que mais confiava, como David George.

Em 7 de janeiro, Clarkson empacotou suas roupas, e num barco a remo foi levado com seu baú de pertences até o *Lucretia*, onde fez sua primeira refeição a bordo. Na noite seguinte, dormiu no navio. Tudo, finalmente, estava andando rumo ao êxodo marítimo. Houve uma missa em St. Paul's, o bispo Inglis e outros sacerdotes rezaram para que a viagem transcorresse em segurança. Clarkson tinha esperança de ouvir um sermão sobre a conduta exemplar dos negros, "um modelo a ser seguido por outros, estando no mínimo 1200 pessoas na cidade por mais de cinco semanas, no rigor do inverno, e sem o mínimo distúrbio de nenhuma delas". Por alguma razão, porém, sobre isso não se fez um único sermão.

Em 9 de janeiro, o *Lucretia* levantou âncora no molhe e se juntou ao restante da frota no porto de Halifax, um espetáculo que faz o coração disparar e merece ser lembrado nos anais da história afro-americana: *Betsey, Beaver, Mary, Felicity, Lucretia, Catherine, Parr, Somerset, Eleanor, Morning Star, Prince William Henry, Two Brothers, Venus, Prince Fleury* e o renomeado *Sierra Leone*. Era um comboio de quase 2 mil toneladas, levando 1196 pessoas, sendo 383 crianças. Lá atrás, as vilas e vilarejos onde os emigrantes tinham lutado para construir uma vida livre na América britânica eram meras cascas: Preston quase esvaziada; Brindley Town reduzida a vestígios lentamente agonizantes; Birchtown transformada num local desolado com apenas 20% da população remanescente sob os cuidados de Stephen Blucke. Mas os melhores dias de Blucke agora pertenciam ao passado. Sua grandiosa mansão nunca foi terminada; a esposa Margaret o abandonou e voltou para Nova York. Ele se tornou cada vez mais impopular, e seu patrono Skinner não pôde protegê-lo dos boatos e denúncias de apropriação indébita de fundos. Três anos após a saída da frota, o corpo dilacerado de Blucke foi encontrado na mata, mutilado e parcialmente devorado, dizem, por animais selvagens.

No último minuto, quando afinal estava concluído o interminável trabalho com a papelada que tanto irritava Clarkson, houve mais um adiamento. O céu em Halifax estava limpo, o que era inútil pois os ventos eram contrários. Em 10 de janeiro, sentindo-se exausto e um tanto indisposto, Clarkson compareceu às cerimônias organizadas pelo governador em exercício Bulkeley e pelo procurador-geral Strange, que fizeram discursos elogiando sua conduta, de forma que, ao partir, Clarkson realmente sentiu uma ponta de afeição por Halifax — ou pelo menos pela parcela da sociedade que tinha sido hospitaleira e valorosamente solidária. Mais tarde, na mesma noite, Michael Wallace, com quem se desaviera tantas vezes e que depois de muitas discussões chegara a um saudável respeito pela determinação e perseverança do nervoso tenente, o ajudou a conferir a lista completa dos passageiros. Então Clarkson, em remos, percorreu pessoalmente toda a frota, parando em cada navio para ler as regras de conduta que brancos e negros deviam observar e para fazer um breve discurso de exortação, congratulação e bênção. O clímax da pequena cerimônia, porém, foi a leitura da lista de passageiros e a entrega a cada família de um certificado que ele mandara imprimir especialmente na cidade, com a data de 31 de dezembro de 1791, mencionando o lote de terra "livre de despesas" que receberiam "na chegada à África". Era o documento com que todos eles deviam ter sonhado desde o instante em que tomaram o destino nas próprias mãos e fugiram de seus senhores escravistas americanos.

Foi o que fez John Clarkson quinze vezes, do *Beaver* ao *Felicity*, até noite avançada, quando a temperatura no porto de Halifax caiu bruscamente de um "calor excessivo para um ar gelado penetrante". Com igual brusquidão o suor sob sua capa se transformou em calafrio, e John Clarkson começou a se sentir de fato "incomodado" com a sensação de um mal-estar progressivo. Foi se deitar à meia-noite, ardendo de febre.

E o maldito vento "inconstante", agora mais forte, continuava a soprar contra eles. Afoito para zarpar, Clarkson ocupava o tempo se afligindo com a quantidade de cobertores a bordo e as provisões que iam diminuindo rapidamente; escreveu mais cartas de despedida, mas se despediu pessoalmente dos amigos mais próximos, como Hartshorne. E com certeza foi nesta última semana que Clarkson pegou da pena e fez o gracioso desenho dos galhardetes de sua frota, e depois encheu uma página dupla com um lindo desenho da própria frota, cada escuna, cada brigue, cada navio traçado com precisão, singrando o papel pergaminho em rota sudeste, com as bujarronas, as velas de fortuna e as velas mestras se enfunando com agradáveis brisas no rumo a que se destinavam.

Em 14 de janeiro, houve alguma esperança de que o vento estivesse mudando de direção. Com o mal-estar disfarçado sob a empolgação, Clarkson não ligou e foi se desforrar num passeio de trenó à noite com Hartshorne e algumas amigas, voltando a Halifax para uma ceia tardia e a tentativa de dormir. Na manhã seguinte, afinal, "surgiu uma leve aragem" e Clarkson, a bordo do *Lu-*

cretia, deu o sinal para que a frota levantasse ferros às onze horas. O *Felicity*, com Wickham no comando, lideraria a frota e ele formaria a retaguarda.

Ao meio-dia, apitou-se mais uma vez para indicar a presença do tenente transformado em almirante a bordo, e quando o *Lucretia* içou âncora ele mandou saudar o almirante da frota de Halifax e a cidade abaixando seu mastaréu em sinal de respeito. No cais havia uma multidão surpreendente, com muitos chapéus e lenços acenando em despedida, e até gritos de aplauso — embora alguns certamente estivessem felizes com a partida de Clarkson. Ele desceu, na cabine do almirante sentou-se a uma escrivanha modesta, pegou a pena de ganso e escreveu a Henry Thornton sobre aquele auspicioso 15 de janeiro de 1792:

> Prezado Senhor, agora estou a panos, com tempo bom e vento favorável, tendo a bordo 1192 almas em quinze navios, todos com boa disposição, devidamente equipados e espero destinados a uma vida feliz.[67]

Podia esperar.

10.

Havia algo errado com o almirante. O que o pegou naquela noite gelada no porto de Halifax, enquanto percorria a frota, não o deixou. Houve momentos em que achou que chegara sua hora. O tempo ameno, estranho para meados de janeiro, com que a viagem se iniciara tinha desaparecido logo depois que as últimas rochas da América do Norte se desvaneceram no horizonte.[1] O inverno atlântico recaiu com toda sua força na frota e pareceu quebrar-se contra o corpo esguio de Clarkson, afundando-o na doença. Sucessivamente tremia de febre, gotejava de suor e se arrepiava de frio. Sua cabeça latejava com uma dor violenta, como se fosse uma torquês lhe arrancando o cérebro. Enquanto isso ele lutava para manter o comando da frota, acossada por temporais tremendos, e de si mesmo, também assolado. Quatro dias depois de sair de Halifax, chuvas torrenciais se precipitaram sobre o *Lucretia*, e depois se transformaram em pedras de granizo que tamborilavam no convés e batiam no rosto dos marinheiros que lutavam com as enxárcias. Dois dias mais tarde, uma tempestade de neve se abateu sobre a frota, e os navios que Clarkson tinha conseguido manter no campo de visão, mesmo durante os temporais, agora se dissolviam no véu oblíquo da neve. Obrigando-se a navegar, ele deu tiros de sinalização, esperando que o som atravessasse o chiado do vento e avisasse à frota que deviam alterar o curso, e durante algum tempo os navios conseguiram evitar o pior. Então, em 20 de janeiro explodiu outra tempestade, tão furiosa que Clarkson mandou que a frota virasse a estibordo e esperasse o tempo amainar. Escrutando o horizonte com o telescópio, ele deu por falta de dois navios. Preocupadíssimo, voltou atrás e mandou que os navios se aproximassem um pouco.

Na manhã do dia seguinte, mais três navios tinham sumido. Clarkson sinalizou ao *Felicity*, o navio mais rápido entre os restantes, que se aproximasse ao alcance da voz e então pediu a Samuel Wickham, o mestre, que mudasse o curso e fosse em busca dos faltantes. Então derreou, sentindo-se tão mal que teve de abandonar o convés e ir para baixo. Wickham recebeu as ordens: manter a frota reunida a todo custo e sinalizar aos navios mais rápidos, o *Sierra Leone* e o *Mary*, que deviam reduzir velas. Às quatro da tarde, Wickham pôde informar a Clarkson que todos os navios estavam agora em suas posições, exceto o *Somerset*, que tinha desaparecido no auge da tempestade da noite anterior, e desde então se perdera de vista. Tomado ora de alívio, ora de ansiedade, mas com a cabeça ainda estourando de dor, Clarkson perguntou ao amigo e médico Charles Taylor o que deveria fazer. O conselho de Taylor foi que as obrigações do comando num tempo daqueles não ajudariam sua recuperação ou sequer o bem-estar da frota. Transferindo o comando do dia a dia para Samuel Wickham, Clarkson escreveu: "Não vou interferir na administração da frota enquanto não melhorar".

A partir daí, o diário de Clarkson se converte num diário de bordo, mas o que ele registra, mesmo sumariamente, é aquele tipo de ataque oceânico que apenas o Atlântico é capaz de infligir no auge de sua impiedade. Dois dias depois de ter transferido o controle da frota, os meros temporais se transformaram numa borrasca titânica. Uma série de revoltas das forças da natureza, cada qual à sua maneira, parecia agora se suceder, formando uma cadeia de terrível imensidão. Num dos outros navios acuados, Boston King, que tinha navegado bastante na vida, atravessando as piores coisas de que julgava capaz o Atlântico, ficou abismado e apavorado com aquele oceano violento, as gigantescas colunas verdes e negras de água estriadas de espuma. "Alguns dos homens que sempre tinham levado uma vida marítima", escreveu ele, "disseram que nunca tinham visto tamanho temporal."[2] Em meio à borrasca, King viu, impotente, um dos negros livres apanhado e arrojado amurada afora por uma onda imensa, deixando uma esposa acabrunhada e quatro filhos. A esposa do próprio King, Violet, estava tão doente que ele se resignou à morte dela, na única esperança de que conseguisse sobreviver alguns dias, pois ele sentia uma profunda aversão à sepultura no mar. "Na simplicidade de meu coração, implorei ao Senhor que a poupasse pelo menos até chegarmos à costa, para que eu pudesse lhe dar um enterro decente." Mas Ele fez algo melhor. "O Senhor viu minha sinceridade e lhe devolveu a perfeita saúde."

Em 22 de janeiro, um tremendo relâmpago atingiu o mastro da mezena do *Lucretia*, sem derrubá-lo por completo, mas esfrangalhando a vela mestra do convés e obrigando o capitão Jonathan Coffin a aprumar as velas restantes e a virar o navio contra o vento. Os negros a bordo estavam, na maioria, terrivelmente doentes; um deles morreu no dia 25, o segundo enterro no mar desde a saída de Halifax. Mesmo acostumados a violentos vagalhões, muitos tripulantes foram derrubados pelo temporal; outros adoeceram com a mesma febre que acometia Clarkson, deixando Coffin sem pessoal suficiente para erguer as velas remendadas quando assim permitissem os ventos. A grande borrasca tinha espalhado a frota para além de qualquer esperança de reagrupamento — dos quinze navios originais, apenas cinco continuavam a ser vistos. Mas entre eles estavam alguns dos navios maiores, o *Felicity*, o *Venus* e o *Eleanor*, e quando os ventos amainaram um pouco, alguns botes foram recolher homens aptos em cada um deles para consertar e içar a vela principal do *Lucretia*.

John Clarkson não estava a par de grande parte desse suplício, pois, conforme pensava o dr. Charles Taylor, estava à beira da morte. Clarkson jazia em seu beliche tremendo de febre, ora perdendo, ora recobrando a consciência, mas sempre delirando, entrando várias vezes em estado de coma. Quando Taylor entrava e via o corpo convulsionado pelos tremores sob o cobertor, pelo menos sabia que ainda tinha alguma vida, embora um dia tenha se horrorizado ao notar quatro pústulas que haviam aflorado, talvez como sinistro anúncio da varíola. Então, quando a altura das ondas diminuiu, diminuíram também os sinais de vida de Clarkson. Durante todo um dia e uma noite, esteve absolutamente imóvel. Não sentindo o pulso nem qualquer sinal de respiração, Taylor o declarou morto.[3] O corpo foi levado ao convés e preparado para os rituais do enterro no mar: foi costurado numa mortalha de lona e enrolado na bandeira.

Deve ter sido pouco antes de os dois homens erguerem o caixão aberto na ponta e o apontarem para as ondas lá embaixo que alguém notou um leve movimento sob a lona. Clarkson, afinal, não estava pronto para ser entregue à decomposição das profundezas. Ainda inconsciente, foi levado para sua cabine na popa do navio, e lá o reaqueceram.

Ali, como se viu depois, não era o melhor lugar para ele. À tempestade tinha se sucedido uma bonança, que tripulantes e passageiros tomaram como sinal do fim da borrasca. Foram brutalmente enganados, pois a tormenta prosseguiria impiedosamente por mais de quinze dias, abrandando apenas um pouco para dar aos marinheiros e passageiros um momento de esperança, antes de retornar com ferocidade ainda maior. Em 29 de janeiro, o novo temporal que se emendou ao temporal anterior veio de repente com uma rapidez medonha. Desta feita não houve raios nem trovões, e sim ventos que aumentavam bruscamente, zunindo pelas lonas, fustigando as águas e erguendo ondas de uma altura assombrosa, de forma que as madeiras do brigue se vergavam conforme ele subia e se empinava antes de precipitar na depressão entre as ondas. As águas plúmbeas encrespadas inundavam os tombadilhos, enquanto o *Lucretia* se batia num ângulo tão agudo que a massa oceânica ocultava totalmente o céu. Alguma coisa tinha de ceder, e foram os postigos na popa, logo em frente à cabine onde jazia Clarkson. No bramido ensurdecedor da tempestade, por alguma razão ele tinha se levantado e cambaleava entre os espasmos do delírio enquanto o navio era apanhado pela traseira, a proa apontando para o céu quase na vertical, a popa afundando abaixo da linha d'água. Janelas e madeiras dos postigos se estilhaçaram e ficaram flutuando enquanto as águas invadiam e arrebanhavam Clarkson, outra vez inconsciente, na violenta inundação — por sorte sem o levar para mar aberto. Sentindo o impacto, o mestre do *Lucretia* correu para baixo, gritando as ordens. Se não se reparasse o estrago e os postigos não fossem imediatamente recolocados, o brigue por certo afundaria. Coffin encontrou Clarkson em sua cabine, rolando desamparado de um lado a outro, atirado entre as paredes, muito ferido, lanhado e "coberto de sangue e água".[4]

O *Lucretia* e Clarkson sobreviveram — a duras penas —, mas o capitão Coffin, o salvador de ambos, não. Depois que o pior passou, as tempestades recuando na segunda semana de fevereiro, fez-se certo levantamento do que havia sobrado e do que se perdera. Ainda se enxergavam apenas cinco navios do comboio original. Embora os mastros do *Lucretia* tivessem atravessado a tormenta espantosamente incólumes, os cordames e velames tinham sido muito danificados e dilacerados, e a tripulação estava desfalcada demais para consertá-los. Apenas o mestre e o imediato tinham condições de cumprir suas obrigações; os demais, esgotados pela tempestade, estavam também acometidos de uma febre que agora grassava no navio. O *Venus*, o *Eleanor* e o *Felicity* cederam homens de sua tripulação para ajudar, mas também logo adoeceram. Mais de quarenta passageiros e tripulantes do *Venus* se encontravam em estado de fraqueza alarmante, e Wickham enviou Charles Taylor até lá, para que atendesse os doentes.

Em 15 de fevereiro, com brisas muito mais amenas, a febre pegou Jonathan Coffin, que foi obrigado a descer — o segundo mestre incapacitado, obrigado a abandonar o controle de seu navio. Clarkson, por outro lado, agora ficava acordado a maior parte do tempo, e conseguia falar com os oficiais e passageiros, mesmo que longe de ter se recuperado plenamente. Os membros estavam flácidos, ainda tremia como se estivesse com paralisia e, pior, seu pobre cérebro parecia ora torturado por dores excruciantes, ora estranhamente embotado, como se tivesse se criado uma membrana extra, separando-o do mundo (talvez fosse meningite). Motivo de extrema aflição e humilhação para Clarkson era a perda da memória recente e também parte da memória mais antiga, o que o fazia por vezes sentir-se tomado por um pânico angustiante. Recebendo alguma informação, poucos minutos depois ele não tinha mais a menor lembrança dela. Quando tentou retomar seu domínio das artes da navegação, descobriu com um horror crescente que não se lembrava de nada do que aprendera na academia naval e pusera em prática em dez navios diferentes. Em vista das circunstâncias, pediu aos mestres dos outros navios que viessem a bordo, para lhes poder explicar a situação com franqueza e para que assumissem mais responsabilidade pelo bem-estar de seus respectivos navios, e especialmente pelo bem-estar de seus passageiros negros. "Minha doença afetou tanto meus nervos e provocou tal fraqueza física e mental que solicitei aos Capitães a bordo hoje que falem abertamente comigo a qualquer momento sobre o curso que devemos tomar, pois percebo que ainda não consigo me lembrar de nada sobre navegação marítima."[5]

Para piorar as coisas, Clarkson passava a maior parte do tempo mergulhado em melancolia e sentimentos de culpa. Seu criado negro, Peter Peters, que tinha cuidado dele com tanta diligência durante os terríveis acessos de delírio, morreu em 18 de fevereiro, e inevitavelmente Clarkson se sentiu culpado, visto que Peters "deve ter apanhado a febre com [sic] mim". Mas ele pessoalmente já conseguia, por fim, tomar um pouco de ar, embora ainda não pudesse caminhar ou sequer cambalear. Assim, ele era levado ao convés num colchão, carregado por Samuel Wickham e algum outro marinheiro, enquanto limpavam com empenho sua cabine com vinagre escaldado e fumigavam o ambiente com balas de pólvora e alcatrão para desinfetá-lo.

Mas o contágio simplesmente ia sorrateiro para outras partes. No dia 22, três semanas depois de salvar Clarkson de uma morte certa por afogamento, Jonathan Coffin morreu. Agora Clarkson se sentia atormentado por acessos de culpa ainda mais implacáveis, visto que, após a morte de Peters, o capitão Coffin em pessoa tinha feito questão de acompanhar sua complicada convalescença, ficando a seu lado e inevitavelmente contraindo a febre. "Ele era um homem bom, digno, e sua perda será muito sentida por seus patrões", lamentou Clarkson.[6] Tendo ele mesmo quase sido entregue às profundezas, Clarkson agora teve de realizar a mesma cerimônia para Coffin. Foi de novo levado ao convés e, "como último sinal de atenção à sua memória, empenhei-me em ler da melhor maneira que pude o serviço fúnebre, embora não conseguisse ficar de pé nem segurar o livro". A Bíblia lhe caiu das mãos. O corpo de Coffin deslizou para o oceano.

Aí foi Charles Taylor que viu que seria necessário fazer alguma coisa para preservar Clarkson de uma maior depressão, e sugeriu que seria bom para ele e para o moral da frota se ele se apresentasse aos navios. O ar marinho não lhe faria mal, muito pelo contrário.

> Assim, fui colocado no bote e baixaram-me à água. Conforme fui passando ao lado de cada navio, os passageiros negros tinham se reunido no convés com seus mosquetes e dispararam três salvas e depois deram três vivas, pois tinham perdido totalmente a esperança de que eu me recuperasse, o que para eles era da maior importância.

Mais tarde, Clarkson consideraria aquele momento uma virada. Sem dúvida o tempo melhorou: a temperatura subiu, os ventos eram apenas frescos e o cinza-fosco da água passou para o cobalto-escuro do Atlântico Sul. O *Somerset*, um dos navios perdidos, reapareceu à vista, e na última semana de fevereiro Clarkson se sentiu em condições de convidar todos os capitães para jantar a bordo do *Lucretia*. Mas ainda se esgotava. Ao tentar ler as orações dominicais e fazer um sermão no navio, foi tomado de súbito por uma exaustão avassaladora que o derrubou por alguns dias. No dia 28, por fim, sentiu-se recuperado o bastante para fazer um giro de inspeção dos navios, içado a bordo em sua cadeira. No *Eleanor* ele jantou com o capitão Redman, que lhe disse que uma das passageiras negras estava muito ansiosa para vê-lo. Era uma cega de 104 anos de idade, que em criança tinha sido roubada por escravistas em Serra Leoa e suplicara a Clarkson (que na Nova Escócia tinha feito questão de se certificar que os passageiros estavam em condições de enfrentar uma árdua travessia atlântica) que a levasse com ele, para "repousar seus ossos em sua terra natal". Ele tinha autorizado, e agora ela estava no convés, tomada de alegria, sacudindo-lhe a mão e cumprimentando-o pela recuperação.[7]

Agora não estavam muito longe. Baleias cantavam, peixes saltavam, e na calmaria luminosa as águas mansas permitiam que os negros fossem de pinaça fazer visitas nos outros navios. E seguiram-se abraços, exclamações, lágrimas. Para alguns, com a proximidade da costa africana, voltaram lembranças da infância, misto de felicidade e terror. Em 4 de março, a poucos dias de Serra Leoa, passou ao lado deles um outro navio chamado *Mary*, mas era o *Mary* de Bristol, com destino a Annamabo para recolher sua habitual "carga viva". Clarkson achou que era o momento adequado de reunir todas as suas forças e falar com os negros a bordo do *Lucretia*, expressando seu prazer com o comportamento deles, passando todas as tormentas, desde que saíram da América. No dia seguinte ele repetiu seu paternal discurso para todos os outros navios à vista.

> Todos pareciam animados e prometeram obediência e atenção a todas as ordens dadas após o desembarque. Fiquei muito satisfeito com a fisionomia feliz e contente de todos eles; suas manifestações de respeito e gratidão nessa ocasião foram extremamente gratificantes e me comoveram muito — espero com fervor que a mudança que estão prestes a fazer reverta em favor deles e da posteridade.[8]

Dois dias depois, ele deu ordens ao *Eleanor*, o navio mais veloz, para ir à frente e começar a sondar a profundidade, sinalizando com tiros quando chegasse a oito braças. Apesar de toda a sua fraqueza, Clarkson não se aguentava de expectativa: "Nada me faria deixar o convés". Às duas da manhã de 7 de março, ele ouviu os disparos do *Eleanor*, e não muito depois a sonda do próprio

Lucretia chegou às sete braças. As águas estavam ficando mais rasas e a costa não podia estar muito longe. Finalmente Clarkson foi deitar, mas quase não conseguiu dormir de tanta agitação e expectativa. Às sete horas desistiu e se levantou sob o céu nublado e a bruma do amanhecer. Percorrendo o tombadilho sem cessar, abrindo e fechando sua luneta, ele foi o primeiro a enxergar o cabo Serra Leoa, cerca de cinco léguas a sudeste. Mal acabara de ver, e soaram os tiros de dois outros navios, seguidos por vivas de toda a esquadra e salvas de tiros rodopiando na direção da baía.

No entanto, em meio a todo aquele júbilo, John Clarkson, sendo quem era e tendo passado por tudo o que passou, teve uma súbita sensação estranha na boca do estômago. "Não está em meu poder descrever minhas sensações nesse momento, pois eu não sabia o que as próximas horas poderiam trazer — o cansaço por ter passado a maior parte da noite acordado, somando-se a uma grande ansiedade mental, me exauriu totalmente e me encheu de ideias sombrias."[9] Voltou-lhe de chofre, com uma clareza brutal, a conversa à mesa de John Parr na segunda noite de sua estada em Halifax, quando ele mesmo havia descartado peremptoriamente os boatos sobre a hostilidade dos nativos. E se aquele capitão de Falmouth tivesse razão? E se tivesse ocorrido outro ataque? E na hipótese — pois ele não tinha recebido uma única palavra dos diretores desde que saíra da Inglaterra — de não terem recebido nenhuma de suas cartas, e não terem se preparado nem um pouco para a chegada dos negros? E supondo que eles ainda imaginassem que seria apenas um ou dois navios, com talvez cem pessoas ou menos?

> Em especial quando refleti sobre a pequena quantidade de provisões a bordo do Navio de Transporte (tendo apenas o suficiente, com a mais rígida economia, para um mês), sem nenhuma possibilidade de obtê-las caso fosse necessário, nosso desconhecimento da costa e de seus habitantes e minha total incapacidade de qualquer esforço caso fosse preciso, não pude evitar essas desalentadoras reflexões que, se eu estivesse em plena saúde, provavelmente nunca teriam me ocorrido.

Ao meio-dia eles passaram a ilha do Leopardo e agora podiam enxergar os topos da península com suas matas, como que se erguendo das águas. "A grande montanha [...] nos apareceu como uma nuvem", escreveu David George.[10] Então, para a "alegria indescritível" de Clarkson, um dos navios principais da frota deu o sinal indicando que havia embarcações ancoradas rio acima. Clarkson pegou sua luneta e viu uma pequena esquadra que, pelo tamanho de um dos barcos, ele tomou imediatamente como a frota de abastecimento enviada pela Companhia de Serra Leoa. Quando conseguiu enxergar a bandeira, viu sobre o fundo verde um leão e duas mãos se apertando, uma negra e outra branca — a insígnia da companhia. Sentiu-se invadido de alívio. "Os socorros da Inglaterra tinham chegado." Finalmente, pensou ele, a jornada tinha terminado, e Clarkson se entregou à "esperança de um rápido fim a minhas ansiedades e cansaço".

11.

Despertai! e cantai a canção de Moisés e o Cordeiro
Despertai! Corações e lábios, todos
A louvar o nome do Salvador!...
O Dia do Júbilo está para chegar
Voltai, ó pecadores redimidos, ao lar[1]

Mil vozes negras se ergueram cantando lá adiante das velas brancas e suavemente ondulantes na brisa. O júbilo transbordando na manhã de Serra Leoa, chegando à baía onde a frota do êxodo estava ancorada, espalhando-se pelas ilhotas próximas que perfilavam suas corcundas como manchas no horizonte, penetrando em toda a aldeia do rei Jimmy a 1,6 quilômetro dali, escalando as matas dos morros, onde o coro competia com a algaravia dos macacos: uma eufonia irresistível, os baixos vibrando, as notas em soprano saltando e flutuando como a dança dos anjos, um som como jamais a África escutara antes.

Os cantores estavam no Salão de Lona, uma grande tenda improvisada às pressas como igreja e local de reunião, e embora o hino fosse do livro de Lady Huntingdon, todos — seus seguidores das "Novas Luzes", mas também batistas e metodistas — cantavam porque era um cântico da maravilha de estar ali. Ninguém se ausentou naquele primeiro domingo, 11 de março. Todos tinham vindo: o cego Papá Moses, David George, Phyllis e os seis filhos, o último chamado John por causa do "Ilustre Senhor" que os trouxera em segurança, em meio às tempestades; Boston King e a esposa Violet. Muitos membros da congregação de fato tinham voltado ao lar: Lucy Banbury, agora com 49 anos, nascida na África Ocidental, roubada na adolescência, escrava de Arthur Middleton até fugir para os britânicos, no ano em que ele assinou a Declaração de Independência; John Kizell, filho do chefe xerbro, que lutou com os Voluntários Americanos de Patrick Ferguson na batalha de King's Mountain na Carolina do Norte, em 1780;[2] Frank Peters, 29 anos, também raptado na infância em Serra Leoa, vendido a Woodward Flowers em Monks Corner, Carolina do Sul, e escravo rural até se juntar ao Exército britânico em 1779, e depois lenhador em Birchtown até o êxodo. Duas semanas depois, uma mulher de idade iria correr e envolvê-lo num abraço: sua mãe perdida.[3]

Também havia brancos e brancas — 119 enviados pela Companhia de Serra Leoa no *Amy* e no *Harpy*, os navios de abastecimento —, decerto cantando um pouco mais fino que os negros. O jovem pastor anglicano, Nathaniel Gilbert, era filho de um rico fazendeiro de Antigua, mas ele tinha Visto a Luz e agora pregava o Salmo 127: "Se o Senhor não construir a casa, é inútil o cansaço dos pedreiros".[4] Ao que John Clarkson, na frente da congregação, certamente teria gritado (se tivesse forças) *Amém!*. Clarkson continuava longe da plena convalescença: ainda sofria de perda de memória crônica, sérias enxaquecas, acessos em que ficava sem fôlego e até desmaios imprevisíveis ao simples esforço físico de sair do barco e ir à praia. Seu estado de espírito oscilava bastante entre certa satisfação e um pânico depressivo e autopunitivo. De algumas coisas podia legitimamente se orgulhar, não sendo a menor delas a milagrosa sobrevivência de todos os quinze navios da frota que havia saído de Halifax sete semanas antes. O último a entrar lentamente na baía tinha sido o *Morning Star*, motivo de particular ansiedade para Clarkson, pois ele o havia equipado especialmente para receber mulheres grávidas. Soube, para sua felicidade, que tinham ocorrido três nascimentos, mães e bebês passando bem. Também sentiu grande prazer ao receber os capitães negros acompanhantes, "muito bem-vestidos", que "expressaram a alegria geral deles e [...] minha chegada em segurança [...] à Terra Prometida [...] O respeito e a gratidão expressos em cada olhar me emocionaram profundamente, suas roupas adequadas e a conduta apropriada [...] percebidas por todos os presentes, pois a mais perfeita paz e harmonia reinaram a bordo de cada Navio de Transporte".[5] Para sua igual satisfação, os capitães brancos agradeceram a Clarkson pela conduta "regular e ordeira" dos negros com eles e suas tripulações. Além disso, nenhum negro teve nenhuma queixa de maus-tratos dos marinheiros brancos; as esperanças de Clarkson de que a travessia de Halifax a Serra Leoa fosse uma inversão das viagens nos navios negreiros, e não só num sentido geográfico, surpreendentemente pareciam ter se realizado.

Mas, enquanto confraternizava com os capitães negros e brancos, Clarkson também era assaltado por momentos de profunda infelicidade pela morte de dois mestres de navios — seu salvador pessoal, Jonathan Coffin, do *Lucretia*, e o capitão May, do *Betsey* —, além de seu criado Peter Peters. Quando soube que o total de mortes a bordo tinha sido de 65 pessoas (na maioria, como era de se esperar, velhos, doentes e muito novos), Clarkson sentiu-se abalado por paroxismos de culpa. Depois de conversar um pouco, de repente teve um colapso tão grande que "tive de ser carregado para o leito, onde fiquei tomado por violenta histeria por quase duas horas".[6]

Não era o tipo de comportamento que se esperava do homem que agora, aparentemente, era o "supervisor" de Serra Leoa e de Freetown, a cidade livre ainda por construir. Essa nomeação imprevista apenas aumentava o dissabor e a angústia de Clarkson. Quando o *Lucretia* ancorou na baía no dia 7 de março de manhã, Clarkson tinha mandado hastear um galhardete especial (uma surpreendente bandeira holandesa invertida) como sinal previamente combinado para avisar Henry Hew Dalrymple, que ele imaginava, à falta de notícias mais recentes, já instalado como governador. Não tardou para que uma pinaça se acercasse do navio de Clarkson; mas, em vez de trazer Dalrymple, ela parecia vir lotada de cavalheiros brancos com um exagero de roupas, transpirando sob os chapéus. Clarkson só conhecia um deles, o agente comercial Alexander Falconbridge; os demais foram apresentados como dr. Bell, o médico enviado pela companhia, que Clarkson logo desconfiou ser chegado a uma bebida, o agrimensor Richard Pepys e o engenheiro James Cocks. Com o reverendo Gilbert e um certo Wakerell (contador, ainda por vir), esses senhores, ao que parecia, formavam o "conselho" nomeado pelos diretores da companhia para governar Freetown junto com o próprio Clarkson, o qual, lhe informavam agora, seria o supervisor no lugar de Dalrymple, afastado.

Não era o que ele esperava nem o que queria. Mesmo que não estivesse tão indisposto, Clarkson tinha imaginado que seu trabalho terminaria no momento em que os negros livres desembarcassem em segurança e fosse feita a demarcação dos terrenos a que tinham direito, com a respectiva distribuição. Isso levaria poucas semanas, imaginava, e depois ele voltaria para a Inglaterra, casaria com sua noiva de grande fortuna, continuaria a colaborar com o irmão na boa causa e, respaldado por seu trabalho na Nova Escócia, tornaria a pleitear um comando naval. Agora, ao ler o maço de cartas que lhe era entregue, John Clarkson sentiu-se numa armadilha, preso pelo que o irmão Thomas, William Wilberforce, Joseph Hardcastle e Henry Thornton lhe diziam ser seu dever, seu destino inevitável. "Os Olhos da Inglaterra estão fitos em você e nesta Colônia Nascente", escreveu Thomas com certo mau gosto retórico: "Nenhuma Instituição tem feito tanto Alarde nos Jornais ou [recebido] uma admiração tão geral [...] Cabe-lhe a sorte de ser Governador da Mais Nobre Instituição já criada".[7] Pessoalmente, claro, a coisa que Thomas mais desejaria seria rever o querido irmão, mas ele sabia que tais desejos pessoais deviam ser postos de lado, em favor do bem maior. Thomas esperava que John considerasse ficar pelo menos um ano, acrescentando no final da carta, num tom não muito convincente: "Você é o melhor juiz de sua própria Felicidade: portanto, o que você decidir será de meu agrado". A insistência se tornava mais forte a cada mensagem. Joseph Hardcastle, por exemplo, uniu o messianismo profético quaker ao utopismo iluminista num casamento estilístico perfeitamente calculado para tornar impossível qualquer resistência de Clarkson:

> Você trouxe de remota distância & plantou na África uma preciosa Semente que está talvez destinada a se transformar numa grande árvore, a cuja sombra muitos se rejubilarão apenas sob sua supervisão, sua influência constante, como o Sol e a chuva que devem alimentá-la e fecundá-la. Você está ocupando a posição singularmente interessante de presidir à sociedade em seu Estado rudimentar, para fazer aflorar suas energias latentes e alimentar as Virtudes embrionárias do homem inculto.[8]

Sufocando sob os elogios e certo de que, por razões de saúde, "não devo hesitar em fazer justiça a mim e minhas relações voltando a um clima setentrional", mesmo assim John sabia que não tinha escapatória. Ficaria por causa dos negros, e não por causa dos diretores, aos quais de repente se sentiu superior em termos de experiência prática, apesar da memória fraca. Os diretores pareciam obcecados com a perspectiva de um comércio africano livre pancontinental, estendendo-se a partir de Serra Leoa. Talvez por isso tivessem enviado tantos equipamentos para a fervura de açúcar. Mas John Clarkson já não estava muito interessado, se é que algum dia estivera, naquele plano grandioso. Agora estava muito mais próximo da concepção de Granville Sharp de uma sociedade negra livre e virtuosa, algo novo e emocionante no mundo. Ele se empenharia ao máximo para que desse certo.

Mas seu irmão e os demais diretores tinham dificultado imensamente o trabalho ao criar a tal "constituição" e o "conselho", o qual ele podia convocar e presidir tendo o voto de minerva, mas nunca passar por cima de suas decisões, por mais malucas que fossem! Preso no que lhe parecia um sistema impraticável, mais tarde Clarkson repreendeu o irmão por impor-lhe "sua ridícula forma de governo". Como os conselheiros não estiveram com ele na Nova Escócia, e muito menos na perigosa travessia, não se podia esperar que entendessem como seria importante para o bem-estar e o funcionamento efetivo do povoado, e para a confiança dos negros, que ele fosse visto acima de tudo como um governador propriamente dito. Os negros precisavam saber que, em qualquer problema que pudessem ter com os numerosos brancos, o chefe deles seria um juiz e protetor justo, imparcial e humano. E Clarkson tinha certeza de que surgiriam problemas. Pois, ao chegar, ficou horrorizado ao ver que, apesar de suas solicitações à companhia, não se tinha feito absolutamente nada sequer para uma acomodação provisória dos mil e poucos recém-desembarcados, mesmo tendo os navios de transporte chegado quinze dias antes. Os conselheiros tinham ficado a bordo, devorando os mantimentos, esvaziando os tonéis de rum, perdendo os sentidos, discutindo entre si, brigando com os capitães. Não se mexera numa única árvore na beira da floresta, não se roçara um só trechinho de mato. Pelo visto, achavam que estaria abaixo da dignidade branca começar a abrir clareiras ou erguer as tendas e barracas que se faziam urgentemente necessárias, antes que viesse o harmatão de abril. Essas coisas, claro, eram serviço de negro. Sem tempo a perder, Clarkson mobilizou seus capitães negros e, poucos dias após a chegada, tinham limpado oitenta acres e começado a erguer às pressas palhoças ao estilo local, feitas de barro e varas trançadas e telhado de sapé.

Os conselheiros brancos e seus inúmeros empregados e agregados — marujos e marinheiros, estoquistas e artesãos, além das senhoras esposas dos conselheiros — eram outra história, totalmente diferente. Após uma semana de desgosto e incredulidade, Clarkson escreveu que, como grupo, eles não mostravam "nada além de extravagância, preguiça, espírito briguento, desperdício, irregularidade nas contas, insubordinação e tudo o que há de contrário ao que é bom e correto". Não se tratava apenas de uma questão de incompetência administrativa. À exceção de Falconbridge e do reverendo Gilbert, comportavam-se como se fossem os senhores de alguma colônia militar ou comercial, e não como pessoas que deviam estar ajudando os negros como amigos e protetores, e dando-lhes um exemplo de sociedade fundada em "princípios bons e virtuosos". Para Clarkson, a experiência profundamente tocante na Nova Escócia e na travessia fora um curso de suprema educação moral e espiritual, quase similar à experiência de algum apóstolo ou de um dos primeiros Pais da cristandade. Não podia pretender que os senhores enviados da Inglaterra seguissem tal exemplo, mas esperava que seguissem sua orientação; ao descobrir sua impotência sob esse aspecto, em tão "completa divergência do conselho que dei aos Diretores em minhas cartas", Clarkson sentiu uma profunda irritação. O que ele queria eram Guardiães de Platão. O que tinha eram sujeitos nulos, frívolos, presumidos, mandões, rixentos, dissolutos, que passavam, muitos deles, o dia bêbados.

O pior do grupo era o médico dr. Bell, indicado por sua pretensa experiência em doenças tropicais. Quando Clarkson o via voltar de sua visita aos traficantes de escravos na ilha Bance, provavelmente para completar seu estoque de bebidas, o dr. Bell estava sempre bêbado demais para ter a menor ideia de quem era ele, uma falta de respeito que o supervisor não estava disposto a apreciar.[9] Jantando a bordo do *Harpy*, uma noite Clarkson estava aguentando "as loucuras delirantes de dr. Bell", quando, às nove e meia, ele foi levado para a cama com uma febre causada, na opinião de Clarkson, pela bebida. Meia hora depois um criado o encontrou morto — vítima, concluíram generosamente os outros conselheiros, de um ataque epiléptico. Não que Clarkson tenha se sentido muito perturbado. "Se ele não tivesse morrido, eu estava decidido a mandá-lo [de volta] para a Inglaterra." Em vez de saudarem um auxílio providencial, Clarkson ficou consternado ao saber que os conselheiros estavam programando um funeral militar completo, com o arriamento das bandeiras dos navios e salvas de treze tiros.

> Respondi que, se não tivesse ouvido a ideia da própria boca deles, não acreditaria ser possível que um grupo de homens em sua posição, como representantes dos Diretores da Companhia de Serra Leoa, incumbidos de formar uma colônia sobre princípios virtuosos, fosse capaz de fazer [uma] solicitação tão extraordinária, pois o homem a cuja memória se destinavam tais honras tinha vivido quase ininterruptamente embriagado desde o momento em que saiu da Inglaterra até o dia de sua morte.[10]

A intenção de Clarkson seria proibir esse funeral extravagante que chocaria os negros, os quais não entenderiam as honras prestadas a um tipo daqueles. Mas foi derrotado pelos votos dos conselheiros — que lhe disseram, além do mais, que contavam com sua presença. Sentindo fraqueza, Clarkson foi carregado morro acima, nos fundos do povoado, onde viu as bandeiras a meio pau e ouviu a salva fúnebre. Na mesma tarde, informaram-no que, durante os disparos, um tiro arrancou por acidente o braço de um artilheiro de nome Thomas Thomas, o qual veio a morrer do ferimento. "Isso me transtornou completamente e, chegando a bordo do *Amy* [onde ele pernoitava], fui tomado dos mais violentos acessos de histeria e desmaio, que foram o fecho das mortificações do dia."[11]

Como conseguiria melhorar? Só, como escreveu no diário, com a "volta a um clima setentrional sem perda de tempo". E, pensassem o que quisessem os diretores e seu irmão Thomas, ele não tinha o dever de honra de ficar na África mais do que um breve tempo. Mas partir agora, em vista do calibre da turma enviada pela companhia, era condenar Freetown à ruína antes sequer que nascesse. Não podia abandonar os negros na hora da necessidade; não agora. Com um floreio daquele desespero levemente engrandecedor da própria pessoa em que ele estava começando a se enlear, John Clarkson escreveu:

> Vi-me compelido a abafar todas as considerações de ordem privada e a concordar em permanecer aqui, e embora eu possa me desonrar ao mesclar meus serviços aos de outros sobre os quais não tenho nenhum controle adequado, tomei a resolução de assumir as consequências e aceitar o Governo sob sua atual forma questionável e permanecer com os pobres nova-escocianos até que a Colônia se estabeleça ou se perca de vez.[12]

Em 18 de março de 1792, Clarkson transpôs uma linha sem volta. Mandou recolher o galhardete da capitânia e liberou a frota de transporte. Os navios que haviam levado os negros para a África — *Felicity, Morning Star, Sierra Leone, Betsey, Eleanor, Catherine* e os outros — estavam livres para voltar a Halifax. Lá desmentiriam os legalistas negros, ainda alimentando um profundo sentimento de injustiça com a emigração maciça de "seus" negros, quanto às histórias que circulavam na cidade portuária de que a frota da Clarkson fora totalmente destruída — que mal e mal sobrevivera uma dúzia entre as cem dúzias dos passageiros, e que mesmo essa dúzia estava num estado tão lastimável que se arrependia de ter deixado a Nova Escócia.

Chegaria um dia, não muito distante, em que as coisas estariam em tal pé em Serra Leoa que John Clarkson acharia por bem perguntar aos aflitos e descontentes se desejavam voltar para a América do Norte. E a pergunta seria recebida com uma risada.[13] Mas, nas primeiras semanas e meses, havia muito o que chorar. Mais quarenta negros livres morreram, inclusive Violet King, que tinha passado por tantas agruras junto com o marido, desde que deixara a fazenda do coronel Young em Wilmington, Carolina do Norte: o terror de ser recapturada em Charleston e Nova York; na gélida Birchtown, fisicamente arrojada ao chão pela força dos sermões de Moses Wilkinson e então reerguida em tal pureza que o próprio marido Boston, que tanto odiava juras e blasfêmias, a seu lado se sentia um terrível e perverso pecador que precisava sair à noite para as profundas neves da floresta para implorar perdão. Tinham atravessado a tempestade do Atlântico e vencido a doença de Violet apenas para que ela contraísse a "febre pútrida" no final de março. "Por vários dias ela perdeu os sentidos e ficou tão desamparada como um bebê", mas de súbito recuperou a fala, certa de que muito em breve reencontraria seu Criador. "No domingo, enquanto vários amigos nossos lhe faziam companhia, ela jazia imóvel; mas, logo que começaram a cantar o hino '*Lo! He comes with clouds descending, Once for favoured sinners slain*', ela se juntou a nós até chegarmos ao último verso, quando ela começou a se rejubilar em voz alta e expirou num arroubo de amor." Dois meses depois, no auge das chuvas, Boston contraiu a mesma febre, mas conseguiu sobreviver. Muitos outros não resistiram. "As pessoas morriam tão rápido", escreveu ele, "que era difícil providenciar o enterro delas."[14]

A falta de atendimento médico e a escassez de remédios — sobretudo a casca de cinchona que se usava contra a malária — eram de desesperar. O dr. Bell (se tinha alguma utilidade) não existia mais, e seu substituto, dr. Thomas Winterbottom — muito admirado por Clarkson, e autor do primeiro tratado sério sobre as doenças africanas —, só chegaria em julho. A madeira de construção para erguer um hospital só viria mais tarde, numa altura do ano em que o pior da febre já teria passado. Os alimentos podres, retirados dos depósitos, ficavam espalhados ao redor, atraindo insetos e aumentando os riscos à saúde. Os assentados, brancos e negros, estavam sobrevivendo basicamente de "pão bichado", charque e peixe salgado distribuídos em meia ração. Os moradores locais traziam mandioca e amendoim, mas os nova-escocianos não tinham ideia de como usar. Era uma dádiva dos céus quando vinha alguma fruta fresca — limão, mamão, abacaxi, melão, banana.

Os brancos, com pouca ou nenhuma imunidade, eram os que morriam mais rápido e em maior número. Anna Maria Falconbridge ficou de cama, gravemente enferma, por três semanas, "totalmente cega" durante quatro dias e "pensando que cada momento seria o último", e foi obrigada a raspar a cabeça, convertendo-se, como disse ela, em "uma figura medonha". Escrevia registrando cinco, seis ou sete mortes diárias no auge da epidemia como coisa corriqueira, as vítimas enterradas "com tão pouca cerimônia como se fossem cães ou gatos". Comentou que, de manhã, a saudação habitual entre as pessoas passou a ser: "Quantos morreram esta noite?".[15] Quando o índice de mortalidade decaiu no final de julho e agosto, mal restavam trinta dos 119 brancos originais.

O mal contagioso veio acompanhado de outras calamidades e tormentos. Ao ver as sinistras colunas de nuvens se adensando sobre as florestas no alto dos morros, lá pelo final de março, Luke Jordan, um dos capitães negros, escreveu preocupado a Clarkson: "Eu Não Escreveria ao Senhor porque sei que não está Passando bem como Deveria mas É porque estamos numa Terra Estranha e não estamos bem familiarizados com a Estação das Chuvas [...] mas Se ela Vier e não tivermos casa o que Devemos fazer?".[16] Era uma boa pergunta. A colônia ainda era um frágil aglomerado de barracas e choças primitivas. No começo da madrugada de 2 de abril, quando despencou o primeiro temporal, com relâmpagos, trovoadas e violentas rajadas de vento, os assentados negros descobriram como eram porosos os telhados de palha e as paredes de vime trançado. As chuvas trouxeram infestações súbitas de insetos vorazes: legiões de baratas, colônias de um tipo de besouro listrado de vermelho e preto com quinze centímetros de comprimento e 1,5 centímetro de largura, cujo colorido Clarkson comparou à cerâmica de Pontypool, e, mais assustador, enxames ferozes de formigas pretas, brancas e, as piores de todas, vermelhas. Anna Maria escreveu, comovida, que podia parecer estranho "que um inseto tão insignificante como o é na Inglaterra seja capaz, em outro país, de atacar as habitações das pessoas e expulsar os moradores", mas ela tinha visto doze ou catorze famílias desalojadas de suas casas e obrigadas a usar fogo ou água fervendo para se proteger. Às vezes as casas se incendiavam na tentativa de deter a marcha incessante das formigas vermelhas, que abriam uma trilha totalmente desobstruída atravessando qualquer coisa que estivesse pela frente, fosse viva ou morta, e às vezes do tamanho de uma galinha ou de um bode. Até algumas das cobras mais venenosas se acautelavam quando as formigas estavam em marcha, escapando de seus esconderijos no sapé dos telhados e caindo no chão das choças. As peçonhentas cuspideiras, mambas e *kraits* já eram bem perigosas, mas ainda havia cobras de aperto, como jiboias (Anna Maria disse ter visto uma "serpente" de 2,70 metros de comprimento), à espreita dos animais domésticos.

As sucuris não eram as únicas oportunistas. Vez por outra a aldeia era visitada por leopardos em busca das cabras, galinhas e cães dos moradores. Depois de terem visto um grande felino bem na entrada de uma palhoça, Clarkson ficou apavorado com a possibilidade de aparecerem outros, por causa das crianças pequenas, principalmente quando soube que, pouco tempo antes, um leopardo tinha agarrado pelo pescoço um homem adormecido, e só o soltou quando o homem se defendeu com um soco no focinho da criatura! Havia outras criaturas furtivas cujos ataques eram repelidos no último instante. Em 27 de março, um grande babuíno, em busca de alimento à noite, agarrou uma menina de doze anos e tentou arrastá-la para fora da barraca. Seus gritos acordaram um homem que dormia na mesma tenda, o qual segurou um dos braços da menina bem na hora em que o babuíno saía com ela. "Então foi um teste de forças", escreveu Clarkson, "o babuíno se empenhando em levar a menina e o homem igualmente decidido a impedi-lo."[17] Só quando a gritaria atraiu mais auxílio é que o animal desistiu e escapou para a floresta.

Clarkson inspecionava aquela desolação com um desalento cada vez maior, mas não com total desesperança. Quando se sentia às raias do desespero e da resignação, acontecia alguma maravilha. Um dia no final de março, num intervalo entre os temporais, um dos nativos lhe trouxe um camaleão em troca de rum. Clarkson pegou o réptil e o observou atentamente, dando-lhe um pouco de açúcar de um cesto, admirando seus quinze centímetros de língua vibrante, os olhos protuberantes girando nas órbitas, a pele coriácea passando por suas alterações prismáticas do cinza-escuro para o azul-marinho, depois para o verde-garrafa, então para um verde mais vivo e o amarelo-dourado; sentiu-se curioso e feliz. Clarkson também sabia que, mesmo se sentindo fraco, conseguia reunir um grau de energia e dignidade suficiente para ter o respeito dos chefes locais que tantos problemas haviam causado aos moradores de Granville Town. O rei Jimmy tinha rejeitado os convites para ir a Freetown, mas, todo emperiquitado em seu velho uniforme naval e o tricórnio, recebera Clarkson em seu povoado e lhe oferecera vinho e água, levando a cabaça primeiro aos próprios lábios para mostrar que não havia riscos — um grande gesto de amizade fraterna. Clarkson, tomando assento à sombra entre os juncos que se projetavam dos telhados redondos, observou as palmeiras, as bananeiras, os mamoeiros e os limoeiros que floresciam entre as casas circulares, e imaginou uma espécie de abundância tropical que seu povo ainda poderia desfrutar.

Poucos dias depois, o *Lapwing* trouxe o Naimbana até o povoado do rei Jimmy, para uma conferência. Estava mais velho, mais grisalho, mais magro, e muito saudoso de seu filho John Frederick, que morava em Londres. Ligeiramente irrequieto com a aparição do chefe, Clarkson notou o casaco de seda azul-celeste ornado de passamanarias prateadas, as calças listradas, as chinelas marroquinas verdes e o tricórnio com fitas douradas. Dali a pouco o Naimbana retirou aquele chapéu esquisito para ceder espaço a uma antiquada peruca de juiz (já bem longe de seu esplendor), em cuja ponta pendia um colar trazendo como pingente uma imprópria medalhinha votiva de ressurreição cristã, o Cordeiro com o estandarte, cujo significado Clarkson duvidava que o Naimbana conhecesse plenamente. John se sentiu satisfeito por também ter caprichado na aparência, envergando seu uniforme escarlate completo, com uma reluzente medalha militar pregada no peito, o que lhe permitiu assegurar em resposta à gentil indagação do Naimbana (após trocarem um abraço) que sim, seu bom amigo, o rei George, ia muito bem, obrigado. Clarkson ficou um pouco aborrecido que, nesse primeiro encontro, o Naimbana não parasse de sorrir e casquinar; por fim, o chefe explicou que nunca tinha visto um rei tão jovem (entre os temnés, a idade avançada era um *sine qua non* da autoridade máxima). Ao entardecer, foram à costa e Clarkson, agora sabendo do respeito do Naimbana pelos mais velhos, o apresentou à anciã cega que o congratulara por sua recuperação, e que agora insistia que estava com 108 anos, tendo ganhado mais quatro anos em quatro semanas.

A conferência foi assistida pelos outros chefes locais, a rainha bulone Yamacouba e o chefe afro-português "Signor Domingo", além do outro filho do Naimbana, educado na França, que parecia disposto a engatar uma briga; foi um momento delicado. As velhas reclamações contra o ataque do capitão Savage, que tinha resultado no incêndio da aldeia do rei Jimmy, e a conduta "insultante" dos agentes escravistas dos Anderson na ilha Bance foram retomadas uma vez mais. Clarkson protestou que não tinha tido nenhuma parte naquilo, e que, "como nossas intenções eram pacíficas, faríamos de tudo para jamais lhes dar razões de queixa e igualmente demoraríamos muito antes de nos irritar com eles [...] como sabiam que dispúnhamos de amplos meios para nos defender de qualquer ataque injusto, assim eles veriam que estávamos resolvidos e determinados a fazer justiça a qualquer ocasião". (De vez em quando, Clarkson iria ordenar que disparassem os morteiros, só para marcar posição.) Prevendo — corretamente — que lhe pediriam um novo pagamento pelo uso da terra, cujo arrendamento já fora negociado por Thompson e depois por Falconbridge, Clarkson preparou um histórico do que já tinha sido pago e acordado, e declarou que qualquer ideia de pagar mais uma vez era simples "palavrório vazio".[18] Como sempre, não se combinou muita coisa, mas a tensão afrouxou — principalmente quando Clarkson, muito a contragosto, cedeu às bebidas de forte teor alcoólico que todos os chefes estavam solicitando. "Seria inútil moralizar num momento em que a população inteira da vila do rei Jimmy se poderia dizer em estado de embriaguez." Ele já estava adquirindo um certo pragmatismo africano. E ele sabia que, num aspecto importante, desconhecia os planos dos diretores da companhia. Pois Thornton, Hardcastle e Thomas estavam cheios de projetos grandiosos para a expansão da colônia ao longo da costa e rio acima, ao passo que John se empenhou em reassegurar aos chefes que não tinha nenhuma pretensão a mais terras. Não conseguia tirar da cabeça a imagem de uma jovem africana "de fisionomia muito agradável" que uma tarde foi ao assentamento e, zangada, declarou que os brancos queriam tomar seu país e transformar o povo em vassalo. Quando Clarkson tentou negar enfaticamente qualquer intenção dessa espécie, a bela mulher apontou para um canhão na praia e disse: "Aquelas armas grandes [...] vocês brancos trazem aqui para tomar meu pobre país". Clarkson não registra nenhuma réplica.[19]

Ele sabia que as chuvas viriam. Mas não esperava que os vendavais fossem tão furiosamente selvagens, destruindo as cabanas frágeis, levantando as lonas aos rodopios no ar. Primeiro, no oceano, uma borrasca que nenhum marinheiro lembrava de jamais ter visto igual; agora uma estação de chuvas que os nativos diziam ser a pior de que tinham memória. Certamente em alguns dias ele deve ter se sentido transbordar de raiva e revolta impotente — os dias em que o calor tórrido e úmido aumentava a um grau insuportável e Clarkson olhava desanimado os engradados ainda a bordo, alguns entregues à arrebentação, espalhando o conteúdo entre as algas marinhas. Ou refletia que tudo o que era afiado e amolado — tesouras, canivetes, pregos — enferrujava e ficava sem corte na película de umidade que assentava sobre todas as coisas. Que horas eram? Não tinha como saber a não ser pela curva do sol, visto que seu relógio e os relógios de todos os outros tinham se rendido à umidade. Às vezes, desconfiando dos demais, ele conferia e reconferia o inventário das provisões que diminuíam sem parar, na certeza de que os conselheiros, marinheiros, artilheiros e trabalhadores brancos estavam consumindo tudo o que não estivesse podre ou mofado, em especial o rum e o *brandy*. Enquanto isso, seus negros, que tinham sofrido tantos abusos dos brancos, labutavam entre os animais da floresta, fazendo o máximo que podiam para dominar o pavor dos temporais devastadores e proteger os casebres antes que fossem varridos pela inundação.

Clarkson se preocupava com os negros livres na África ainda mais, se possível, do que na Nova Escócia e na odisseia transatlântica. Sentira-se orgulhoso ao enfileirá-los perante o velho Naimbana, que percorrera o grupo apertando a mão de todos. "Os nova-escocianos, se deixados a si mesmos, corresponderiam plenamente ao Caráter que sempre lhes atribuí, mas não enfrentaram um jogo limpo." O sistema imprestável que fora impingido a Clarkson tinha dado aos brancos a chance de prevalecer inescrupulosamente sobre os negros, desfazendo assim toda a confiança que Clarkson tanto batalhara para conquistar durante o inverno na Nova Escócia, e que tinha mantido a bordo da frota. Agora eles estavam submetidos aos piores aspectos do desprezo colonial: brancos que os insultavam e maltratavam; às vezes flagrados erguendo a mão contra eles, escarnecendo quando os negros reclamavam por não ter recebido os lotes rurais e os terrenos urbanos que lhes tinham sido prometidos. Eram brancos que tinham expulsado os negros das propriedades costeiras; pior, eram claramente não cristãos — alcoólatras, promíscuos, sifilíticos — e que nunca iam aos ofícios religiosos pedir perdão ao Todo-Poderoso por todos esses pecados. Clarkson, na verdade, temia que fossem "ateus". Enquanto isso, recebia bilhetes patéticos de uma pungência de cortar o coração, escritos por alguns negros mais aflitos:

Senhor, sua umil de Creada pede o favor da sua Excelência Ver se Pode me Dar um Poco de Sabão que preciso muito de um Poco não tenho nada Desde que estou aqui no lugar e tive Duente e quero muito um Poco de Sabão para lavar Ropa da minha família porque não queremos Parecer sujos

sua umil de Creada
Susana Smith [20]

O mais terrível era a constante perda de confiança que tais condutas causavam na relação entre Clarkson e os negros livres, seus "filhos", que por tanto tempo, em todos os problemas e reclamações, sempre tinham se acalmado e se tranquilizado com a autoridade e honestidade transparente do "Ilustre Senhor". Aos poucos ele começou a perceber mágoa e desafeto brotando entre as pessoas, que passavam a sentir (e talvez a dizer) que as promessas feitas na capela em Birchtown — um sistema autônomo de governo e justiça, isenção de impostos sobre as terras — tinham sido traídas. Desde a tumultuada discussão que ocorreu antes de sair de Halifax, Clarkson tinha aguda consciência de que os insatisfeitos dispunham de alguém do próprio grupo a quem recorrer, alguém que ele começava a achar que agora estava se tornando perigoso: Thomas Peters. Em 22 de março foram removidas quaisquer dúvidas a respeito.

Thomas Peters me visitou esta noite e fez muitas reclamações; foi extremamente violento e indiscreto em sua conversa e parecia disposto a alarmar e desanimar as pessoas; sua conduta me traz à lembrança uma passagem de certa carta que recebi de meu amigo e colaborador, o sr. Hartshorne, que a entregou a mim quando me despedi dele, recomendando que não a lesse enquanto não estivesse já há algum tempo no mar; ele diz numa passagem dessa carta: "Espero que você não fique mortificado demais se Peters se mostrar um homem diferente do que você teria o direito de respeitar. Temo muito que a grande atenção que lhe foi dada na Inglaterra alçou as ideias dele quanto à própria importância a uma altura elevada demais para o bem dele e para a tranquilidade sua". O comportamento dele hoje à noite confirmaria plenamente a qualquer estranho a verdade dessas observações e ele me irritou a um grau extremo.[21]

Mesmo assim, em vista do rol de reclamações que Peters lhe apresentou de modo tão chocante e negativo, Clarkson se sentiu na obrigação de reunir o povo no "Salão de Lona" (agora com múltiplas finalidades: comer, rezar, conferenciar e, para os oficiais brancos, dormir). Depois de tratar com paciência de todas as fontes de insatisfação, Clarkson achou que tinha "aplacado por completo seus temores e convencido todos de modo geral sobre a insensatez dos argumentos [de Peters]". No entanto, a tensão desencadeou mais uma vez sua terrível inquietação íntima. Após o discurso na tenda, Clarkson voltou ao leito no momento em que os grilos e rãs iniciavam seu coro, fazendo "Ressoar a Vila e as Matas", e então se entregou novamente a uma "violenta histeria durante duas ou três horas".[22]

Peters observava tudo isso com desagrado e irritação cada vez maiores. Logo que percebeu que não se construiria nada remotamente semelhante à comunidade negra livre imaginada por Granville Sharp, ou nem sequer a uma colônia dotada ao menos de um sistema próprio de policiamento e poder judiciário, Peters sentiu que ele e seus companheiros de emigração tinham sido vendidos a um bando de brancos preguiçosos, insolentes, intolerantes, que estavam fazendo de tudo para roubar o que era devido aos negros livres. Iria se repetir a história da Nova Escócia, agora sob o sol dos trópicos? Não no que dependesse de Peters. Afinal, era de máxima responsabilidade sua, pois foi seu aparecimento em Londres em novembro de 1790, e seu relato a Sharp, Wilberforce e Thornton, que acabou levando ao grande êxodo. E agora ele ficaria envolvido na traição? Sem dúvida o sr. Clarkson tinha boas intenções, mas era um homem doente e sem forças para enfrentar a patifaria dos conselheiros e a arrogância dos brancos.

Mesmo antes de perceber a situação a que seu povo fora levado, Peters agia como se detivesse pelo menos uma parcela da autoridade de Clarkson. Ao desembarcar em Serra Leoa, passou por cima de Clarkson e dos diretores, e escreveu diretamente, quase como um embaixador, a Henry Dundas, o secretário de Estado das Colônias. Agradecendo a "Vossa Senhoria" pelos favores que culminaram na emigração, Peters escreveu que "estamos inteiramente Satisfeitos com o Lugar e o Clima; e esperamos que nossos Companheiros de sofrimentos [na Nova Escócia] cujas condições não permitiram que se juntassem a nós, logo possam usufruir da mesma Bênção". O tratamento que receberam na travessia, informou ele, tinha sido "muito bom", embora a alimentação fosse "medíocre": peixe salgado quatro vezes por semana, metade dele estragado, bem como a maior parte dos nabos. Os nativos de Serra Leoa "são muito agradáveis conosco e temos um Sentimento de Gratidão pela bondade de Sua Majestade em nos transferir. Nós nos empenharemos sempre em nos formar segundo Sua Religião e Sua Lei, e em educar nossos Filhos no Mesmo". E Thomas Peters, o primeiro líder africano-americano, finalizava com uma retumbante declaração de sua profunda lealdade: "Longa Vida a Sua Majestade e à Família Real, Abençoada com a Paz e a Prosperidade na terra e a Glória Eterna no além".[23] A lealdade de Peters, portanto, estava com George III e seus ministros, com a Inglaterra e a promessa de liberdade britânica — e não com aqueles que, conforme lhe parecia cada vez mais, a tinham desvirtuado, entre os quais começava a incluir o tenente Clarkson.

No Domingo de Páscoa, quatro crianças foram batizadas por David George, que Clarkson ainda considerava um de seus melhores amigos. Ao sair do Salão de Lona, foi como sempre cercado por colonos negros que lhe entregaram cartas e petições. Mais tarde, no jantar a bordo do *Amy*, ele leu uma de Tobias Humes, alertando-o de "divisões e ficções" [sic] com vistas a "eleger o sr. Peters como Governador deles e enviar uma petição à Ilustre Companhia para tal fim". Se essa notícia, escreveram eles:

[...] chegou ao conhecimento de Vossa Senhoria, o senhor já está armado contra a iniciativa deles, e desculpará seu humilde criado, se o senhor não sabia, espero que estas poucas linhas o coloquem em Guarda embora eu escreva com receio porque não sei como me conduzir no momento e se meu nome chega aos ouvidos deles e nega sua proteção [sic] minha situação é ruim — o Povo de Preston não tem nenhuma participação no caso e quer se manter ligado à Vossa Senhoria e aceitar as consequências e assim subscrevemos como humildes criados e amigos fiéis de Vossa Excelência.

ps Confiamos em Vossa Senhoria que nossos nomes fiquem em segredo pois sabemos que nossas vidas dependem disso.[24]

Qualquer ideia de um descanso após o jantar se esvaneceu. Estarrecido com a mensagem, certo de que estava se armando alguma espécie de rebelião, se não uma franca revolução, que deveria ser extirpada em germe, Clarkson mandou vir um barco e foi pessoalmente remando com rapidez até a praia. Confiou em Richard Pepys, o agrimensor, e subiu então como um possesso, esquecida qualquer fraqueza, pelo morro atrás do Salão de Lona, até uma torre aberta de madeira onde havia um grande sino, o alarme da colônia. O repique soou por toda a orla, até os barcos de pesca, até os homens que estavam trabalhando na floresta, e subiu pelos montes. Atônitos, os habitantes abandonaram tudo o que estavam fazendo e correram até a enorme paineira-rosa que tinha se tornado o local aberto para as assembleias importantes. Peters estava lá, impassível e impenetrável. À sombra da copa da árvore, Clarkson se dirigiu em primeiro lugar a Peters, mas em voz alta e clara o suficiente para todos ouvirem. Não mediu as palavras.

> Eu disse que provavelmente um de nós dois estaria pendurado naquela Árvore antes de terminar o Debate da assembleia, e erguendo a carta expus seu teor ao mesmo tempo observando que sempre consideraria seus remetentes os melhores homens do lugar e esperava, antes de terminar, conseguir convencer toda a Colônia de que deveria sentir a maior Dívida com eles por terem me alertado, para que eu pudesse enfrentar corajosamente o Assunto e salvar a eles e à sua posteridade da ruína inevitável que ocorreria caso se permitissem inflamar por Conselhos tão perniciosos.[25]

Entre a multidão se ergueram gritos para que ele desse o nome dos informantes. Depois de acenar a carta (talvez para o terror dos que a escreveram), Clarkson a recolocou rapidamente no bolso do casaco e declarou, como se representasse algum herói no palco do Drury Lane Theatre, que enquanto houvesse vida em seu corpo não trairia aqueles nomes e jamais esqueceria a conduta exemplar deles. "Então lhes chamei à lembrança os muitos sacrifícios que eu tinha feito e fazia diariamente para promover a felicidade deles" e, como se ele mesmo estivesse em julgamento, "disse-lhes que considerassem toda a minha Conduta em relação a eles desde que os conhecera". Estavam em jogo questões de ruína concreta, insistiu ele, mas também de ofensa à lei e à correção de conduta. Se estavam irritados com a companhia, não deveriam lembrar o quanto a companhia já tinha gastado com eles, "embora fossem perfeitos estranhos para ela"? E "empenhei-me em lhes inculcar no Espírito o Caráter Criminoso de sua conduta se, depois de tudo o que fora feito por eles, duvidassem por um instante da sinceridade das intenções da Companhia de Serra Leoa". Se permitissem que se instaurasse o "Demônio da Discórdia", não poderiam esperar nada além da miséria.

Compreensivelmente perplexos — aliviados, talvez, quando Clarkson pareceu ter encerrado aquela surpreendente encenação —, alguns dos colonos mais corajosos tentaram esclarecer a questão. Com o mais profundo respeito, disseram eles, qualquer coisa que tivesse sido dita a Clarkson, ele havia entendido totalmente errado o espírito daquela declaração. Era apenas porque tinham visto o sr. Clarkson tão assoberbado dia após dia com assuntos de grande e pequena monta que pretenderam simplesmente aliviá-lo de uma parte desse peso. Só por essa razão "eles tinham escolhido Thomas Peters como seu Representante Máximo ou presidente, pois foi pela interferência e influência dele que foram removidos da Nova Escócia e 132 deles tinham assinado um documento com esse teor datado de 23 de março, Documento este que Peters decidira na noite anterior entregar nas mãos do Governador". De fato não tinham nenhuma outra intenção a não ser "aliviar o Governador do trabalho de tantas solicitações e manifestaram seu pesar por ter ele levado o assunto de forma tão veemente, mas que esperavam que o visse a uma outra luz, pois garantiam ter sido interpretados de maneira totalmente equivocada".[26]

Clarkson falou de novo.

> Sendo tão grandes o alarme e a agitação, não foi fácil persuadi-los de que estavam errados, mas, depois de discutir com eles por um bom tempo, por fim cederam e com os mais vivos sentimentos de gratidão e respeito se declararam extremamente pesarosos com o que havia se passado e prometeram tudo o que eu desejava, implorando-me com toda a ternura imaginável, alguns deles em lágrimas, que

não me expusesse por mais tempo ao Relento Noturno, pois viram que eu estava muito cansado de debater com eles e receavam que me fizesse fisicamente mal.

Assim terminou a revolta da Páscoa em Freetown, que afinal, como Clarkson descobriu ao examinar a lista dos 132 e viu que incluía alguns de seus amigos mais próximos e de maior confiança, como David George, por certo não era rebelião alguma. Muitos nomes eram de pessoas de New Brunswick, de Brindley Town e Digby — as mesmas cuja confiança Peters conquistara antes de ir para Londres. Mas também havia vários nomes de Birchtown. Clarkson concluiu que Peters, a quem agora respeitava como "homem de grande penetração e sagacidade", provavelmente não tinha o objetivo "de assumir o Governo", a despeito da advertência na carta que citara um golpe iminente. Todavia, Clarkson resolveu "não só mantê-lo de olho eu mesmo, mas também mandar que observassem suas Ações e me informassem em Particular".

Mesmo que o nervosismo à flor da pele de Clarkson tivesse exagerado a crise, não há dúvida de que ocorrera algo sério. Embutido no propósito de "aliviar" Clarkson de alguns dos problemas mais comezinhos da colônia, por mais respeitosamente que fosse expresso, sem dúvida estava o germe das ideias de Granville Sharp sobre a autonomia política dos negros livres, a começar por assuntos locais — o tipo de coisa apropriada para *tithingmen* e *hundredors* devidamente eleitos. Ao seguir a pista dada pelos informantes e imaginando que a situação equivalia a uma usurpação de sua própria autoridade arduamente conquistada, Clarkson pôs o *amour-propre* à frente da reflexão política. Como era possível que a hipótese de algumas obrigações públicas a cargo dos negros fosse pior do que o festival de incompetência e corrupção encenado dia após dia pelos brancos sob as vistas de uma população negra cada vez mais distanciada?

David George e seus amigos fizeram de tudo para acalmar Clarkson. Lembra, diziam eles, todas as traições na Nova Escócia? Aqui também *se fala* em recebermos terras, mas só se fala! O senhor disse que não teríamos de pagar nenhum imposto sobre a terra, mas consta que a companhia pretende nos cobrar o imposto, e de tal maneira que pode nos escravizar novamente. Fomos enganados muitas e muitas vezes. Assim, não admira que possamos ter nossas desconfianças, fundamentadas ou não.

Dias depois, a colônia ainda tremia, de raiva ou de medo, sob o efeito da assembleia realizada sob a paineira. Clarkson soube que houve até quem morresse de susto. "Uma Jovem Mulher, vendo-me desembarcar e subir o Morro a um ritmo incomum e ouvindo tocar o Grande Sino logo depois, ficou tão assustada, sabendo que o marido tinha assinado o documento para a nomeação de Peters, que foi acometida de fortes convulsões e expirou logo a seguir."[27]

Embora pensasse que havia controlado o pior da situação, Clarkson soube que ainda estavam ocorrendo coisas desagradáveis; os suspeitos de serem os informantes eram intimidados, outros eram interrogados. Henry Beverhout, um dos capitães metodistas, foi visitá-lo para frisar que seus fiéis não tinham nada a ver com a agitação. Três dias depois daquele debate, Clarkson convocou outra assembleia geral, desta vez no Salão de Lona, com todos os negros livres alinhados em suas companhias navais e sob o comando de seus capitães negros. Os colonos foram instados a assinar um documento declarando que, enquanto estivessem em Freetown, obedeceriam a suas leis, que, "até quando permitirem as circunstâncias", seriam "em conformidade com as leis da Inglaterra".[28] Houve um murmúrio geral de assentimento.

Formava-se um furacão. A penugem prateada das paineiras agora esvoaçava lá no alto do céu, e vinha flutuando desde a costa bulone ao norte. Depois descia, recobrindo tudo com seus filamentos curvos e delicados. Na baía, ainda se viam os marujos no *Harpy* tirando fiapos das velas e enxárcias.[29]

Apesar de sua atitude severa, Clarkson tratou cautelosamente os negros nos dias e semanas que se seguiram ao Domingo de Páscoa de 1792. Mas ele sabia que a chave para restaurar sua autoridade entre os que a sentiam abalada seria afirmar-se sobre os brancos — conselheiros, soldados e marinheiros —, cuja conduta em relação aos negros era a fonte de grande parte da insatisfação. Sempre que tinha oportunidade de demonstrar sua imparcialidade, Clarkson a agarrava com uma sofreguidão teatral. Precisava-se desesperadamente de palha e sapé para reformar as cabanas atingidas pelas tempestades, mas como a linha das moitas e das matas estava aos poucos recuando, a distância que os negros tinham de percorrer com os feixes de capim às costas dificultava muito mais a tarefa. Assim, Clarkson mandou um escaler do *Lapwing* subir o rio, juntar o mato e levá-lo até a colônia. Como os temporais estavam se amiudando, ele achou que não havia tempo a perder, e a ordem foi dada para um domingo, dia em que todos os tipos de tarefas eram executadas no povoado. Mas os marinheiros do *Lapwing*, odiando a ideia de interromper seu descanso para facilitar a vida dos negros, decidiram pelo contrário, que guardariam o Dia do Senhor, muito embora nenhum deles tivesse até então se destacado muito por sua religiosidade.

A decisão de Clarkson de dar um exemplo com esses recalcitrantes também se baseava no hábito dos marinheiros de se referir aos colonos como "Velhacos Negros" e usar "outras expressões insultantes e degradantes altamente prejudiciais à harmonia da Colônia e extremamente ofensivas aos nova-escocianos".[30] Também estava em questão a autoridade do supervisor sobre a esquadra dos navios. O mestre do *Harpy*, capitão Wilson, cujo comportamento vinha se tornando cada vez intratável, estava disposto a dar contraordens de quase tudo o que Clarkson dissesse. Armou-se uma demonstração de força. Assim, o capitão Robinson, do *Lapwing*, recebeu a ordem de comparecer ao julgamento de quatro homens tidos como os "cabecilhas", cada qual condenado a receber 36 chibatadas. Era o mundo da fazenda escravocrata às avessas. O governador branco havia ordenado o açoitamento público de marinheiros brancos perante todos os negros reunidos, porque tinham se recusado a fazer algo que lhes facilitaria o trabalho e por submetê-los sistematicamente a abusos! Além disso, o homem que ministraria o castigo era um negro, Simon Proof, que algumas vezes tinha executado esse serviço no Exército britânico. Mas Proof não estava especialmente ansioso em ser o instrumento do exercício de uma salutar justiça racial por parte do supervisor, e teve de ser instado. Clarkson lhe disse que, por mais que aquilo o desagradasse, o bem-estar da colônia dependia da punição pública.[31]

Sob um tempo carregado, a colônia inteira e toda a tripulação dos navios foram convocadas pelo grande sino no alto do morro, e Clarkson fez mais um discurso.

> Então discorri brevemente aos nova-escocianos sobre a necessidade de proteger suas famílias e lhes disse que, a menos que conseguíssemos assegurar uma subordinação adequada em todos os departamentos da Colônia, seria impossível termos êxito. Declarei que estava longe de meus propósitos fazer qualquer distinção entre Negros e Brancos, e que pelo contrário desejava que eles se considerassem Irmãos, requerendo mútua bondade entre eles em sua árdua situação atual, e nada em sua

Conduta seria mais gratificante para mim do que vê-los empenhados em aliviar reciprocamente suas dificuldades com uma conduta conciliadora e cristã.[32]

O primeiro marinheiro condenado, mãos amarradas, foi trazido e apoiado contra o pelourinho. Clarkson declarou que "punia apenas com finalidades corretivas" e mandou que Proof começasse. O marinheiro estava com uma bala encaixada entre os dentes para aguentar melhor a dor, e rangia as mandíbulas no metal enquanto lhe aplicavam as chibatadas. Durante os treze primeiros golpes, o prisioneiro careteou em silêncio, mas no décimo quarto, quando sua carne se rompeu, a bala caiu da boca e ele liberou um grito. Clarkson mandou Proof parar, aproximou-se do marinheiro e perguntou se pedia desculpas pela ofensa e se estava disposto a corrigir seu comportamento. Quando ele grunhiu uma afirmativa, foi solto e levado para o quartel. Pouco admira que, depois de poucas fustigadas, o segundo prisioneiro tenha feito seu ato de contrição, no que foi imitado pelo terceiro. "Dispensei as pessoas", escreveu Clarkson, "na certeza de ter causado uma impressão suficiente."[33]

Só os gestos não bastavam. Poucos dias depois do açoitamento, Clarkson mandou Nathaniel Gilbert de volta a Londres num de seus navios mais velozes, o *Felicity*, com cartas para Thornton e os diretores. Para a diretoria, ele detalhou alguns dos piores abusos perpetrados na colônia, sobretudo a corrupção nos armazéns, onde, informou aos diretores, a companhia estava sendo roubada diariamente por brancos inescrupulosos, enquanto negros honestos sofriam. A menos que lhe dessem o devido poder para se sobrepor ao conselho, e enquanto não o fizessem, esse tremendo caos prosseguiria e ele não poderia se responsabilizar por tal estado de coisas. Assim, terminou com um ultimato: "Deem-me autoridade e, se não chegar demasiado tarde, eu me comprometerei a remediar o todo. Se não derem, minha resolução está tomada. Voltarei para casa".[34] As cartas particulares que enviou eram ainda mais passionais e furiosas. Ele acusou o irmão Thomas de compactuar com o tipo de governo precisamente calculado para desgraçar os colonos ao máximo possível; e para Thornton ele trovejou que "Invoco Deus como testemunha, O Qual conhece os segredos do coração, que eu de bom grado daria minha vida para cumprir os grandiosos desejos da Companhia de Serra Leoa", mas, se eles não lhe proporcionassem o que era necessário, fariam melhor em procurar um substituto.[35]

Para pegar um pouco de brisa marinha que lhe abrisse os pulmões,

Clarkson fez um curto trajeto no *Felicity* até as ilhas da Banana. Quando voltou em 26 de abril, caiu um raio sob a forma de denúncia de um colono contra Thomas Peters, alegando que este tinha furtado os bens de um homem recém--falecido. Ciente da quantidade de seguidores de Peters, Clarkson não deu pulos de alegria com essa oportunidade de desacreditar o rival. Até ouvir pessoalmente a reclamação, sua tendência era descartá-la como simples queixa pessoal. Mas logo ficou evidente que *não* agir com provas que pareciam tão incontestáveis trazia o risco de indispor contra si uma quantidade de negros no mínimo igual à dos que se sentiriam ofendidos com um processo contra Peters. No dia 29, abateu-se o pior temporal sobre Freetown, os relâmpagos se sucedendo com tal rapidez que faiscaram por dez minutos num clarão contínuo, "parecendo Cataratas de fogo descendo dos céus".[36] Clarkson se decidiu. Peters teria de ir a julgamento.

No dia 1º de maio, Peters admitiu ter se apropriado dos pertences, mas insistiu que o homem havia contraído uma dívida com ele na Nova Escócia, e que nunca lhe pagou, e portanto ele apenas reivindicara aquilo a que tinha justo direito. Mas o júri negro discordou, decidindo que ele não tinha direito aos bens e mandando devolvê-los à viúva. Não se determinou nenhuma outra penalidade: evidentemente Clarkson percebeu que a humilhação fora suficiente para causar um dano irreversível à liderança de Peters. Sinal disso foi uma carta do próprio Peters, informando a Clarkson que havia renunciado aos pertences, mas pedindo-lhe apelação do veredicto do júri. "Claro", escreveu Clarkson, "que preferi não interferir mais no Assunto."[37]

Mesmo Peters caindo em desgraça, Clarkson ainda se sentia inseguro e passou a convocar assembleias dos colonos para discursos que se convertiam em confissões desconexas pontilhadas de ameaças veladas. Em 3 de maio, disse-lhes que estava "praticamente esgotado, que vim para esta Colônia esperando dificuldades e [quando] não podiam ser evitadas, enfrentei-as de Bom Grado", mas ficara magoado com o descuido das obras públicas, como colonos "escapando furtivamente antes de terminar o horário de trabalho". Num tom rabugento, entre mestre-escola e profeta ofendido do Antigo Testamento, declarou que, não fosse seu amor pela África, voltaria imediatamente para seus amigos na Inglaterra, que estavam ansiosos em revê-lo, e que, "a menos que eu visse uma grande modificação no comportamento deles, com certeza iria deixá--los; que não queria ir embora com raiva, mas pelo contrário apertando a mão de todos, desejando-lhes de coração toda a felicidade que eles mesmos queriam para si. Se pensavam que estariam melhor sem minha presença... seria muito melhor e mais honrado da parte deles dizê-lo logo em vez de permitir que eu sacrifique minha vida a Serviço deles sem lhes fazer bem algum".[38] Esse apelo de despudorada autopiedade, com sua imagem de um adeus iminente, teve o exato efeito que Clarkson queria: "Uma instantânea expressão de gratidão explodiu entre todos".

Mas foram muitas as vezes em que Clarkson recorreu a esses apelos francamente emocionais à lealdade e ao sacrifício pessoal. Assediado por queixas 24 horas por dia, algumas vezes passou a dormir a bordo do *Amy*. Mas mesmo lá ficava acordado na cama, e os sons de Serra Leoa o assaltavam por todos os lados: os batuques e cantorias da aldeia do rei Jimmy; os gritos de aleluia dos cultos noturnos oficiados pelos batistas e metodistas; a algazarra dos soldados bêbados em suas barracas; o imenso e incessante zunido desafinado dos insetos, milhões de patas articuladas raspando e penetrando fundo nas circunvoluções de seu cérebro cansado, e mais outros sons latejantes o perfurando sem lhe dar paz. O que aconteceria com sua memória, já tão despedaçada e esfrangalhada? Ele não revelava o pior diante daqueles a quem devia aparentar autoridade. Não podia se mostrar desorientado, de jeito nenhum.

Clarkson aguardava impaciente uma resposta dos diretores a suas solicitações, mas os navios iam e vinham nas águas metálicas da baía Kru, e não chegava resposta alguma. Mas pelo menos alguns desses navios lhes trouxeram novos rostos, homens que, pensou ele de imediato, poderiam ser solidários à sua missão. Era preciso sangue novo, visto que seu velho camarada da Nova Escócia, o cirurgião Charles Taylor, também andava doente, macambúzio e (ruborizava ao admiti-lo) por vezes dava mostras de se entregar à bebida, quando então não ocultava o ardente desejo de voltar à Inglaterra. Alexander Falconbridge, que na opinião de Clarkson era um dos menos piores da turma dos conselheiros, no fundo um bom sujeito e até sensato (mas sem sinal de alguma aptidão comercial), agora também tinha se afundado no álcool, volta e meia passando mal e vomitando, incoerente de dar dó, sujeito a tremendos acessos de mau humor, que às vezes descarregava em cima da esposa inocente. Por alguma razão — talvez porque seu pequeno livro sobre o tráfico de escravos abrira tantas mentes até então fechadas ou indiferentes —, Clarkson sentia pena dele, mas ao mesmo tempo sabia (e informou aos diretores, que afinal deviam estar preocupados com seus investimentos) que Falconbridge era totalmente inadequado para o papel de "agente comercial" da colônia.

Assim, Clarkson era cordial com os recém-chegados, entre eles um afável rapaz americano legalista, Isaac DuBois, de Wilmington, Carolina do Norte (região de onde Peters fugira), o qual, mesmo tendo sido um próspero fazendeiro de algodão, nutria profunda solidariedade para com os negros. Certamente influenciados por Carl Wadstrom, havia dois suecos: Adam Afzelius, naturalista e estudioso de Lineu, e Augustus Nordenskjold, mineralogista, ansioso (até demais, achava Clarkson) em explorar o interior em busca dos filões de ouro de que tinha ouvido falar, e que ficavam localizados nos territórios da principal rainha do velho Naimbana. Mas por ora nem conseguiria ir. As chuvas não cessavam, e as temperaturas tinham começado a cair, principalmente à noite, somando o frio à desgraça do encharcamento contínuo. O levantamento e a demarcação dos terrenos no campo e na vila andavam a passo de tartaruga, gerando entre os colonos um medo ainda maior de que, sem seus lotes, estariam condenados, tal como na Nova Escócia, a trabalhar para terceiros.

As provisões estavam tão minguadas que todos recebiam rações reduzidas. Quando chegou o paquete *Trusty*, trazendo produtos de necessidade absoluta, Clarkson descobriu que tinham sido embalados com tanto desleixo, em barricas ordinárias sem as tiras de ferro, que muitas simplesmente se romperam durante a viagem, deixando estragar e apodrecer alimentos, tecidos e ferramentas. Os tonéis com tripas em conserva estragadas ficaram largados por ali, somando-se aos pavorosos fedores que vinham do lixo em volta do depósito de armazenagem e convidando colônias de enormes ratazanas que vagueavam pelas ruas margeadas de capim de Freetown. O alcoolismo estava se tornando um problema sério, generalizado, entre os marinheiros e conselheiros que, quando precisavam se reabastecer, recorriam às feitorias escravas nas ilhas Bance e Gambier. Mas, para seu desalento, Clarkson também notou que o álcool começava a penetrar entre "seus" negros. Ficou assombrado ao saber que o pregador metodista Henry Beverhout tinha de fato reclamado que Clarkson não dava bebida aos negros que trabalhavam no campo experimental ao lado de sua casa. Para Clarkson, isso só podia significar que, de alguma maneira, Beverhout tinha caído sob a influência de Peters, o qual se recuperara visivelmente de sua desgraça temporária e era visto nos cultos noturnos tanto dos metodistas quanto dos batistas. Clarkson achava que Peters ainda queria ser eleito "representante geral" dos negros e passou a considerá-lo cada vez mais uma espécie de Cromwell negro, incitando-os a apresentar suas reclamações e sempre alardeando sua autoridade como o responsável pela saída da Nova Escócia. Em 31 de maio, Clarkson recebeu uma carta de Peters, de fato se apresentando nessa função, solicitando que ele se reunisse com os negros "conforme sua promessa; se não, por favor me dê licença de dizer algumas palavras a eles hoje pois não pretendo viver em tal confusão".[39]

O que faria John Clarkson? Sem jamais admiti-lo inteiramente ou apenas tributando o fato a simples "ignorância" ou ingenuidade, na verdade ele estava presenciando, além de muitas outras transformações dos escravos afro-americanos, as dores do parto da política negra. Evitando uma outra assembleia solene, pois sua saúde voltara a piorar, Clarkson foi fazer um pequeno percurso ao longo da costa para tentar clarear as ideias. Mas voltou se sentindo ainda mais inseguro sobre o caminho a tomar naquela situação, a qual estava se convertendo, de fato, num debate constitucional com os negros. Constantemente embaraçado pela impossibilidade de reprimir as discussões (e reconhecendo a verdade de muitas reclamações), ele ficou atônito ao ver que Abraham Elliott Griffith, o secretário-intérprete do Naimbana, um dos protegidos de Sharp, alguém em que achava que podia confiar, parecia ter se alinhado com o "partido" de Peters. Pois, em 15 de junho, uma carta assinada por ambos trouxe a proposta concreta para formar um corpo de doze homens, entre os quais se incluíam eles, que seriam indicados para decidir disputas internas entre os colonos. Era, na verdade, uma solicitação modesta e plenamente razoável, mas Clarkson, que já estava na defensiva, ficou muito nervoso.

O envolvimento ativo, concluiu ele, era a única forma de neutralizar essas pretensões de autonomia. Na ausência do pastor Gilbert, o próprio Clarkson, apesar da fraqueza, assumiu a tarefa de pregar nos cultos anglicanos e, quando podia, inseria algum tipo de homilia para ajudar a situação da colônia. Mas também achou que deveria assistir aos encontros e cultos noturnos dos batistas e metodistas, de forma que, quando Peters fizesse suas "arengas" aos presentes, ele podia pedir a palavra e falar aos ouvintes. No final, esgotou seus argumentos contra a criação do corpo de doze jurados proposta por Peters. Na verdade, Clarkson se reuniu com os doze que de início tinham concordado em participar e se viu concordando inteiramente com várias reclamações deles sobre os obstáculos que a equipe de demarcação das terras continuava a apresentar, sobretudo o engenheiro Cocks. De fato ele foi além de Peters ao sugerir que os capitães das companhias negras que tinham servido tão bem durante a viagem talvez fossem melhores para o júri, ou que os negros do sexo masculino com mais de 21 anos de cada uma das doze ruas (que levavam o nome dos doze diretores da companhia) escolhessem um representante.

Em 25 de junho, ao voltar de outra ida à ilha Bance para comprar na feitoria remédios para os doentes, inclusive ele mesmo, entregaram-lhe uma carta extraordinária. Estava assinada por Henry Beverhout em nome de sua companhia, mas era visível que falava em nome de muitos outros.[40] Eram questões imediatas, materiais, concretas: "as pessoas da nossa Companhia Aceita as condição que vossa senhoria propôs que é trabalhar por dois Xilens por dia enquanto durar nossas provisões". Estavam satisfeitos em ter um policial por rua "para manter a paz". E não gostaram de saber que teriam de pagar pelos alimentos nos armazéns, já que, depois de todo aquele tempo, eles contavam ter suas próprias terras e poder se sustentar com seus frutos.

Mas o documento de 25 de junho não era apenas uma lista de reclamações, e sim um contrato social e político. Era uma afirmação, a primeira no gênero, dos direitos civis e políticos que os negros sabiam que lhes cabiam. Era, em verdade, a primeira reivindicação afro-americana de representação — uma devida participação na liberdade britânica. "Estamos todos dispostos a ter governo com as leis da Inglaterra mas não Aceitamos entregar em suas mãos sem ter ninguém de nossa própria Cor nele." Depois de tanto ouvir as ameaças de Clarkson, declarando que iria deixá-los se não se submetessem a tudo o que ele dizia, estava claro que os negros já tinham se cansado de sua chantagem emocional e política. Lembraram-lhe do que ele lhes prometera na igreja de Wilkinson em Birchtown, e até invocaram seu blefe ameaçando ir embora:

> nenhum de nós quer vossa senhoria vai embora e deixa nós aqui mas faz favor lembrar o que vossa sinhoria falou pro povo na América em Shelburne que quem Vinha para Saraloa ia ser livre e ia ter lei e quando tivesse algum julgamento lá ia ser com júri de brancos e negros e todos iam ser iguais. Assim Considerando tudo isso nós pensa ter direito de Escolher homens que pensamos certos para agir por nós de maneira razoável.

Agora era a vez deles de ameaçar gentilmente:

> queremos a paz o mais pocivel mas abrir maum de tudo não podemos vosa senoria sabe que temos leis e regramentos entre nois e são de acordo com as leis da Inglaterra porque vimos em todas as partes que fomos Senhor não queremos pegar a lei em nosas maums de manera niuma mas ter aprovação de vosa senoria pois reconhecemos o senhor como nosso chefe e governador.[41]

Julgar o arrazoado de Beverhout pela dificuldade de expressão é confundir patoá com incoerência. Na verdade é eloquente, e exprime bem queixas profundamente contidas e uma incipiente compreensão dos direitos e recursos políticos. Além disso, é impossível ler sua aceitação condicional do poder executivo de Clarkson e a repetida lealdade às leis da Inglaterra sem ver o documento como um capítulo na longa história transatlântica da liberdade. O motivo da animosidade dos patriotas americanos nos anos 1770 era que, de alguma maneira, os direitos de representação, implícitos em sua lealdade ao rei, tinham sido desconsiderados pelos representantes da Coroa. Toda a atormentada história dos legalistas negros tinha devolvido essa acusação à América, a qual, em sua Declaração de Independência, prometia a igualdade, mas protegia a escravidão. Agora, uma vez mais, eles viam traída a promessa de poder estabelecer sua própria sociedade livre, e estavam intimando Clarkson a honrar seu discurso de Birchtown e a cumprir aquilo que, lealmente, ainda consideravam a promessa de uma autêntica liberdade britânica. O rei, disse um dos negros a Clarkson no dia seguinte, quando respondeu às petições numa assembleia,

> sabemos que ele é nosso amigo, e não acusamos os que nos levaram para a Nova Escócia e New Brunswick [como Guy Carleton e James Paterson] pois se comportaram bem conosco mas acusamos os que contaram ao Rei mentiras sobre nós [os legalistas brancos e os conselheiros brancos] de modo que agora não termos recebido nossas terras... nos deixa muito preocupados com o receio de sermos submetidos ao mesmo tratamento cruel.[42]

A despeito do que acontecesse, não voltariam a ser escravos.

Mesmo descontando a paranoia de Clarkson em relação ao rival, é impossível ler o pequeno manifesto de 26 de junho sem ver aí o dedo de Thomas

Peters. Mas Clarkson não comenta isso, e pela boa razão de que fazia uma semana que Peters estava bastante adoentado, sem sequer poder aparecer nos cultos noturnos como costumava fazer. Quando Clarkson reuniu os negros para falar sobre as petições que lhe haviam mandado, discursou perante uma comunidade em estado de choque. Pois Thomas Peters, o "representante geral" dos negros a título quase oficial, tinha morrido na noite anterior.

É espantoso, mas Clarkson nada comenta sobre o fato: apenas registra a ocorrência e diz que contribuiu para a "agitação e confusão na Colônia". Sarah, a viúva de Peters, enviou uma carta comovente, não a Clarkson, que ela deve ter imaginado que não a receberia bem, e sim a Alexander Falconbridge. Levemente envergonhado por ter se tornado a tal ponto inimigo dos Peters, que não conseguia sequer se dirigir diretamente a ele, Clarkson transcreveu essa carta em seu diário. Sarah rogava ao sr. Falconbridge o favor de receber um pouco de vinho, cerveja, rum, velas e uma peça de linho branco (por certo para amortalhar Thomas): "meu marido morreu e estou em grande aflição [...] todos os meus filhos estão doentes. Minha aflição não tem igual. Assino angustiada".[43]

Clarkson deu ordens imediatas de enviar a Sarah Peters tudo o que ela havia pedido. E quando uma pequena delegação, também apreensiva sobre sua possível resposta, foi lhe pedir se, contrariando as normas, ele permitiria que se fizesse um caixão de madeira para Thomas (normalmente os caixões só eram autorizados se os amigos do falecido usassem madeira de seus próprios estoques de tábuas), ele concordou, quando menos para não parecer vingativo. Quanto a si, lembrando o enterro absurdamente extravagante do ébrio dr. Bell, Clarkson se mantinha ostensivamente virtuoso. Se morresse em Serra Leoa (como parecia muito provável), o conselho e os colonos tinham ordens expressas de não desperdiçar madeira com seu cadáver. Que o deixassem afundar, sem caixão, na terra encharcada. Mas Thomas Peters foi enterrado em Freetown, conforme o solicitado, numa sólida caixa de madeira — mas não sólida o suficiente para aprisionar seu fantasma, que um mês depois disseram estar andando pelo povoado. Avisado disso, Clarkson escreveu sem muita convicção: "Nunca ouço nada do que se possa dizer sobre ele".

E então, como num passe de mágica, surgiu a harmonia em Freetown. Ou, pelo menos, o Salão da Harmonia, que foi o nome que John Clarkson deu a um novo edifício de um pavimento concluído em meados de agosto de 1792, e que se destinava inicialmente a servir de refeitório aos oficiais e funcionários da companhia e suas esposas, mas que foi ampliado para alojar os solteiros. Clarkson o entendia como símbolo de um novo começo, um lugar onde negros e brancos podiam se encontrar — jantando, conversando ou ouvindo mais uma das homilias edificantes de Clarkson — e "se reunir para o bem público". Mas o salão passou a ter múltiplas finalidades, um local para receber chefes africanos como o rei Jimmy, o qual, tendo vencido sua aversão a Freetown, aparecia ladeado por garotos com pistolas de cavalariano, capitães negros que Clarkson quisesse consultar; oficiais e homens dos paquetes de Serra Leoa. Acolhia uma multidão "de manhã até [...] por vezes a meia-noite, de negros e brancos, conhecidos e desconhecidos, ocupados e desocupados".[44]

Mas a harmonia não apareceu da noite para o dia. Mesmo com o acréscimo dos recém-chegados, mais agradáveis e competentes — o sueco botanizante Adam Afzelius, Isaac DuBois e o novo médico, Thomas Winterbottom —, os conselheiros e funcionários brancos não pareciam visivelmente reconciliados entre si nem com suas tarefas. O agrimensor Richard Pepys e esposa traziam a Clarkson graves e infindáveis queixas contra seus vizinhos, "aquela gente sórdida", os White, encarregados do armazém. Alexander Falconbridge, aquele triste arremedo de "agente comercial", não só não tinha feito absolutamente nenhum negócio até aquela data, mas tinha se afundado tanto na bebida que fora demitido do cargo. O dispéptico capitão Wilson, do *Harpy*, ia ficando cada vez mais louco. Quando Clarkson o repreendeu por não receber a visita do Naimbana com a gentileza de uma salva e uma acolhida a bordo, Wilson respondeu expulsando do navio Clarkson e qualquer outro que concordasse com ele. Removido do comando, Wilson então se apoderou do controle do *Harpy* por conta própria, ameaçou matar qualquer um que tentasse subir a bordo e finalmente zarpou da baía antes que conseguissem detê-lo, levando junto alguns passageiros brancos cativos, vários deles doentes.

E apesar de tudo, no final de agosto, Clarkson, o frenético, o melancólico, o atormentado crônico Clarkson estava se sentindo, se não exatamente bem, pelo menos melhor, e se não exatamente feliz, pelo menos em alguma medida satisfeito com o encaminhamento das coisas em Freetown. As chuvas por fim estavam diminuindo. Os ocasionais furacões continuavam soprando e trazendo chuvaradas, mas eram muito mais raros e menos violentos. As formigas continuavam em sua marcha, sobretudo, e pavorosamente, na calada da noite, acompanhadas por tremendas infestações de aranhas e baratas. Clarkson e Anna Maria perceberam que as formigas vermelhas combatiam as formigas pretas, e eram capazes de transportar pintinhos vivos e até devorar pombos enquanto ainda estavam empoleirados nos pombais. Vez por outra algum leopardo passeava pelo vilarejo à noite vendo o que conseguia pegar, e um deles, com o olho maior do que a boca, resolveu apanhar o terranova de estimação de David George, trazido da Nova Escócia, o qual, mesmo machucado, foi um bom páreo.

A despeito desses problemas constantes, os que tinham sobrevivido aos seis primeiros meses estavam visivelmente melhor de saúde. O índice de mortalidade estava diminuindo, sobretudo entre os negros, embora Clarkson admitisse alguns meses depois que receava os dados que o censo lhe traria. Feita a contagem, constatou-se que 14% dos imigrantes da Nova Escócia tinham perecido. Com os brancos, o índice estava mais perto dos 70%.

Agora havia um hospital para os doentes em Freetown: um edifício considerável, com trinta metros de comprimento, construído com elementos pré-fabricados que tinham vindo num dos navios de suprimentos que agora paravam com mais frequência em Serra Leoa. Eles também traziam alimentos frescos e ferramentas, porém o mais importante para Clarkson foram as cartas do irmão, de Wilberforce e dos outros diretores, conferindo-lhe o poder que ele reivindicara para dirigir a colônia conforme considerasse adequado. Além da boa notícia oficial e um estoque de talco para o cabelo, chocolate, vinho e picles, chegaram várias cartas afetuosas, quando menos porque Thomas Clarkson tinha ouvido falar, para seu horror, que o irmão fora assassinado e a colônia, aniquilada. Profundamente aliviados ao receber as cartas de John entregues por Nathaniel Gilbert, e percebendo que ele ainda estava vivo, renderam-se às suas exigências. "Tenha coragem, meu caro John", escreveu Wilberforce, "desejo-lhe Saúde e Disposição para enfrentar todas as suas provações — aqui faremos tudo o que pudermos para tornar sua Situação confortável & lembrarei constantemente de você naqueles Momentos em que o Espírito corre para aqueles que mais lhe interessam."

Assim o tenente teve o que queria. O antigo conselho de oito membros, entre os quais não passava de um frustrado *primus inter pares*, foi abolido e substituído por um governador e apenas dois conselheiros subordinados.

Clarkson ficou tão empolgado com a mudança que magnanimamente elogiou os diretores por expressar um nervosismo *whiggish* sobre a possibilidade de entregar um poder "arbitrário" nas mãos de um chefe supremo. Em seu diário, ele decidiu que essa augusta reforma de agosto deveria ser considerada a verdadeira fundação da colônia. Além de ser governador, John Clarkson agora era também pastor dominical (pois o reverendo Horne, substituto de Gilbert, demorou algum tempo até chegar), comandante militar, supervisor onisciente dos trabalhos de topografia e planejamento urbano, e magistrado supremo, com poder para deliberar e legislar conforme julgasse conveniente para os interesses de Freetown.

Em vez de afastar os negros, Clarkson, com sua nova autoridade, fez o que pôde para cooptá-los. Os casos referentes aos colonos agora eram ouvidos por júris exclusivamente negros. Um dos primeiros e mais desconcertantes julgamentos foi o de John Cambridge, sobrevivente de Granville Town e um dos capitães dos negros londrinos que, para espanto de Clarkson, fora surpreendido negociando um escravo para um navio negreiro holandês. Depois do julgamento e condenação de Cambridge, ao notar o "violento sentimento" dos colonos em relação ao sujeito, Clarkson confessou: "esse assunto me afligiu grandemente, pois o crime era tão novo e tão inesperado que eu não sabia como lidar com ele".[45] Fez um longo e apaixonado discurso, um misto de sermão com arenga, sobre o efeito que esses casos de negros livres se transformando em traficantes de escravos teria sobre a reputação da colônia entre negros e brancos, e os danos que causariam à boa vontade britânica, necessária para sua sobrevivência e fortalecimento. No final, Cambridge foi embarcado a ferros no *Harpy* (antes que o ensandecido capitão Wilson zarpasse feito um pirata), para ser levado de volta à Inglaterra.

Preocupado com a dimensão moral da colônia, de início Clarkson tinha proibido que os "antigos moradores" de Granville Town fossem a Freetown, pois a indolência deles e o gosto pelo rum, a seu ver, corromperiam os nova-escocianos. Mas quando, pela boca de Abraham Elliott Griffith entre outros, Clarkson tomou conhecimento do grau de sua penúria, apiedou-se e os readmitiu como cidadãos plenos de Freetown. Como os demais colonos, em 13 de agosto votaram na eleição de seus policiais e oficiais de justiça, que foram juramentados no mesmo dia por Clarkson. Num aceno ao projeto original de Granville Sharp, cada unidade de dez famílias elegeu um *tithingman*, e cada grupo de dez *tithingmen* elegeu um *hundredor*. Dificilmente correspondia ao sistema de democracia representativa imaginado por Sharp; mesmo assim, foi a primeira vez em que afro-americanos votaram numa eleição, e a restituição da autoridade ao povo da comunidade funcionou em larga medida como esperava Clarkson. Quando um marinheiro branco foi flagrado roubando o armazém geral, foi apenas a presença dos policiais em torno da cidade que impediu que a indignação degringolasse em tumulto.

O próprio Clarkson agora tinha autoridade de desarmar os problemas antes que fugissem ao controle, muitas vezes ignorando ou contrariando instruções recebidas da companhia, quando estas contradiziam garantias anteriores que ele dera aos colonos na Nova Escócia. Sem o conhecimento de Clarkson, a companhia havia decidido cobrar um imposto territorial. Informado por carta dessa má notícia, ele simplesmente resolveu não acatar. A companhia tinha se apoderado da área à beira-mar para seus armazéns e desembarcadouros, cortando assim o acesso direto dos terrenos dos moradores à água. Era exatamente o tipo de obstrução que tinha prejudicado os assentados em Digby e outros locais na Nova Escócia, e quando descobriram que seriam de novo bloqueados, seus representantes, entre eles Isaac Anderson, censuraram Clarkson com uma linguagem tão ríspida que ele abandonou a reunião. Mas, no íntimo, ele reconheceu a justeza das reclamações dos moradores e decidiu, mais uma vez de modo unilateral, abrir mão do monopólio da companhia sobre as áreas da orla, permitindo que os afortunados que conseguiam um terreno junto ao mar pudessem ocupá-lo e, se desejassem, construíssem seus próprios molhes e armazéns. Aos diretores em Londres, ele simplesmente escreveu que, se quisessem que a colônia desse certo, "a Companhia deve aceitar minha instrução".[46]

Em outubro de 1792, Freetown não era mais uma simples ideia (e, aliás, artificial). Era um lugar — um lugar como não havia nenhum outro no mundo atlântico; era uma comunidade de afro-americanos britânicos negros livres. Nove das doze ruas seguiam em ângulos retos até a orla e nelas se alinhavam asseadas casinhas de madeira, onde moravam os colonos e suas famílias. Elas tinham sobrevivido às piores tempestades, mesmo que precisassem constantemente de reformas no telhado e fossem vulneráveis à marcha de colunas de formigas vorazes, pequenos bandos de ratos e os ocasionais e destruidores papa-formigas. Cruzando as ruas havia as três "belas avenidas", como dizia Clarkson, uma ao longo da orla, onde ficavam os edifícios públicos. Havia dois espaços abertos para reuniões e assembleias, um deles sobranceado pela torre com o grande sino que badalava todo dia ao amanhecer, convocando os colonos para o trabalho. Além do Salão da Harmonia, Freetown tinha uma escola onde Joseph Leonard, de Brindley Town, ensinava as crianças. Tinha, por fim, uma igreja adequada, lotada aos domingos e todas as noites com gente suficiente para manter Anna Maria Falconbridge acordada ao som dos sermões, hinos e gritos de entusiasmo religioso. Contava com um armazém para o varejo, onde os negros realmente vendiam produtos aos brancos dos navios em trânsito, além de comerciar entre si, e um pequeno porto pesqueiro bastante movimentado, de onde saíam doze barcos para a baía, que voltavam carregados de pesca abundante.

E, enfim, com a diminuição das chuvas, Pepys e seus trinta operários de agrimensura estavam medindo e demarcando as terras aráveis para os colonos negros. Nem todas estavam limpas, mas em setembro as pequenas hortas já estavam brotando com verduras e legumes. "As hortas dos colonos", escreveu Clarkson em 21 de setembro, "começam a ter uma aparência muito agradável, os nova-escocianos trouxeram com eles uma grande quantidade de *boas sementes* e têm conseguido fornecer aos oficiais muitos legumes, principalmente repolhos, além de atender a suas próprias necessidades."[47] A horticultura escrevia no solo a extraordinária história dos negros: melões, feijões e milho do passado americano; abóboras, morangas e repolhos da Nova Escócia; mamão, manga, mandioca, inhame, amendoim e arroz de seu novo-velho país. Joshua Montefiore, que chegara a Serra Leoa no *Calypso*, um dos sobreviventes encharcados de uma malograda expedição à ilha Bullom enviada para concorrer com a companhia, olhou Freetown e sua admiração foi efusiva:

> É impossível imaginar o ânimo com que eles vão para o trabalho diário [nas obras públicas] às cinco da manhã e continuam até a tarde, quando cada qual vai cuidar de seus assuntos domésticos e cultivar sua horta. À noite, eles comparecem a alguma reunião, que são muitas, e cantam Salmos com a maior devoção até tarde da noite. É uma visão agradável aos domingos vê-los ir à igreja, vestidos com suas roupas mais bonitas com a alegria e a felicidade estampadas no semblante.[48]

Mesmo descontando a licença poética, o lugar podia ser um belo quadro, e John Beckett, secretário de Clarkson e com boa mão para aquarelas, lhe pintou uma no começo de novembro.

A intenção era ser uma lembrança. Pois na segunda quinzena de outubro Clarkson tinha dito aos moradores e ao pessoal da companhia que deixaria Freetown no final do ano. Todos ficaram consternados com a notícia, em especial os negros, que lhe imploraram que reconsiderasse, e até os chefes locais — Jimmy, a rainha Yamacouba, o Signor Domingo e o Naimbana — que ele reunira numa grande assembleia no final de setembro, para acertar algumas questões sobre as fronteiras da colônia, e que não faziam segredo da confiança e mesmo admiração que sentiam pelo jovem magro e nervoso que agora sabia falar o dialeto deles e passara a gostar dos tambores. Clarkson chegou a se comportar como chefe local, quando um colono tomou algumas liberdades com uma das mulheres do Signor Domingo, levando o marido ofendido a ameaçar atirar no transgressor. Imponente, Clarkson condenou o malfeito e o malfeitor, ao mesmo tempo que dizia ao Signor Domingo (que adorava exibir sua corrente com um crucifixo) que sua conduta não era cristã e que devia ter lhe trazido alguma reclamação genuína. "Eu disse Signor Domingo não gosta guerra mas pense você atira meu homem você faz guerra comigo e não posso segurar meu povo fazer guerra com você e você sabe isso é coisa ruim."[49] Agora era assim que Clarkson falava quando necessário, e até se divertia, da mesma forma como apreciava, para sua surpresa, o ritmo dos tambores na aldeia de Jimmy — os mesmos sons que antes lhe perfuravam as têmporas.

Vendo e se sentindo lisonjeado com todos aqueles rostos abatidos, Clarkson garantiu que sua partida certamente não seria definitiva. Estava fora da Inglaterra fazia mais de um ano e nunca pensou que teria de ser o governador da colônia; o que pretendia fazer na Inglaterra era passar alguns meses de licença para recuperar a saúde, ver o irmão, os amigos e a paciente noiva Susannah (cujo nome ele deu a uma baía) e aproveitar a oportunidade de conversar pessoalmente com os diretores sobre o futuro da colônia, em vez de se basear em despachos intermitentes. E tranquilizou os negros dizendo que essa seria a melhor maneira de defender os interesses deles.

Mesmo assim, a partida iminente de Clarkson converteu o dia 13 de novembro numa data especialmente emotiva. Ele decidira aproveitar o dia todo "festejando" e levou a população inteira, homens, mulheres e crianças, até o alto de um morro atrás do povoado. O terreno tinha sido parcialmente limpo para abrir espaço às pequenas chácaras, mas a "subida íngreme" dificultava a caminhada. Clarkson aproveitou para conversar com os negros enquanto andavam, comentando o quanto já tinham avançado — da escravidão à redenção —, mas o quanto ainda teriam de avançar para que tal realização pudesse trazer bons resultados para toda a África. No meio do caminho, o grupo parou para comer perto de um riacho que "caía nas pedras da maneira mais romântica" e que encheu o peito já emocionalmente sobrecarregado de Clarkson com mais uma dose de sublimidade. Por fim chegaram ao topo e olharam para baixo, alegres e encalorados, vendo as fileiras regulares das casas, a igreja, o campanário e o Salão da Harmonia; mais adiante, o oceano turquesa, os rios, as matas, os braços de mar, um panorama "belo demais para descrever". Então veio a recompensa pelos esforços, quando Clarkson entregou a quarenta colonos — onze mulheres e 29 homens — os certificados de concessão dos terrenos que tinham sorteado, cada um com cerca de cinco acres — cumprindo, mesmo que em menor escala que o esperado, pelo menos uma das promessas que ele lhes fizera na capela de Moses Wilkinson naquele dia chuvoso em Birchtown, apenas um ano antes. Comovido, Clarkson falou de novo aos negros que o tinham acompanhado, como os israelitas de antigamente seguindo Moisés até a montanha (mas tão mais comportados!), dizendo-lhes que a felicidade de seus filhos e, aliás, de toda a região em torno de Serra Leoa dependeria deles e de sua conduta.

Armou-se uma tenda com mesas: a harmonia reinava ali no morro dos Diretores, como agora chamava Clarkson. Depois da refeição, Clarkson ergueu seu copo para o primeiro brinde: "À Companhia Serra Leoa e ao sucesso de seu virtuoso empenho". Soaram três disparos de mosquete dos sessenta homens que tinham limpado o morro, e seguiram-se três vivas. Do forte lá embaixo, aproveitando a deixa, veio a resposta com uma salva de canhão, ribombando pela foz e retomada pelos disparos dos navios ancorados na desembocadura do rio, espirais de fumaça subindo pelo ar, e os mastros enfeitados com as cores da bandeira. E assim continuaram os festejos até o anoitecer, com bebidas, hurras e tiros de canhão. Finalmente tinham um breve momento de intervalo. Erguiam-se copos cheios até a borda, fogueiras iluminavam o monte, havia música e os brindes ressoavam um depois do outro na escuridão varrida pelos morcegos. Ao povo da Nova Escócia! A Miss Susannah Lee! A *todas* as esposas e namoradas! E entre a sucessão de brindes, citou Clarkson com timidez, houve especialmente "*um* comemorado com extasiantes vivas, disparos etc.".[50]

Mas com o final do mês de novembro vieram as "cerrações" frias, as neblinas marítimas vindo do porto, e com elas uma imprevisível alternância entre o calorão e um frio de arrepiar. E assim ocorreu com o tenente; mais confiante do que nunca, pelo menos por algum tempo — talvez seis meses —, ele poderia deixar a colônia, já assentada e com as sementes da prosperidade plantadas bem fundo. Mas, chegada a cerração, ele ficou preocupado. Seu substituto temporário seria William Dawes, um militar cujo posto mais recente tinha sido administrar e vigiar os condenados em Botany Bay. Para deixar claro a Dawes que seu trabalho em Serra Leoa estava *longe* de ser uma questão de vigilância e castigo, Clarkson lhe deu informações sobre a longa história dos negros, a fuga da escravidão americana e tudo o que se passou desde então. Se pareciam difíceis de controlar, se eram muito suscetíveis e prontamente se ofendiam ou suspeitavam dos brancos, havia excelentes razões para tal desconfiança, pois até data muito recente só tinham conhecido o logro, a crueldade e a traição. Dawes pode ter achado que não precisava de nenhuma aula de equidade de Clarkson. Afinal tinha sido afastado de Botany Bay por se recusar a lançar um ataque punitivo contra os aborígines. De qualquer forma, Clarkson percorreu a colônia com Dawes, tentando deixar o rapaz mais à vontade, para perder um pouco do rígido formalismo de sua atitude e comportamento. Clarkson também temia que alguns membros do antigo conselho, em especial o agrimensor Pepys, que não fazia segredo de sua opinião de que o governador era indulgente demais com os colonos, tivessem dito a mesma coisa a Dawes, na esperança de que implantasse um regime mais severo.

Nesse caso, Pepys talvez tivesse assinalado o que a seu ver era a capitulação mais recente de Clarkson às importunações dos negros. Com o escasseamento das provisões, fora decidido que o pagamento de dois xelins por dia de trabalho agora teria seu poder aquisitivo reduzido pela metade. Essa decisão arbitrária foi recebida com consternação, fúria e petições. Luke Jordan, um dos capitães, escreveu: "Considerando que sua excelente promessa é fazer todo homem feliz senhor queremos saber se tem que pagar meia ração o igual de ração inteira". No dia seguinte, outra petição assinada por 28 chefes de família, entre eles Boston King, o pregador Cato Perkins e o veemente Isaac Anderson, argumentava:

> nois trabalha muito duro com salário muito pequeno — que é muito poco porque a Despeza de ferramenta é grande pois somos Obrigados a ter muitas portanto Chegamos a uma Risolussão de colocar isso ao senhor com esperansas da vs. se-

noria levar nois em Consideração não queremos ofender, queríamos como trabalhamos só por três xelins pir dia ter a provizão de grassa ou então ter alimento do salário e pagar ela queremos ter nossa provizão completa como trabalhadores devem ter e nosso pagamento ser metade em Moeda e a outra parte no dinheiro da Colonia que assim não vai ter quexa.[51]

A todos os outros fatos inéditos de Freetown, portanto, deve-se acrescentar a primeira negociação trabalhista negra livre — e que, além do mais, deu certo. Clarkson reconheceu o argumento e, talvez para a irritação de Pepys e a estupefação de Dawes, restabeleceu a ração original completa.

Mas foi justamente a boa vontade de Clarkson em ouvir, sua disposição de mudar de ideia, sua boa-fé e seu evidente afeto pelos negros que lhe valeu o respeito deles, como jamais nenhum outro britânico branco, à exceção de Granville Sharp, tinha conseguido. E, embora Clarkson se esforçasse em aplainar o caminho de Dawes apresentando-o estudadamente como portador de qualquer boa notícia que houvesse, enquanto tomava a si o papel de admoestador, e embora os colonos o ouvissem erguer louvores a Dawes, muitos continuavam aflitos, só se resignando com a partida de Clarkson se tivessem a certeza de que ele voltaria.

Em 16 de dezembro, Clarkson voltou a falar com eles do alto de um púlpito, como fizera na primeira vez em que os viu reunidos em Birchtown. O discurso, naturalmente, era do Livro do Êxodo: e ele falou com sentimento, como patriarca, profeta, pai e amigo, muito embora tivesse apenas 28 anos de idade. E disse: nesta colônia eu não me julgo "como os Governadores em geral fazem [...] mas como o servo de Deus, o guardião de seus princípios morais e orientador em deveres religiosos e temporais". Era o Moisés, o Aarão, o Joshua, o Davi deles. Então lhes falou com aquele órgão da verdade, o coração:

> Manifestei meu afeto por muitos de vocês. Agora declaro [...] que de bom grado daria minha vida para promover a felicidade geral de vocês; porque, se puder torná-los felizes e vê-los bem estabelecidos, não duvido de que a conduta humilde, diligente, comedida, pacífica e clemente de vocês poderá ter tal influência sobre os Pagãos não iluminados deste continente que eles se sentirão ansiosos em abraçar o Cristianismo.

Então ele adotou, como era de praxe, seu tom de admoestação, advertindo os colonos de que não deviam confundir liberdade, um direito deles, com licenciosidade; falou de seu desapontamento com a disputa por causa dos salários, e do gosto cada vez maior com que se entregavam a bebidas fortes, o que deplorava profundamente. Lamentava muito que nem todos tivessem ainda recebido suas terras, e talvez nem recebessem até o Natal, conforme era sua esperança, mas tinha as mais firmes promessas de que logo entrariam na posse delas. Com ou sem ele, todos deviam se empenhar em manter uma conduta correta, visto que "a felicidade de todos os Negros no mundo" dependia do resultado desse grande empreendimento em Serra Leoa. Então, provocando uma súbita sensação de queda na congregação que lotava a igreja e se esparramava pelo lado de fora sob um toldo, Clarkson disse com franqueza que, como eles sabiam, ele nunca gostava de fazer promessas que não tivesse certeza de poder cumprir. "Portanto, não posso lhes prometer voltar, mas direi que penso que as chances são de dez para um; pois não conheço nenhuma ocupação no mundo que seria mais agradável a mim e espero que também ao meu Criador do que meu máximo empenho em estabelecer esta Colônia."[52]

Chegada a hora das despedidas, John fez o que pôde, fez o que seu coração lhe mandou. Talvez lembrando os que tinham sentado a seu lado a bordo do *Lucretia*, quando estava suando, tiritando, delirando, tresvariando até que a tremedeira o levou às portas da morte, agora ele se sentou ao lado de quem se encontrava às mesmas sombrias portas, segurando-lhes as mãos úmidas. Augustus Nordenskjold, o homem que procurava minérios, cujas andanças pela região adentro significariam seu fim, como sabia Clarkson com terrível certeza, tinha mandado um recado de que estava com problemas e precisava de ajuda. Mandaram socorros, e Nordenskjold tinha voltado esfarrapado, esquelético, convulsionado pela doença, "mais espectro do que homem". Não sobreviveu ao ano.

Nem Alexander Falconbridge. Ele também estava muito enfermo, mas finalmente "se arrastou para fora de seu leito de doente", como disse a esposa, para tentar dar pelo menos certa impressão de atividade como agente comercial. Estava nas etapas finais de planejamento de uma missão comercial quando Clarkson teve de lhe dar a notícia de sua demissão. Clarkson ficou impressionado com o ar relativamente impassível com que Falconbridge recebeu o golpe. Mas era uma máscara, e Anna Maria não se deixou enganar. Fazia muito tempo que Falconbridge tinha se entregado à bebida para vencer a depressão e a impotência, mas agora se agarrava ao álcool como forma de vingança. "Para melhorar seus sentimentos atormentados", escreveu Anna Maria, "ele se mantinha constantemente embriagado; um pobre e desesperado remédio, dirão vocês; mas atendeu a seu desejo, que era, tenho certeza, funcionar como veneno e assim pôr termo à sua existência." John Clarkson concordava que, de início, Falconbridge bebia mais para amortecer a dor de sua humilhação, mas depois a um grau tão excessivo que era um inequívoco suicídio. "Ele vinha se matando aos poucos nos últimos três meses e nos últimos dias seus Ossos lhe atravessavam a pele em várias partes do Corpo."[53] Quando se levantou a questão do navio em que embarcaria, Falconbridge retrucou, meio em tom fatalista, meio em tom de desafio, que nunca voltaria à Inglaterra. Ele imaginava que ainda poderia viver fora da colônia numa casa que estava desocupada. Mas em 19 de dezembro teve um ataque e morreu, o que não foi surpresa para ninguém. Anna Maria não fingiu tristeza. Ela tinha suportado o pior ímpeto da autopiedade dele, seus delírios encharcados de rum, suas inúmeras explosões de violência física. E ela iniciara um romance com o jovem Isaac DuBois, que deve ter sido uma fonte de consolo e proteção.

> Não serei culpada da vileza de dizer uma falsidade nesta ocasião declarando que lamento sua morte, não! Realmente não lamento, a vida dele tinha se tornado muito pesada para ele mesmo e para todos ao seu redor, e sua conduta comigo de dois anos ou mais para cá era tão indelicada (para não usar um termo mais duro) que afastou qualquer centelha de afeto ou consideração que tive por ele.[54]

Sem perda de tempo (pois ninguém conhecia a parte de felicidade que lhe cabia em Serra Leoa), Anna Maria solicitou a Clarkson licença para se casar com DuBois. Clarkson lhes deu sua mobília e sua bênção, mas — sempre o bom conselheiro com suas brandas admoestações — pediu que aguardassem um mês antes de se casar.

Houve outras despedidas mais emotivas. Em Robana, o velho Naimbana presenteou Clarkson com um boi, o mais gordo que já se vira na África, e um talismã mágico com dizeres do Corão, para mantê-lo são e salvo. Pediu a Clarkson que visitasse seu filho John Frederic, soltando muitos suspiros e vertendo muitas lágrimas sobre seu retrato, que Falconbridge lhe tinha dado meses antes. Diante da partida de Clarkson, mesmo alguns dos funcionários brancos disseram coisas que ele não esperaria. Richard Pepys, com quem vivia às turras, declarou que nunca iria "esquecer ou Deixar de amá-lo".[55]

Clarkson esperou o Natal, o primeiro que os negros passariam em Freetown, a cidade livre deles. A despeito do que tinham sofrido e ainda iriam sofrer, era um momento de celebração. Na véspera de Natal, entregaram-se à música, suave e triste, profunda e selvagem, os sons da América, da Nova Escócia, da África. Um coral de crianças da escola de Joseph Leonard entoou o "Cântico de Natal" diante das casas. Então uma fileira de pífanos e tambores serpenteou pelas ruas, em sons altos e agudos, até as casas dos oficiais, para lhes apresentar seus votos e lhes dar uma amostra do seu contentamento.

Clarkson — nunca pleno senhor de seus sentimentos — não se embaraçou em expor tudo o que lhe ia no íntimo. Antes de embarcar no *Felicity*, tinha percorrido as casas do povoado, apertando mãos, recebendo abraços, tentando tranquilizar a ansiedade dos colonos. Mas perdeu todo o aprumo ao receber uma sucessão de mulheres de Freetown que lhe trouxeram para a viagem presentes de suas pequenas chácaras: inhames, mamões, cebolas, seis dúzias de galinhas e seiscentos ovos, muitas mulheres trazendo apenas alguns. Clarkson por certo se lembrou de Preston, havia um ano e tanto, quando Liberdade Britânica e os esforçados lavradores também tinham lhe prometido (e entregado) galinhas e ovos para a viagem por mar, saindo de Halifax. Havia algo de hierático naquele momento, e uma intensa emoção se avolumou e inevitavelmente irrompeu pela fina parede do autocontrole de Clarkson. "Quando muitas das Viúvas pobres manifestaram o prazer que sentiram em lhes ser permitido acrescentar sua pequena contribuição ao meu estoque para a viagem dando-me um Ovo cada uma, não consegui conter as lágrimas."[56]

Nenhum dos grandes momentos de Clarkson, claro, ficaria completo sem algum percalço. Depois que o *Felicity* levantou âncora na tarde de 29 de dezembro e atravessou o porto, quando soaram as salvas das artilharias na costa e nos navios, ele viu um marinheiro ser arremessado para fora do *Amy* quando descuidou de uma arma carregada. Mas, quando Clarkson olhou de novo o cais, viu a colônia inteira reunida, acenando lenços e chapéus, gritando adeus, e ele levaria essa imagem durante a travessia, junto com todos aqueles ovos.

E havia outras cargas importantes: as primeiras sementes resultantes da lavoura em Serra Leoa, destinadas a Sir Joseph Banks; uma das filhas do Signor Domingo, destinada a uma escola cristã inglesa, e o único homem de que John Clarkson não suportaria se separar: David George. David, que tinha vivido com escravos, índios e soldados ingleses, e que tinha marchado, corrido, se esfalfado atravessando pântanos e córregos, montes de neve e rios gelados, agora estaria frente a frente com os chapéus de copa alta, os gorrinhos brancos e as faces rosadas dos batistas dos condados em torno de Londres.

E David George estava levando para a Inglaterra algo precioso: uma petição dirigida a Henry Thornton, Thomas Clarkson e os demais diretores, pedindo que lhes devolvessem o governador e apresentando em suas próprias palavras o que ele tinha pretendido, o que ele tinha feito e o que ele tinha dado. A petição estava assinada por 49 colonos, entre eles o próprio David George; Boston King, Hector Peters, que fora pastor batista em Preston; Richard Corankapone e Sampson Heywood, que haviam empreendido a épica jornada de inverno por terra e água de New Brunswick até Halifax; John Kizell, o bulone xerbro que retornara ao país de origem; Joseph Leonard, o mestre-escola; e oito mulheres e viúvas negras (foram tantas que perderam os maridos...) — entre elas Charity McGregor, Phyllis Halsted, Catrin Bartley e Lucy Whiteford. E eis o que eles diziam:

> nois os umilde solissitantes nois o povo Negro que Veio da novaescocia para este lugar com noso agente John Clarkson e desde a ves que ele encontrou com nois na novaescocia ele sempre se comportou com nois como cavalhero em todos aspetos ele providensou tudo para nosa pasaje no que estava no alcanso dele para nois ficar bem até chegar em Serrleoa e a comdota dele foi de gramde atensao com nois a recomendassao o Concelio a pacensa o amor dele em geral com nois todos omens e muleres e Creansas e portanto aos cavalheros da Compania Serleoa na Englaterra nois umilde solissitantes dezejamo agradesser os cavalheros da Compania Serraleoa que agradou deus todopoderozo colocar no corassao deles a preocupassao com nois quando nois estava em desgrassa e nois dezejemo que agrada os cavalhero da Compania que noso governador está tiramdo licensa de nois e vai na Englaterra por tanto nois quer que os cavalhero entende que nosso dezejo ardente é que o mesmo John Clarkeson vem de volta para cer noso governador noso Comandante Chefe para cempre e nois vai obedesser ele como noso governador e ceguir as lei da Englaterra até onde nois po-

de e sobre a promesa dele de dar terra para nois o povo concorda de pegar parte da terra agora e o resto logo que é posive e resamo para sua Excelensa John Clarkson ter viaje segura no mar para ver os amigo dele e volta para nois de novo e nois os umilde solissitantes comprometemo nosa palavra e sempre daremo fé diso asinando...

David George... *et al.*[57]

12.

Dia de Ano-Novo de 1793. Na República Francesa, o cidadão Luís Capeto estava sendo julgado por seus crimes quando rei. Mas, em Serra Leoa, Isaac DuBois, o despreocupado fazendeiro de algodão da Carolina e eloquente defensor dos negros, no final das contas estava satisfeito. Estava escolhendo o anel de casamento e preparava as bodas com a decidida Anna Maria, viúva de Falconbridge. Então ele tomou da pena e da tinta e começou seu diário, "uma exposição franca e sincera de tudo tal como acontece".[1] Antes de partir, John Clarkson tinha pedido ao amigo que mantivesse um diário, para não haver nenhuma interrupção no registro da história da colônia até o esperado retorno do governador, mais para o final do ano. DuBois ficou contente em atendê-lo. Bastante afetado pela licença de Clarkson ("o ânimo muito mais abatido do que o normal"), ele o acompanhou por algumas léguas mar adentro, até se despedir na escuridão das águas. O diário era uma obrigação para com o governador, mas também consigo mesmo, um vínculo entre ambos.

O abatimento se dissipou com o fim das "cerrações" de inverno em Serra Leoa. Embora tivesse soprado uma ventania fora de época na véspera do Ano-Novo, com a chuva entrando pelo telhado de sapé da casa de Anna Maria, depois disso o sol de janeiro passou a brilhar num límpido céu equatorial. A vivacidade natural de DuBois retornou. O rei Naimbana — que diziam estar gravemente enfermo — tinha acabado de presentear a colônia com um boi gordo, e DuBois, como os demais, estava na expectativa do abate. Passava os dias coordenando o trabalho de abrir uma clareira na encosta para o novo armazém da companhia ou indo a Thompson's Bay para montar uma fazenda de algodão. À noite dividia uma taça de vinho com sua bela "vizinha" Anna Maria. O relacionamento entre os dois nunca era insípido, pois Anna Maria tinha uma grande disposição de espírito e uma natureza tempestuosa. Às vezes, Isaac achava que Anna Maria confundia as preocupações profissionais dele com uma indiferença em relação a ela. Então ela ficava de cara amarrada, e uma das piores vezes foi na véspera da data marcada para o casamento. Mas o amuo passou, como os demais, e em 7 de janeiro os dois pombinhos uniram seus votos na presença do altissonante reverendo Melville Horne. Embora Anna Maria não se sentisse minimamente constrangida em violar a convenção de um ano de luto, os noivos pediram ao padre que mantivesse segredo sobre o fato durante duas semanas. Mas o "pobre pároco não tinha nascido para guardar segredos, e saiu cochichando a notícia no ouvido de todo mundo que encontrava, mas pedindo a cada um que não comentasse com ninguém — de modo que, em menos de duas horas, a Colônia inteira ficou sabendo".[2]

Não houve lua de mel. Enquanto cuidava da construção do depósito de pedra, que deveria substituir o armazém com telhado de sapé, infestado de bichos, que vivia caindo durante os temporais e vendavais, DuBois começou a perceber que o governador em exercício, William Dawes, estava se esmerando em mostrar-se inútil. Pedreiros que DuBois dificilmente poderia dispensar receberam ordens de abandonar o trabalho que estavam fazendo, e ir construir o forte que Dawes decidiu que era necessário. Sujeito de ar solene, Dawes tinha sido tenente da Marinha, como Clarkson, mas orgulhava-se especialmente de seus conhecimentos de artilharia e engenharia. Ele concluiu que, no caso de uma guerra com a França regicida, seria indispensável um forte apropriado. Não havia tempo a perder. DuBois, porém, pensava de outra maneira. Não poderia a República francesa, que se anunciava como amiga da liberdade e cuja Convenção havia abolido a escravidão, ser persuadida a tratar Serra Leoa como neutra? DuBois estava convencido de que um depósito sólido e o varejo seriam de proveito infinitamente maior para a colônia do que qualquer fortificação. Os "dois engenheiros" — Dawes e o agrimensor Richard Pepys — estavam "bastante enlouquecidos". Mas, quanto mais expunha essa opinião, notou que mais frio Dawes ficava. Não demorou muito e DuBois entendeu que a pior coisa que se podia fazer era mencionar ao governador em exercício que tal ou tal projeto tinha sido de especial interesse de John Clarkson. Pois Dawes parecia não querer ouvir uma palavra sobre seu predecessor, embora o retorno de Clarkson fosse esperado para dali a poucos meses, terminada sua licença. E tampouco Pepys, o qual, embora tivesse seus atritos com o governador, tinha feito uma untuosa demonstração pessoal de admiração por ele antes de sua ida para a Inglaterra. E depois de meados de janeiro mais uma figura veio completar o severo trio: Zachary Macaulay.

Quatro anos depois, em 1797, quando Macaulay, no cargo de governador, se viu envolvido em mais uma batalha decisiva com os colonos negros, alguém deve ter lhe apontado diplomaticamente a quantidade de problemas que teriam sido evitados se ele tivesse se mostrado só um pouquinho mais flexível e oferecesse aos nova-escocianos algo além da fisionomia do evangélico devoto. Ciente do ar sombrio que apresentava ao mundo, em seu 29º aniversário ele escreveu à noiva Selina Mills que "tenho me esforçado muito em corrigir a indelicadeza de minha aparência e maneiras, mas tem sido difícil".[3] Impossível seria mais exato. Cego de nascença de um dos olhos, com sobrancelhas escuras bastas e salientes e o braço direito estropiado num acidente, para Zachary Macaulay era fácil menosprezar a vaidade. A simpatia ao preço de transigir princípios devia ser abominada como um afrouxamento corrupto. Ele era talhado em pedra e não via razão para disfarçar o fato. Com efeito, Macaulay provinha de um local muito pedregoso — Inverary, nas montanhas escocesas ocidentais de Argyll; descendia de chefes de clãs e era um dos treze filhos de um pregador presbiteriano que havia empobrecido. Ele se manteria rígido a vida inteira, embrutecido pelas exigências que impunha a si mesmo, as quais ele sabia que tinham de ser cumpridas para atender às expectativas de um Deus rigoroso.

Como seu pai, o pastor, não tinha dinheiro para lhe fornecer formação universitária, o rapazinho caolho aprendeu latim e grego por conta própria. Em Glasgow, um viveiro dos novos estudos escoceses, sentiu-se por um breve intervalo atordoado com saberes perigosos. Uniu-se aos Pensadores Avançados que se exibiam alardeando o ceticismo de David Hume em relação à Igreja e, sempre que podiam, embriagavam-se com tiradas de um humor profano e bebidas fortes. Pior ainda, baixando a guarda, Zachary se permitiu cair nas seduções da literatura: "Quando não estava enxugando a caneca da meia-noite, ocupava-me em desperdiçar o óleo noturno debruçando-me sobre aquelas obras abomináveis, mas fascinantes, que se encontram sob o título de romances na biblioteca itinerante".[4] Aos dezesseis anos de idade, o pecador foi despachado para a Jamaica como capataz de uma fazenda açucareira. Lá, "numa lavoura de cana entre talvez uma centena da raça negra, praguejando e uivando enquanto o som da chibata ressoava sobre suas costas e os gritos dos desgraçados, que faziam você imaginar ter sido por algum infeliz acidente transportado para o reino das sombras dolorosas",[5] Macaulay continuava a folhear seu Voltaire.

Mas então veio o Despertar. Ele estava com 21 anos. Em 1789, a bordo do navio que o reconduzia à Inglaterra, o presbiteriano que havia dentro dele, e estivera abafado por longo tempo, saiu para tomar um ar no convés. Sob o céu oceânico, Macaulay jurou que largaria o álcool e, fizesse chuva ou sol, manteve-se fiel à sua palavra. Então foi morar algum tempo no campo, em nome de Deus. Sua irmã Jean havia casado com um fidalgo rural de Leicestershire, o qual tinha visto a Luz e se tornara evangélico, membro do grupo com centro em Clapham. Quando Zachary foi morar com o cunhado, contraiu sua religião da mais irreversível maneira. Babington (cujo nome foi preservado nos anais da história inglesa quando Zachary e Selina o deram como nome do meio a seu filho Thomas) proporcionou a Macaulay mais que um renascimento espiritual; deu-lhe também um emprego. Pois um dos amigos mais próximos de Babington, e "Santo" como ele, era Henry Thornton, o banqueiro e presidente evangélico da diretoria da Companhia de Serra Leoa.

Embora, como evangélicos, estivessem comprometidos com a abolição do tráfico negreiro, Zachary Macaulay e Henry Thornton não estavam muito interessados na liberdade. Olhando desconfiados os monstros gerados na França revolucionária pelo abuso da liberdade, o morno entusiasmo deles se transformou numa hostilidade de gelo. O que motivava os Santos de Clapham eram o comércio e o cristianismo, alimentando-se mutuamente, até que convertessem o continente pagão numa terra de prosperidade e cultura religiosa. Achavam que a Serra Leoa de Granville Sharp tinha sido a fantasia ingênua de um patriarca com boas intenções, mas muito indulgente. Para ter alguma chance de êxito, o empreendimento exigia mais governo e menos liberalidade. O próprio espírito deles era sintonizado pela obediência — a aceitação incondicional da vontade divina. Consideravam as efusões sentimentais dos metodistas negros e os paroxismos frenéticos e barulheiros dos batistas como puerilidades revoltantes. Ao ouvir um pastor negro em Serra Leoa bradar que Deus é amor, Macaulay recuou num gesto de repugnância e incredulidade. Deus não era amor. Deus era a Verdade e a Lei, e a Ele se devia submissão. E esse respeito pela autoridade, Macaulay acreditava — e evidentemente William Dawes comungava dessa convicção — que John Clarkson não havia conseguido de forma alguma incutir entre os negros iludidos de Freetown. Com aquele tenente histriônico e meloso fora do caminho, era hora de iniciar uma reforma.

Esta foi anunciada pelo Grande Sino que chamava os colonos para as orações matinais e vespertinas, como se fosse na escola — inovação que Anna Maria achou ridícula, instituída justamente na comunidade cristã mais fervorosa que ela já tinha conhecido. Junto com o marido Isaac e o simpático amigo Adam Afzelius, o erudito botânico sueco, ela deixava ostensivamente de comparecer aos cultos diários — conduta que valeu aos três a pecha de ateístas escandalosos. Mas Anna Maria pouco se importava com o que a "parcela de puritanos hipócritas" pensava dela e de Isaac. Já os tinha descartado como gente absolutamente não cristã, por terem imposto um pagamento de quatro *pence* por libra de carne do boi de Naimbana, o qual, afinal, tinha sido um presente para toda a colônia. Pior, o governador em exercício Dawes mal esperara o corpo do pobre Falconbridge esfriar no túmulo para requisitar "seu uniforme, casaca, espada, rifle, pistolas".[6] Esse tipo de mesquinharia era apenas o menor dos exemplos. Para seu desalento cada vez mais profundo, DuBois se convenceu de que Dawes, Pepys e Macaulay estavam decididos a arrancar as ilusões (era como viam) com que Clarkson havia conquistado a confiança dos colonos. Puseram em prática esse exercício de desencantamento da maneira mais frontal possível. Pouco antes de partir, Clarkson havia manifestado aos colonos seu sincero pesar pelo fato de que nem todos os lotes estivessem demarcados, mas prometera lealmente que o trabalho andaria rápido e a terra poderia ser ocupada antes do início da estação das chuvas. Para os colonos, a palavra de Clarkson era de ouro. Mas, tão logo ele partiu, o agrimensor Pepys mandou interromper imediatamente o trabalho, por tempo indeterminado, tornando impossível a subsistência dos negros com o trabalho em suas próprias terras. Para sobreviver, precisavam comprar alimentos no armazém da companhia, o qual, como detinha o monopólio, podia fixar preços muito acima dos

10% sobre o custo e as despesas de frete que Clarkson tinha julgado razoáveis. Assim, a única maneira de adquirir os artigos de primeira necessidade era trabalhando para a companhia — no forte, por exemplo — e com pagamentos inflexivelmente determinados pelos funcionários. A experiência de trabalho forçado por endividamento, como havia ocorrido na Nova Escócia, parecia se repetir uma vez mais. Pois agora, queixavam-se amargamente muitos colonos, não eram escravos da companhia todo-poderosa?

DuBois ficou fora de si de exasperação, no autêntico estilo do legalista americano profano contra os insensíveis evangélicos britânicos. Ele vinha de Wilmington, na Carolina do Norte, e talvez tivesse conhecido Thomas Peters. Mesmo tendo pertencido à classe dos senhores e os negros tivessem sido escravos, DuBois tinha mais facilidade para se dar com eles e os ouvia com mais atenção do que os ingleses empertigados. John Clarkson, a seu ver, era de outro estofo: humano, generoso e informal. Tinha vindo a gostar imensamente dele, e agora tomava o empenho sistemático de minar a autoridade e a reputação do sujeito como uma ofensa a si próprio. O governador devia ser informado do que estava acontecendo em sua ausência. Num memorando dirigido a Clarkson, inserido em seu diário, ele escreveu:

> Se eu não tiver o crédito de terminar os trabalhos a que dei início sairei da colônia [...] Por que ele [Pepys] não acaba de demarcar os lotes da terra que já custou à Companhia mais de 2 mil libras e que deve custar mais outro tanto, além da injustiça feita aos nova-escocianos deixando-os fora de seus terrenos — tendo de adiar a conclusão para o próximo ano?[7]

Naquela mesma noite, em 6 de fevereiro de 1793, em que DuBois redigia seu memorando, realizou-se uma "grande conferência" em Freetown. Os colonos estavam zangados e alvoroçados, o que não era de admirar. Todas as promessas de Clarkson pareciam ter sido abandonadas. O navio *York*, que trouxera novas provisões e que, por determinação de Clarkson, devia funcionar como hospital flutuante, tinha sido tomado pelos funcionários da companhia, como alojamento e local de entretenimento. A gota d'água foi quando Pepys informou sumariamente aos colonos negros que haviam ocupado os terrenos de frente para o mar e construído casas ali que aquela ocupação fora apenas temporária e que agora teriam de ser removidos para dar espaço aos edifícios da companhia. A fúria explodiu entre os negros reunidos. Anna Maria registrou o comentário deles: "O sr. Clarkson prometeu na Nova Escócia que não se faria nenhuma distinção entre nós e os brancos; agora cobramos essa promessa, somos súditos britânicos livres e esperamos ser tratados como tais; não vamos mais aceitar docilmente ser pisoteados".[8] Por que haviam interrompido a distribuição dos lotes de terra? O sr. Clarkson jamais teria admitido aquilo!

Longe de se pôr na defensiva diante das acusações, Richard Pepys partiu para a ofensiva, visando a um ataque violento contra a reputação de Clarkson junto aos negros. DuBois relata que Pepys teria declarado: "Todas as promessas que o sr. Clarkson lhes tinha feito na Nova Escócia partiam dele mesmo [...] ele não tinha nenhuma autoridade para dizer o que dizia, e que [Pepys] acreditava que o sr. Clarkson estava bêbado na hora em que as fez". Tal calúnia, prossegue DuBois, foi repetida diversas vezes, Pepys acrescentando "que o sr. Clarkson mal sabia ou percebia o que dizia — assim, não era de se admirar que ele fizesse promessas extraordinárias [...] além de muitas coisas desrespeitosas".[9] Ele completou seu ataque investindo contra o próprio DuBois, por ter permitido que os colonos imaginassem que poderiam algum dia ocupar os excelentes terrenos da orla.

Um som belicoso — de desgosto, raiva e consternação — percorreu a assembleia. Quando ela se dissolveu, não se falou de outra coisa a não ser do ultraje a Clarkson e a eles mesmos — nem de mais nada no dia seguinte, e nos dias subsequentes. Conferenciando entre si, os colonos concluíram que, como não podiam confiar que nenhuma notícia do que havia transpirado iria ser devidamente comunicada aos diretores, seria melhor escrever uma petição e que dois deles a levassem à Inglaterra até o sr. Thornton e colegas, e que o benfeitor deles, o sr. Clarkson, soubesse pessoalmente como estavam sendo violadas suas promessas solenes. Tendo sofrido ele mesmo um ataque *ad hominem*, DuBois abraçou a causa dos colonos como própria. Num "Memorando" a Clarkson, ele afirmou que Pepys era "o Vilão Mais Pernicioso que existe".[10] E resolveu que, se era para fazer uma petição, ele mostraria aos negros exatamente o que e como dizer, sem termos vagos. E então veríamos.

O que acontecera com John? Dezoito meses antes, Henry Thornton e William Wilberforce tinham se despedido de um rapaz amigável, bem-disposto, muito modesto e sincero; homem flexível, receptivo aos conselhos dos patronos. Mas o John Clarkson que agora se apresentava aos diretores da Companhia de Serra Leoa, ou melhor, que irrompia diante deles, estava totalmente mudado: a afabilidade se convertera em agitação, seu entusiasmo, de uma ingenuidade tão agradável, se transformara em impertinentes rajadas de intimidação. Sem dúvida lhe deviam muito — e aproveitavam todas as oportunidades para expressar, em caráter privado, sua sincera gratidão por tudo o que ele havia feito na Nova Escócia e em Serra Leoa: por salvar a colônia afro-ocidental, acreditavam eles, de uma precoce extinção. Pois não tinham mostrado seu apreço renovando prontamente — depois de uma licença de três meses — seu cargo de governador, e até concordando em remeter para Freetown os materiais de uma boa casa de madeira para sua residência? Mas, se esse reconhecimento sincero dava a Clarkson liberdade para se sentir tão à vontade em dar conselhos sobre a forma de dirigir a companhia — na verdade, em repreender severamente os diretores pela "estrita adesão a formas absurdas", em censurá-los por "sua falta de Método, falta de Empenho" pelas exigências econômicas "opressivas" (na opinião dele) impostas aos colonos, e em registrar com tamanha veemência seu desagrado pelo estofo dos homens que a companhia enviara para administrá-los —, bem, então a coisa mudava de figura.[11] Agradeciam-lhe suas preocupações e a franqueza com que as expusera aos diretores. O sr. Clarkson podia ter certeza de que seriam avaliadas com critério e, no devido momento, teriam prazer em atendê-lo uma vez mais.

Foi só. Enquanto esperava em Londres, ficando à disposição dos diretores por um e depois dois meses, John Clarkson sentiu que aquilo não estava à altura do problema. E não lhe escapou o fato de que Thornton e os demais, se lhe manifestavam consideração em caráter privado, eram cuidadosos em evitar qualquer palavra de reconhecimento público da dívida que tinham com ele: uma dívida de honra e gratidão, tão só — ele nunca pediria mais do que isso —, mas não menos, certo?

Havia outros sinais de que a calorosa cordialidade espontânea tinha sido substituída pela frieza calculada. Quando Thomas Clarkson pediu a William Wilberforce se ele faria a gentileza de recorrer à sua ligação pessoal com os irmãos Pitt (o mais velho, o conde de Chatham, era o primeiro lorde do Almirantado) para recomendar a promoção de John à patente de capitão que incontestavelmente fizera por merecer, Wilberforce apenas esboçou um morno gesto de apoio. Thomas, que estava sob muita tensão na primavera e verão de 1793, com seus recursos drenados pela Causa, a saúde alquebrada pelas viagens incessantes em favor da mesma Causa, não demorou a captar a atitude de desdém ali implícita e escreveu uma enfática reprimenda a seu velho amigo e companheiro de armas: "Minha opinião é de que meu lorde Chatham se comportou com meu irmão de maneira muito censurável, e que a timidez demonstrada por você foi o que lhe deu ocasião para o malogro da promoção dele [...] Cartas não adiantarão e, a menos que se faça alguma solicitação pessoal, você não lhe será útil".[12] Com essa ferroada, Wilberforce respondeu que atribuía tal intemperança à louvável preocupação de Thomas com o irmão, mas que ainda assim jamais esperara ouvir de seu bom amigo a linguagem de "pleiteante desapontado". Arriscou-se a expressar a esperança de que nada iria "interromper a cordialidade de nossa relação".[13]

Mas algo havia interrompido e continuaria a interrompê-la; e esse algo era a Revolução Francesa. Em reconhecimento por seus esforços abolicionistas, a Convenção Nacional da República — o mesmo órgão que tinha julgado e condenado o rei — havia agraciado Wilberforce e Clarkson com o título de cidadãos honorários. Wilberforce, amigo íntimo de William Pitt e Edmund Burke, recuou da homenagem com horror e constrangimento; Thomas Clarkson, por seu lado, sentiu enorme satisfação. Nunca tinha esquecido o tempo que passou em Paris após a queda da Bastilha e participou (de maneira imprudente, julgavam seus amigos mais circunspectos) das comemorações inglesas de seu segundo aniversário em 1791. Quando a revolução se tornou mais militante e violenta, Thomas se absteve ostensivamente de engrossar o coro da condenação. Poucos dias antes da chegada de John Clarkson, em fevereiro, a França republicana havia declarado guerra à Inglaterra. Em panfletos e caricaturas, os franceses agora eram retratados como monstros regicidas desumanos que não faziam segredo de suas intenções de implantar sua plebecracia ímpia de uma ponta à outra da Europa. Assim, os britânicos que, a despeito das flagrantes provas da desumanidade, anarquia e ateísmo dos "*banditti*" franceses, continuavam a lhes querer bem (ou que deixavam de manifestar horror por seus crimes) não eram verdadeiros britânicos, e sim cúmplices numa monstruosa conspiração para derrubar o Trono, a Igreja e o Parlamento, toda a antiga constituição dos ingleses livres por nascimento.

Os amigos mais próximos nunca consideraram os irmãos Clarkson jacobinos, mas eram suspeitos de flertar com o republicanismo. No final de 1792, Thomas, numa atitude pouco prudente, tinha expressado sua opinião de que o governo republicano na França talvez fosse menos oneroso do que o peso da monarquia. Quando Thomas Walker, o abolicionista de Manchester e líder da Sociedade Constitucional de Manchester, foi cercado em sua residência por uma turba patriótica que o acusava de jacobino e depois foi preso por sedição, Clarkson, longe de rejeitar o amigo, fez questão de ir visitá-lo em casa antes do julgamento. À luz desse infeliz namoro com o pernicioso revolucionarismo, a conduta de John em relação a Thornton e aos diretores e sua calorosa defesa dos direitos dos negros contra a ordem estabelecida da companhia começaram a parecer não apenas ingênuas, e sim efetivamente perigosas. Grassava uma revolta sangrenta em Santo Domingo e a última coisa que os diretores queriam era tolerar qualquer coisa que pudesse encorajar os negros de Serra Leoa em suas queixas. Enquanto pesavam suas dúvidas sobre o acerto em renovar o mandato de governador de Clarkson, chegaram cartas de Macaulay e Dawes confirmando seus receios. Enquanto multiplicava elogios a Dawes como o próprio modelo da eficiência e energia cristã, "um dos excelentes da terra", Macaulay despejava escárnio em Clarkson e DuBois, acusando-os de incentivar propositalmente expectativas entre os negros que eram incongruentes com qualquer promessa da companhia, plantando assim as sementes da discórdia e do tumulto desordenado. Henry Thornton já sabia em quem acreditar. Zachary Macaulay era seu protegido, seu vizinho, seu companheiro entre os "santos" de Clapham, homem de integridade e discernimento inatacáveis. Para não deixar nenhuma incerteza em Clarkson sobre o que aconteceria a seguir, ele lhe mostrou a carta de Macaulay. Assombrado que, sem nada da experiência ou conhecimento que ele tinha adquirido durante as provações na Nova Escócia, na travessia do oceano e no primeiro ano na África, Macaulay formulasse um juízo condenatório sobre sua competência, Clarkson se permitiu uma observação sobre a "mesquinhez" de seu crítico.

No mesmo dia em que estava indo de Londres para Norfolk, para se casar com Susannah Lee, John Clarkson foi informado pelos diretores de que, em nova determinação e com todos os devidos agradecimentos por seus serviços prestados, ele não precisaria se incomodar em voltar à África. Desejavam-lhe tudo de bom e esperavam sua renúncia imediata. Em seu lugar, William Dawes seria confirmado no cargo de governador. Num impulso, Clarkson se negou a acatar a determinação. Conforme escreveu a seu irmão Thomas, não "serei eu o *primeiro* a abandonar um emprego em que se encontra meu Coração, tão profundamente interessado em seu êxito".[14] Então foi sumariamente dispensado. Dessa maneira os diretores podem ter reprimido muita coisa, mas não reprimiriam as preocupações dele com a colônia incipiente nem com as promessas pessoais que tinha feito. Era típico de John Clarkson que, no momento em que descobriu que estava sendo apresentado como um bêbado incompetente, continuasse a se encarregar de serviços pessoais para os colonos que mais estimava. Fez uma longa lista de compras. Comprou óculos para Mary Perth, um tear para Joseph Brown, ganchos para Luke Jordan e peças de tecido para Miles Dixon, e tentou localizar os oficiais ingleses que tinham ajudado John Cuthbert e Richard Corankapone durante a guerra.[15] Ele pelo menos manteria sua palavra.

Isaac e Anna Maria DuBois já estavam fartos. Afastados dos homens da companhia, agastados com a arrogância com que as reclamações dos colonos negros tinham sido tratadas, horrorizados com a difamação de Clarkson, decidiram voltar à Inglaterra para tentar obter indenização por uma parte da considerável fortuna na Carolina que Isaac perdera devido às suas posições legalistas. Podia haver uma mescla surpreendente de motivações, uma incongruência entre os princípios e a prática, que ficou visível quando o casal embarcou no navio negreiro que ia para a Jamaica, capitaneado pelo cunhado de Anna Maria. Mesmo assim, Isaac escreveu para Clarkson em termos ardorosos:

> Não lhe agradará saber que estou deixando a Colônia, mas espero que seja para o bem, creia-me, a menos que os Diretores ouçam a verdade, a Colônia deles está perdida — condutas, coisas que você mal pode imaginar — dois dos Colonos Negros, representando o conjunto, vão para a Inglaterra no *Amy* para apresentar suas queixas, eles têm sido vergonhosamente espezinhados desde que você foi embora. Estou certo de que os maus-tratos que tenho recebido desde que você saiu daqui são porque não tomei parte diabólica naquilo que me faz estremecer — envenenar o espírito das pessoas contra você — mas todos os esforços deles foram vãos — o povo clama em voz alta pelo seu retorno — Adieu.[16]

De fato clamava. Um dos colonos que Clarkson mais estimava, Richard Corankapone, integrante do pequeno grupo que havia atravessado as neves de New Brunswick para alcançar a frota em Halifax, tinha lhe escrito contando que "o Corpo da Colônia se Curva para que vossa senhoria Venha e Seja nosso governador".[17] Em junho de 1793, Clarkson respondeu manifestando seu desgosto com o fato de que Pepys "esteja fazendo livre uso do meu nome de uma maneira ingrata e, posso dizer, maldosa", acrescentando que as pessoas deviam ser informadas de modo inequívoco que, quando ele lhes fizera as promessas na Nova Escócia, tinha plena autoridade tanto da Companhia de Serra Leoa quanto do governo britânico. Além de dizer a Corankapone para procurar Pepys e garantir que os colonos salvaguardassem os títulos de direito à terra que ele havia emitido na Nova Escócia, Clarkson se empenhou em não permitir que sua posição pessoal viesse a gerar maiores dissensões em Freetown: "Asseguro-lhes que sempre defenderei seus direitos como Homens e recomendo-lhes a não admitir que ninguém os subtraia de vocês, mas vocês devem ser obedientes às Leis ou será o fim da Colônia".[18]

A deferência, porém, não fazia parte do cardápio em Serra Leoa. A política tinha chegado à colônia e, por ela, não iria embora. Nem todo o projeto original de Granville Sharp para um *frankpledge* negro tinha ficado de lado. No final de 1792 realizaram-se eleições, tal como Sharp havia especificado, dos *tithingmen* (um representante para cada dez famílias) e dos *hundredors* (originalmente um para dez *tithingmen*, mas que aumentou para um por cinco). Cada chefe de família votava para os *tithingmen* e, como as mulheres constituíam pelo menos um terço dos chefes de família, isso significava que elas também tinham direito a voto. O sufrágio feminino era uma coisa que nem mesmo a fase mais radical da Revolução Francesa conseguira contemplar. Na verdade, os jacobinos eram contrários à ideia. Assim, era um grande marco que as primeiras mulheres a dar seus votos para algum tipo de cargo público em todo o mundo fossem escravas negras libertas que haviam escolhido a liberdade britânica, mulheres como Mary Perth, de Norfolk, Virgínia, e Martha Hazeley, de Charleston, Carolina do Sul.

Quando Serra Leoa se transformou em cidade-Estado anglo-africana, foi mérito de Macaulay que, longe de desencorajar as eleições anuais, ele de fato julgasse que a assembleia de *tithingmen* e *hundredors* podia funcionar como modelo de responsabilidade coletiva. Em 1796, Macaulay chegou a escrever uma constituição, com destaque para uma "Câmara dos Comuns" e um "Senado", com um terço dos membros eleitos a cada ano. Mas ele também tinha como certo que esse órgão refrearia, e não agravaria, os conflitos locais e que seria basicamente uma instância de inócua administração local, com poderes para recolher porcos extraviados ou legislar uma tabela de multas para a embriaguez pública. Mas as eleições, em qualquer lugar do mundo, trazem em si uma espécie própria de elixir político inebriante. O ato de votar dá esperança de representação e confere aos eleitos uma autoridade legítima. Realizando-se numa comunidade de quatrocentas famílias, entre uma sociedade de vizinhos, a força emocional de uma eleição no mínimo se acentuava. Tudo o que associamos às campanhas políticas ocorria em miniatura em Freetown. Faziam-se discursos apaixonados em reuniões improvisadas, algumas em praça pública, outras em casas particulares. Pregavam-se placas e cartazes na frente de casas e lojas, sem esquecer que, visto que tal momento marca o início da política negra autêntica, as congregações nas igrejas e templos ouviam, além dos salmos, a retórica das campanhas: os batistas eram menos militantes; os metodistas, bem mais.

Assim, não surpreende que um pregador metodista chamado Cato Perkins, ex-escravo de Charleston, tenha sido escolhido pelo corpo reunido dos *tithingmen* e *hundredors* para levar uma petição com queixas e reivindicações, assinada por 31 deles, até Thornton e os diretores da companhia na Inglaterra. Junto com ele foi um carpinteiro, Isaac Anderson, também de Charleston, mas nascido homem livre, que já havia manifestado sua discordância com a apropriação pela companhia dos terrenos junto à orla. A petição, redigida com o auxílio de DuBois, era uma lista de queixas específicas: que a prometida demarcação dos lotes tinha sido interrompida; que o forte provavelmente nunca seria construído, "e nós pensamos que é uma grande pena que o Dinheiro dos senhores seja jogado fora mas o sr. Dawes diz que preferia perder Mil Libras do dinheiro de Vossas Excelências a deixar de fazer o que deseja"; que o armazém da companhia cobrava preços excessivos deles; que a companhia trocava provisões por trabalho braçal e lhes pagava pouco, "de forma que não temos nada para guardar para um Dia de Chuva ou para nossos Filhos depois de nós".[19] (O destino dos filhos, de fato, é um refrão recorrente e comovente.) Mas, por trás dessas queixas de ordem material, a petição dos colonos trazia um sentimento de afronta diante do paternalismo autoritário do novo regime. De um lado, o documento tinha o cuidado de elogiar a companhia, e especialmente Clarkson: "As Promessas que seus Agentes nos fizeram na Nova Escócia eram muito boas e muito melhores do que jamais recebemos antes dos Brancos e nenhum homem pode negar que o sr. Clarkson foi bondoso e terno conosco como se fosse nosso Pai e praticou tantos atos humanos de terna bondade que nunca iremos esquecê-lo". Mas havia agora um novo faraó empertigado e ele lhes tinha descido o relho nas costas (e despejado álcool por cima!). "O sr. Dawes parece querer nos governar tão mal como se fôssemos todos Escravos o que não podemos aceitar."

Os peticionários se empenharam em deixar claro que não pretendiam causar problemas na colônia — mas tampouco deviam ser considerados meros suplicantes. Cato Perkins e Isaac Anderson, afinal, eram os delegados de uma assembleia eleita, e suas palavras vinham entremeadas de um expressivo fio de aço. "Não desejamos criar nenhum problema na Colônia mas preferimos que tudo caminhe tranquilamente até ouvirmos dos senhores como temos certeza que teremos justiça." O que eles pretendiam era a autodeterminação. Se lhes tivesse sido permitido demarcar pessoalmente os lotes, o trabalho já estaria pronto. Se pudessem escolher seu próprio governador, "escolheríamos o sr. Clarkson pois ele nos conhece melhor do que qualquer Cavalheiro [...] Lamentamos dizer a Vossas Excelências que nos sentimos tão aflitos por não ser tratados como Homens Livres que não sabemos o que fazer e nada a não ser o temor a Deus nos faz suportar isso até sabermos de Vossas Excelências em que posição estamos".[20]

Mesmo que a petição fosse um documento de docilidade rastejante, continuaria a ser inaceitável para Thornton e os diretores, pois vinha de uma iniciativa inesperada e não autorizada. Mas o tom implícito de ameaça, a probabilidade de que DuBois (também dispensado do quadro de funcionários da companhia por "desrespeito" a Dawes) tivesse colaborado na redação, e o fato de pretender reverter a decisão dos diretores em relação a Clarkson evidentemente exasperaram os cavalheiros da companhia. Anna Maria, a qual havia chegado à Inglaterra em outubro de 1793, fez questão de ver Anderson e Perkins, e relatou que, depois de terem desembarcado sem um tostão em Portsmouth, o agente da companhia lhes fez um empréstimo de cortesia de duas libras para irem até Londres encontrar Thornton. De início, ele pareceu receptivo à petição; mas logo depois mudou bruscamente de tom, informando-lhes que certas cartas de Serra Leoa (Anderson e Perkins sabiam quem eram os remetentes) tinham desqualificado as reclamações, dizendo que eram frívolas e infundadas. Os dois só receberiam outro empréstimo se hipotecassem suas terras à companhia, e seriam postos a trabalhar como criados enquanto aguardavam o rápido retorno para o lugar de onde tinham vindo. John Clarkson não era mais assunto deles, de forma que os diretores lamentavelmente não poderiam lhes fornecer seu atual endereço.

Mas Anna Maria e Isaac DuBois ficaram muito felizes em poder ajudá-los. John e Susannah Clark agora moravam em Wisbech, a cidade natal de John em Cambridgeshire, e tão logo leu a petição deles, em começo de novembro, Clarkson escreveu uma carta em resposta, dizendo que via plenamente a justiça do que tinham a dizer e alimentava grande esperança de que os diretores dessem ao assunto a atenção que certamente merecia. Para isso, ele, Clarkson, escreveria a Henry Thornton sugerindo uma reunião entre os dois delegados, ele próprio, Thornton e todos os diretores que se dispusessem a comparecer. "Supomos que os Diretores não queriam olhar o sr. Clarkson e a nós face a face", disse Cato Perkins a Anna Maria, "pois o sr. Thornton nunca respondeu aquela carta o que obrigou o sr. Clarkson a escrever uma outra; esta ele mandou sem lacrar o envelope para que pudéssemos nos convencer de suas boas intenções e integridade em relação a nós."[21]

Com a rapidez típica do leste da Inglaterra, John Clarkson ficou furioso com a descortesia com ele — beirando, a seu ver, uma hostilidade vingativa — e também se irritou com o tratamento vil que os diretores impuseram a Perkins e Anderson. Desde o momento em que tinha pisado em Halifax, um ano e meio antes, Clarkson tentara corresponder às elevadas expectativas que os negros alimentavam em relação a seu "Moisés", e sempre que eles lhe escreviam, dizendo que "nós o consideramos tanto como Amigo nosso que pensamos que o senhor quer que nos seja feita Justiça",[22] ele se sentia ferido até a medula por sua impotência. Parecia-lhe também evidente que, se a intenção da rispidez com que os diretores estavam tratando Perkins (enviado para uma faculdade de teologia) e Anderson era intimidá-los e impor-lhes a submissão, o efeito estava sendo o contrário. "Eles não nos darão nenhuma Resposta", escreveram a Clarkson, "mas vão nos mandar de volta [para Serra Leoa] como Tolos e temos certeza, Senhor, que se nos tratarem assim, a Companhia vai perder sua Colônia pois nada mantinha o Povo quieto a não ser o pensamento de que quando a Companhia ouvisse suas Queixas eles veriam a Justiça feita."[23]

Quando Thornton afinal concordou em rever os dois delegados (sem Clarkson, claro), foi apenas para informá-los de que as reclamações deviam ser feitas por escrito. Isso, por sua vez, causou uma réplica ainda mais aguda de Perkins e Anderson — o primeiro tiro, de fato, daquilo que estava a ponto de se converter numa longa revolta contra o domínio da companhia. Na última e formidável ironia de sua história épica, os legalistas negros, mesmo continuando a professar amor pelo rei ("Deus o abençoe") e a esperança de que ele próprio indicasse o governador, estavam a ponto de se tornar rebeldes. Demonstravam uma empolgante liberdade em relação a qualquer mostra de deferência. Seria tentador dizer que pareciam americanos, não fossem muito mais fundas as raízes de sua justa indignação e de seu instintivo sentimento de traição — remontando até os piedosos apóstolos da liberdade nos exércitos e parlamentos de Oliver Cromwell. Talvez não soubessem disso na época (embora Londres estivesse fervilhando com tal linguagem em 1793), mas Cato Perkins e Isaac Anderson falavam com a voz de republicanos seiscentistas convertidos em políticos modernos, radicais, na defesa dos direitos. Tal como qualquer tecelão de Manchester ou alfaiate de Londres, Isaac Anderson, o carpinteiro de Charleston, tinha se tornado um revolucionário britânico.

"Não pensamos, Cavalheiros, que fosse necessário algo além da petição que trouxemos e lhes entregamos da parte do povo que representamos mas como os senhores não parecem tratar aquela petição com a atenção que esperávamos, os senhores nos obrigam a dizer algumas coisas a mais sobre o tema." Eles sempre tinham acreditado no que Clarkson lhes havia dito na Nova Escócia, a despeito de afirmações mais recentes de que não tinha autoridade para tanto, e agora sua carta deixava inequivocamente clara a honestidade dele em relação ao assunto.

> Por certo esperamos que Vossas Excelências pretendam cumprir aquelas promessas e rogamos saber se os senhores o farão ou não [...] Se não somos de importância suficiente para este País para merecer um Governador autorizado pelo Rei, nós, com o devido respeito a Vossas Excelências, pensamos possuir o direito a ter voz para nomear o homem que irá nos governar [...] nós *não seremos* governados por seus atuais Agentes na África, nem podemos pensar em submeter nos-

sas queixas a eles, o que entendemos ser a intenção de Vossas Excelências, pois é incoerente supor que os homens que nos lesaram irão nos mostrar justiça e não podemos deixar de expressar nossa surpresa de que os senhores tenham sequer insinuado tal coisa [...] Esperamos que Vossas Excelências não pensem termos dito aqui alguma coisa que não seja respeitosa e apropriada; pensamos ser nosso dever dizer-lhes a verdade; não queremos nada além da justiça, que certamente não nos pode ser recusada. Fomos com tanta frequência enganados pelos brancos que ficamos muito desconfiados quando eles fazem promessas e esperamos inquietamente até ver o que se tornarão.

Concluímos, cavalheiros, observando que desde que chegamos aqui temos evitado ao máximo causar-lhes problemas, não viemos numa missão infantil, mas para representar as queixas e sofrimentos de um milhar de almas.

Esperávamos que nossas queixas recebessem mais atenção, mas a maneira como os senhores têm nos tratado tem sido exatamente como se fôssemos *Escravos*, vindos para contar a nossos senhores as crueldades e comportamento severo de um Capataz...[24]

Perkins e Anderson acrescentaram um esclarecimento a Isaac e Anna Maria DuBois: "Quando eles acabaram de ler, pareceram ficar muito mal-humorados".[25] Dificilmente seria uma surpresa, pois os diretores não estavam acostumados a receber descomposturas. Estes solicitaram uma vez mais que as queixas fossem redigidas em termos decentes e adequados. Receberam em resposta outra carta de admoestação dos negros, assinalando que, ao contrário das promessas feitas na Nova Escócia de que lhes seriam "fornecidas todas as ferramentas agrícolas necessárias e que igualmente os confortos e artigos necessários à sobrevivência" lhes estariam disponíveis a preços razoáveis, eles tinham sido ludibriados e, pior ainda, "certamente não estamos protegidos pelas leis da Grã-Bretanha".[26] Com essa resposta, "os Diretores não se sentiram mais contentes do que com a primeira".

Nada se resolveu. Em fevereiro de 1794, Perkins e Anderson voltaram a Serra Leoa a bordo do *Amy*, o navio que os havia levado até a Inglaterra. Talvez os diretores imaginassem que tinham sido mandados embora com um safanão na orelha, em castigo pelo atrevimento. Mas talvez também não tivessem muita certeza disso, visto que ficaram um pouco indecisos sobre o curso mais prudente — despachá-los de volta para a África ou *impedi-los* de se reintegrar à colônia. Mas lá foram eles, profundamente desiludidos e mais decididos à resistência. Esse período de permanência na Inglaterra teria um efeito decisivo sobretudo para Isaac Anderson. O homem que os diretores tinham mandado de volta para Serra Leoa se tornara, graças a eles, um militante.

Zachary Macaulay viu com certa satisfação a entrada de sete navios de velas redondas no porto de Freetown. Apesar das adversidades e dos conflitos, Serra Leoa estava prosperando. Agora era raro que um colono morresse de alguma doença súbita. Recebiam gado, madeira e índigo a jusante do rio; uma pequena frota pesqueira trazia diariamente a pesca obtida em alto-mar. Havia colheitas de mandioca, inhame, melão e feijão. Estavam em setembro de 1794; agora Macaulay era governador da colônia e sua administração era como ele achava que sempre deveria ter sido: prática e lucrativa.[27] Sem dúvida tinham surgido discórdias, fomentadas, a seu ver, por uma facção de agitadores eternamente descontentes, entre os quais deploravelmente se destacava Isaac Anderson. Melhor seria se ele não tivesse voltado daquela embaraçosa visita à Inglaterra, onde por certo absorveu todos os tipos de ideias sediciosas dos jacobinos ingleses! Agora tinha feito aliados — infelizmente muitos deles metodistas, demasiado propensos à agitação; homens como Nathaniel Snowball, Ansel Zizer e Nathaniel Wansey, que não hesitavam em bradar seus pretensos motivos de indignação diante dos crédulos. Macaulay preferiria que a assembleia dos 36 *hundredors* e *tithingmen* não tivesse se transformado num enxame de moscardos a irritá-lo em sua administração, com seus zumbidos e ferroadas; mas ainda tinha a esperança de que ela fosse a sementeira de um governo responsável. Além disso, dissolver a assembleia por estorvo político só serviria para atiçar a fogueira.

Macaulay punha fé nos elementos firmes e sólidos entre os colonos: David George e Richard Corankapone, homens que poderia nomear seguramente como guardiões da lei em caso de problemas. Eles haviam se unido a Macaulay no verão em que a colônia entrou em turbulência. Como tantas outras vezes, o problema tinha sido escravos fugidos. Eles se materializaram vindo dos fortes e dos navios, como se Freetown fosse um porto seguro. E inevitavelmente coube a Macaulay apaziguar os capitães enfurecidos que vieram buscar seus bens, escondidos pelos colonos, os quais pareciam acreditar que a sentença de lorde

Mansfield se aplicava à colônia: que o ar de *Serra Leoa* era "puro demais para ser respirado por escravos". Houve gritarias, pancadarias, trocas de insultos, mãos se erguendo, e até ameaças com facas e machados. Um traficante de escravos escocês falou aos colonos que estavam abrigando seus fugitivos o que lhes faria se algum dia chegassem às Índias Ocidentais. Imediatamente caíram em cima dele e quase lhe esmagaram os miolos com um martelo. Quando Macaulay tentou deter os responsáveis pela agressão, o encarregado de prendê-los foi por sua vez atacado e pouco tempo depois a vila inteira estava envolvida num violento tumulto. Ao final, a ordem e a autoridade prevaleceram e os líderes do motim foram enviados à Inglaterra para julgamento. Porém os murmúrios de insatisfação continuaram. Nunca acabariam. Mas o que fazer? Um realismo firme seria a única chance de sobrevivência para a colônia. Algum dia talvez se pudesse concretizar um futuro sem escravos africanos, mas até lá eles teriam de forçosamente se adaptar às coisas como eram; eles viviam entre tais pessoas, entre tribos e capitães. Os navios chegariam e partiriam e alguns estariam necessariamente transportando alguma carga viva. Aqueles sete navios, por exemplo, um dos quais parecia ser um vaso de guerra, uma fragata. Estranho que não tivesse percebido a chegada deles. O que estavam querendo?

Logo Macaulay teve sua resposta. Ele viu pela luneta a movimentação dos canhões da fragata: foram metodicamente erguidos, alinhados e postos em mira — contra ele. O governador se atirou ao chão de sua varanda, enquanto uma bala lhe passava ao lado da cabeça. Seguiu-se um tremendo rugido enquanto os navios despejavam tiros e canhonaços de doze libras no porto. Labaredas e turvos rolos de fumaça se erguiam das casas mais próximas da orla. Começaram os berreiros e as correrias. Olhando de novo pela luneta, Macaulay viu se arriarem as falsas bandeiras inglesas e se hastearem as tricolores dos *banditti*. A que ele poderia recorrer para defender Freetown? O forte de Dawes nunca ficara pronto. Contra a centena de canhões dos navios franceses, ele tinha apenas 24, alguns enferrujados pela umidade dos trópicos, montados em suportes apodrecidos. Não havia opção. Depois de uma hora e meia de bombardeio, veio uma pausa e, a seguir, a exigência do comandante francês, capitão Arnaud, de que hasteassem a bandeira tricolor. Zachary Macaulay não tinha nenhuma. Em lugar dela, mandou que içassem uma toalha de mesa branca como sinal de rendição da colônia.

Retrospectivamente, alguns colonos murmuraram que a capitulação tinha sido rápida demais. Mas, naquela posição de tamanha desvantagem, Macaulay por certo achou que estava poupando Freetown de um massacre. Eram 1500 soldados e marinheiros franceses armados até os dentes, e poderiam fazer o que quisessem com a colônia. Por milagre, a única morte durante o canhoneio foi a de um menino de sete anos, cortado ao meio enquanto estava nos braços da mãe, mas muitos outros moradores foram atingidos, perdendo braços e pernas.

No entanto, nas duas semanas de ocupação, que por pouco não foram uma carnificina geral, de qualquer modo os franceses fizeram o pior que puderam — e não só às propriedades da administração britânica, mas também aos negros que tinham sido triunfantemente emancipados pela Convenção Nacional. Em meio às casas em chamas e às exaustivas pilhagens, o capitão civil Arnaud deixou claro que não via muita diferença entre britânicos e ex-escravos — eram todos "*anglais*". As lojas, inclusive as de Mary Perth e Sophia Small, foram cabalmente saqueadas; a biblioteca pública de Freetown, incendiada; a gráfica da colônia, bombardeada e desmantelada; a farmácia e o ambulatório, saqueados; as igrejas, objeto de vandalismo (pois os Cultos à Razão e ao Ser Supremo pareciam não ter prosperado em Freetown); as Bíblias, pisoteadas; o manuscrito de botânica tropical de Adam Afzelius, destruído; mais de mil porcos foram abatidos; cães e gatos foram feridos e mutilados, sangrando até morrer nas calçadas de terra. O terreno das chácaras foi revolvido e, depois de devorado tudo o que era comestível, o resto das lavouras foi incendiado. Quando queriam se divertir, os marinheiros franceses atacavam os colonos, tirando-lhes as roupas e cobrindo-os de pancadas.

Os que puderam fugiram para as florestas nas montanhas, onde conheciam o terreno, e guiaram os brancos apavorados até o abrigo das aldeias nativas. Nem todos estavam preparados para receber ajuda. O agrimensor Richard Pepys, velho inimigo de Clarkson, sentia pelos colonos negros — que de fato tinham muitas contas para acertar com ele — no mínimo o mesmo pavor que nutria pelos franceses; pegou mulher e filhos e foi para a floresta tropical, onde morreu uma semana depois. Outros, porém, descobriram uma espécie de causa comum na adversidade. Macaulay relembrou os ofícios noturnos que tinham realizado juntos; e Mary Perth, a matriarca que tivera a loja pilhada pelos franceses, conduziu em segurança, até uma aldeia temné vizinha, as crianças negras que estavam sendo educadas na casa do governador. Macaulay não pôde deixar de se sentir impressionado com a coragem e a iniciativa dela. Quando ele foi até Pa Demba para ver as crianças, Mary lhe fez chá e lhe preparou uma cama para pernoitar.[28] Isso o evangélico nunca esqueceu. Depois de tudo terminado, ele pôs as crianças sob os cuidados dela, e quando chegou o momento de ir embora, na primavera de 1795, Macaulay levou consigo algumas das crianças para estudar em Clapham e manteve Mary como babá, supervisora e governanta da casa. Lá, Mary oferecia às pias damas de touquinha do Common suas geleias e sua saborosa sabedoria nativa.

Mas seria demais esperar que, quando os franceses partissem duas semanas depois, Macaulay iria ressurgir purificado das cinzas. No máximo, o contrário é que seria verdadeiro; ele se tornou uma versão mais categórica de si mesmo. Não demorou um segundo sequer para dificultar ainda mais a luta dos moradores que penavam para reconstruir a vila destruída. Na fuga, muitos tinham conseguido resgatar coisas do fogo e da destruição — pedaços de móveis, alguns alimentos do armazém da companhia, barris de melado, cordas, pregos, madeira — e haviam partilhado de boa vontade tudo o que tinham com os brancos fugidos. Agora Macaulay mandou que devolvessem esses itens, considerando que haviam sido furtados da companhia. Os colonos, por seu lado, que tinham arriscado até o último fio de cabelo para salvar o que conseguissem, para que Freetown não ficasse totalmente desprovida quando tentasse se recuperar, consideravam os objetos legitimamente seus. Não estavam dispostos a devolvê-los. E também não ajudava muito que Macaulay tivesse se apropriado das melhores propriedades da vila, que haviam ficado incólumes, para alojar os funcionários brancos e os cento e poucos prisioneiros brancos que os navios franceses tinham capturado e descarregado na colônia destruída pelo fogo.

Seguiu-se um confronto. Macaulay ameaçou retirar o ensino, a assistência médica e o direito de voto dos que se recusassem a devolver os bens resgatados ou a fazer um juramento formal de lealdade. Como muitos dos preciosos certificados originais de concessão de terra, emitidos por Clarkson, haviam sido destruídos na conflagração, Macaulay emitiu novos, mas inserindo condições que violavam os acordos originais. A mais flagrante era a obrigação de pagarem uma taxa de um xelim por acre de terra, imposto que Clarkson havia garantido expressamente aos nova-escocianos que jamais incidiria sobre eles. Henry Thornton, que insistia num imposto territorial, havia escrito a Clarkson dizendo que, apesar da contradição, ele esperava que o assunto não fosse visto pelos colonos "como motivo de reclamação". Mas como seria possível, se o valor estabelecido era cinquenta vezes mais alto que o dos nova-escocianos brancos e, aliás, dos ex-degredados da Austrália? A assembleia de *hundredors* e *tithingmen* aconselhou o povo a não aceitar nenhum título de terra que trouxesse essas cláusulas ilegítimas, e a maioria acatou essa posição. Foi pintada uma flecha negra na frente da casa dos que não se submeteram à imposição de Macaulay — três quartos da colônia. Privados de ensino, os colonos reagiram abrindo suas próprias escolas particulares. Os mais insatisfeitos, liderados por Nathaniel Snowball (que era menino quando sua mãe fugiu com ele de uma fazenda em Queen Anne County, na Virgínia) e Luke Jordan (que tinha sido um dos capitães de Clarkson durante a travessia), agora decidiram abandonar totalmente a colônia e fundar um novo povoado na baía do Pirata, numa terra que arrendaram do chefe temné Jemmy George, a meio caminho entre Freetown e o cabo de Serra Leoa. Foi nesse contexto, em novembro de 1794, que Jordan, Isaac Anderson e "Papá" Moses Wilkinson — que até então nada tivera de radical — escreveram a John Clarkson que "antes chamávamos de Freetown mas desde a sua ausência — temos Razão para chamar de Vila da Escravidão".[29]

Para eles, Macaulay e Dawes eram seus faraós, John Clarkson, seu "Moisés e Josué", e o povo que ele conduzira pelo oceano até o local que todos esperavam ser a Terra Prometida ainda o tinha como referência, escrevia-lhe como ao verdadeiro salvador, esperando contra qualquer esperança que algum dia ele retornasse. "Nós Realmente olhamos para o senhor com Olhos sempre Saudosos — Nosso Único Amigo", tinham escrito Jordan e os outros. "O dia que o senhor foi embora a gente ficamos muito Oprimido pelo Governo", escreveu James Liaster em março de 1796. "Acreditamos que foi sábia obra de Deus Todo-Poderoso — que o senhor fosse nosso líder [...] bondoso Senhor e respeitado Senhor não fique Zangado com nós mas Oh que Deus lhe Dê mais uma vez o Desejo de vir & nos visitar aqui." "Poderíamos dizer muitas coisas", escreveram Snowball e Jordan no verão de 1796, antes de se mudarem para a baía do Pirata, "mas ao final elas se resumirão apenas a isso que amamos o senhor e lembramos os seus Trabalhos feitos por amor & compaixão por nós com Gratidão & rogamos que os Céus possam sempre sorrir ao senhor & aos seus."[30]

Clarkson deve ter sentido uma pontada lancinante ao ler essas súplicas, quando menos porque sabia que não poderia fazer nada por eles e não havia a menor hipótese de lhe permitirem voltar a Serra Leoa. Mas em algumas ocasiões a história foi até ele. Em 1796, Boston King lhe fez uma visita em Purfleet, Essex, onde Clarkson estava cuidando de mineração de calcário. King tinha levado sua vocação pastoral e professoral, iniciada em Preston, na Nova Escócia, para a margem norte do rio Serra Leoa, a um lugar chamado Fazenda de Clarkson, onde montou uma capela e escola para vinte alunos. Consciente de que ele mesmo precisava de uma melhor formação como missionário, King voltou à Inglaterra com Dawes, que o inscreveu na Kingswood School em Bristol. Foi lá que King expôs aos metodistas todo o extraordinário percurso de sua vida. Num certo momento do período que passou na escola, ele conseguiu parar de odiar os brancos:

> Eu tinha sofrido tanto com a crueldade e a injustiça dos Brancos que passei a olhá-los de modo geral como nossos inimigos: E mesmo depois que o Senhor me manifestou Sua clemente misericórdia, eu ainda sentia uma incômoda desconfiança e reserva em relação a eles, mas naquele dia o Senhor removeu todos os meus preconceitos, pelo que glorifico seu santo Nome.[31]

Talvez tenha falado cedo demais. Ao descobrir que King desrespeitara a proibição e tinha ido visitar John Clarkson, a companhia renegou sua promessa de fornecer passagem gratuita de ida e volta para a África quando retornasse para lá como professor missionário. Agora teria de pagar quinze guinéus pelo privilégio. Mas ele tinha passado por coisas muito piores desde sua fuga da servidão. King relatou a Clarkson esse último gesto de mesquinharia, escrevendo com um suspiro quase audível: "mas Senhor eu comentei isso não por saber que terei de pagá-los e asseguro que isso só servirá para Unir ainda mais meu amor ao senhor porque eu sabia que foi apenas por Despeito".[32]

A comovente lealdade de King pode ter servido de relativo consolo a Clarkson para o que soube a respeito de David George, o qual ele levara para a Inglaterra para ser apresentado a importantes batistas britânicos. Ele cumpriu o devido périplo, conheceu John Newton, o traficante de escravos convertido em pregador que compôs "Amazing Grace", e narrou para publicação sua movimentada biografia, desde as chibatadas do capataz até a vida com George Galphin e os índios rio acima, seus tormentos assinalados pelas cicatrizes da varíola no cerco de Savannah, os dias das ulcerações pelo frio e das visões em Shelburne, e finalmente o êxodo transoceânico até a África. Clarkson, disse ele, "foi um homem muito bondoso comigo e com todos [...] muito generoso e de boa índole", e ficou encantado quando George deu o nome dele a seu último filho. Mas, em sua estada de seis meses na Inglaterra, George se tornou o cristão de estimação dos diretores, e lhes retribuiu a generosidade traindo o velho amigo. Clarkson notou a mudança de tom nos contatos que mantinham, de forma que não ficou tão surpreso quando um de seus correspondentes em Serra Leoa confirmou que David George tinha se tornado homem da companhia. "O sr. George tem falado muito mal do senhor", dizia a carta. Ferido com essa deserção, Clarkson anotou no verso da carta: "Ingratidão de David George".[33] Embora ainda recebesse cartas lhe pedindo que voltasse, provavelmente já não tinha muito estômago para aquilo.

Assim, não foi Clarkson, mas Macaulay que voltou para Serra Leoa em 1796. Ele não tinha mudado em nenhum aspecto essencial, mas a colônia sim, e Macaulay percebeu. Estava mais autossuficiente, mais autoconfiante e (notou ele com amargura) politicamente obstinada. Em termos materiais, era inegável que a colônia tinha melhorado. As velhas e improvisadas choças, de lama e sapé, tinham desaparecido. As quatrocentas e poucas casas eram de sólida estrutura de madeira, divididas internamente em pequenos aposentos, embora ainda sem chaminés. Cozinhava-se a comida no quintalzinho lateral das casas, por onde ciscavam e se emproavam algumas galinhas, partilhando o espaço com um ou dois leitões. Entre as casas estendiam-se as ramagens das mangueiras, oferecendo sombra e frutas.

Ninguém mais falava em fome. Os "nova-escocianos", como eles próprios se chamavam, tinham criado raízes; sabiam exatamente quem eram, de onde tinham vindo e qual o seu lugar na história dos africanos, dos britânicos e dos americanos. Eram um novo Povo Eleito, os "israelitas" negros de Deus. Lamentavam muito a ausência de seu "Moisés", mas, a exemplo dos primeiros israelitas, construiriam sem ele um lugar para si, se essa fosse a vontade de Deus. Aferravam-se à história épica de seu êxodo, vestiam-se, comiam e falavam sempre guardando sua memória. Cartolas de palha ou de couro encimavam a cabeça dos homens; as mulheres usavam vestidos longos de morim ou algodão xadrez ou estampado, com aventalzinho na frente, por sobre volumosas anáguas, a despeito do calor africano. Muitas usavam o cabelo penteado em tranças firmes ou em coques altos que pareciam "algum velho teixo de um jardim holandês". Os homens eram ainda menos propensos a ceder ao calor dos trópicos, e se mantinham fiéis às calças, coletes e paletós. Os dois sexos exibiam lenços de mão e, fizesse chuva ou sol, os guarda-chuvas de Jonas Hanway eram itens obrigatórios da indumentária. Gostavam muito de angu e não tardou a surgir uma nova bebida no cardápio. Pois em fevereiro de 1796, enquanto estava queimando algumas moitas no morro, Andrew Moore, escravo fugido de Augusta e depois jardineiro em Preston, sentiu o inconfundível aroma de café. Os grãos estavam no chão, inadvertidamente tostados. Uma pequena expedição com o botânico Adam Afzelius confirmou a existência de pés de café nativos. Em março já havia quantidade suficiente de grãos para fazer um teste de degustação, que rendeu uma xícara em nada inferior, disseram eles, às oferecidas nos cafés de Londres. Dois anos depois, cerca de 3 mil pés de café estavam produzindo mais de 150 quilos de grãos por ano, a primeira cultura comercial da colônia.

Falavam e cantavam com um híbrido de ritmos africanos, hinos americanos e discursos formais britânicos — do tipo que usavam em suas cartas e petições. A língua florescia nas escolas onde os filhos estudavam, de modo que Serra Leoa rapidamente se tornava uma comunidade letrada, e naturalmente nas sete igrejas onde se reuniam todos os dias para hinos, preces e torrentes de júbilos ou lamentos devotos. Eram o que eram, e resistiam cada vez mais a aceitar ordens. Não cederiam à companhia os bens que haviam salvado das ruínas do ataque francês; não seriam obrigados a fazer compras no armazém dela (em reconhecimento do fato, deixou-se de lado o monopólio) e prefeririam comprar na loja de Sophia Small, que era bem abastecida. Não tinham a menor intenção de pagar o imposto territorial punitivo que a companhia reivindicava como obrigação deles — "uma corrente para nos prender como escravos para sempre", disse um. Desafiavam os funcionários brancos a vir e tentar lhes arrancar o imposto. Até onde podiam ver, a companhia precisava mais deles do que vice-versa, avaliação confirmada pela criação de unidades de milícias armadas (para o caso de um retorno dos franceses) com muitos brancos servindo sob as ordens de oficiais negros; era uma inovação prudente, visto que eram estes, afinal de contas, que possuíam experiência militar adquirida desde as campanhas americanas.

E certamente agora ninguém lhes iria dizer como ordenar suas próprias vidas. O alvo mais recente do ardor de Macaulay tinha sido o número de filhos tecnicamente ilegítimos em Freetown, frutos de arranjos conjugais que lhe pareciam iníquos e não ortodoxos. Mas, evidentemente, essas crianças não eram de maneira alguma bastardos abandonados como os patéticos enjeitados entregues no Lar de Thomas Coram em Lincoln's Inn Fields, de Londres. Eram criadas em um ou mais lares, mas era justamente a ausência de estigmatização que tanto enfurecia o virtuoso governador. Enfureciam-no também as uniões variáveis em que homens e mulheres tinham amantes duradouros, gerando filhos, sem necessariamente abandonar os cônjuges. Em Freetown havia um excedente, não uma carência, de afeto. Essas uniões contingentes eram, claro, resultantes de uma história desesperada e imprevisível, que recuava às fazendas onde tinham sido proibidas; à pavorosa necessidade, durante as odisseias da guerra, de se separar dos entes amados para preservar a segurança dos filhos; ao rompimento de algumas famílias quando os navios aguardavam no porto de Halifax, e os parentes que eram escravos ou estavam presos a contratos tiveram de ficar para trás; às terríveis devastações provocadas pelas doenças no primeiro ano em Serra Leoa. Nenhum desses aspectos vinha ao caso para Zachary Macaulay, o qual não tinha vivido nada disso e descobrira as leis de Deus numa mansão rural inglesa. Escandalizava-o o fato de que essas uniões e proles irregulares fossem aprovadas pelo clero não anglicano. Levando o fiel David George até seu retiro no alto do morro, Macaulay se pôs a repreender o infeliz pastor batista por essa iniquidade, além de outros hábitos perniciosos dos habitantes de Freetown, como o gosto pela bebida. George, que mantinha uma cervejaria, irrompeu em lágrimas, abatido pelo peso de uma culpa esmagadora.

Mas havia certas coisas que nem o dócil George iria tolerar. Quando Macaulay declarou que eram ilegais todos os casamentos que não fossem autorizados e realizados pelo clero anglicano regular, ele desencadeou uma tempestade de protestos dos ministros não conformistas, os quais não tinham a mínima intenção de permitir que lhes retirassem uma de suas funções pastorais mais importantes. George avisou Macaulay que, se persistisse nisso, ele levaria a colônia à insurreição. Mas Macaulay seguiu em frente, com uma tentativa (depois abandonada) de conceder à Igreja Anglicana o monopólio dos casamentos e dos batismos, conseguindo com isso apenas granjear a antipatia de praticamente toda a comunidade negra e causar um rebuliço na assembleia dos *tithingmen* e dos *hundredors*. Mas então Macaulay achou que conseguiria controlar o órgão cada vez mais estridente e beligerante que era ao mesmo tempo um embrião de legislativo, judiciário e executivo. Volta e meia convocava os colonos para lhes passar uma tremenda descompostura. Parecendo extraordinariamente um governador colonial britânico na América nos anos 1770 ou na Índia cem anos depois, Macaulay repreendia os negros com toda a severidade por dar ouvidos "a qualquer contador de histórias tagarela com intenções maliciosas, a qualquer impostor baixo e egoísta que [...] insultava ou injuriava os Governadores de vocês [...] várias vezes já lhes fizeram ver a insensatez de agir assim e no entanto vocês ainda voltam, como os porcos, a se espojar no mesmo lodaçal imundo".[34] Não admira que o público ouvinte desse tipo de ofensa verbal minguasse de forma drástica. Em vez de se tornar mais complacentes, os colonos, pelo contrário, resistiam mais. As tentativas de manipular as eleições saíram pela culatra, criando um grupo de oposição militante que incluía Isaac Anderson, que havia se radicalizado de vez depois da humilhação sofrida na Inglaterra. Macaulay atribuía grande parte dessa fragmentação ao voto feminino, de forma que o aboliu em 1797, na esperança de obter uma assembleia mais manobrável. As eleições do ano seguinte de fato resultaram, pela primeira vez, em dois *tithingmen* brancos — mas nenhuma transigência visível por parte da maioria negra. Na verdade, alguns agora estavam concorrendo com uma plataforma que propunha restringir os *tithingmen* e os *hundredors* aos negros. Macaulay achou muito divertida a ideia de que os brancos pudessem de fato ser desqualificados por causa da cor da *pele*.

Em 1799, Macaulay deixou voluntariamente a colônia para assumir o cargo de secretário dos diretores em Londres, de onde poderia expor suas firmes opiniões à distância. Seu período de governo tinha sido um incrível paradoxo: intimador e libertador. Pois, ao mesmo tempo que aproveitou todas as oportunidades para enfiar políticas impopulares goela abaixo dos nova-escocianos, também os incentivou a praticar a autogestão, jamais ameaçando fechar a assembleia de *tithingmen* e *hundredors* nem retirar nenhum de seus poderes legais ou administrativos. Ainda indicavam os corpos de jurados negros e organizavam a "taxa de trabalho", pela qual os colonos dedicavam seis dias de trabalho por ano nas estradas, pontes e coisas do gênero — imposição granvilliana à qual ninguém objetava, ao contrário do que ocorria com o imposto territorial ainda em suspenso. Só quando alguns *hundredors* solicitaram a nomeação de juízes e magistrados negros é que Macaulay refugou, alegando sua "inviabilidade" devido à falta de conhecimento deles da Common Law inglesa.

Era um bom argumento. Mas, claro, na memória popular de Freetown, a longa jornada deles tinha *começado* nos tribunais, com a notícia, espalhando-se de alguma maneira pelas fazendas sulinas americanas, da sentença de lorde Mansfield quanto ao "Tio Somerset", confirmando que existia uma liberdade britânica, que na Inglaterra o "ar era puro demais para ser respirado por escravos". Desde aquela época — nas filas dos escravos legalistas embarcando como gado nos navios durante a evacuação de Charleston; nas fraudes de que foram vítimas na Nova Escócia; na crueldade dos preços impostos pelo armazém da companhia; nos adiamentos que lhes impediam o acesso às próprias terras; no abominável imposto territorial que, na verdade, tornaria insustentável a posse da terra — os negros sempre acreditaram que a preciosa liberdade legal tinha sido posta de lado pelos usurpadores da benevolência do rei, do grande patriarca Granville Sharp, do salvador pessoal John Clarkson e dos verdadeiros tribunais e Parlamento ingleses. Agora estavam decididos a ter suas próprias cortes e, se necessário fosse, fazer suas próprias leis.

Assim, paradoxalmente, o que Thornton, Dawes e Macaulay conseguiram foi criar, a partir de um dos povos mais fervorosamente leais e patrióticos que já existiram sob a bandeira inglesa, uma pequena *América* briguenta na África Ocidental: briguenta e capaz de se expressar com clareza, indignada contra os impostos que lhe pareciam ilegítimos, a interferência em suas igrejas, um governo prepotente e arbitrário, uma defesa militar incompetente. Antes já haviam existido os ingredientes para uma rebelião. Agora ali estavam de novo. Não admira que Macaulay, nos meses anteriores à sua saída de Serra Leoa, dormisse com uma vela acesa a noite inteira no quarto e com armas carregadas a seu lado.

Macaulay tinha sido um cepo. Thomas Ludlam, o governador que o sucedeu, parecia um caniço. Tinha 23 anos de idade, frágil enquanto Macaulay era robusto, com um físico melindroso, os intestinos em revolta crônica contra o desconforto de sua posição. O caniço começou a se curvar. Foi desinterditado o acesso dos filhos dos colonos dissidentes às escolas da companhia. Abandonou-se a tentativa de arrecadar o imposto territorial, a qual fora acompanhada pela ameaça de expropriação. Ludlam se empenhou ao máximo em ser afável. Mas era tarde demais. Os *tithingmen* e *hundredors* mais militantes — Isaac Anderson, um comerciante chamado James Robinson e um colono de posições outrora moderadas, de nome John Cuthbert, fugitivo de Savannah — já tinham, em sua própria opinião, transposto uma linha em que repudiavam de todo a autoridade da companhia. Continuaram a insistir em ter juízes e magistrados eleitos, e quando Ludlam e os diretores previsivelmente rejeitaram a reivindicação, mesmo assim a assembleia foi em frente e nomeou Robinson como juiz e Cuthbert como juiz de paz. Era só o começo. Os líderes negros queriam redefinir quem era propriamente cidadão com direito de voto em Serra Leoa. Uma declaração lançada pelos *tithingmen* e *hundredors* determinava que, dali por diante, apenas os nova-escocianos "que vieram com o sr. Clarkston" [*sic*] e os moradores de Granville Town seriam considerados os verdadeiros "proprietários" da colônia, com direito a voto, a ocupar cargos e criar leis para a colônia. Doravante os funcionários brancos da companhia seriam considerados "estrangeiros" e autorizados apenas a lidar com o comércio. No final de 1799 já estavam se dando alguns passos para renegociar com o rei Tom, dos temnés, um arrendamento direto entre ele e os colonos negros. No verão de 1800 houve um violento falatório na assembleia, aventando que se os brancos lhes continuassem a negar as reivindicações, eles deviam ser largados no oceano em barcos à deriva, sem velas, nem remos ou bússola. Em Londres, Wilberforce ficou horrorizado com as notícias. E resmungou que os nova-escocianos eram "jacobinos tão rematados como se tivessem sido formados e educados em Paris".[35]

Os diretores deram ordens para se usar de rigor. Já tinham admitido mais do que o suficiente o absurdo da democracia frankpledgiana de Sharp. Enviariam uma nova constituição para acabar com tais pretensões e deixar claro de uma vez que quem governava Serra Leoa era a companhia, e não os *tithingmen* e os *hundredors*. Também remeteriam uma fragata com soldados da Marinha e armas suficientes para transformar em realidade a contrarrevolução em Serra Leoa. E decidiram transportar para Serra Leoa 550 *maroons* — escravos jamaicanos fugidos que haviam criado suas próprias sociedades florestais no interior da ilha, e que em 1796 tinham travado guerra contra o governo colonial. A história *maroon* (já em si um épico triste e estranho) estava seguindo quase literalmente as pegadas dos legalistas negros: fuga da escravidão; relacionamento irritadiço com o poder imperial; remoção para a Nova Escócia, onde viveram algum tempo em povoados como Preston, esvaziados pelos americanos que tinham partido — embora jamais aparentando grande interesse na agricultura. Agora os *maroons* estavam seguindo seus predecessores até Serra Leoa. Tinham criado fama como combatentes de impiedosa crueldade, e evidentemente a companhia esperava que chegassem à África como auxiliares. Ludlam, é claro, estava nervoso — sem saber se, convocados, os *maroons* lutariam pela companhia ou se aliariam aos nova-escocianos rebeldes.

Mas o caniço tinha vergado bastante e não ia se quebrar. O governador Ludlam nomeou novos guardas negros, contou os colonos nos quais poderia confiar (27, entre eles Corankapone) e se preparou para armá-los em defesa do governo da companhia. Então advertiu os líderes negros que, se persistissem em sua insensatez, logo chegaria uma força naval, e com esta os meios com que a companhia faria valer sua vontade. A fanfarronice teve o efeito contrário do que pretendia Ludlam. Agora Isaac Anderson achava que os radicais precisariam agir antes que aparecessem os navios de Sua Majestade trazendo os *maroons*. A maioria dos colonos negros era solidária à causa radical, mas tinha um compreensível receio em passar para a rebelião aberta. Muitas de suas reclamações mais sérias — contra o imposto sobre a terra e a interferência no direito dos templos de realizar casamentos e batismos — tinham sido efetivamente atendidas. Dispunham de júris negros; os *homens* tinham direito a voto; receberam de volta as escolas e a enfermaria; possuíam suas lavouras e o direito de comerciar nos rios e de vender em suas lojas. Os mais prudentes estavam preocupados em perder tudo isso para alguma espécie de república negra.

Mas Isaac Anderson, Ansel Zizer, Nathaniel Wansey, James Robinson e os demais estavam com as velas desfraldadas, de vento em popa e trovão na voz. Quando discursaram no púlpito metodista de Cato Perkins em 3 de setembro, falaram como os pais fundadores de uma nova nação negra. Foi o momento Filadélfia deles. Declararam derrubada a autoridade do governador. A partir daquele momento, o governo, a elaboração e o funcionamento das leis ficariam nas mãos exclusivas da assembleia eleita de *tithingmen* e *hundredors*. Com uma velocidade que teria espantado os Pais Fundadores da Filadélfia, os rebeldes anunciaram que dentro de uma semana seria promulgado um novo código de leis, além de uma constituição provisória, os quais seriam dados a público no dia 25 de setembro. A partir daquela data, a antiga administração não teria mais a obediência deles: "Todos os que vêm da Nova Escócia estarão sob esta lei ou deixem o local". Qualquer outro (os brancos) que obedecesse ao antigo governo seria multado em vinte libras por cada transgressão.

Quando publicadas, as "novas leis" estavam visivelmente despidas de qualquer grandiosa expressão de teoria política, mais concernentes ao modo de vida do povo de Serra Leoa em seu cotidiano. Assim, estabeleceu-se um piso máximo para o preço dos alimentos — manteiga, charque suíno e charque bovino a nove *pence* a libra, um quarto de óleo de palma a um xelim. Determinava-se que a companhia comprasse produtos dos colonos e vendesse ou exportasse sem impostos. Foram estabelecidas multas para, *inter alia*, manter uma "casa ruim" (uma libra), invasão, roubo, derrubada de madeira ou abate de vime sem permissão, sacar armas (duas libras e dez xelins), adultério, não guardar dia santo, soltar furtivamente carneiro ou cabra (cinco libras). Os homens que largavam das esposas por causa de alguma amante, e mulheres que deixavam os maridos pelo amante também eram penalizados (outra novidade para Serra Leoa) com a elevada multa de dez libras. A lei mais otimista de todas se referia às malcriações da petizada: as crianças reincidentes teriam de ser "severamente corrigidas" pelos pais se quisessem escapar a uma multa de dez xelins. E, mais decisivo para sua pretensão de soberania, os *tithingmen* e *hundredors* reservavam para si o direito de emitir mandados e intimações. Qualquer dívida só poderia ser cobrada depois que os magistrados reconhecessem sua legalidade.

Por mais rápido que andasse o golpe, não era o suficiente, pois o HMS *Asia*, com 550 *maroons* jamaicanos e Alexander, irmão de Macaulay, como um dos oficiais do navio, já tinha saído de Halifax. Mas Anderson, é claro, esperava duas coisas: que a ousadia do pronunciamento iria de alguma maneira persuadir Ludlam a negociar uma transferência pacífica do poder, e que ele conseguiria reunir a maioria dos colonos para defender o novo regime em caso de necessidade. Não aconteceu nenhuma delas. Em 25 de setembro, um cartaz com a declaração e as leis do dia 3 foi afixado nas venezianas da casa do tanoeiro Abraham Smith, um ex-escravo que, muito a propósito, tinha vindo da Filadélfia, onde se juntara às linhas do Exército britânico em 1779. Foi arrancado, foi colocado de novo. Na manhã seguinte, grupos de colonos se apinharam na frente da casa de Smith, discutindo o edital. Nem todos ficaram contentes com o que estabelecia.

Mas Ludlam já estava farto de discussões. Decidido a acabar com a rebelião, ele convocou os colonos leais e o quadro dos funcionários brancos da companhia para uma reunião no Palácio do Governo em Thornton Hill, declarou os rebeldes culpados de sedição e passou a distribuir armas. Foi redigido um mandado de prisão dos cabeças. Corankapone e um outro guarda negro leal foram enviados para pegar quatro deles, que estariam reunidos na casa de um colono chamado Ezekiel Campbell. Dois, Wansey e Robinson, foram capturados; outros fugiram. Quando levado até Thornton Hill, Wansey sangrava, com ferimentos à faca. A versão de Corankapone foi que estava tentando prender os líderes quando Robinson lhe deu uma bordoada com o pilão que usavam para socar arroz, e seu colega guarda Edmonds foi espancado e estava inconsciente. Naquele momento os legalistas abriram fogo. Outras testemunhas deram uma versão diferente: desde o começo tinham disparado contra rebeldes desarmados, os quais só então saíram e arrancaram paus de cerca para enfrentar os guardas.

Para Isaac Anderson, que se considerou afortunado por não estar na casa de Ezekiel Campbell, derramara-se sangue e não havia volta. Reuniu o maior número possível de radicais — entre cinquenta e sessenta —, deu-lhes armas e conduziu-os até um acampamento em Buckle's Bridge, bem na saída de Freetown na estrada para Granville Town. De lá, Anderson, agora o líder *de facto* da revolta, rejeitou os apelos vindos de Thornton Hill para depor as armas, e avisou que seu minúsculo exército iria atacar o Palácio do Governo a menos que soltassem os prisioneiros detidos em 26 de setembro. Àquela altura, Ludlam estava em desvantagem. Tinha apenas quarenta brancos e negros leais e mais quarenta marinheiros africanos da frota da companhia, de lealdade incerta. E ele ponderou — com alguma razão — que Anderson poderia recorrer aos guerreiros temnés do rei Tom para transformar seu grupo numa força respeitável. Mas naquele momento, como Ludlam escreveu mais tarde, "uma intervenção da providência totalmente inesperada mudou por completo as feições da situação".[36] Em 30 de setembro, um navio de velas redondas entrou lentamente no porto de Freetown. Era o *Asia*, com seus *maroons* militarizados e 45 soldados britânicos regulares, e Ludlam nunca se sentiu tão feliz em toda a sua vida em ver um barco.

O tempo fechou, com nuvens pesadas se avolumando no topo dos morros de florestas, sobre o frágil acampamento dos rebeldes. Lá embaixo, em Buckle's

Bridge, além de Anderson, do rude Frank Patrick e dos dois juízes de paz negros, Mingo Jordan e John Cuthbert, estavam alguns outros que fizeram o percurso de Nova Jersey e Carolina do Sul, de Preston, Birchtown e Little Joggin, até esse último combate. Em algum lugar, participavam do grupo rebelde dois outros homens que tinham decidido que seus nomes, mais uma vez, deviam ter algum significado: Henry Washington e Liberdade Britânica.

A tempestade estourou com uma detonação pavorosa dos céus, a pior que Serra Leoa podia despejar esmagadoramente em cima de três filas de soldados brancos e *maroons* jamaicanos, arrastando-se para Buckle's Bridge com o objetivo de cercar os rebeldes. As trilhas se transformando num lameiro espumante, a manobra foi interrompida enquanto os soldados tentavam encontrar algum abrigo e proteger as armas como podiam. Na ponte, os rebeldes se amontoavam sob capas. Certamente devia haver um ou outro guarda-chuva nova-escociano.

Mais tarde, à luz do amanhecer, aos gritos matinais dos papagaios como acompanhamento, os *maroons* avançaram para o ataque. A surpresa foi completa, a debandada, total. Decerto houve alguns disparos, pois dois rebeldes — nomes desconhecidos — foram mortos. Muitos outros, entre eles Isaac Anderson, fugiram para a floresta, mas dois dias depois o chefe local que Anderson achou que iria abrigá-lo o entregou em Freetown. Os *maroons* passaram um pente-fino na floresta e nas aldeias, procurando os fugitivos, e fizeram 31 prisioneiros.

Ludlam considerou que estaria fora de questão esperar para mandar os rebeldes até a Inglaterra, para o julgamento, ou arriscar submetê-los a juízo perante os jurados negros da colônia, que provavelmente não os condenariam. A nova carta régia estava a caminho, com a autorização para nomear juízes brancos, e deveria chegar em 12 de outubro, mas a questão de se livrar dos revoltosos era urgente demais para ser postergada. Assim, Ludlam fez o que as autoridades na Inglaterra reacionária e na França revolucionária faziam quando decidiam que se tratava de um estado de emergência — determinou que os rebeldes fossem julgados por um tribunal militar criado especialmente para a ocasião. Três tenentes do *Asia* foram incumbidos de presidir à corte, que sem demora cumpriu seu dever. Dos 55 colonos declarados participantes da sedição, 33 sofreram desterro perpétuo de Serra Leoa; alguns, entre eles James Robinson, foram mandados para a colônia britânica de Gorée. Muitos foram exilados para a costa bulone. Se tentassem voltar e fossem apanhados, receberiam trezentas chibatadas, o que na prática era uma sentença de morte. Isaac Anderson e Frank Patrick, um dos mais implacáveis opositores de Macaulay e por muito tempo um espinho na carne do governo da companhia, foram condenados por crimes capitais na primeira sessão de justiça do regime recém-instaurado. Patrick foi julgado pelo roubo de uma arma. Anderson foi acusado de mandar uma carta anônima, aquela que reivindicava a soltura dos prisioneiros feitos na casa de Ezekiel Campbell na noite de 26 de setembro: "Sr. Ludlow Senor nois deseja saber se vai soltar nossos Home se não deixa então as Mulhé e Cre anssa".[37] Os dois crimes previam pena de morte, e Patrick e Anderson foram devidamente condenados e enforcados. Segundo o costume, os corpos ficaram na forca por alguns dias. Apenas dois anos antes, Isaac Anderson tinha sentido o máximo prazer em enviar a John Clarkson um barril de arroz que colhera em sua primeira safra. Agora o que restava de seu cadáver estava sendo devorado pelas hienas.

Em 6 de novembro, a nova carta régia da companhia foi formalmente inaugurada com as salvas cerimoniais dos canhões do *Asia*. Ludlam não pôde presidir à apresentação, pois seu estômago sensível e os nervos delicados tinham levado a melhor e ele havia apresentado prematuramente sua renúncia. Talvez também — pois ele não era nenhum Zachary Macaulay, impermeável aos aguilhões da dúvida — Ludlam tenha se sentido perturbado com a liquidação dessa extraordinária experiência de autogestão negra. Acabaram-se os *tithingmen*, acabaram-se os *hundredors*, acabaram-se os discursos sentenciosos nas igrejas. A única coisa que restou da democracia frankpledgiana de Sharp foi o corpo de jurados negros.

Para alguns dos colonos negros, o fim do ativismo político deve ter sido um alívio. Ninguém estava tentando expulsá-los de seus lotes nem cobrar o imposto territorial (embora a companhia ainda alegasse o *direito* de fazê-lo). Ninguém estava se metendo nas igrejas deles. Boston King podia continuar com seu ensino missionário; John Kizell, que fora capturado como escravo tantos anos antes no país dos xerbros e agora, como homem livre, comerciava com seu próprio povo em seu barco *Three Friends*, podia continuar a ganhar dinheiro. Andrew Moore viu sua descoberta do café nativo se transformar no produto comercial mais importante de Serra Leoa, e lucrou com isso. Sophia Small pôde reabrir sua loja, convertê-la no maior varejo de Freetown, comprar mais propriedades e casar a filha com um carpinteiro inglês chamado George Nicol. Quando David George morreu em 1802, Hector Peters, o pregador que ele tinha enviado para Preston, ocupou de bom grado seu ministério.

As cinzas da revolta não estavam totalmente apagadas. Alguns dos homens que tinham fugido dos *maroons* em Buckle's Bridge haviam conseguido refúgio junto ao rei Tom, dos temnés, e em 1801, e depois em 1802, marcharam sobre Freetown e Thornton Hill, dessa vez como guerreiros africanos. Mas enfrentaram os *maroons*, que tinham ganhado as propriedades confiscadas dos rebeldes condenados e certamente não seria agora que iriam entregá-las. A maioria dos nova-escocianos manteve uma prudente neutralidade ou, como o sempre fiel Corankapone, tomou o lado do governo, no caso dele morrendo numa batalha para defender o Palácio do Governo. As chuvas e as cerrações rodeavam a colônia. Reapareceram velhos nomes — entre eles Dawes e Ludlam em rodízio, enquanto Zachary Macaulay ficou em seu escritório da companhia em Londres, aguardando instruções. Ainda que o MP Henry Thornton continuasse nominalmente a ocupar a presidência da companhia, ninguém dentro ou fora do Parlamento tinha alguma dúvida sobre quem de fato governava Serra Leoa. Mas em 1807 chegou-se à relutante conclusão de que talvez a companhia estivesse afundando a colônia. O comércio local e modestas exportações de madeira de mutete, café, arroz e açúcar estavam indo bem, mas na maioria pertenciam a particulares, e a companhia — sem a receita dos impostos sobre a terra — não tinha como cobrir as despesas de defesa e administração. Quando o projeto de lei que afinal abolia o tráfico de escravos foi aprovado no Parlamento, naquele mesmo ano, ele previa que os Africanos Liberados (como foram designados), resgatados dos traficantes de escravos pela Marinha de Sua Majestade ou fugidos das feitorias, seriam obrigados a ir para Serra Leoa. Freetown se tornaria inevitavelmente a estação e o quartel-general dessa grande emancipação, e era evidente para todos, sobretudo para Thornton e os diretores da companhia, que a partir de agora a colônia precisaria ficar sob a proteção direta da Coroa. Em 1808 a companhia se dissolveu, sua bandeira foi arriada e içou-se a bandeira inglesa.

Quem estava assistindo? Alguns dos rebeldes exilados de 1800, apesar da pena draconiana imposta a eles, tinham sido autorizados a retornar a Freetown, pouco a pouco. Outros podem ter entrado clandestinamente e, mais uma vez, mudaram de nome. Mas não Liberdade Britânica, penso eu. Junto com Henry

Washington e alguns outros, ele foi para a costa bulone ao norte, entre os restos semiabandonados das plantações de algodão de Isaac DuBois na Fazenda Clarkson, ponto em que ele desaparece de nossa história. Podemos imaginá-lo vivendo da lavoura de alguns acres, talvez como tinha feito em Preston, ou mais provavelmente conseguindo alguma maneira de negociar com os chefes locais. E se de fato manteve seu nome, isso só seria possível se não cruzasse o rio de volta para Freetown. Pois ele deve ter entendido que seu dia já se passara. Lá, na outra margem, ninguém mais precisava muito da liberdade britânica. Lá havia outra coisa. Lá havia o Império Britânico.

Fins, começos

As histórias nunca acabam: apenas dão pausa à prosa. Os episódios — como este que acabei de contar —, quando verídicos, são tramas confusas, resistem a desenlaces finais e arranjos definitivos. Prolongam-se desiguais, futuro adentro, neste caso um enfurecido século XIX. Mas, mesmo quando é sobrepujada pelos acontecimentos, a história deixa atrás de si uma onda de reminiscências, um fino entrelaçado de luzes sobre o obscuro oceano do tempo que saltam e dançam como os lampejos fugidios que vemos ao fechar, por fim, nossos olhos.

1802

O Conselho de Estado da República Consular francesa, tendo à frente Napoleão Bonaparte, reintroduziu a escravidão oito anos após sua abolição.

1806

Depois que seu projeto de lei para abolir o tráfico de escravos sofreu mais uma derrota em 1799, William Wilberforce praticamente perdeu as esperanças no Parlamento. Havia um exército francês acampado em Boulogne, e era iminente uma invasão. Poucos gostariam de entregar ao inimigo qualquer tipo de vantagem econômica na luta mundial. Depois que a batalha de Trafalgar terminou de vez com aquela ameaça em 1805, os abolicionistas ficaram mais otimistas. A unificação com a Irlanda em 1801 tinha trazido novos membros à Câmara dos Comuns, e muitos deram a conhecer suas posições contra o infame tráfico. Em janeiro de 1806, William Pitt morreu e Charles James Fox, que havia se manifestado em favor da abolição em 1791, assumiu a presidência da Câmara dos Comuns. Sir Charles Middleton, patrono de James Ramsay e mentor de

Clarkson e Wilberforce, se tornou o primeiro lorde do Almirantado. Depois que um projeto de lei, suspendendo a importação de escravos nas colônias conquistadas e proibindo que súditos britânicos praticassem o tráfico em navios neutros, foi aprovado nas duas câmaras do Parlamento, Fox passou a agir com mais ousadia. Em 10 de junho, uma moção pedia ao Parlamento, "considerando-se que o Tráfico de Escravos é contrário aos princípios de justiça, humanidade e civilidade [...] [para] tomar medidas efetivas para sua abolição", a qual foi aprovada também nas duas Câmaras, e com considerável maioria de votos. Fox declarou que, se conseguisse a implementação dessa medida, consideraria sua vida "bem utilizada". Quatro meses depois ele morreu.

Nos Estados Unidos, os avanços para o fim do tráfico escravo ganharam reforço com o temor de que a feroz insurreição que ainda grassava em Santo Domingo pudesse ter um equivalente americano, caso aumentasse ainda mais o desequilíbrio demográfico entre brancos e negros. O presidente Jefferson endossou publicamente a legislação para o fim do tráfico. Mas a população escrava na Luisiânia havia triplicado nos dois anos desde que os Estados Unidos tinham comprado o território da França em 1804. No mesmo ano, a Carolina do Sul havia reintroduzido o tráfico negreiro que abolira antes, num esforço de último minuto para vencer a iminente proibição das importações.

Na Virgínia, os fazendeiros abalados pela rebelião escrava de Gabriel Prosser em 1800 tomaram medidas para livrar a comunidade dos negros livres que criavam problemas. Por iniciativa do governador Benjamin Harrison, ficaram proibidos de portar armas de fogo. As escolas para os filhos dos negros livres foram fechadas. Os escravos alforriados receberam ordens de abandonar a comunidade no prazo de um ano.

Em Serra Leoa, os ex-escravos de Harrison William e Anna Cheese viviam pacificamente com seus filhos e netos em Freetown.

1807

Em março de 1807, Jefferson transformou em lei um projeto que proibia a importação de escravos nos Estados Unidos. A partir de 1º de janeiro de 1808, os transgressores seriam multados em 20 mil dólares e o navio com sua carga viva seria apreendido.

Ao apresentar um "Projeto de Lei para a Abolição do Tráfico de Escravos" na Câmara dos Lordes, lorde Grenville declarou que sua implantação seria "um dos atos mais gloriosos já empreendidos por qualquer assembleia de qualquer nação do mundo".[1] Na Câmara dos Comuns, onde era certa a aprovação do projeto de lei, o procurador-geral comparou a consciência culpada de Napoleão Bonaparte ao se deitar e a imagem de Wilberforce, "no seio de sua família feliz e satisfeita", dormindo em plena paz de consciência por saber que havia preservado a vida de milhões de semelhantes.[2] Em 10 de fevereiro, o projeto foi aprovado na Câmara dos Comuns por 283 votos a favor e dezesseis contra. Em 25 de março, George III deu o assentimento real. A partir de 1º de janeiro de 1808, seria ilegal o transporte de escravos em qualquer navio britânico, e nenhum escravo poderia ser embarcado em outros navios dentro dos domínios do Império Britânico.

Em maio de 1808, foi publicada a *History of the rise, progress and accomplishment of the abolition of the African slave trade by the British Parliament* [História do surgimento, avanço e concretização da abolição do tráfico escravo africano no Parlamento Britânico], de Thomas Clarkson. Antes da publicação, já estavam vendidos 4 mil exemplares em subscrição. Passada a "insipidez branda e amena das três primeiras páginas", escreveu Samuel Coleridge a seu amigo poeta Robert Southey, o livro era "profundamente interessante, escrito com grande pureza e simplicidade de Linguagem [...] e é insuperável a beleza moral da maneira como ele se apresenta e relata sua própria *maxima pars* naquela Guerra Imortal — comparadas à qual tão mesquinhas se tornam as conquistas de Napoleão e Alexandre".[3] Foi publicada uma edição condensada do livro, expressamente para o uso nas escolas dominicais americanas.

Tendo se dissolvido a Companhia de Serra Leoa, Zachary Macaulay e Henry Thornton voltaram as atenções para a criação da Instituição Africana, por meio da qual esperavam difundir as bênçãos do cristianismo e da civilização em todo o continente pagão. Thomas Clarkson, cujos desvios jacobinistas tinham sido perdoados, se não esquecidos, foi incorporado ao aprisco dos faróis da fé. Granville Sharp, nem é preciso dizer, foi aclamado seu patriarca.

A Marinha Real ocupou uma base em Serra Leoa para perseguir e capturar os navios negreiros e libertar a carga viva. Muitos dos navios apanhados nos primeiros dez anos de patrulhamento eram, a despeito da abolição no Congresso, americanos e franceses.

1811

Um dos que presenciaram a captura de um negreiro americano, o *Rebecca* proveniente de Nova York, por obra da Marinha Real em Freetown, foi Paul Cuffe, um negro livre com 52 anos de Westport, Massachusetts, filho de um escravo e de uma índia *wampanoag* de Martha's Vineyard. Cuffe era um sucesso americano: dono de terras, de moinhos de grãos, de botes baleeiros. Mas também era quaker, e a leitura da *História*, de Thomas Clarkson, o convertera num abolicionista fervoroso. Sentia agudamente o transe dos escravos nos Estados Unidos, mas também as sérias dificuldades que enfrentavam os negros livres nos estados que haviam abolido a escravatura, como Massachusetts e Pensilvânia. Por intermédio da rede transatlântica de Amigos, ele tinha tomado conhecimento de Serra Leoa e da Instituição Africana, e esperava conseguir sua bênção para uma relação comercial entre a colônia de negros afro-anglo-americanos livres e os Estados Unidos. Se tudo caminhasse bem, ele poderia até patrocinar o assentamento de negros americanos em Serra Leoa. Cuffe era um patriota americano que, proibido por sua religião de servir no Exército ou na Marinha, passou a Guerra Revolucionária acompanhando o bloqueio da Marinha Real, participação que, no entanto, não desfez as suspeitas de que, no fundo, fosse um *tory*. Bem lhe agradaria que as faixas e estrelas da bandeira americana se combinassem com o pendão britânico pela nobre causa da Emancipação.

Mas a escolha do momento foi calamitosa. Cuffe zarpou no final de dezembro de 1810, com nove tripulantes, todos negros, incluindo o sobrinho Thomas Wainer e o marido de sua sobrinha Mary, John Marsterns. Trinta e dois dias depois, no começo de fevereiro, o *Traveller* enfrentou uma tempestade violenta. O navio começou a fazer água e alagar. Às três horas da madrugada, no segundo dia do temporal, ele foi "atingido pela lateral que dava para o vento", arremetido a tal distância que o convés ficou perpendicular ao oceano. Antes que a embarcação se reaprumasse, John Marsterns foi varrido amurada afora. Entre os gigantescos vagalhões e os ventos uivantes, Marsterns encontrou um pouco de cordame esfrangalhado e agarrou-se a ele como salvação. Por fim conseguiu escalar o navio e subir a bordo. O *Traveller* passou mais três dias em grave perigo de soçobrar, mas de alguma maneira o pequeno brigue superou a tempestade. Estando 53 dias no mar, agora seguia sob um céu ensolarado e havia golfinhos para o jantar. No 58º dia, Cuffe viu se elevarem as montanhas de Serra Leoa na linha do horizonte.

Em Serra Leoa, o americano jantou com o governador britânico em sua residência oficial em Thornton Hill. Cuffe fez suas orações na igreja metodista e deu ao rei Tom uma Bíblia quaker e um *Essay on wars*, cujo argumento central, naturalmente, era a iniquidade e a inutilidade delas — mensagem não muito capaz de causar grande impressão em Tom, mesmo sendo agora um respeitável senhor de idade. Na costa bulone, perto da Fazenda Clarkson, ele conheceu o rei George, que também ganhou uma Bíblia quaker, além de uma Epístola do Encontro Anual. Cuffe estava impaciente para começar a negociar com os parceiros de John Kizell, que despachava toneladas de madeira mutete rio abaixo, em sua frota de barcaças, mas foi obrigado a esperar permissão da Instituição Africana. O governo britânico estava extremamente aborrecido — a ponto de proibir o comércio americano — com o que lhe parecia ser uma submissão do presidente Madison ao bloqueio econômico do déspota Bonaparte. Perdendo a pressa, Cuffe continuou a admirar Freetown, principalmente suas escolas, que na época contavam com 230 alunos. Outra escola dava aulas a negros adultos. Ele notou que os livros e cadernos eram gratuitos. "Se o Comércio Puder ser Introduzido na Colônia", escreveu numa carta enviada aos Amigos quakers em Londres, "poderia ter a boa consequência de manter os jovens aqui e em Algum dia futuro Qualificá-los como donos de si mesmos e quando estiverem assim Qualificados para Empreender o Comércio não Vejo nenhuma Razão para que não possam se tornar uma Nação a ser Incluída entre as nações historiadoras do Mundo."[4]

A licença comercial afinal chegou e Cuffe estava para zarpar, levando a carga de Serra Leoa de volta para a América, quando recebeu um convite para ir à Inglaterra. Era irresistível. Naturalmente enfrentou um tempo ruim na viagem rumo norte: "Muito difícil para Vendas". No meio da viagem ele conversou com um certo capitão Cates, que estava indo de Liverpool para Terra Nova, o qual lhe deu a "infeliz Notícia" de um confronto entre uma fragata americana e uma chalupa inglesa em Sandy Hook, Nova York. Não era um bom presságio para a missão de boa vontade e comércio transatlântico a que se propunha Cuffe. Mas, em 12 de julho de 1811, uma multidão se postou no cais em Liverpool — que até três anos antes era o grande centro, junto com Bristol, do tráfico escravo — para ver o *Traveller* com seu capitão negro de chapéu quaker e os tripulantes negros. Seu prazer com essa calorosa acolhida imediata recebeu um sério golpe quando três tripulantes foram recrutados compulsoriamente para a Marinha. Dois foram liberados, mas Cuffe levou meses até conseguir a dispensa do terceiro.

Mesmo assim, ele foi cercado de gentilezas e de fama instantânea. Nos Estados Unidos, nunca conseguira conviver muito com os quakers brancos, e menos ainda com qualquer outro branco. Na Inglaterra era bem recebido por toda parte. *The Times* e a *Edinburgh Review* se entusiasmaram com ele; visitou os pontos turísticos de Londres com William Allen e seu filho (o Royal Mint, o Zoológico); percorreu uma fábrica em Manchester, maravilhando-se com a iluminação a gás; foi ao Parlamento e conheceu Wilberforce e Zachary Macaulay. Ao sobrinho do rei, o duque de Gloucester, que também era o patrono da Instituição Africana, Cuffe ofereceu um manto africano, uma adaga e uma caixa de correspondência, todos de Serra Leoa. Para sua alegria, Cuffe também conheceu Thomas e John Clarkson, por intermédio de Allen, o amigo e protegido deles. Escreveu otimista ao irmão John: "Estou me empenhando em obter uma [...] rota aberta da Inglaterra para a América e Serra Leoa [...] para que alguns bons e sóbrios corretores [caracteres] possam encontrar seu caminho para aquele país".[5]

Em setembro de 1811, Cuffe retornou para Serra Leoa, numa viagem com tempestades ainda mais brutais, e lá desembarcou artigos de algodão e panelas de ferro de Manchester, fumo e louças inglesas. Em troca recebeu mutete e óleo de palma. William Allen lhe havia confiado várias sementes e alguns bichos-da-seda ainda mais preciosos, para a colônia, mas o governador lhe disse que seria melhor que o povo de Serra Leoa aprendesse a cultivar algodão antes de tentar lidar com seda.

1812

Em fevereiro de 1812, Cuffe estava pronto para retornar à América com sua carga de exportações de Serra Leoa. Seria o início, assim esperava, de algo glorioso. Conforme escreveu a Thomas Clarkson, ele pensava numa parceria de comércio e povoamento entre os Estados Unidos e a Grã-Bretanha, para sustentar a nobre experiência em Serra Leoa e "auxiliar os africanos em sua civilização". Ele sabia de várias famílias afro-americanas "que decidiram ir para Serra Leoa".[6]

Mas os dois países não estavam com um espírito parceiro. Pelo contrário, estavam em guerra. De novo os britânicos ofereceram a liberdade a qualquer escravo fugido que alcançasse as linhas ou os navios ingleses. Apesar de uma campanha muito mais difícil em termos geográficos, mais uma vez dezenas de milhares aceitaram a oferta. Depois da guerra, alguns milhares foram da mesma forma despachados para a Nova Escócia, em liberdade e extrema miséria. O vilarejo de Preston, praticamente vazio desde o êxodo dos legalistas negros, ficou lotado com essa segunda onda de afro-americanos. Ainda hoje seus descendentes moram lá. Alguns deles criaram um museu e um *website* da Herança Legalista Negra; o museu e o centro histórico ficam ao lado da estrada que John Clarkson e Lawrence Hartshorne cavalgaram até chegar à aldeia no brilhante outono de 1791. Em Preston, a primeira coisa que se vê são igrejas e escolas de onde sai a meninada negra, todas as tardes, de blusão e tênis. A Nova Escócia e o resto do Canadá ainda são reticentes em relação a Preston. Em Halifax dizem que a vila produz grandes boxeadores.

As inevitáveis ventanias levaram Paul Cuffe para Westport, em vez de New Bedford. Era sua cidade natal, mas isso não impediu que a alfândega dos Estados Unidos lhe confiscasse o navio e a carga, por ter feito negócio com o inimigo. Para liberar a embarcação, Paul Cuffe foi até Washington e conseguiu — o que foi admirável — falar com Albert Gallatin, o secretário de Estado, e com o presidente Madison. Segundo *The Friend's Intelligencer*, Cuffe, o quaker negro franco e direto, falou assim com Madison: "James, me puseram em muito problema e me prejudicaram". Madison mostrou solidariedade e mandou que a propriedade fosse liberada.

Voltando da capital para Massachusetts, viu de repente com clareza que não estava na Inglaterra e muito menos em Freetown. Os passageiros brancos das diligências o trataram com rispidez, incrédulos com a presunção de um negro em achar que iria dividir o espaço da carruagem com eles. Tentaram botá-lo para fora, mas Cuffe, um respeitável cavalheiro idoso com seu chapéu quaker de abas caídas, não arredou.

Algum tempo depois, os ingleses tomaram Washington e atearam fogo à Casa Branca. Mais escravos fugiram.

VERÃO DE 1814

Granville Sharp tinha virado um pouco andarilho. Era como se ainda buscasse questões importantes, mas não tivesse mais plena certeza de onde iria encontrá-las. Já ultrapassara em quase oito anos seu quinhão de sete décadas de vida. Meio século havia decorrido desde que ele se assombrara ao ver o rosto ensanguentado de Jonathan Strong e assumira suas posições fervorosas. A Coisa Amaldiçoada fora derrotada — podia ir satisfeito para a sepultura; no entanto, ainda havia escravos labutando na América e nas Índias Ocidentais. Bem, outros teriam de acabar com tal infâmia. Ele tinha aguda consciência de que tudo o que havia feito fora obra de irmãos, irmãs, unidos na causa do Senhor. Era o concerto de uma orquestra. Agora se acabara, como os músicos de Haydn no final da sinfonia da "Despedida", cada qual apagando sua vela e desaparecendo na sombra. A serpentina de James estava muda desde sua morte vinte anos antes. Havia quatro anos, a tampa da espineta se fechara junto com os olhos de sua irmã Eliza, e poucos meses antes se fora seu querido irmão William. As trombetas do paraíso certamente saudariam a chegada *dele*. O próprio Granville já não tinha fôlego para tocar sua flauta dupla; mas todas as manhãs e na maioria das noites, ia para a sua harpa, invocava o espírito de Davi e cantava salmos e melodias hebraicas.[7]

Ele tinha sofrido o que todos devem sofrer, o enfraquecimento constante e gradual das capacidades — mas ninguém jamais poderia acusá-lo de ociosidade. Nos últimos tempos, tinha se dedicado à Sociedade Bíblica, à União Protestante e à Instituição Africana; empenhara-se ao máximo para organizar suas memórias e correspondências, para compô-las numa história. O duque de Gloucester lhe havia assegurado o prazer em receber o manuscrito.[8] No entanto, havia muitas coisas mais para pôr em ordem antes de se retirar decorosamente de suas obrigações. Mas por vezes, no meio de alguma frase urgente sobre algum tema importante, de súbito se sentia — e sem saber por quê — um pouco aturdido; sua memória, outrora famosa, não conseguia mais lembrar o que buscava, de modo que suas frases às vezes iam morrendo sem terminar direito.

Enquanto William era vivo, Granville dividiu com ele a casa em Fulham. Mesmo após a morte do irmão, ele gostava de perambular por ali, conversando intimamente com as lembranças, observando a maré que havia cercado suas harmonias. A viúva de William parecia não se importar. Mas Granville também tinha ocupado um aposento no Temple, onde estavam guardados seus livros e papéis, e onde podia ficar na companhia de si mesmo, sem nenhum empregado para perturbar suas reflexões sobre as escrituras. Em junho de 1813, ele havia oferecido alguns itens preciosos que documentavam seu longo engajamento jurídico à biblioteca daquele Tribunal de Justiça. Tinham aceitado com gratidão, mas Granville insistiu que devia ir pessoalmente ao Temple para garantir que a entrega fosse feita em segurança. Os sobrinhos e sobrinhas de Fulham, olhando aquele tio de saúde frágil e com o espírito cada vez mais vago, tentaram dissuadi-lo, mas em vão. Receosos de que ele pudesse se perder, mandaram que o cocheiro da família não deixasse Granville usar a carruagem.

Mas Sharp não tinha perdido um pingo de sua tenacidade. Na manhã seguinte, quando a família se reuniu para o desjejum, não havia sinal de Granville. Depois de um interrogatório geral entre os criados, um deles revelou que o sr. Sharp tinha levantado cedo para pegar a diligência até Londres. Despacharam imediatamente alguém para ir procurá-lo nas salas do Temple, mas também não havia rastros dele por lá. Já estava voltando, e naquela tarde apareceu em Fulham, com ar desalinhado e exausto, admitindo que não comera nada desde sua saída ao amanhecer. Após várias perguntas, souberam que o cocheiro que tinha levado Sharp a Londres, preocupado com sua aparência e comportamento, foi procurá-lo no Temple e encontrou-o na porta de seus aposentos "vagueando num estado de incerteza, incapaz de se orientar e pegar o rumo que queria tomar na cidade. Foi facilmente persuadido pelo bondoso cocheiro a voltar com ele para Fulham e assim por sorte foi poupado de acidentes mais angustiantes".[9]

Desde aquele momento até sua morte, a mais suave possível, em julho de 1814, Granville Sharp não arredou pé, ou não deixaram que arredasse, de Fulham. Era o auge do verão, a temporada das excursões fluviais que a família antigamente fazia a bordo do *Apollo* ou do *Union*; dos concertos para o rei e para o povo às margens do rio; do órgão apelidado de srta. Morgan, de Roma, o cão musical, do chá e de Haendel, os barcos avançando entre nuvens de mosquitos. Volta e meia, como se tivesse algo a dizer, Granville entrava de chofre numa sala onde estavam reunidos os sobrinhos, as sobrinhas e seus filhos. Mas nunca abria a boca. Ficava sentado por ali, desfrutando a companhia e aquecendo-se à luz do sol horas a fio. Vez por outra os traços de um sorriso lhe distendiam a mandíbula descarnada, de forma que a família não tinha razões para supor que ele não estivesse contente. Mas não dizia uma palavra; nem uma única palavra.[10]

1815

Na Conferência de Paz em Paris, após a derrota final de Napoleão em Waterloo, Thomas Clarkson, agora convertido ao pacifismo, conheceu o tsar de Todas as Rússias, Alexandre I. Revelou-se que o imperador conhecia tudo a respeito dos Clarkson e de Serra Leoa. "Se eu puder em algum momento ser útil à Causa dos Pobres Africanos", disse Alexandre a Thomas, "você sempre terá meus Préstimos escrevendo-me uma Carta." Três anos depois, ele deu apoio à proposta de Thomas de declarar o tráfico escravo uma forma de pirataria internacional. Agradecido, Thomas presenteou o tsar com a habitual adaga africana.[11]

1816

Em Londres foi anunciada a fundação da Sociedade para a Promoção da Paz Perpétua e Universal. Era basicamente filha do idealismo anglo-americano conjunto. Seus principais defensores eram quakers como William Allen e (na Filadélfia) Benjamin Rush. Este, um eterno otimista, esperava convencer o governo americano a criar uma Secretaria da Paz. Os irmãos Clarkson, evidentemente, estavam entre os fundadores. John Clarkson, que vinte anos antes havia recusado o comando que afinal lhe fora oferecido pela Marinha, alegando que seria incoerente com os princípios cristãos, tornou-se o primeiro tesoureiro da Sociedade da Paz. Nove anos depois, em 1825, criou-se uma Sociedade da Paz Africana na — muito adequadamente — Filadélfia.[12]

Em fevereiro de 1816, Paul Cuffe voltou a Serra Leoa com 38 negros para potencial fixação no país. Mesmo para o calejado marinheiro, essa travessia foi um horror. "Eu Experimentei vinte dias do tempo mais pavoroso que me lembro de jamais ter experimentado antes. O Navio e os Tripulantes pareciam em Risco, mas por misericórdia fomos preservados."

Quando atracaram sãos e salvos, o governador Charles MacCarthy recebeu cordialmente o capitão e os potenciais colonos. Mas uma carta de Macaulay & Babington, o principal negociante com Serra Leoa, recusou a Cuffe a permissão para desembarcar sua carga de farinha, alegando que seria concorrência desleal com as exportações dele.[13]

Durante sua permanência em Serra Leoa, Cuffe presenciou a ação da Marinha Real, apreendendo navios negreiros, muitos vindos da própria república que havia proscrito o tráfico. Em dois meses as patrulhas da Marinha Real capturaram e levaram até Serra Leoa três brigues americanos e três escunas transportando escravos. Cuffe também ficou sabendo que havia americanos fazendo um substancial tráfico clandestino para os Estados Unidos, em navios sob outras bandeiras nacionais, sobretudo espanholas. Ficou profundamente abatido com essa traição da Lei da Abolição de Jefferson, bem como com as notícias de rebeliões de escravos e brutais represálias na Carolina do Sul. Por outro lado, ficou muito contente que o governador MacCarthy providenciasse lotes urbanos e rurais para as nove famílias negras americanas que ele levara para Serra Leoa, em sua maioria oriundas de Boston. Cuffe morreu em 1817, um pouco desconsolado porque seu Comércio Triangular da liberdade — entre Serra Leoa, Inglaterra e Estados Unidos — ainda não se materializara.

A Sociedade de Colonização Americana começou suas operações de transporte de escravos livres para o local que se tornaria a Libéria. Quando a Sociedade Antiescravista de Nova York publicou uma biografia de Granville Sharp em 1846, o autor Charles Stuart desviou um pouco o assunto, para fazer uma distinção entre a fundação de Serra Leoa e as operações da Sociedade de Colonização Americana que transportava negros livres para a Libéria. No caso inglês, sugeria Stuart, o assentamento era o arauto da abolição; no caso americano, era uma alternativa perniciosa a ela:

> O *amor*, o imparcial amor fraterno cristão, foi a origem de Serra Leoa. O ódio e o desprezo pela *cor* [...] foram a grande origem [...] da Libéria [...] O povoamento de Serra Leoa alimentava os melhores sentimentos da nação inglesa — a solida-

riedade com os oprimidos e a caridade com os estrangeiros desamparados, desdenhados e perseguidos pelo mundo dos soberbos. A fundação da Libéria alimentava os piores sentimentos do povo dos Estados Unidos; o pecado idólatra que os diferencia de todos os outros povos civilizados, o *ódio à cor*.[14]

Stuart exagerava as virtudes dos ingleses e os vícios dos americanos. Mas não era o único a fazer essa distinção hostil.

1826

O governador recém-nomeado de Serra Leoa, Sir Neil Campbell, tenta arrecadar o imposto sobre as terras, mas morre poucos meses adiante, e depois disso essa taxa tão impopular foi deixada de lado. Os "nova-escocianos" agora constituíam apenas 10% da população, com maioria esmagadora de "negros libertos" oriundos do tráfico escravo e pelos *maroons* das Índias Ocidentais. Mas a presença deles era evidente nas igrejas e escolas. Na Feira de Freetown, a velha "Folia Negra" proibida em Shelburne renasceu como carnaval anual de Serra Leoa. Cartolas, saias longas estampadas e anáguas volumosas ainda eram *de rigueur* nas corridas de cavalos e canoas.

1828

Em 2 de abril, John Clarkson se esticou no sofá para ler o *Anti-Slavery Reporter*. Tendo perdido em 1820 o cargo de diretor das minas de calcário de Purfleet devido à mudança de proprietário, Clarkson ficou morando em Woodbridge, Suffolk, como sócio majoritário de um banco rural. A última notícia que tinha recebido a respeito dos nova-escocianos fora em 1817, quando Hector Peters lhe escreveu manifestando a esperança "de que possamos nos olhar frente a frente uma vez mais antes de partir para todo o sempre".[15] Graças à *Sierra Leone Gazette*, publicada por um nova-escociano de segunda geração, Clarkson conseguia se manter a par das notícias na colônia. Em 1815 fora publicada uma versão da fundação de Serra Leoa, baseada em seu diário e notas, mas o grande drama de sua vida em 1791 e 1792 continuava encerrado nas cópias manuscritas de seu diário e na memória do homem agora placidamente afável, a "fonte da inocente alegria" da família Clarkson.[16]

Nesse dia particular, ele não se sentia especialmente alegre. Aos 64 anos — John fizera um testamento em janeiro —, estava mais desanimado do que costumava ser sobre seu futuro. Uma perna vinha incomodando bastante e muitas vezes ele sentia falta de fôlego. Era um desconforto tão grande que pediu que lhe lessem alguns trechos selecionados do *Reporter*. A matéria o encheu de melancolia. Ele e seu irmão Thomas tinham imaginado que, com o fim do tráfico negreiro, a instituição da escravatura se atrofiaria por si só; mas era evidente que não acontecera nada parecido. O trabalho deles tinha ficado pela metade. Interrompendo a leitura, com o relato das misérias das Índias Ocidentais ainda inalteradas, Clarkson disse com certo esforço: "É medonho pensar, depois de meu irmão e os amigos dele terem lutado por quarenta anos, que tais coisas ainda existam".[17]

E então, sem maiores alvoroços, John Clarkson morreu.

1829

Em Boston, o alfaiate negro David Walker publicou seu *One continual cry*, um ataque incendiário à hipocrisia dos Estados Unidos por pretender se fundar sobre os princípios da liberdade e da igualdade, enquanto continuava a negá-los a 3 milhões de escravos. Ao mesmo tempo se referia aos "ingleses" como os "melhores amigos" do povo negro em todo o mundo. Walker sabia da permanência da escravidão nas Índias Ocidentais britânicas, mas evidentemente julgava que ela estava com os dias contados.

1831

David Walker tinha razão. As notícias de uma insurreição de escravos na Jamaica e sua repressão brutal estimularam o abolicionismo na Inglaterra. A Sociedade Antiescravista, fundada em 1830 no Salão dos Maçons em Londres, com o compromisso de dar cabo à instituição da escravatura, deixou de lado o gradualismo. Thomas Clarkson, William Wilberforce e Samuel Hoare estavam entre os combatentes veteranos. A causa ganhou um impulso incalculável graças ao tremendo sucesso de *The history of Mary Prince, a West Indian slave related by herself* [A história de Mary Prince, uma escrava das Índias Ocidentais, narrada por ela mesma], que teve cinco edições no primeiro ano de publicação. "Quando estamos totalmente acabados", escrevia Mary, "quem se incomoda conosco, mais do que com um cavalo manco? Isso é escravidão. Digo isso para que o povo inglês conheça a verdade; e espero que nunca deixem de rogar a Deus e a clamar ao grande rei da Inglaterra, até que todos os negros pobres sejam libertados e a escravidão termine para sempre."[18] Mas o rei Guilherme IV parecia tão indiferente à premência quanto seus ministros *tories*. No entanto, havia outra agitação em curso no país — pela reforma do Parlamento — e as duas campanhas se entrelaçaram, tanto em seu ardor moral quanto em sua conveniência política e econômica. A reforma parlamentar salvaria a Inglaterra da revolução; a abolição salvaria as Índias Ocidentais da carnificina, e impediria a perdição do reino. O jovem parlamentar Thomas, filho de Zachary Macaulay, acreditava ser este o caso, embora julgasse o excessivo fervor dos abolicionistas levemente repulsivo.

1833

Trezentas e cinquenta mil mulheres assinaram alguma das mais de 5 mil petições enviadas ao Parlamento pelo fim da escravidão.[19] Em maio, o secretário das Colônias do governo *whig* apresentou um projeto de lei, aprovado com boa margem de folga pela Câmara reformada dos Comuns. O que facilitou a aprovação foram generosas cláusulas de indenização para os proprietários e um período de dois anos de transição (depois excluído) da escravidão à plena liberdade. Em agosto, o rei Guilherme IV assinou o projeto aprovado da Lei da Emancipação.

Wilberforce tinha morrido no mês anterior, mas não sem antes se reconciliar com Thomas Clarkson, apesar de suas longas e profundas divergências sobre a Revolução Francesa e a guerra. "Meu caro velho Amigo", escreveu Wilberforce em sua última carta, "[...] embora faça tanto tempo sem que tenhamos algum contato, você e os seus ainda ocupam um lugar constante em minhas agradáveis recordações."[20] Depois que Clarkson recebeu a triste notícia, sua esposa Catherine ouviu o marido trancar a porta de seu gabinete antes de se entregar às lágrimas.

1846

Assim, então, Clarkson era o último deles. Não só o patriarca da Causa, mas, fato mais improvável, o morador de Playford Hall em Ipswich, que lhe fora deixada por um admirador abolicionista, o conde de Bristol. Lá Thomas viveu até anos bem avançados da casa dos 80. Quando não fazia alguma aparição nas Convenções Antiescravistas, desempenhava o papel de fidalgo caridoso, garantindo que todos os trabalhadores e moradores da vila tivessem suas postas de carne e mantas de toucinho. Na década da fome dos anos 1840, seu torrão da Velha e Alegre Inglaterra seria pelo menos alegre. E como ainda havia muita coisa a fazer para apressar o fim da escravidão americana, ele continuava a escrever, de vez em quando erguendo a cabeça da escrivaninha para olhar sua esposa passeando entre os jardins de flores.

Apesar da idade, Thomas Clarkson ainda era uma força com que se podia contar; tinha a voz firme, o intelecto ainda com um vigor surpreendente, e parecia mais sábio e clarividente do que nunca. Abolicionistas militantes do mundo todo iam à Inglaterra para planejar suas campanhas antiescravistas, e não iam embora sem prestar seus respeitos ao ancião. Sobretudo os americanos, que importunavam Clarkson com tanta frequência e tanta insistência, pedindo-lhe autógrafos e madeixas de suas cãs, que a esposa Catherine receava que logo não lhe restaria um fio de cabelo.

No começo da tarde de 20 de agosto de 1846, dois deles, um negro e outro branco, junto com um membro radical do Parlamento inglês, George Thompson, tomaram assento na sala de visitas em Playford Hall. O branco era William Lloyd Garrison, o editor do *Liberator* de Massachusetts, que havia presenciado ao vivo o momento da emancipação em 1833. Thompson também se destacara como um dos principais participantes daquele entusiasmo transatlântico, que o levara aos Estados Unidos no ano seguinte, para fazer conferências em favor da abolição. Em Boston, um bando de carroceiros ameaçou dar umas chicotadas em Thompson e mandá-lo para a Carolina do Sul, dizendo que lá as pessoas saberiam o que fazer com ele — frase que se gritava constantemente contra os abolicionistas. Embora Clarkson só tivesse sido avisado às nove da manhã de que eles dois e o companheiro negro pretendiam visitá-lo, foi, como sempre, simples e hospitaleiro.

E por que não? Sua causa, agora, era a América. Em 1840, na primeira Convenção Mundial Contra a Escravidão, ele fora escolhido como presidente, e aos oitenta anos tinha recebido o tributo de 5 mil delegados, que se levantaram em silêncio em sua homenagem. O discurso de Thomas, abençoando a Causa e os presentes, desencadeou lágrimas desatadas entre a assembleia. Sua maior tristeza era saber que o cristianismo estava sendo deturpado para defender a injustiça social; que 70% (assim lhe informaram) de todos os clérigos americanos pareciam crer que as Sagradas Escrituras justificam a escravidão. Em 1844, seu ensaio *On the ill treatment of the people of colour in the United States, on account of the colour of their skin* [Sobre os maus-tratos das pessoas de cor nos Estados Unidos, por causa da cor de sua pele] foi publicado nos Estados Unidos com uma tiragem de 50 mil exemplares, num firme contra-ataque a tal blasfêmia.[21]

Assim Thomas Clarkson era conhecido por Frederick Douglass, o terceiro homem sentado na sala de visitas naquela tarde de final de verão. E naquela altura Thomas Clarkson por certo já ouvira falar de Frederick Douglass, o orador que cativara os ouvintes da Convenção contra a Escravidão Britânica e Estrangeira em maio, e duas semanas antes tinha incendiado a Convenção Mundial pela Temperança, em Covent Garden. Douglass, de 28 anos de idade, era um escravo fugido de Maryland, que Garrison conhecera em New Bedford em 1841. Com o incentivo de Garrison, Douglass — bem-apessoado, com boa capacidade de expressão, espirituoso, carismático — logo se tornou o principal astro no circuito de palestras abolicionistas, inigualável em sua apresentação dramática da crueldade nas fazendas e implacável em suas críticas satíricas aos clérigos pró-escravistas. Sofria ameaças constantes de recaptura e agressão física, mas, quando teve a mão fraturada por um bando de Pendleton, Indiana, o único resultado desse ataque foi atiçar ainda mais a fogueira. Em maio de 1845, Garrison tinha publicado uma edição de 5 mil exemplares da *Narrative of the life of Frederick Douglass*, que foi um sucesso imediato. Clarkson receberia um exemplar, por ter visto em Douglass a imagem de um futuro americano redimido. Naquela tarde, o ancião se estendeu, tomou uma das mãos de Douglass entre as suas, e exclamou como o profeta: "Deus o abençoe, Frederick

Douglass! Dediquei sessenta anos de minha vida à emancipação de seu povo, e se tivesse mais sessenta, todos seriam dedicados à mesma causa".[22]

A admiração era ardorosamente recíproca. Para Douglass, Thomas Clarkson era a própria encarnação de tudo o que havia de melhor na liberdade britânica, que para ele não era uma simples declaração da boca para fora, do tipo que passara a desprezar nos Estados Unidos, e sim realidade. A Inglaterra, dizia ele, era o lugar que o transformara de coisa em ser humano.

Para o assombro de Douglass, essa transformação tinha ocorrido antes mesmo de pisar na Inglaterra: dera-se no convés de primeira classe do *Cambria*, navio a vapor da Cunard, que o levara de Boston a Liverpool em agosto de 1845. Seus últimos dias em solo americano lhe trouxeram forçosamente à lembrança a razão pela qual estava deixando o país. Massachusetts podia ter abolido a escravidão, mas certamente não tinha abolido o preconceito de cor.

> Pouco antes de partir [...] foi-me [...] negada a autorização de subir num ônibus [...] por causa da cor de minha pele fui expulso a pontapés de um transporte público poucos dias antes de deixar aquele "berço da liberdade". Apenas três meses antes de deixar aquela "terra da liberdade" fui retirado do térreo de uma igreja porque tentei entrar como outros homens, esquecendo a cor de minha pele.[23]

As humilhações não terminaram ao embarcar no *Cambria* com James Buffum, abolicionista branco que acompanharia Douglass no circuito de suas conferências, e o Quarteto de Cantores da Família Hutchinson — Jesse, Abby, Judson e Asa —, que eles tinham convencido a vir também, em parte como número para aquecer e inspirar as palestras.[24] Garrison havia combinado que Douglass teria um camarote (de 3 por 4, com duas lâmpadas a óleo); mas nem é preciso dizer que foi obrigado a viajar de segunda classe, na proa — cujos beliches Buffum, em solidariedade, também foi partilhar. Em compensação — aliás, inesperada —, Douglass descobriu que era uma celebridade a bordo, famoso para alguns passageiros como autor da *Narrative*, notório para muitos outros pela mesma razão. Em Dublin, escreveu a Garrison:

> Sei que lhe alegrará o coração saber que, desde o momento em que perdemos de vista a costa americana até nosso desembarque em Liverpool, nosso valente vapor foi teatro de um debate quase constante sobre o tema da escravidão — que come-

çou calmo, mas ficou mais acalorado a cada instante conforme prosseguia [...] A discussão foi geral. Se era abafada na primeira classe, irrompia na segunda; e se cessava na segunda, era retomada na primeira; e se terminava em ambas, ressurgia no convés, ao ar livre, aberto e refrescante do oceano. Fiquei feliz.[25]

E felizes também ficaram os Hutchinson — tão impressionados com a própria leitura da *Narrative* de Douglass que aproveitaram o cativeiro de duas semanas a bordo para distribuir cópias entre os passageiros. Os que vinham da Geórgia, de Nova Orleans e de Cuba, e que possuíam escravos, não acharam graça nenhuma em tal ousadia. Outros, porém, quiseram que Frederick Douglass apresentasse uma palestra sobre suas experiências e sobre a instituição da escravatura nos Estados Unidos, iniciativa que enfureceu ainda mais os donos de escravos. O próprio Douglass ficou um pouco sem graça, coisa inusual (mas compreensível), diante do convite. É quase certo que já ouvira as ameaças de atirarem o preto impertinente amurada afora. Caberia ao capitão decidir se seria correto e adequado apresentar tal palestra, e no curso normal das coisas a prudência a bordo aconselharia a não realização.

Mas o capitão Charles Judkins não era o mestre típico da linha Cunard. Pelo contrário, era um ex-escravista arrependido, de firme estofo moral, e formulou pessoalmente um convite formal. Estendeu-se um toldo sobre o convés da primeira classe, guardando certa distância entre Douglass e uma possível multidão ameaçadora, mas os Hutchinson estavam com o fogo da Causa lhes ardendo nas entranhas e persuadiram Douglass a sair ao ar livre e fazer seu discurso junto ao mastro principal. No final da tarde, Judkins mandou que tocassem o sino do navio para "anunciar" a reunião. Reuniu-se um grande público, não só de gente amistosa. Douglass apareceu com o melhor de si, alto, imponente, moral e culturalmente aristocrático. Mas, antes mesmo que pudesse ler os odiosos estatutos escravistas da Carolina do Sul, começou a balbúrdia que se converteu numa tempestade de insultos. Os Hutchinson então intervieram com cânticos e hinos edificantes e abolicionistas, "os quais, como os anjos de outrora, fecharam a boca dos leões, de forma que por algum tempo dominou o silêncio".[26] Aproveitando o momento, Judkins avançou e fez uma introdução, em parte austera, em parte um tanto exagerada, mas tão logo Douglass começou, começaram também as interrupções. Judkins interveio outra vez, com a voz calma, dizendo que tentava agradar a todos os passageiros: alguns haviam manifestado expressamente o grande desejo de ouvir as palavras do sr. Douglass, e os que fossem de outra opinião podiam se dirigir para outro lugar do navio. Douglass fez mais uma tentativa, aparteada aos gritos de: "Ah, quisera que ele estivesse em Savannah. A gente acabaria com ele!" e "Vou ser um dos que vão atirá-lo ao mar".

"O vozerio continuou se acalorando cada vez mais, até que para mim se tornou totalmente impossível continuar", escreveu Douglass. "Fui detido, mas a causa prosseguiu. A antiescravidão venceu e a turba nunca auxiliou tanto a causa que atacava." Um dos "turbocratas", como dizia Douglass com desdém, cometeu então o grave erro de repreender o capitão por permitir que o "preto" falasse. Judkins respondeu mandando o contramestre trazer os ferros, e avisou que quem mantivesse aquele comportamento, ameaçando Douglass ou interferindo em seus comentários, ficaria preso até que o navio atracasse em Liverpool. O tumulto parou de repente, e os que estavam ofendendo os negros se retiraram resmungando para a primeira classe. Judkins então se dirigiu ao público simpático restante e declarou: "Já fui dono de duzentos escravos, mas o governo da Grã-Bretanha os libertou e fico contente com isso". Emocionados, os Hutchinson, que vinham de New Hampshire, desataram espontaneamente a cantar "Deus salve a rainha", seguido (para enfatizar que era uma manifestação transatlântica de boa vontade) de *Yankee doodle dandy*, *America* e *A life on the ocean wave*. Um dia antes de chegarem a Liverpool, houve um jantar de despedida; ergueram-se brindes à rainha Vitória e aos Estados Unidos e Jesse Hutchinson declarou: "Nosso país é o mundo, nossos conterrâneos são toda a humanidade". Os donos de escravos não se atreveram a interromper os aplausos.[27]

Douglass nunca esqueceu o dramático desfecho dessa travessia; quando menos porque o episódio teve a cobertura da imprensa britânica e, como escreveu ele, funcionou como "cartão de visitas" de sua iminente agenda de conferências. Mas o comportamento de Judkins foi a primeira revelação da diferença entre a "justiça monárquica britânica" e a "turbocracia escravista democrática".

Essa diferença só se tornou ainda mais flagrante durante o circuito de suas palestras. Não eram apenas as plateias enormes, imensamente entusiásticas, que o aplaudiam por quase toda parte, de Manchester a Glasgow e a Finsbury Chapel em Londres. Era também o que Douglass podia fazer, aonde podia ir. Ele lembrava a acolhida que tivera no zoológico de Boston, numa reunião revivalista em

New Bedford, no Liceu filosófico, sempre com o mesmo refrão: "Aqui não permitimos a entrada de pretos".[28] Na Inglaterra, porém, as coisas eram de outra maneira. Em Londres, ele pôde entrar nos Jardins Zoológicos, nos Cremorne Pleasure Gardens, no Museu Britânico e nas mostras do Salão Egípcio em Piccadilly, sempre sem a menor dúvida ou hesitação. Na mansão campestre da marquesa de Westminster, Eaton Hall, Douglass se deparou com alguns passageiros brancos que tinham viajado junto com ele no *Cambria* — e não eram os simpatizantes; na fila de entrada para visitar a mansão, ficaram horrorizados em ver o negro autorizado a entrar junto com eles. Mas, conforme Douglass falou ao público em seu discurso de despedida na London Tavern em 1847,

> Percorri todas as partes do país — Inglaterra, Irlanda, Escócia e País de Gales. Viajei em estradas, trilhas, ferrovias e vapores. Fui, pode-se dizer, com a velocidade de um raio. Em nenhum desses meios de transporte ou em nenhuma classe da sociedade encontrei algum lábio retorcido de desdém [...] estando em Londres, naturalmente senti vontade de verificar o costume em todos os lugares daqui, indo e me apresentando à entrada como um homem. De nenhum deles jamais fui posto para fora. Entrei e percorri todos eles: seus coliseus, museus, galerias de quadros, mesmo a Câmara dos Comuns, e ademais um nobre [...] me permitiu entrar na Câmara dos Lordes [...] Em nenhum desses lugares recebi uma única palavra se opondo à minha entrada [...]

Por mais que os americanos "sejam dados a desprezar e desdenhar os negros", prosseguiu Douglass, "os ingleses — os mais inteligentes, os mais nobres e os melhores dos ingleses — não hesitam em estender a mão direita de viril camaradagem a um negro como eu [...] Ora, os americanos não sabem que eu sou um homem. Falam de mim como uma caixa de pertences; falam de mim junto com carneiros, cavalos e bois". Na Inglaterra, dizia ele, era diferente. E quando insistiu que até os cães da "velha Inglaterra" o tomavam por homem, Douglass recebeu vivos aplausos. Em Beckenham, Kent, disse ele, um "cachorro de fato veio até a plataforma, pôs as patas na frente dela e me deu um sorriso de reconhecimento como homem. [Risos] Os americanos fariam bem em aprender algo sobre o assunto com os próprios cães da velha Inglaterra".[29]

Fazer essas distinções rivais transatlânticas em 1846 era ainda mais provocativo do que podia parecer, pois a Inglaterra e os Estados Unidos estavam num daqueles seus ciclos periódicos de mútuas suspeitas e recriminações. Estavam em questão as fronteiras norte e oeste dos Estados Unidos, em particular as divisas do Oregon; e, para os ingleses, estava em jogo a integridade territorial do Canadá. As discussões entre o governo e Peel e o governo de Polk se tornaram gélidas, depois irritadiças e por fim belicosas. Assim, quando Douglass atacava impetuosamente as hipocrisias do patriotismo americano, estava de fato erguendo a bandeira britânica. "O fato é", trovejou ele na London Tavern,

> que todo o sistema, a estrutura inteira da sociedade americana é um grande embuste do começo ao fim [...] Em sua celebrada Declaração de Independência, eles [os Pais Fundadores] fizeram a mais alta e mais clara afirmação dos direitos do homem, e no entanto, no mesmo exato momento, os idênticos homens que redigiram a Declaração de Independência e montaram a constituição democrática americana estavam traficando com o sangue e a alma de seus semelhantes [...] Desde o período de sua primeira adoção da constituição dos Estados Unidos até agora, tudo o que há de bom e grande no coração do povo americano — tudo o que há de patriótico em seu peito — tem sido chamado a defender essa grande mentira perante o mundo [...] O povo dos Estados Unidos é o mais arrojado em suas pretensões de liberdade e o mais exaltado em sua profissão de amor pela liberdade, mas nenhuma nação na face da terra é capaz de exibir um código de leis tão repleto de tudo o que há de cruel, maligno e infernal quanto a legislação americana. Todas as páginas estão rubras do sangue do escravo americano.

Então Douglass passou para a graça salvadora da América britânica — o Canadá —, "uma terra não amaldiçoada pela escravidão, um território governado pelo poder britânico".[30]

Foi um aquecimento para um ataque ainda mais frontal quando Douglass voltou para casa na primavera de 1847 e teve de defender seu direito de criticar os Estados Unidos. "Não tenho amor pela América como tal; não tenho patriotismo, não tenho país. Que país tenho eu? As instituições deste país não me reconhecem."[31] Ao contrapor sua livre entrada no Parlamento à prisão e à sua venda como escravo, que o aguardariam se imaginasse ir até Washington, Douglass disse que, "em tais circunstâncias, meus amigos republicanos não devem me julgar estranho quando digo que preferiria estar em Londres, e não em

Washington. A liberdade em Hyde Park é melhor do que a democracia numa prisão escrava".[32]

Douglass, claro, estava sendo irremediavelmente sonhador, mas não daria ouvidos à usual réplica americana: que os ingleses deveriam antes melhorar as condições de seus miseráveis operários industriais antes de pretender criticar os Estados Unidos por causa da escravidão — o mesmo ponto que fora invocado por Benjamin Franklin 75 anos antes. Pois, como disse ele à sua audiência, quando voltou aos Estados Unidos,

> Digam o que quiserem da Inglaterra — da degradação — da pobreza — e há muito disso por lá — digam o que quiserem da opressão e do sofrimento — lá também há Liberdade, não só para o homem branco, mas também para o homem negro. No instante em que pisei em terra firme e olhei os rostos da multidão a meu redor, vi em cada face o reconhecimento de minha humanidade e a ausência, a absoluta ausência de qualquer coisa parecida com aquele ódio de repulsa com que somos perseguidos neste país.[33]

Douglass continuou a se agarrar a essa paixão romântica pela liberdade britânica, a despeito do pungente menoscabo em ser obrigado, na viagem de volta para os Estados Unidos a bordo do *Cambria* (sem o capitão Judkins), a ocupar de novo um beliche na proa, embora lhe tivessem assegurado que teria um camarote. Mas, depois de contar o fato a *The Times*, ele teve a satisfação de ouvir "A Voz do Trovão" trovejando em seu favor num editorial contra a injustiça de transferir para os *americanos* o preconceito racial, e com isso manchando a reputação do *fair play* britânico. Foi tamanho o escândalo provocado pela acomodação de Douglass a bordo que o próprio Samuel Cunard teve de vir a público com um humilde pedido de desculpas e a promessa de que tal coisa jamais voltaria a ocorrer.

Mas havia uma razão específica e pessoal para que Douglass mantivesse sua crença fervorosa na aversão dos ingleses pela escravidão. Pois quando ele disse, naquela reunião de despedida na London Tavern, que "volto para os Estados Unidos não como cheguei aqui — cheguei escravo, volto livre; cheguei como coisa, volto como ser humano", não estava falando em termos vagos ou figurados. Fora realmente a Inglaterra que o redimira. Pois tinha sido uma mulher de Newcastle, Ellen Richardson, que começara a angariar fundos para comprar a liberdade de Douglass a seu dono Hugh Auld. Quando circulou a notícia dessa iniciativa, num minuto conseguiu-se levantar as setecentas libras que Auld queria para assinar a carta de alforria. A partir daí Douglass ficou livre, não só no título de lei, mas também livre do constante temor que o roía, de ser recapturado algum dia e de lhe ser aplicada aquela terrível retribuição prometida pelos senhores de escravos no *Cambria*, por sua insolente cruzada.

Assim, pelo menos para ele, a promessa da liberdade britânica fora cumprida. "Prefiro coisas em vez de nomes", escreveu a Garrison. E como ele esteve muitas vezes em Westminster, podemos supor que uma das coisas sólidas que ele ia ver na Abadia eram os monumentos no Poets' Corner àqueles britânicos que, 75 anos antes, com toda boa-fé e contra todas as probabilidades, tinham iniciado o bom combate. Talvez tenha comungado por um momento com o primeiro e mais destacado deles, o memorial a Granville Sharp erguido pela Instituição Africana em 1816. Tais eram os encômios, hiperbólicos mesmo pelos padrões dos memoriais,

SUA VIDA FOI UMA ÚNICA E BELA ILUSTRAÇÃO DE ARDENTE DEVOÇÃO
E INCANSÁVEL CARIDADE [...] TEVE COMO PROPÓSITO SALVAR
SUA TERRA NATAL DA CULPA E DA INCOERÊNCIA DE UTILIZAR O BRAÇO
DA LIBERDADE PARA AFERROLHAR AS CORRENTES DA SERVIDÃO [...]

que se julgou prudente acrescentar, para que a posteridade não erguesse o sobrolho de ceticismo, uma invulgar ressalva:

LEITOR, SE AO LERES ESTE TRIBUTO A UM INDIVÍDUO PARTICULAR
VIER-TE DISPOSIÇÃO DE SUSPEITAR DE SUA PARCIALIDADE OU DE CENSURÁ-LO
POR PROLIXIDADE, FICA CIENTE DE QUE NÃO É UM PANEGÍRICO, E SIM HISTÓRIA.

Cronologia

1756-63 — Guerra dos Sete Anos, travada na Europa, na Índia e no continente norte-americano, principalmente entre franceses e ingleses, pelo controle do império. As conquistas britânicas no Canadá incentivam os franceses a apoiar os revolucionários americanos vinte anos mais tarde, na esperança de recuperar os territórios perdidos e ganhar outros mais.

1770 — Massacre de Boston. Em 5 de março, tiroteio sobre as multidões que protestavam contra a presença de soldados ingleses.

1773 — A Festa do Chá de Boston. Em gesto simbólico, colonos americanos que se opunham à longa tributação britânica sem receber uma contrapartida em termos de representação política, atiram fardos de chá tributado no porto de Boston.

1775-83 — Guerra de Independência Americana (Revolução Americana). Colonos americanos (com posterior apoio dos franceses, holandeses e espanhóis na esperança de ganhar os restos) se revoltam contra a Inglaterra, travando uma campanha sobretudo de guerrilha contra forças convencionais.

1775 — Batalhas em Lexington, Concord e Bunker Hill.
Reunião do Segundo Congresso Continental.
Forças americanas entram no Canadá e ocupam Montreal.

1776 — Assinatura da Declaração de Independência; a revolta se transforma em guerra. Os ingleses ocupam Nova York.

1777 — A Inglaterra ganha a batalha de Brandywine.
Os ingleses ocupam a Filadélfia.
As forças britânicas sob Burgoyne se rendem em Saratoga.

1777-8 — As forças americanas sob as ordens de Washington passam inverno rigoroso em Valley Forge.

1778 — A França declara guerra à Inglaterra, aumentando o teatro de guerra e forçando os recursos ingleses.

1779 — A Espanha declara guerra à Inglaterra.

1780 — A Holanda declara guerra à Inglaterra.
Os ingleses ocupam Charleston.

1781 — Depois do fracasso da campanha no Sul, Cornwallis se rende aos americanos na batalha de Yorktown.

1783 — Refugiados legalistas brancos e negros da América chegam à Nova Escócia.

1787 — É criado o primeiro assentamento negro em Serra Leoa (Granville Town).

1789 — Revolução Francesa, com forte influência de sua predecessora americana em seus princípios de liberdade, igualdade e fraternidade.

1792 — É criado o segundo assentamento negro em Serra Leoa (Freetown).

1794 — Abolição do tráfico de escravos nos Estados Unidos.

1807 — Abolição do tráfico escravo no Império Britânico.
Ato do Congresso proíbe importação de escravos para os Estados Unidos.

1812 — Guerra de 1812 entre a Inglaterra e os Estados Unidos, depois da qual chega à Nova Escócia uma nova onda de colonos negros.

1822 — Primeiros escravos libertos dos Estados Unidos se estabelecem na África Ocidental, na futura Libéria.

1834 — Abolição da escravatura no Império Britânico.

1861-5 — Guerra Civil Americana, entre o Norte emancipacionista e o Sul escravocrata.

1865 — Após a derrota do Sul, o Congresso aprova a Décima Terceira Emenda abolindo a escravidão nos Estados Unidos.

Notas e referências

ABREVIATURAS DAS FONTES

AO   Audit Office, Londres

BL   British Library, Londres

CO   arquivos do Colonial Office

FO   arquivos do Foreign Office

JCAF   John Clarkson, "Mission to Africa"

JCAM   John Clarkson, "Mission to America"

GRO   Gloucestershire Record Office

NMM   National Maritime Museum, Greenwich

NYHS   New-York Historical Society

NYPL   New York Public Library

PANB   Public Archive of New Brunswick

PANS   Public Archive of Nova Scotia

PRO   Public Record Offive, Londres

SRO   Shropshire Reccord Office

A PROMESSA DE LIBERDADE BRITÂNICA [pp. 13-29]

1. Liberdade Britânica consta entre os habitantes de Preston que assinaram uma petição ao tenente John Clarkson em 26 de dezembro de 1791, quando este organizava uma frota que levaria os legalistas negros a Serra Leoa, solicitando que os vizinhos não ficassem separados, e sim juntos, na nova colônia. Ver a cópia manuscrita do diário de Clarkson, vol. I, "Mission to America" (JCAM), na biblioteca da NYHS.

2. Sobre o lote de terra de Liberdade Britânica, ver PANS, vol. 370, 1784. Ver também James W. St G. Walker, *The black loyalists: The search for a promised land in Nova Scotia and Sierra Leone 1783-1870* (Nova York, 1976), p. 29.

3. Sobre o aspecto de Preston, ver o relato de Clarkson em seu diário na data de 11 de outubro de 1791: "A situação deles parecia extremamente precária pela pobreza do solo e por não terem nada para se manter além do que este produz".

4. Graham Russell Hodges, *Roots and branch: African Americans in New York and East Jersey 1613-1863* (Chapel Hill, Carolina do Norte, e Londres, 1999), p. 89.

5. Benjamin Quarles, *The negro in the American Revolution* (Chapel Hill, Carolina do Norte, 1961), p. 173; Bell a Sir Guy Carleton, 7 de junho de 1783, Carleton Papers, NYPL.

6. David Walker (org. Herbert Aptheker), "One continual cry", *David Walker's appeal to the colored citizens of the world 1829-1830* (Nova York, 1965), p. 106.

7. Frederick Douglass, 4 de julho de 1852, in Sydney Kaplan e Emma Nogrady Kaplan, *The black presence in the era of the American revolution*, ed. rev. (Amherst, Mass., 1989), p. 277.

8. Quarles, op. cit., pp. 51-2.

9. O estudo clássico da escravidão e da Revolução continua a ser David Brion Davies, *The problem of slavery in the age of Revolution 1770-1823* (Ithaca, Nova York, 1973). Em data mais recente, ver a obra inovadora de Ira Berlin, em esp. *Generations of captivity: a history of African-Americans slaves* (Cambridge, Mass., 2003), em esp. cap. 3, pp. 129-57.

10. Ibid., p. 115; Theodore G. Tappert e John W. Doberstein (trads.) *The journals of Henry Melchior Muhlenberg*, 3 vols. (Filadélfia, 1942-58), III, p. 106.

11. Cit. in Elizabeth A. Fenn, *Pox Americana: the great smallpox epidemic of 1775-1782* (Nova York, 2001), p. 55. Ver também W.W. Abbot e Dorothy Twohig (orgs.), *The papers of George Washington*, 39 vols. (Charlottesville, Virgínia, 1983-), Série 2, pp. 64, 66.

12. Walker, op. cit., pp. 3, 12.

13. Ver a introdução de Gary Nash à nova edição de Quarles, op. cit.; Sylvia R. Frey, *Water from the rock: black resistance in a revolutionary age* (Princeton, 1991), p. 211.

14. As identidades dos donos de Ralph Henry e de Henry Washington, bem como o ano da fuga de ambos, se encontram no Livro dos Negros, criado em Nova York em 1783 (cópia na NYPL), organizado por Graham Russell Hodges como *The black loyalist directory: African Americans in exile after the American Revolution* (Nova York e Londres, 1996), p. 196 (doravante BLD). Os nomes e as datas dos escravos fugitivos de Harrison, Middleton e outros também se encontram nesse livro de registros.

15. Ibid., p. 11. Abraham Marrian embarcou no navio *Lady's Adventure*, com destino para St. John's, Nova Escócia, na primavera de 1783.

16. Uma cópia do Muster Book está preservada na Shelburne County Genealogical Socie-

ty, Nova Escócia, onde Henry Washington também está arrolado como dono de um terreno na cidade e quarenta acres de terra em Birchtown.

17. A introdução de Gary Nash à nova ed. de Quarles, op. cit., p. xix.

18. Ver o breve estudo, muito bom e indignado, de Gary Nash, "Thomas Peters: Millwright, soldier and deliverer", in David Sweet e Gary B. Nash (orgs.), *Struggle and survival in colonial America* (Berkeley e Los Angeles, 1981), pp. 69-85.

19. PRO AO 12/99 86.

20. Benjamin Woods Labaree, *The Boston Tea Party* (Oxford, 1964), p. 10.

21. James Otis, *The rights of the British colonist asserted and proved* (Boston, Nova Inglaterra, s.d.), pp. 43-4; ver também T. K. Hunter, *Publishing freedom, winning arguments: Somerset, natural rights and Massachusetts Freedom case, 1772-1836*, tese de doutorado (Columbia University, 2003). Agradeço à dra. Hunter a autorização para citar trechos de sua tese.

22. *Virginia Gazette*, 30 de setembro de 1773; ibid., 30 de junho de 1774; Gerald W. Mullin, *Flight and rebellion: slave resistance in eighteenth century Virginia* (Nova York, 1972), p. 131.

23. Hunter, op. cit., capítulo 2, n. 6.

24. Fica evidente pela correspondência de Anthony Benezet com Granville Sharp em 1772 e 1773 que Benezet considerava Franklin um sincero e ativo inimigo do tráfico escravo, se não um franco abolicionista, e com boas razões, em vista do longo histórico de Franklin manifestando uma indignação veemente contra a ilegalidade e a imoralidade do tráfico. Mas Franklin se mostraria bem menos coerente do que seu colega filadelfiano Benjamin Rush nessa oposição, e muito mais cauteloso na hora de propor uma reforma geral e imediata. Ver Sharp Papers, NYHS.

25. Benjamin Franklin, "A conversation on slavery", in J. A. Leo Lemay (org.), *Writings* (The Library of America, 1987), pp. 646-53.

26. Ibid.; Hunter, op. cit., capítulo 2, p. 25.

27. A carta de Patrick Henry foi copiada e enviada por Anthony Benezet a Granville Sharp em Londres. Está preservada na coleção de manuscritos de Sharp in NYHS.

28. Charles Francis Adams, *Familiar letters of John Adams and his wife Abigail Adams* (Nova York, 1876), pp. 41-2; Wilson, op. cit., *Loyal blacks*, p. 5.

29. Todas essas petições e artigos estão reproduzidos in Kaplan e Kaplan, op. cit., pp. 11-3.

30. Gerald W. Mullin, op. cit., p. 131; *Virginia Gazette*, 30 de setembro de 1773.

31. Ibid.; *Virginia Gazette*, 30 de junho de 1774.

32. William Henry Drayton, "Some fugitive thoughts on a letter signed Freeman addressed to the deputies assembled in the High Court of Congress in Philadelphia. By a black settler" (Filadélfia, 1774), cit. in Hodges, op. cit., *Root and branch*, p. 136.

1. [pp. 33-47]

1. É surpreendente, mas não existe nenhuma biografia recente de Granville Sharp. Todavia, Prince Hoare, *The memoirs of Granville Sharp esq. composed from his own manuscripts*, 2 vols. (Londres, 1828), é uma apresentação excepcionalmente completa de suas convicções e de seu engajamento na causa abolicionista ao longo dos casos Strong e Somerset. Pode ser complementado com E. C. P. Lascelles, *Granville Sharp and the freedom of slaves in England* (Oxford, 1928), e há uma caracterização muito perspicaz no magistral estudo de David Brion Davis, *The*

problem of slavery in the age of the American Revolution (Ithaca, Nova York, 1975), pp. 386-402. A exposição detalhada dos casos Strong, Hylas, Lewis e Somerset foi extraída dos manuscritos, cartas e diário de Sharp, inclusive sua transcrição de alguns procedimentos no King's Bench, in Sharp Papers, NYHS.

2. Hoare, op. cit., pp. 119 e ss.; II, Apêndice VI, p. xix; para mais elementos sobre os concertos e os quadros de Johan Zoffany, ver John Kerslake, "A note on Zoffany's 'Sharp Family'", *Burlington Magazine*, vol. 20, nº 908 (novembro de 1978); ver também o catálogo da exposição na National Portrait Gallery, "John Zoffany" (Londres, 1976), nos 87-8.

3. O número exato de negros em Londres ou mesmo na Inglaterra ainda é controverso. Na época do caso Somerset, dizia-se que havia cerca de 14 mil a 15 mil negros na Inglaterra, mas como esse número era invocado pelos que alertavam que ocorreria um êxodo em massa de negros abandonando o serviço, e que estes se somariam ao índice de pobres da cidade, é um pouco suspeito. Norma Meyers, *Reconstructing the black past: blacks in Britain 1780-1830* (Londres e Portland, Oregon, 1996), em esp. pp. 18-37, apresenta uma estimativa muito mais conservadora, baseada em registros de batismo. Mas, como nem todos os negros de Londres eram batizados, esse cálculo pode fazer pender indevidamente a balança um pouco para o outro lado.

4. Sharp Papers, NYHS.

5. Ibid.

6. Hoare, op. cit., pp. 49-50; p. 61; ver também Gretchen Holbrook Gerzina, *Black London: life before emancipation* (New Brunswick, Nova Jersey, 1985), p. 97; David Dabydeen, *Hogarths's blacks* (Manchester, 1978).

7. Sharp Papers, NYHS.

8. Ibid.; Hoare, op. cit. I, pp. 49-50.

2. [pp. 48-71]

1. Para o itinerário musical de Sharp, ver Prince Hoare, *The memoirs of Granville Sharp esq. composed from his own manuscripts*, 2 vols. (Londres, 1828), I, pp. 215-7; E. C. P. Lascelles, *Granville Sharp and the freedom of slaves in England* (Oxford, 1928), pp. 119-26; ver também Sharp Papers, NYHS. Um segundo barco, o *Union*, construído em 1775, era maior, com setenta pés de comprimento, e estava ancorado em Fulham Steps. Outros três barcos tinham os nomes das mulheres da família Sharp: o *Yemma*, o *Mary* e o *Catherine* (uma canoa!).

2. John Kerslake, "A note on Zoffany's 'Sharp family'", *Burlington Magazine*, vol. 20, nº 908 (novembro de 1978), pp. 752-4; ver também o catálogo da exposição na National Portait Gallery, "John Zoffany" (Londres, 1976), nos 87-8.

3. Sharp Papers, NYHS, caderno de notas manuscritas sobre o caso de Thomas Lewis.

4. Sharp Papers, NYHS, ibid.

5. Lascelles, op. cit., p. 16, n. 1.

6. Thomas Clarkson, *History of the rise, progress and accomplishment of abolition of the African slave trade by the British Parliament*, 2 vols. (Londres, 1808; publicado nos Estados Unidos, 1836, como *The cabinet of freedom*), pp. 68-79.

7. Ibid., pp. 65-72.

8. Sharp Papers, NYHS, caderno de notas manuscritas sobre o caso de Thomas Lewis.

9. Sobre o caso Somerset, ver Thomas Jones Howell, *A complete collection of state trials*, vol. 20, 1771-2, "The case of James Sommerset, a negro...", vol. 12, George III, 1771-2; e T. K. Hunter, *Publishing freedom, winning arguments: Somerset, natural rights and Massachusetts Freedom cases, 1772-1836*, tese de doutorado (Columbia University, 2003), em esp. capítulos 1 e 5. Ver também Edwards Fiddes, "Lord Mansfield and the Somerset case", *Law Quarterly Review*, 50 (1934), pp. 509-10; Jerome Nadelhaft, "The Somerset case and slavery: myth, reality and repercussions", *Journal of Negro History*, 1966, LI, pp. 193-208; e o importante estudo de James Oldham, "New light on Mansfield and slavery", *Journal of British Studies*, 27, janeiro de 1988, pp. 45-68; idem, *The Mansfield manuscripts and the growth of English law in the Eighteenth century*, 2 vols. (Chapel Hill, Carolina do Norte, 1992).

10. Lascelles, op. cit., p. 30.

11. Hunter, op. cit., capítulo 1, p. 32.

12. Hoare, op. cit., p. 119.

13. Ibid., p. 114.

14. Folarin Shyllon, *Black slaves in Britain* (Londres, 1974).

15. Agradeço a Stella Tillyard pela descrição do interior de Westminster Hall.

16. O que Mansfield disse exatamente nessa súmula tem sido objeto de discussão há muito tempo. A versão que entrou na bibliografia historiográfica dá a Mansfield o mérito de ter argumentado que, para reconhecer os direitos de um senhor de escravos sobre seu escravo, teria de haver uma lei *positiva* estabelecida pelo Parlamento sancionando a questão, visto que não existia nada nos costumes ou nos usos imemoriais que reconhecesse a propriedade de seres humanos. Essa é a versão lançada nos *Reports* de Capel Loft, publicados em 1776. Mas como Jerome Nadelhaft inicialmente assinalou em op. cit., pp. 193-208, outra matéria em *The Gentleman's Magazine*, publicada em data mais próxima do julgamento em 1772 (e confirmada pelo próprio Mansfield em 1785), apresenta uma versão muito mais restrita da declaração, em que o juiz se limitou ao poder de um senhor em obrigar a saída de um escravo do país. A versão apresentada acima provém das notas do próprio amanuense de Sharp tomadas durante o julgamento, nos Sharp Papers, e parece confirmar a visão mais conservadora do julgamento de Mansfield. Essa visão também elimina algo que, do contrário, teria sido uma guinada invulgarmente contraditória dentro do mesmo discurso em seu obstinado endosso inicial de Yorke-Tabot para algo que é o exato oposto.

17. Gretchen Holbrook Gerzina, "Black loyalists in London after the American Revolution", in John W. Pulis (org.), *Moving on: black loyalists in the Afro-Atlantic world* (Nova York e Londres, 1999), p. 130; *Morning Chronicle* e *London Advertiser*, 24 de junho de 1772.

18. Sharp Papers, NYHS; Hoare, op. cit., I, p. 137.

19. Gregory D. Massey, *John Laurens and the American Revolution* (Columbia, Carolina do Sul, 2000), pp. 47, 62-3; ver também Henry Laurens a John Laurens, 20 de janeiro de 1775, in *The papers of Henry Laurens* (orgs. Philip H. Hamer, David R. Chesnutt et al.), 15 vols. (Columbia, Carolina do Sul, 1968-), vol. 10, p. 34.

20. Nadelhaft, op. cit., p. 195.

21. Cit. in James Oldham, op. cit., pp. 65-6; ver também Gretchen Holbrook Gerzina, *Black London: life before emancipation* (New Brunswick, Nova Jersey, 1985), p. 132.

3. [pp. 72-102]

1. Henry Laurens, o presidente do Congresso da Província e do Conselho de Segurança, escreveu a seu filho John em 20 de agosto de 1775 que "estamos tendo a estação mais úmida de julho até hoje de que tenho lembrança — chove todos os dias". *The papers of Henry Laurens* (orgs. Philip H. Hamer, David R. Chesnutt et al.), 15 vols. (Columbia, Carolina do Sul, 1968-; Model Editions Partnership, 1999), p. 326.

2. PRO CO 5/396.

3. Ibid.

4. Ibid.

5. Henry Laurens a John Laurens, 18 e 23 de junho de 1775, Hamer et al., op. cit., vol. 10, pp. 184-5, p. 320, n. 4, p. 323.

6. Ibid., Charles Matthews Coslett a lorde William Campbell, 19 de agosto de 1775.

7. Campbell a Laurens, 17 de agosto de 1775, Hamer et al., op. cit., p. 328.

8. PRO CO 5/36.

9. Sidney Kaplan e Emma Nogrady Kaplan, *The black presence in the era of the American Revolution* (Amherst, Mass., 1989), p. 25.

10. Sylvia R. Frey, "Between slavery and freedom: Virginia blacks in the American Revolution", *Journal of Southern History*, vol. 40, n° 3 (agosto de 1983), p. 376; William T. Hutchinson, William M. Rachal et al. (orgs.), *The papers of James Madison*, 13 vols. (Chicago, 1962-), I, pp. 129-30.

11. Sylvia R. Frey, *Water from the rock: black resistance in a revolutionary age* (Princeton, 1991), p. 56. Grande parte do que vem adiante se deve ao relato apresentado por Frey, assim como à pioneira narrativa fornecida in Benjamin Quarles, *The negro in the American Revolution* (Chapel Hill, Carolina do Norte, 1961).

12. Ibid., p. 55. Ver também *Virginia Gazette*, 4 de maio de 1775.

13. Frey, op. cit., Walter, p. 56.

14. Edward Rutledge a Ralph Izard, 8 de dezembro de 1775, *Correspondence of Mr. Ralph Izard* (Nova York, 1844), vol. I, p. 165; Benjamin Quarles, "Lord Dunmore as liberator", *William and Mary Quarterly History Magazine*, vol. 15 (1958), p. 495, n° 3.

15. Gary Nash, "Thomas Peters: Millwright, soldier and deliverer", in David Sweet e Gary B. Nash (orgs.), *Struggle and survival in colonial America* (Berkeley e Los Angeles, 1981), pp. 72-3.

16. Ibid., p. 59.

17. Ibid., p. 62.

18. Kaplan e Kaplan, op. cit., p. 25.

19. Washington a Richard Henry Lee, 26 de dezembro de 1775, in R. H. Lee, *Memories of the life of Richard Henry Lee* (Filadélfia, 1825) II, p. 9; Quarles, op. cit., *Negro*, p. 20.

20. Graham Russell Hodges (org.), *The black loyalist directory: African Americans in exile after the American Revolution* (Nova York e Londres, 1996), p. 212 (doravante BLD). O nome de Winslow aparece registrado na lista de negros que embarcaram no HMS *L'Abondance* numa das últimas saídas dos legalistas de Nova York, em 30 de novembro de 1783.

21. Frey, op. cit., "Between slavery and freedom", p. 378.

22. "Diary of colonel Landon Carter", *William and Mary Quarterly History Magazine*, vol. 20 (1912), pp. 178-9; Quarles, op. cit., *Negro*, p. 27.

23. Todos os casos mencionados foram extraídos do *Book of Negroes*, impresso em Nova York em 1783. Cópia in NYPL. Ver Hodges, BLD.

24. Allan Kulikoff, *Tobacco and slaves: the development of southern cultures in the Chesapeake 1680-1800* (Chapel Hill, Carolina do Norte e Londres, 1986), pp. 418-9.

25. PRO CO 5/1353/321. Embora escritos no começo de dezembro de 1775, Dunmore não conseguiu encontrar um navio que levasse seus despachos ao secretário de Estado até fevereiro do ano seguinte, época em que sua posição tinha degenerado. Em vez de apresentar um resumo atualizado dos fatos a Dartmouth e lorde George, Dunmore preferiu enviar as cartas tal como estavam, sem dúvida como forma de autojustificativa para constar nos arquivos.

26. PRO CO 5/1353/335; ver também Francis Berkeley, *Dunmore's Proclamation of Emancipation* (Charlottesville, Virgínia, 1941).

27. Quarles, op. cit., "Lord Dunmore", p. 501.

28. *Pennsylvania Gazette*, 17 de julho de 1776.

29. Louis Morton, *Robert Carter of Nomini Hall: a Virginia tobacco planter of the eighteenth century* (Williamsburg, Virgínia, 1945), pp. 55-6; Kulikoff, p. 419.

30. A versão mais detalhada é a de Dunmore, em sua carta de 6 de dezembro a Dartmouth, PRO CO 5/1353/321.

31. William J. Schreeven e Robert L. Scribner (orgs.), *Revolutionary Virginia, the road to independence*, 7 vols. (Charlottesville, Virgínia, 1973-83), vol. V, p. 9.

32. Dunmore a Dartmouth, 18 de fevereiro de 1776; PRO CO 5/1353/321.

33. Gerald W. Mullin, *Flight and rebellion: slave resistance in eighteenth century Virginia* (Nova York, 1972), p. 134.

34. Ibid.

35. Ibid., p. 133.

36. Sobre os Pioneiros Negros, ver Todd W. Braistead, "The Black Pioneers and others: the military role of black loyalists in the American War of Independence", in John W. Pulis (org.), *Moving on: black loyalists in the Afro-Atlantic world* (Nova York e Londres, 1999), pp. 3-38.

37. Ibid., p. 13; Clinton Papers (William L. Clements Library, University of Michigan), vol. 263.

38. Ibid., pp. 11-2; Clinton a Martin, 12 de maio de 1776, *Clinton Papers*, vol. 263.

39. Frey, op. cit., Walter, p. 67.

40. Ibid., pp. 64-5; Peter H. Wood, "'Taking care of business' — Revolutionary South Carolina: Republicanism and slave society", in Jeffrey J. Crow e Larry E. Tise (orgs.), *The southern experience in the American Revolution* (Chapel Hill, Carolina do Norte, 1978), pp. 284-5, apresenta um número muito mais alto (discutido por Frey) de cinquenta negros fugitivos mortos no ataque.

41. Pauline Maier, *American scripture: making the Declaration of Independence* (Nova York, 1997), p. 37.

42. Para a história da epidemia, ver o excelente estudo in Elizabeth Fenn, *Pox Americana: the great smallpox epidemic of 1775-82* (Nova York, 2001), em esp. pp. 57-61.

43. "Particular account of the attack and rout of lord Dunmore", Peter Force (org.), *American Archives*, 6 vols. (Washington, DC, 1837-53), I, p. 151; ver também Fenn, op. cit., p. 60.

44. John Thornton Posey, *General Thomas Posey: son of the American Revolution* (East Lansing, Michigan, 1992), p. 32.

4. [pp. 103-41]

1. Prince Hoare, *The memoirs of Granville Sharp esq. composed from his own manuscripts*, 2 vols. (Londres, 1828), p. 184.

2. Ibid., pp. 185-6; E. C. P. Lascelles, *Granville Sharp and the freedom of slaves in England* (Oxford, 1928), pp. 39-40.

3. Hoare, op. cit., I, pp. 189-90.

4. Hansard, *The Parliamentary history of England* (Londres, 1813), XVIII, 695 e ss.

5. Hoare, op. cit., pp. 211-2.

6. Charles Stuart, *A memoir of Granville Sharp* (Nova York, 1836), p. 21.

7. Sylvia R. Frey, *Water from the rock: black resistance in a Revolutionary Age* (Princeton, 1991), p. 147.

8. Hansard, op. cit., XVIII, p. 733.

9. Ibid., p. 747.

10. Hoare, op. cit., I, pp. 216-7.

11. A descrição mais minuciosa da ação se encontra em Campbell a lorde George Germain, 16 de janeiro de 1779, PRO CO 5/182/31. Benjamin Quarles, *The negro in the American Revolution* (Chapel Hill, Carolina do Norte, 1961) descreve Quamino Dolly como um "escravo idoso", embora a carta de Campbell nada mencione sobre a idade do guia negro.

12. PRO CO 5/182/31.

13. A narrativa de David George nesta e em outras páginas do livro foi extraída diretamente de "An account of the life of Mr. David George, from Sierra Leone in Africa, given by himself in a conversation with brother Rippon in London and brother Pearce of Birmingham", *Annual Baptist Register* (1793), pp. 473-84; é uma das primeiras narrativas de escravos e autobiografias de afro-americanos.

14. Quarles, op. cit., *Negro*, p. 145.

15. Prevost a Clinton, 2 de novembro de 1779, PRO CO 30/55/20, 2042.

16. Todd W. Braistead, "The Black Pioneers and others: the military role of black loyalists in the American War of Independence", in John W. Pulis (org.), *Moving on: black loyalists in the Afro-Atlantic world* (Nova York e Londres, 1999), p. 21; *Royal Georgia Gazette*, 18 de novembro de 1779.

17. Allan Kulikoff, *Tobacco and slaves: the development of southern cultures in the Chesapeake 1680-1800* (Chapel Hill, Carolina do Norte e Londres, 1986), p. 419.

18. Gregory D. Massey, *John Laurens and the American Revolution* (Columbia, Carolina do Sul, 2000), p. 155.

19. Sidney Kaplan e Emma Nogrady Kaplan, *The black presence in the era of the American Revolution* (Amherst, Mass., 1989), pp. 64-5; Quarles, *Negro*, p. 80.

20. Massey, op. cit., p. 93.

21. Henry Laurens a John Laurens, 26 de janeiro de 1778, *The papers of Henry Laurens* (orgs. Philip H. Hamer, David R. Chesnutt et al.), 15 vols. (Columbia, Carolina do Sul, 1968-), 12, pp. 367-8. Em setembro, Henry Laurens avisou ao filho que "com certeza é uma grande tarefa efetivamente persuadir Homens Ricos a abrir mão de boa vontade da própria fonte de suas riquezas e, supõem eles, de sua tranquilidade", ibid., vol. 15, p. 169.

22. Massey, op. cit., p. 131; John Laurens a Henry Laurens, 17 de fevereiro de 1779; Hamer et al., op. cit., vol. 19, p. 60.

23. Quarles, op. cit., *Negro*, p. 63; Massey, op. cit., p. 141.

24. Massey, op. cit., p. 143.

25. Ibid., p. 162.

26. Quarles, op. cit., *Negro*, pp. 108-10.

27. John Marrant, *A narrative of the Lord's wonderful dealing with John Marrant, a black (Now gone to preach the gospel in Nova Scotia)*, (Londres, 1788).

28. Sylvia R. Frey, op. cit., Water, p. 142.

29. Ibid., p. 120.

30. "Memorandum for the commandant of Charlestown and lieutenant general earl Cornwallis", 3 de junho de 1780, PRO 30/55/23, 2800.

31. "Memoirs of the life of Boston King, a black preacher, written by himself during his residence at Kingswood School", *Methodist Magazine*, vol. XXI (1798), p. 106; ver também Phyllis R. Blakeley, "Boston king: a negro loyalist who sought refuge in Nova Scotia", *Dalhousie Review*, vol. 48, 3 (agosto de 1968), pp. 347-56.

32. Boston King, "Memoirs...", op. cit., p. 107.

33. 11 de dezembro de 1779; PANS RG1, vol. 170, pp. 332-3.

34. George, op. cit., p. 477.

35. Sobre este e os próximos episódios, ver King, op. cit., pp. 107-11.

36. Ibid.

37. Graham Russell Hodges, "Black revolt in New York City and the Neutral Zone 1775--1783", in Paul A. Gilje e William Pencak (orgs.), *New York in the age of the Constitution 1775--1800* (Cranbury, Nova Jersey, 1992), p. 43, n. 26; ver também Leslie M. Harris, *In the shadow of slavery: African-Americans in New York City 1626-1963* (Chicago e Londres, 2003), pp. 54-5.

38. Graham Russell Hodges (org.), *The black loyalist directory: African Americans in exile after the American Revolution* (Nova York e Londres, 1996), p. 16 (doravante BLD).

39. Ibid., pp. 34-5.

40. Graham Russell Hodges, *Root and branch: African Americans in New York and East Jersey, 1613-1863* (Chapel Hill, Carolina do Norte, 1999), p. 143.

41. Hodges, op. cit., BLD, p. 16.

42. Ibid.

43. Ibid.

44. O "coronel" anteposto ao nome de Tye era mais um título honorífico que lhe foi conferido pelo Exército britânico do que uma patente formal; mas não havia dúvida de que suas ações e sua impiedade despertavam grande admiração entre os oficiais regulares.

45. Sobre os feitos de Tye, ver Hodges, op. cit., "Black revolt", pp. 36-8.

46. Todas essas histórias estão no Livro de Negros, in Hodges, op. cit., BLD.

47. Frey, op. cit., Water, p. 165.

48. Ibid., p. 169; a descrição se baseia no diário de um oficial hessiano que encontrou tal situação nas fases finais da guerra: Johann Ewald (trad. e org. Joseph P. Tustin), *Diary of the American War* (New Haven, Conn., 1979), p. 305.

49. Um moraviano, escrevendo notas para um diário em Bethania, Carolina do Norte, registrou em fevereiro de 1781 que o exército de Cornwallis deixou dois carregamentos de carne para trás enquanto saía em perseguição de Nathanael Greene. Ver Elizabeth Fenn, *Pox Americana: the great smallpox epidemic of 1775-82* (Nova York, 2001), p. 124.

50. Fenn, op. cit., p. 132.

51. Frey, op. cit., Water, pp. 147-8.

52. O testemunho às vezes citado, de que os escravos das fazendas patriotas faziam parte dos despojos e do comércio do Exército britânico, foi muito explorado pela propaganda patriota (como tinha sido desde a proclamação de Dunmore), mas é tremendamente circunstancial e não de todo fidedigno. O "mercado" mencionado pelo general Alexander Leslie numa carta a Cornwallis, dizendo que a epidemia de varíola em Portsmouth arruinaria "nosso mercado", não deve ser entendido como comércio de seres humanos. Se tivesse existido um tráfico negreiro clandestino no Exército, em expressa violação das ordens de Clinton na Proclamação de Philipsburg, seria muito pouco provável que um general aludisse ao assunto em cartas formais a outro general.

53. Governador John Rutledge ao general Francis Marion, 2 de setembro de 1781, in Robert Wilson Gibbes, *Documentary history of the American Revolution* (Nova York, 1855-77), vol. 3, p. 131.

54. PRO 30/11/110.

55. Frey, op. cit., Water, p. 167; Fenn, cit., p. 129.

56. Esse documento extraordinário, assombroso, foi descoberto por Todd Braisted nos Clinton Papers, vol. 170:27, e está reproduzido em seu inestimável ensaio "The Black Pioneers", op. cit., p. 17.

57. Fenn, op. cit., p. 130.

58. Daniel Stevens a John Wendell, 20 de fevereiro de 1782, in *Proceedings of the Massachusetts Historical Society*, vol. XLVIII, out. 1914-jun. 1915, pp. 342-3.

59. Cruden a Dunmore, 5 de janeiro de 1782, PRO CO 5/175/267.

60. Dunmore a Clinton, 2 de fevereiro de 1782, PRO CO 5/175/264.

61. *Proceedings of the Massachusetts Historical Society*, vol. XLVIII, março de 1915, p. 342.

62. Leslie a Clinton, 30 de março de 1782, PRO 30/55/9957; para o resumo de "Pay for the Black Dragoons", PRO, Treasury Office, Class 50/2/372; para Wadboo, ver Frey, op. cit., pp. 138-9.

63. Moncrief a Clinton, 13 de março de 1782, PRO 30/55/90/9955.

64. Para detalhes do ataque a Bear Creek, ver Charles C. Jones, *The life and services of the honourable general Samuel Elbert of Georgia* (Cambridge, Mass., 1887), p. 47; Kaplan e Kaplan, op. cit., p. 85.

5. [pp. 142-71]

1. Em seu diário, uma das fontes primárias para a reunião em Tappan, o chefe de justiça William Smith descreve o *Greyhound* como um "iate", mas em outras passagens de suas memórias, como Isabelle K. Savelle aponta in *Wine and bitters: an account of the meetings in 1783 at Tappan NY and aboard HMS* Perseverance (Rockland City Historical Society, 1975), p. 20, a embarcação é identificada como uma fragata. Os dois barcos levaram trinta horas, um tempo incomum (para não dizer extraordinário), para ir do sul de Nova York até Dobb's Ferry, uma distância que mal chegava a 33 quilômetros, de forma que, como bem conclui Savelle, eles devem ter necessariamente lutado contra aquelas marés e ventos contrários que costumam fustigar a primavera no vale do Hudson.

2. Sobre Carleton, ver Paul David Nelson, *General Sir Guy Carleton, Lord Dorchester, soldier-statesman of early Canada* (Cranbury, Nova Jersy, 2000); Paul R. Reynolds, *Guy Carleton: a biography* (Nova York, 1980); Paul H. Smith, "Sir Guy Carleton, peace negotiations and the evacuation of New York", *Canadian Historical Review*, 1969, pp. 245-64.

3. Smith, op. cit., pp. 251 ss.

4. Marion Robertson, *King's bounty: a history of early Shelburne*, Nova Escócia (Halifax, 1983), p. 69.

5. Ellen Gibson Wilson, *The loyal blacks* (Nova York, 1976), p. 42.

6. Sylvia R. Frey, *Water from the rock: Black resistance in a revolutionary Age* (Princeton, 1991), p. 176.

7. Ibid; também George Smith McCowen Jr, *The British occupation of Charleston 1780-82* (Columbia, Carolina do Sul, 1972), pp. 106-7.

8. Cruden a Nibbs, 16 de março de 1783, PRO CO 5/109/379.

9. Ver também PRO CO 5/109/375 e 377.

10. Frey, op. cit., *Water*, p. 178. Como Frey deixa claro, Cruden também estava ansioso em ajudar como pudesse os legalistas sulinos a recuperar seus escravos fugidos.

11. Gregory D. Massey, *John Laurens and the American Revolution* (Columbia, Carolina do Sul, 2000), p. 228.

12. Laurens, "Journal and narrative of capture and confinement in the Tower of London", in *Papers of Henry Laurens*, 15, pp. 30 ss. O original se encontra na Divisão de Livros Raros e Manuscritos da NYPL.

13. Em seu vigoroso *The negro president: Jefferson and the slave power* (Nova York, 2003) Gary Wills argumenta que todo o aparato constitucional inicial foi planejado tendo em vista a manutenção do predomínio do Sul e seu indispensável sistema social e econômico.

14. Carleton estava visivelmente tão nervoso quanto às consequências do veredicto que esperou algumas semanas antes de informar Washington, e depois mais cinco semanas antes de transmitir um relatório completo sobre os procedimentos da corte marcial. Ver Smith, op. cit., p. 200.

15. Ao que parece, na coleção da NYHS existe uma gravura de Jordan e Halpin, feita a partir de uma pintura do século XIX tida como descrição fiel da aparência da De Wint House em 1783. Savelle, op. cit., p. 13.

16. Graham Russell Hodges (org.), *The black loyalist directory, African Americans in exile*

after the American Revolution (Nova York e Londres, 1996), introdução, p. xl, n. 1; para a partida de 20 de outubro de 1782, ver PRO CO 30/55/5938.

17. W. H. W. Sabine (org.), *The historical memoirs of William Smith* (Nova York, 1971), p. 586.

18. Ibid., p. 587.

19. Sir Guy Carleton ao general Washington, 12 de maio de 1783, PRO CO 5/109/313.

20. Wilson, op. cit., p. 52; Washington a Harrison, 6 de maio de 1783, *The writings of George Washington from the original manuscripts sources, 1745-1799* (org. John C. Fitzpatrick), 39 vols. (Washington, DC, 1931-44), col. 26.

21. Wilson, op. cit., p. 51.

22. Hodges, op. cit., BLD, introdução, p. xvii.

23. "Memoirs of the life of Boston King, a black preacher, written by himself during his residence at Kingswood School", *Methodist Magazine*, vol. XXI (1798), p. 157; Phyllis R. Blakeley, "Boston King: a negro loyalist who sought refuge in Nova Scotia", *Dalhousie Review*, vol. 48, 3 (agosto de 1968), p. 350.

24. De fato há dois Cato Ramsey registrados no Livro dos Negros, o outro sendo um ex--escravo de Maryland, com cinquenta anos de idade, que pertencia a um certo Benjamin Ramsey do condado de Cecil. Este Cato serviu como ordenança no Departamento do Hospital Geral do Exército desde 1778 e agora tinha uma esposa, Sukey, e um filho de cinco anos de idade, também chamado Cato. Mas era o Cato Ramsey de Virgínia que tinha a marca "GBC" (General Birch Certificate). Hodges, op. cit., BLD, pp. 39, 204.

25. "Precis relative to negroes in No. America", PRO CO 5/8/112-114.

26. Hodges, op. cit., BLD, introdução, p. xviii.

27. Estas e todas as outras microbiografias apresentadas adiante foram extraídas diretamente do Livro dos Negros no BLD (ver Hodges, op. cit.). As listas para o *L'Abondance*, com destino ao Port Roseway, Nova Escócia, em 31 de julho de 1783, estão às pp. 81-8 e 103-17. O *L'Abondance*, que também fez uma das viagens posteriores no outono, foi o navio que levou a maior quantidade de negros de Nova York até a Nova Escócia. Ver também Esther Clark Wright, "The evacuation of loyalists from New York in 1783", *Nova Scotia Historical Review* 5 (1984), p. 25.

6. [pp. 172-216]

1. Detalhes extraídos de relatos da época, em particular o de Alexander Falconbridge, que serviu como cirurgião naval em quatro viagens de escravos entre 1783 e 1787; *An account of the slave trade on the coast of Africa* (Londres, 1788).

2. Assim consta na transcrição manuscrita da audiência de solicitação de novo julgamento, conservada no arquivo do National Maritime Museum, Greenwich (doravante NMM/*Zong*).

3. Falconbridge, op. cit., p. 25, deixa claro que tal era a condição normal dos porões de escravos, o chão "tão coberto de sangue e catarro que parecia um matadouro. Ultrapassa a capacidade da imaginação humana conceber uma situação mais pavorosa ou mais repugnante".

4. NMM/*Zong*.

5. Segundo Davenport, um dos advogados pela seguradora, in NMM/*Zong*.

6. Ibid. A expressão provém diretamente do depoimento (agora perdido) de Kensal ao tribunal e citada pelos advogados da companhia de seguros.

7. Os "canhões giratórios" eram canhões montados numa plataforma que permitia uma rotação de 180 graus, usados nos navios negreiros para policiar os escravos quando eram levados ao convés. Ver Jay Coughtry, *The notorious triangle: Rhode Island and the African slave trade 1700-1807* (Filadélfia, 1981), p. 73. O *Sandown*, do qual restou um diário de bordo de uma viagem em 1793-4, tinha justamente esses canhões giratórios. Ver Bruce L. Mousser, *A slaving voyage to Africa and Jamaica: the log of the Sandown 1793-4* (Bloomington, Indiana, 2002), p. 7, n. 31.

8. NMM/*Zong*.

9. *The life of Olaudah Equiano, or Gustavus Vassa, the African* (Londres, 1789); reed. em fac-símile (Londres, 1969).

10. Charles Stuart, *A memoir of Granville Sharp* (Nova York, 1836), p. 30.

11. Prince Hoare, *The memoirs of Granville Sharp esq. composed from his own manuscripts*, 2 vols. (Londres, 1828), I, apêndice, p. xxxiii.

12. Para detalhes sobre a carreira de Ramsay, ver Folarin Shyllon, *James Ramsay: the unknown abolitionist* (Edimburgo, 1977).

13. Ibid., p. 33.

14. Sobre os primeiros abolicionistas quakers, ver Judith Jennings, *The business of abolishing slavery 1783-1807* (Londres, 1997), em esp. pp. 22-32.

15. Ibid., p. 27. Para a união de forças da campanha contra o tráfico escravo na esteira do caso *Zong*, ver Robin Blackburn, *The overthrow of colonial slavery 1776-1988* (Londres, 1988), pp. 136 ss.

16. Ellen Gibson Wilson, *Thomas Clarkson: a biography* (York, 1980), pp. 25 ss.

17. Thomas Clarkson, *History of the rise, progress and accomplishment of abolition of the African slave trade by the British Parliament*, 2 vols. (Londres, 1808; publicado nos Estados Unidos, 1836, como *The cabinet of freedom*), I, p. 203.

18. J. R. Oldfield, *Popular politics and British anti-slavery: the mobilization of public opinion against the slave trade 1787-1807* (Manchester e Nova York, 1995), p. 71.

19. Thomas Clarkson, *An essay on the commerce and slavery of the human species particularly the African...* (Filadélfia, 1786), p. 90.

20. Norma Myers, *Reconstructing the black past: blacks in Britain, 1780-1830*, p. 72.

21. PRO AO 12/19.

22. Ellen Gibson Wilson, *The loyal blacks* (Nova York, 1976), p. 138.

23. PRO AO 13/29.

24. PRO AO 12/102; PRO AO 13/119; Gretchen Holbrook Gerzina, "Black loyalists in London after American Revolution", in John W. Pulis (org.), *Moving on: black loyalists in the Afro-Atlantic world* (Nova York e Londres, 1999), p. 92.

25. Mary Beth Norton, "The fate of some Black Loyalists of the American Revolution", *Journal of Negro History*, LXVIII, 4, outubro de 1973, p. 404. Para um tratamento comparativo dos legalistas brancos, ver da mesma autora *The British Americans: the loyalists exiles in England 1774-1789* (Boston, 1972).

26. PRO AO 12/99.

27. Ibid.

28. PRO AO 12/19.

29. AO 12/99; PRO AO 13/27; Norton, op. cit., p. 406; Wilson, op. cit., *Loyal blacks*, p. 139.

30. Steven J. Brainwood, *Black poor and white philantropists: London's black and the foundation of the Sierra Leone settlement 1786-1791* (Liverpool, 1994), p. 25.

31. James S. Taylor, *Jonas Hanway, founder of the Marine Society: charity and policy in eighteenth century Britain* (Berkeley, Califórnia, 1985).

32. É possível, como sugere Steven Braidwood, que donos de escravos participassem do trabalho do comitê, exatamente para demonstrar que não eram tão despidos de sentimentos humanos como diziam os abolicionistas. Mas Angerstein, amigo pessoal de Hanway, fazia parte de uma rede filantrópica ativa que se dispunha a mobilizar sentimentos e verbas para praticamente qualquer causa digna.

33. Braidwood, op. cit., p. 67.

34. Ibid., p. 68.

35. Henry Smeathman, *Some account of the Termites which are found in Africa and other hot climates* (Londres 1781), p. 33; idem, *Plan of a settlement to be made near Sierra Leone on the Grain Coast of Africa* (Londres, 1786).

36. Em esp. Folarin Shyllon, *Black people in Britain 1555-1833* (Londres e Nova York, 1977), p. 128, que escreve que "Agora era apenas uma questão de tempo até que o Governo e o Sistema liberal e reacionário se unissem num entusiasmo patriótico para preservar a pureza do sangue inglês expulsando da Inglaterra as 'raças inferiores sem a lei'". Mary Beth Norton (op. cit.) adota uma visão parecida, embora exposta de maneira não tão inflexível. Para uma avaliação mais equilibrada dos indícios e documentos, ver Braidwood, op. cit., pp. 72-107.

37. Cópia da carta de Hopkins a Sharp, Rufus King Papers, NYHS.

38. Hoare, op. cit., 111, pp. 3-17.

39. Ibid., 1, p. 370; ver também a versão manuscrita no livro de citações de Sharp, GRO, Hardwicke Court Muniments, MSS, H: 36.

40. Braidwood, op. cit., pp. 88-9.

41. Wilson, op. cit., *Loyal blacks*, p. 144.

42. Ibid., p. 98.

43. *The interesting narrative of the life of Olaudah Equiano or Gustavus Vassa: the African written by himself* (Leeds, 1874), in Henry Gates (org.), *The classic slave narratives* (Nova York, 1987).

44. PRO T1/643-487. Ver o útil comentário de Christopher Fyfe (org.), Anna Maria Falconbridge, *Narrative of two voyages to the river Sierra Leone during the years 1791-1792-1793* (Liverpool, 2000), p. 40, n. 38.

45. O exame mais completo do material concernente às mulheres brancas é o de Braidwood, op. cit., pp. 281-6.

46. Wilson, op. cit., *Loyal blacks*, p. 149.

47. Ibid., p. 151.

7. [pp. 217-36]

1. Anna Maria Falconbridge (org. Christopher Fyfe), *Narrative of two voyages to the river Sierra Leone during the years 1791-1792-1793* (Liverpool, 2000), p. 24, registra que o Naimbana chamava constantemente os europeus de "tratantes", mas ao mesmo tempo sorrindo e acrescentando que considerava os ingleses "os mais honestos" entre eles.

2. Uma *View of the "Province of Freedom"*, pintada em 1791, mostra a bandeira ainda flutuando em seu mastro no monte de São Jorge, bem acima das palhoças dos colonos (que na verdade tinham sido queimadas pelo rei Jimmy no ano anterior). Thompson também desenhou um bom mapa da área em torno do assentamento, na foz do rio Serra Leoa. Ver Ellen Gibson Wilson, *The loyal blacks* (Nova York, 1976), entre as pp. 226 e 227.

3. Granville Sharp a James Sharp, 31 de outubro de 1787, Sharp Papers, NYHS; ver também Prince Hoare, *The memories of Granville Sharp esq. composed from his own manuscripts*, 2 vols. (Londres, 1828), II, p. 83.

4. John Matthews, *A voyage to the river Sierra-Leone* (Londres, 1788), reed. in *The British transatlantic slave trade* (org. Robin Law), 4 vols. (Londres, 2003), 1, p. 79. O texto de Matthews se baseava numa experiência de três anos em Serra Leoa, entre 1785 e 1787. Ele era firme defensor do tráfico negreiro, mas sua apresentação da topografia, da história natural, da economia social e dos costumes da região (desde descrições da circuncisão do clitóris até a importantíssima assembleia) ainda é muito rica e com pormenores inestimáveis, e minha apresentação se baseia extensamente na dele.

5. A descrição do modo de se vestir de Naimbana está em Falconbridge, op. cit., pp. 24-5.

6. Steven J. Braidwood, *Black poor and white philanthropists: London's blacks and the foundation of the Sierra Leone settlement 1786-1791* (Liverpool, 1944), p. 183.

7. Sobre a fauna e os nomes temnés, bulones e mendes locais, ver Matthews, op. cit., pp. 82-93.

8. Hoare, op. cit., II, p. 108.

9. Ibid., pp. 132-3.

10. J. R. Oldfield, *Popular politics and British anti-slavery: the mobilization of public opinion against the slave trade 1798-1807* (Manchester, 1995), pp. 155 ss.; sobre o envolvimento ativo das mulheres na campanha, ver Linda Colley, *Britons: forging the nation 1707-1837* (New Haven, Conn. 1992), pp. 254, 260.

11. Judith Jennings, *The business of abolishing slavery 1783-1807* (Londres, 1977), p. 54. Sobre a importância da imprensa, ver Oldfield, op. cit., pp. 164-5.

12. Sobre essa questão controvertida ver, mais recentemente, Gary Wills, *The negro president: Jefferson and the slave power* (Nova York, 2003), em esp. pp. 1-15.

13. Ver suas longas cartas a Franklin e Rufus King (Rufus King Papers, NYHS), com vistas a serem reproduzidas e terem maior circulação.

14. Hoare, op. cit., II, p. 83.

15. Ibid., pp. 95-6.

16. Weaver a Sharp, 23 de abril de 1788, in Hoare, op. cit., II, p. 96.

17. Ibid., p. 98.

18. Ibid., p. 99.

19. Ibid., apêndice xi, pp. xxviii-xxix; Braidwood, op. cit., pp. 195, 192-291.
20. Hoare, op. cit., II, p. 112.
21. Ibid., pp. 114-5.
22. Braidwood, op. cit., pp. 196-7.
23. PRO, ADM1/2488, relato de Savage, 27 de março de 1790.
24. Hoare, cit., II, p. 98.
25. Sobre Falconbridge e a narrativa de sua estada em Serra Leoa em 1791, ver Falconbridge, op. cit.; Alexander Falconbridge, *An account of the slave trade on the coast of Africa* está incluído no mesmo volume.

8. [pp. 237-72]

1. A segunda petição de Peters está in PRO FO 4/1 f 419; ver também Ellen Gibson Wilson, *The loyal blacks* (Nova York, 1976), pp. 180-1.
2. Lista de passageiros in Graham Russell Hodges (org.), *The black loyalist directory, African Americans in exile after the American Revolution* (Nova York e Londres, 1996), pp. 177-80.
3. James W. St. G. Walker, "Myth, history and revisionism: the black loyalists revisited", *Acadiensis*, vol. XXIX, 1 (outono de 1999), p. 89. Walker argumenta veementemente contra a afirmação de Barry Cahill, "The black loyalist myth in Atlantic Canada", *Acadiensis*, vol. XXIX (outono de 1999), pp. 76-87, de que homens como Peters tinham a dupla consciência de ser legalistas e de ter direito à liberdade.
4. Foi assim, por exemplo, que Boston King sobreviveu nos piores anos: ver "Memoirs of the life of Boston King, a black preacher, written by himself during his residence at Kingswood School", *Methodist Magazine*, vol. XXI (1798), pp. 209-12.
5. Walker, op. cit.
6. Wilson, op. cit., p. 72.
7. Ibid., p. 21.
8. PANS.
9. Millidge a Parr, PANS MG, 15, vol. 19.
10. Ibid.
11. Sobre Wallace, ver Caroline Troxler, "The migration of Carolina and Georgia loyalists to Nova Scotia and New Brunswick", tese de doutorado (UMI ed., Michigan, 1974), p. 134.
12. Parr a Carleton, 5 de outubro de 1758, PRO FO 3/Provisions... for loyalists; Mary Louise Clifford, *From slavery to freedom: black loyalists after the American Revolution* (Jefferson, Carolina do Norte), pp. 43-4.
13. Wilson, op. cit., *Loyal blacks*, p. 82.
14. Ver Marion Robertson, *King's bounty: a history of early Shelburne, Nova Scotia* (Halifax, Nova Escócia, 1983), pp. 64-6.
15. Dos 4700 habitantes de Shelburne em janeiro de 1784, 1191 eram soldados brancos, 1488, negros livres, e 1269 eram os eufemisticamente chamados "empregados" negros. Robin W. Winks, *The blacks in Canada: a history* (Montreal, Quebec e New Haven, Conn., 1971), p. 38.
16. Robertson, op. cit., pp. 182-5.
17. Ver Benjamim Marston, *Journal*, 26 de maio de 1783.

18. Ibid., 4 de junho de 1783.

19. Condado de Shelburne, Court of General Sessions, 1784-6.

20. Diário do capitão William Booth, Shelburne Historical Society, Shelburne, Nova Scotia, transcrição, p. 52.

21. Isso segundo Millidge; ver PANS MG, 15, vol. 19.

22. A casa de Blucke nunca avançou além de uma fase muito rudimentar, segundo uma testemunha posterior que a viu algum tempo antes da morte de Blucke em 1795.

23. Sarah Acker e Lewis Jackson, *Historic Shelburne, 1870-1950* (Halifax, Nova Escócia, 2001), pp. vi-vii.

24. Marston, op. cit., 28 de agosto de 1783.

25. Ibid., 4 de agosto de 1784.

26. D. C. Harvey (org.), *The diary of Simeon Perkins, 1780-1789* (Toronto, 1958), p. 238; Winks, op. cit., p. 38.

27. "An account of the life of Mr. David George, from Sierra Leone in Africa, given by himself in a conversation with brother Rippon in London and brother Pearce of Birmingham", *Annual Baptist Register* (1793), pp. 478 ss., para o texto aqui reproduzido literalmente.

28. Ibid., p. 478.

29. Ibid.

30. Ibid., p. 479.

31. Ibid., pp. 480-2.

32. Walker, op. cit., p. 77.

33. Recentes escavações em Birchtown, cujos resultados podem ser vistos no excelente website da Black Loyalist Heritage Society, parte das Canadian Digital Collections, ou *in situ* na própria Birchtown, mostram muito bem a extrema precariedade dos abrigos. Ver também Laird Niven e Stephen A. Davis, "Birchtown: the history and material culture of an expatriate African American community", in John W. Pulis (org.), *Moving on: black loyalists in the Afro-Atlantic world* (Nova York e Londres, 1999), pp. 60-83. Boston King conta em suas "Memoirs" que entrava na mata durante o inverno "quando a neve no solo tinha de noventa centímetros a 1,20 metro de altura".

34. Wilson, op. cit., p. 104.

35. Caroline Watterson Troxler, "Hidden from history: black loyalists at Country Harbour, Nova Scotia", in John W. Pulis (org.), op. cit., p. 43. Sobre os legalistas do condado de Guysborough, ver G. A. Rawlik, "The Guysborough negroes: a study in isolation", *Dalhousie Review*, primavera de 1968, pp. 24-36.

36. Condado de Shelburne, Court of General Sessions, agosto de 1786; ver também Troxler, op. cit., "Hidden from history", pp. 46-8.

37. Condado de Shelburne, Court of General Sessions, 5 de agosto de 1786; Walker, op. cit., p. 51.

38. Condado de Shelburne, Court of General Sessions, 5 de agosto de 1786.

39. Ibid., julho de 1791.

40. Wilson, op. cit., p. 96.

41. Ibid., p. 94.

42. Alguns desses artefatos, junto com uma reconstrução imaginária dos abrigos dos co-

lonos, estão expostos no modesto Museu de Birchtown, dirigido pela Black Loyalist Heritage Association. Ver Niven e Davies, op. cit.

43. Uma petição de Stephen Blucke aos magistrados de Shelburne em 6 de julho de 1791 solicita melhorias na estrada Birchtown—Shelburne para facilitar o percurso até o mercado, sobretudo no inverno, quando tinham de carregar os produtos nas costas ou em trenós. Condado de Shelburne, Court of General Sessions, PANS.

44. Wilson, op. cit., pp. 95-6.

45. Boston King, op. cit., pp. 208-12.

46. Winks, op. cit., p. 44.

47. Ver, por exemplo, a petição de 18 de abril de 1790 para a isenção do Imposto dos Pobres, PANB, Land Petitions, 1790, RS 108, F1037.

48. Ibid.

49. Este é o relato de Thomas Clarkson de como Peters ouviu falar pela primeira vez do projeto de Serra Leoa, mas como bem aponta Wilson, op. cit., p. 178, sabe-se que Peters teve longas conversas com os dois irmãos Clarkson, e como a história foi publicada logo depois pelo impecável Thomas Clarkson em *The American Museum* ou *Universal Magazine*, 11 (1792), é certo que era verdade ou, pelo menos, foi extraída diretamente do próprio Peters.

9. [pp. 275-329]

1. Isso segundo Thomas Clarkson, que assistia na galeria, conforme relatou a Katherine Plymley, de Longnor House, Staffordshire, irmã de um ardoroso abolicionista. O diário dela, preservado no Shropshire Record Office, é uma fonte extremamente viva sobre o avanço e a resistência da campanha desde 1791. Ver o registro em 20-21 de outubro (Livro Um).

2. Judith Jennings, *The business of abolishing slavery 1783-1807* (Londres, 1997), p. 65.

3. Ibid., p. 55.

4. Plymley, op. cit., 24 de outubro de 1791.

5. Florian Shyllon, *James Ramsay: the unknown abolitionist* (Edimburgo, 1977), p. 111.

6. Ibid.

7. Sobre o local da demolição como lugar de festas e comemorações, ver Simon Schama, *Citizens: a chronicle of the French Revolution* (Londres, 2004), pp. 347-8.

8. Thomas Clarkson, *History of the rise, progress and accomplishment of abolition of the African slave trade by the British Parliament*, 2 vols. (Londres, 1808; publicado nos Estados Unidos, 1836, como *The cabinet of freedom*); Ellen Gibson Wilson, *Thomas Clarkson: a biography* (York, 1989), p. 56.

9. Clarkson, op. cit., II, p. 252 (na edição americana de 1836).

10. Ibid., p. 251.

11. Ibid., p. 58.

12. Linda Colley, *Britons: forging the nation 1707-1837* (New Haven, Conn., 1992), p. 278.

13. Anna Maria Falconbridge (org. Christopher Fyfe), *Narrative of two voyages to the river Sierra Leone during the years 1791-1792-1793* (Liverpool, 2000), pp. 24-40.

14. Ibid., pp. 24-40.

15. Foi o que ele fez, por exemplo, para os Plymleys, em Longnor, onde Katherine declarou que o café "cheirava muito bem".

16. PRO CO 217/63; Ellen Gibson Wilson, *The loyal blacks* (Nova York, 1976), p. 186.

17. Ellen Gibson Wilson, *John Clarkson and the African adventure* (Londres, 1980), pp. 15-42, traz uma rica crônica dos combates navais que John Clarkson teria presenciado e de que teria participado.

18. Ibid., p. 30. Esta ação ocorreu quando John Clarkson servia no *Proserpine*, em Monserrat, em novembro de 1779.

19. Ibid., p. 53; Plymley, op. cit., SRO 567.

20. Wilson, op. cit., *Loyal blacks*, pp. 186-7.

21. A instrução de Thomas Clarkson para seu irmão resultou num dos maiores documentos confessionais da segunda metade do século XVIII, o diário em três volumes de John sobre sua "Missão na América" (JCAM) e sua "Missão na África" (JCAF). Existe uma cópia integral em mãos de seus descendentes, a família Maynard, e foi usada por Ellen Gibson Wilson em sua excelente obra histórica (op. cit., *Loyal blacks*). Mais tarde, suas irmãs fizeram para si duas outras cópias manuscritas dos dois primeiros volumes; uma dessas cópias, em bela caligrafia, está preservada em NYHS e é minha principal fonte para os próximos capítulos. Uma cópia adicional se encontra na biblioteca da Universidade de Illinois, em Chicago Circle. Uma parte substancial do vol. 3 foi publicada em *Sierra Leone Studies*, vol. 8 (1927).

22. Thomas Clarkson a John Clarkson, 28 de agosto de 1791, Clarkson Papers, BL Add. MS 1262A, vol. 1, 41262-41267.

23. Wilson, op. cit., *Loyal blacks*, p. 198; Wilberforce a Clarkson, 8 de agosto de 1791, Clarkson Papers, BL Add. Mss 41, 262A.

24. John Clarkson, "Mission to America" (doravante JCAM), MS, NYHS, 6 de outubro de 1791.

25. Uma cópia desta instrução está incluída in JCAM.

26. Ibid., pp. 47-8.

27. Ibid., pp. 51 ss.

28. Ibid.

29. Ibid.

30. James W. St. G. Walker, *The black loyalists: the search for a promised land in Nova Scotia and Sierra Leone 1783-1870* (Halifax, Nova Escócia, 1976), p. 84.

31. "Memoirs of the life of Boston King, a black preacher, written by himself during his residence at Kingswood School", *Methodist Magazine*, vol. XXI (1798), p. 213.

32. JCAM, p. 41.

33. Ibid., p. 57.

34. Ibid., p. 65.

35. Ibid., pp. 65-82.

36. Ibid., p. 82.

37. Wilson, op. cit., *Loyal blacks*, p. 217.

38. Ibid., pp. 95-6.

39. Ibid., pp. 86-7.

40. Ibid., p. 93.

41. Ibid., p. 204.
42. JCAM, p. 113.
43. Ibid., p. 186.
44. Ibid., pp. 136-7; o romantismo de Clarkson se vê confirmado por ter dedicado tempo a endossar em seu diário a velha ideia batida de que as "cenas irregulares da Natureza" que ele via da estrada de Windsor eram incomparavelmente superiores às "elaboradas e metódicas belezas da Arte".
45. Ibid., p. 198.
46. Ibid., p. 131.
47. Wilson, op. cit., p. 217.
48. Wilson, op. cit., pp. 191-2.
49. Falconbridge, op. cit., pp. 54 ss.
50. Falconbridge, op. cit., 53-68, 69.
51. Sharp Papers, NYHS.
52. Falconbridge, op. cit., p. 69.
53. Prince Hoare, *The memoirs of Granville Sharp esq. composed from his own manuscripts*, 2 vols. (Londres, 1828), II, p. 167.
54. Clarkson a Wilberforce, 27 de novembro de 1791, Clarkson Papers, BL Add. Mss.
55. JCAM, pp. 188-9.
56. Ibid., p. 247.
57. Ibid.
58. Ibid., p. 262.
59. Ibid., p. 250.
60. Ibid., p. 290.
61. Ibid., p. 341.
62. Ibid., p. 387 ss.
63. Ibid.
64. Ibid., p. 203.
65. Wilson, op. cit., *Loyal blacks*, p. 224.
66. Wilson, op. cit., *Loyal blacks*, p. 226.
67. Wilson, op. cit., *Loyal blacks*, p. 228.

10. [pp. 330-8]

1. Os detalhes sobre as condições físicas da viagem e a condição pessoal de Clarkson foram extraídos da continuação de seu diário "Missão na América" (JCAM), o qual, depois que ele caiu gravemente enfermo, passou a ser um diário de bordo mais sucinto, mas com eloquentes informes sobre as condições marítimas e meteorológicas. Depois de se recuperar um pouco, o próprio Clarkson teve de reconstituir o que lhe ocorrera a partir do relato de terceiros a bordo do *Lucretia*, entre eles seu médico Samuel Wickham, Charles Taylor e, até a data de sua morte, o mestre do *Lucretia*, o capitão Jonathan Coffin.

2. "Memoirs of the life of Boston King, a black preacher, written by himself during his residence at Kingswood School", *Methodist Magazine*, vol. XXI (1798), pp. 262-3.

3. Ellen Gibson Wilson, *John Clarkson and the African adventure* (Londres, 1980), p. 76.

4. JCAM, p. 417. O relato do que aconteceu em 29 de janeiro foi reconstituído por Clarkson a partir do que lhe contou Coffin antes de morrer.

5. Ibid., p. 422.

6. Ibid.

7. Ibid., p. 430.

8. Ibid., p. 433.

9. Ibid., p. 436.

10. "An account of the life of Mr. David George, from Sierra Leone in Africa, given by himself in a conversation with brother Rippon in London and brother Pearce of Birmingham", *Annual Baptist Register* (1793), pp. 483-4.

11. [pp. 339-81]

1. A identificação do hino e sua descrição estão em J. B., *Lady Huntingdon's connection in Sierra Leone: a narrative of its history and present State* (Londres, 1851), pp. 14-15; o relato de Elliott veio de seu pai Anthony Elliott, que tinha quinze anos em março de 1792. Ver também Christopher Fyfe, *Sierra Leone inheritance* (Oxford, 1964); Ellen Gibson Wilson, *The loyal blacks* (Nova York, 1976), p. 233.

2. Mary Louise Clifford, *From slavery to freedom: black loyalists after the American Revolution* (Jefferson, Carolina do Norte), p. 25.

3. John Clarkson, *Journal*, vol. I, "Mission to America" (JCAM), 24 de março de 1792; Frank Peters retornou à aldeia ancestral com a mãe e a esposa Nancy, mas, depois de ser acusado de feitiçaria, voltou a morar em Freetown.

4. Ibid., p. 452.

5. Ibid., p. 446.

6. Ibid., p. 447.

7. Ellen Gibson Wilson, *John Clarkson and the African adventure* (Londres, 1980), pp. 79-80.

8. Ibid., p. 80.

9. JCAM, p. 455.

10. Ibid., p. 458.

11. Ibid., p. 461.

12. Ibid., p. 477.

13. Ibid., p. 165.

14. "Memoirs of the life of Boston King, a black preacher, written by himself during his residence at Kingswood School", *Metodist Magazine*, vol. XXI (1798), pp. 262-3.

15. Anna Maria Falconbridge (org. Christopher Fyfe), *Narrative of two voyages to the River Sierra Leone during the years 1791-1792-1793* (Liverpool, 2000), p. 82.

16. Wilson, op. cit., *Loyal blacks*, p. 247.

17. John Clarkson, *Journal*, vol. II, "Mission to Africa" (JCAF), p. 37.

18. Ibid., p. 48.

19. Ibid., p. 7.

20. Christopher Fyfe (org.), *Our children free and happy: letters from black settlers in Africa in the 1790s*, com colaboração de Charles Jones (Edimburgo, 1991), p. 24.
21. JCAF, p. 20.
22. Ibid., p. 21.
23. Peters a Dundas, abril de 1792, PRO CO 267/9; Wilson, op. cit., *Loyal blacks*, p. 232.
24. JCAF, p. 81.
25. Ibid., p. 82.
26. Ibid., p. 84.
27. Ibid., p. 89.
28. Ibid., p. 91.
29. Ibid., p. 95.
30. Ibid., p. 108.
31. Ibid., p. 110.
32. Ibid., pp. 112-3.
33. Ibid., p. 114.
34. Ibid., p. 138.
35. Ibid., p. 145.
36. Ibid., p. 154.
37. Ibid., p. 157.
38. Ibid., p. 163.
39. Ibid., p. 165.
40. Fyfe, op. cit., *Our children free and happy: letters from black settlers in Africa in the 1790s*, pp. 25-6, para um texto com a grafia crioula original. No mesmo livro, o ensaio de Charles Jones é um guia inestimável quanto às características da língua e da dicção negra.
41. Ibid., p. 26. O original se encontra em Clarkson Papers, Universidade de Illinois, Chicago Circle.
42. JCAF, p. 324.
43. Ibid., p. 325.
44. Wilson, op. cit., *John Clarkson*, p. 105.
45. Do registro em 5 de agosto de 1792, JCAF II, p. 17, refere-se à transcrição publicada in *Sierra Leone Studies*, vol. 8 (1927), pp. 1-114.
46. Ellen Gibson Wilson, *Loyal blacks* (Nova York, 1976), p. 264.
47. JCAF II, p. 51 (21 de setembro de 1792).
48. Cit. in Wilson, op. cit., *Loyal blacks*, p. 275.
49. JCAF II, p. 100 (12 de novembro de 1792).
50. Ibid., p. 102.
51. Ambas as petições in Fyfe, op. cit., *Our children free and happy: letters from black settlers in Africa in the 1790s*, pp. 28-9.
52. Wilson, op. cit., *Loyal blacks*, p. 277.
53. Wilson, op. cit., *Loyal blacks*, p. 117.
54. Falconbridge, op. cit., p. 95.
55. Wilson, op. cit., *John Clarkson*, p. 124.
56. Ibid., p. 126.

57. O original se encontra in Clarkson/Sierra Leone Papers, Universidade de Illinois, Chicago Circle; ver também Fyfe, op. cit., *Our children free and happy: letters from black settlers in Africa in the 1790s*, pp. 30-2.

12. [pp. 382-417]

1. Clarkson Papers, BL, Add. MS 41263, ss 1-17, também reproduzido in Anna Maria Falconbridge (org. Christopher Fyfe), *Narrative of two voyages to the river Sierra Leone during the years 1791-1792-1793* (Liverpool, 2000), pp. 134-5.
2. Falconbridge, op. cit., p. 172.
3. Ellen Gibson Wilson, *The loyal blacks* (Nova York, 1976), p. 354.
4. John Clive, Macaulay, *The shaping of the historian* (Nova York, 1974), p. 4.
5. Ibid.
6. Falconbridge, op. cit., p. 105.
7. Diário de DuBois, 6 de fevereiro de 1973; Falconbridge, op. cit., p. 182.
8. Falconbridge, op. cit., p. 113.
9. Ibid.
10. Diário de DuBois, 7 de fevereiro de 1793.
11. Clarkson a DuBois, 1º de julho de 1793, BL, Add. MS 41263; Falconbridge, op. cit., "Editor's Comment", p. 126.
12. Ellen Gibson Wilson, *Thomas Clarkson: a biography* (York, 1989), p. 81.
13. Ibid., p. 82.
14. Ver "Editor's Comment", in Falconbridge, op. cit., p. 126.
15. Wilson, op. cit., *Loyal blacks*, p. 288.
16. Falconbridge, op. cit., p. 129, n. 110.
17. Corankapone a Clarkson, 13 de junho de 1793, in Christopher Fyfe (org.), *Our children free and happy: letters from black settlers in Africa in the 1790s*, com colaboração de Charles Jones (Edimburgo, 1991), p. 33.
18. Wilson, op. cit., *Loyal blacks*, p. 289.
19. Fyfe, op. cit., *Our children free and happy: letters from black settlers in Africa in the 1790s*, p. 37.
20. Ibid., pp. 38-9.
21. Falconbridge, op. cit., p. 144.
22. Perkins e Anderson a Clarkson, 30 de outubro de 1793, in Fyfe, op. cit., *Our children free and happy: letters from black settlers in Africa in the 1790s*, p. 40.
23. Perkins e Anderson a Clarkson, 9 de novembro de 1793, in Fyfe, op. cit., *Our children free and happy: letters from black settlers in Africa in the 1790s*, p. 41.
24. Falconbridge, op. cit., pp. 146-8.
25. Ibid., p. 148.
26. Ibid., p. 150.
27. William Dawes tinha voltado à Inglaterra um pouco antes, no mesmo ano. Ele retornaria para mais uma permanência quando Macaulay tirou uma licença em 1795-6, mas a partir

daí, até ir embora em 1799, foi Macaulay quem imprimiu mais decididamente, para o bem e para o mal, sua autoridade em Serra Leoa.

28. Wilson, op. cit., *Loyal blacks*, p. 319.

29. Fyfe, op. cit., *Our children free and happy: letters from black settlers in Africa in the 1790s*, p. 43.

30. Ibid., pp. 49-50, 53.

31. "Memoirs of the life of Boston King, a black preacher, written by himself during his residence at Kingswood School", *Methodist Magazine*, vol. XXI (1798), p. 264.

32. Wilson, op. cit., *Loyal blacks*, pp. 340-1.

33. Ibid., p. 340.

34. Ibid., pp. 329-30.

35. James W. St. G. Walker, "Myth, history and revisionism: the black loyalists revisited", *Acadiensis*, vol. XXIX, 1 (outono de 1999), p. 232.

36. Wilson, op. cit., *Loyal blacks*, p. 393; para uma exposição completa das revoltas, ver PRO CO 270/5.

37. Fyfe, op. cit., *Our children free and happy: letters from black settlers in Africa in the 1790s*, p. 65.

FINS, COMEÇOS [pp. 419-43]

1. Robin Blackburn, *The overthrow of colonial slavery* (Londres, 1988), p. 313.

2. Ibid., p. 314.

3. Ellen Gibson Wilson, *Thomas Clarkson: a biography* (York, 1989), p. 118.

4. Rosalin Cobb Wiggins (org.), *Captain Paul Cuffe's logs and letters 1808-1817* (Washington, DC, 1996), p. 119. Ver também Sheldon H. Harris, *Paul Cuffe, Black America and the African return* (Nova York, 1972); Lamont D. Thomas, *Rise to be a people: a biography of Paul Cuffe* (Urbana, Il., 1986); Henry Noble Sherwood, "Paul Cuffe", *Journal of Negro History*, VIII, 1923, pp. 153-229.

5. Wiggins, op. cit., p. 145.

6. Ibid., p. 225.

7. Sobre os últimos anos e a morte de Sharp, ver Hoare, op. cit., pp. 311-21; sobre sua reputação americana, ver a primeira biografia americana, Charles Stuart, *A memoir of Granville Sharp* (Nova York, 1836). Stuart, pp. 71 ss., estabelece um forte contraste entre o empreendimento de Serra Leoa, de um lado, e o trabalho da Sociedade Americana de Colonização e o empreendimento na Libéria, de outro lado, o qual ele caracteriza como uma malévola prática de deportação de negros livres de seu próprio país.

8. Hoare, op. cit., pp. 275-6.

9. Ibid., p. 313.

10. Ibid., p. 315.

11. Thomas Clarkson, *Interviews with the emperor Alexander I at Paris and Aix-la-Chapelle in 1815 and 1818* (Londres, s/d); Ellen Gibson Wilson, *John Clarkson and the African adventure* (Londres, 1980), pp. 169-70.

12. Wilson, op. cit., *John Clarkson*, pp. 159-70.

13. MacCarthy a Cuffe, 6 de fevereiro de 1816, Wiggins, op. cit., p. 40.
14. Stuart, op. cit., p. 75.
15. Wilson, op. cit., *John Clarkson*, p. 178.
16. A expressão é de Thomas.
17. Wilson, op. cit., *John Clarkson*, p. 183.
18. *The history of Mary Prince, related by herself* (Londres, 1987), pp. 83-4.
19. Blackburn, op. cit., p. 455.
20. Wilson, op. cit., *Thomas Clarkson*, p. 165.
21. Ibid., pp. 178 e 255, n. 77.
22. Ibid., p. 189.
23. Philip Foner (org.), *The life and writings of Frederick Douglass*, vol. 1, *The early years, 1817-1849* (Nova York, 1950), p. 230.
24. A maravilhosa história do coral dos Hutchinson e sua participação na aventura de Douglass no *Cambria* e na Inglaterra é narrada in J. W. Hutchinson (org. Charles E. Mann), *Story of the Hutchinsons (Tribe of Jesse)* (Boston, 1896), pp. 142 ss.
25. Douglass a Garrison, 1º de setembro de 1845, Foner, op. cit., p. 115.
26. Ibid., p. 117.
27. Hutchinson, op. cit., pp. 146-7.
28. Foner, op. cit., p. 12.
29. Ibid., pp. 231-2.
30. Ibid., p. 207.
31. Ibid., p. 23.
32. Ibid., p. 171.
33. Ibid., p. 235.

Bibliografia adicional

OS LEGALISTAS NEGROS, A ESCRAVIDÃO E A REVOLUÇÃO

Travessias difíceis se baseia e deve muito à obra pioneira de diversos historiadores que, nos últimos cinquenta anos, transformaram um tema que até então era uma curiosidade marginal na história de Revolução Americana e da Grã-Bretanha em algo que configura quase uma mudança de paradigma. As obras fundamentais são: Sylvia R. Frey, *Water from the rock: black resistance in a revolutionary age* (Princeton, 1991); Graham Russell Hodges (org.), *The black loyalist directory* (Nova York e Londres, 1966), e idem, *Root and branch: African Americans in New York and East Jersey 1613--1683* (Chapel Hill, Carolina do Norte e Londres, 1999); John W. Pulis (org.), *Moving on: black loyalists in the Afro-Atlantic world* (Nova York e Londres, 1999); e o clássico de Benjamin Quarles, *The negro in the American Revolution* (Chapel Hill, Carolina do Norte, 1966) com a nova (e importante) introdução de Gary B. Nash; James St. G. Walker, *The black loyalists: the search for a promised land in Nova Scotia and Sierra Leone 1783-1870* (Nova York, 1976) e a prolífica obra, de leitura agradabilíssima, de Ellen Gibson Wilson, em especial o estudo exaustivamente detalhado, *The loyal blacks* (Nova York, 1976).

A QUESTÃO DA ESCRAVIDÃO E A REVOLUÇÃO

O ponto de partida para qualquer avaliação dos dolorosos paradoxos da escravidão e da revolução continua a ser David Brion Davis, *The problem of slavery in the age of the American Revolution* (Ithaca, Nova York, 1973). Mas igualmente indispensáveis para ver como as questões intelectuais e morais atuaram na história concreta são Ira Berlin, *Generations of captivity: a history of African-American slaves* (Cambridge, Massachusetts, 2003); Sidney Kaplan e Emma Nogrady Kaplan, *The black presence in the era of the American Revolution*, ed. rev. (Amherst, Massachusetts, 1989); ver também Henry Wiencek, *An imperfect god: George Washington, his slaves and the creation of America* (Londres, 2005). Elizabeth A. Fenn, *Pox americana: the great smallpox epidemic of 1775-1782* (Nova York, 2001), sobre a epidemiologia da Guerra, é um livro muito mais abrangente do que sugere o título, um *tour de force* de narrativa e análise crítica.

A CAMPANHA BRITÂNICA CONTRA O TRÁFICO ESCRAVO: SHARP E OS CLARKSON

Agora existe uma bibliografia abundante, e em constante crescimento, sobre esse tema. Para um levantamento da campanha em nível mundial, ver Robin Blackburn, *The overthrow of colonial slavery, 1776-1848* (Londres e Nova York) e Hugh Thomas, *The slave trade: the story of the Atlantic slave trade 1440-1870* (Nova York e Londres, 1997). Uma importante coletânea de ensaios é a de David Eltis e James Walvin (orgs.), *Abolition of the Atlantic slave trade: origins and effects in Europe, Africa and the Americas* (Madison, Wisconsin, 1981). Ver também as de Walvin England, *Slaves and freedom 1776-1838* (Jackson, Mississippi, 1986); idem, *Black ivory: a history of British slavery* (Londres, 1992); Adam Hoschchild, *Bury the chains: prophets and rebels in the fight to free empire slaves* (Nova York, 2004), foi publicado depois que este livro já estava pronto, e narra com elegância alguns dos mesmos fatos e vidas, mas ênfase maior sobre a campanha na própria Inglaterra. O estudo de Deirdre Coleman, *Romantic colonialism and British anti-slavery* (Cambridge, 2005), cobrindo uma parte do mesmo campo, também foi publicado tarde demais para que eu pudesse tomar ciência de todo o seu conteúdo. Entre as contribuições muito importantes e relativamente recentes estão: David Eltis, *Economic growth and ending of the Transatlantic slave trade* (Oxford, 1987); Judith Jennings, *The business of abolishing the British slave trade 1783-1807* (Londres e Portland, Oregon, 1997); J. R. Oldfield, *Popular and British anti-slavery: the mobilization of public opinion against the slave trade* (Manchester e Nova York, 1995); David Turley, *The culture of English anti-slavery 1780-1860* (Londres e Nova York, 1991). Entre os estudos biográficos se destacam: Kevin Belmonte, *Hero for humanity: a biography of William Wilberforce* (Colorado, 2002), que não substitui de forma alguma John Pollock, *William Wilberforce* (Londres e Nova York, 1977); Florian Shyllon, *James Ramsay, the unknown abolitionist* (Edimburgo, 1977); Ellen Gibson Wilson, *Thomas Clarkson: a biography* (York, 1980).

OS NEGROS NA INGLATERRA DURANTE E APÓS A REVOLUÇÃO

A obra essencial é Stephen J. Braidwood, *Black poor and white philanthropists: London's blacks and the foundation of Sierra Leone settlement 1786-1791* (Liverpool, 1994). Existem agora várias pesquisas excelentes da experiência negra na Inglaterra, sobretudo Peter Freyer, *Staying power: the history of black people in Britain* (Londres, 1984), e James Walvin, *Black and white: the negro and English society 1555-1945* (Londres, 1973); ver também Gretchen Holbook Gerzina, *Black London: life before emancipation* (Londres e New Brunswick, Nova Jersey, 1985). Norma Myers, *Reconstructing the black past: blacks in Britain 1780-1830* (Londres e Portland, Oregon, 1996) é um importante exame crítico das fontes para a história negra, especialmente seus estereótipos. Questões culturais e literárias são tratadas por David Dabydeen em *Hogarth's blacks: image of blacks in eighteenth century art* (Kingston-upon-Thames, 1985), e suas antologias de textos de negros, *Black writers in Britain, 1760-1890* (Edimburgo, 1991). O mais recente e de longe o melhor estudo crítico da vida e dos escritos de Olaudah Equiano é Vincent Carretta, *Equiano the African: biography of a self-made man* (Athens, Georgia, 2005).

A NOVA ESCÓCIA E OS NEGROS

Além do estudo fundamental de James St. G. Walker, Robin Winks, *The blacks in Canada: a history* (Montreal, New Haven e Londres, 1971), dedica dois capítulos profusamente detalhados ao impacto da guerra e ao assentamento dos legalistas brancos e negros. Cabe notar que há um aceso debate em curso sobre a "mitologia" do legalismo negro na Nova Escócia, desencadeado por Barry Cahill em artigo para a revista de história nova-escociana *Acadiensis* (outono de 1999), com uma resposta igualmente enfática e, a meu ver, convincente de James Walker. Sobre Shelburne, ver Marion Robertson, *King's bounty: a history of early Shelburne* (Halifax, Nova Escócia, 1983).

SERRA LEOA E OS LEGALISTAS NEGROS

A autoridade no assunto é Christopher Fyfe, em esp. *History of Sierra Leone* (Oxford, 1962), e *Sierra Leone inheritance* (Oxford, 1964). Suas edições de *Narrative of the two voyages to the river Sierra Leone during the years 1791-1792-1793*, de Anna Maria Falconbridge (Liverpool, 2000), e de *Our children free and happy: letters from black settlers in Africa in the 1790s* (Edimburgo, 1991), são muito ricas de informações eruditas e comentários críticos. Ellen Wilson Gibson, *John Clarkson and the African adventure* (Londres, 1980), é mais uma das belas narrativas da autora a que muito devo.

Agradecimentos

Foi meu velho amigo (e um dos historiadores mais talentosos que conheço), Sir Tom Harris, na época cônsul-geral em Nova York, que deu origem a este livro ao dizer, no almoço na Sala de Reuniões da Universidade Columbia (a sala de reuniões em questão sendo a do King's College, com a insígnia e o sinete de George II), que eu certamente sabia tudo a respeito dos milhares de negros livres em Nova York ao final da Guerra Revolucionária e do que acontecera com eles. Na verdade, eu não fazia a menor ideia do que ele estava falando. Logo passei a fazer. Mas, se foi ele quem instigou esta iniciativa, não lhe cabe nenhuma parcela de responsabilidade por suas falhas.

O livro não teria sido escrito sem a ajuda de minha excelente auxiliar de pesquisas, Kate Edwards, que foi meu segundo par de olhos nas bibliotecas e arquivos. Rebecca Green ajudou com a pesquisa do caso *Zong* e seu impacto no movimento abolicionista, e Samantha Earl ajudou a conferir as referências. Agradeço muito a T. K. Hunter por me permitir usar material de sua tese de doutorado em Columbia sobre o caso Somerset e seu impacto na América. Bibliotecários e arquivistas de três países foram da maior simpatia e prestimosidade: no Arquivo Público de Londres, a Biblioteca Allan do Royal Maritime Museum em Greenwich; a Biblioteca Pública de Nova York; os Arquivos Públicos da Nova Escócia em Halifax (onde Barry Cahill foi de especial ajuda, embora cético sobre todo o fenômeno legalista negro); a Biblioteca e Arquivos da Sociedade Histórica de Shelburne; mas, acima de tudo, agradeço aos bibliotecários imensamente prestativos e acolhedores da divisão de manuscritos e livros raros da Sociedade Histórica de Nova York, onde estão preservados dois volumes do diário de John Clarkson, sobretudo pela preciosa autorização de lê-los no original, e não em microfilme.

Dois diretores da Universidade Columbia, Jonathan Cole e Alan Brinkley, foram excepcionalmente generosos ao me conceder licença para a pesquisa e redação do livro. Em minha sala em Columbia, Alicia Hall Moran foi um grande apoio em vários aspectos, como o rastreamento de fontes secundárias pouco conhecidas e fora de catálogo.

Durante minha peregrinação pela Nova Escócia, seguindo a trilha legalista negra, Calvin Trillin muito gentilmente interrompeu os trabalhos acadêmicos para me oferecer uma generosa hospitalidade, bateladas de cogumelos frescos e ótimas piadas.

Peço desculpas e apresento meus agradecimentos a Michael Carlisle, James Gill, Michael Sissons e Alice Sherwood pela generosidade em ler o manuscrito em diversos estágios, fazendo comentários sempre úteis e animadores conforme o texto ia avançando aos tropeções. Como sempre, Rosemary Scoular, Sophie Laurimore, Jo Forshaw e Sara Starbuck, como salva-vidas, garantiram que o autor não descarrilhasse totalmente nos dias em que devia estar ao mesmo tempo filmando, escrevendo roteiros e lendo provas. Agradeço também a Tom Stoppard pela generosidade em me deixar surrupiar o título de sua peça [*Rough crossing*, "Travessia difícil", 1985].

Devo um agradecimento especial a Christopher Fyfe, que teve a gentileza de ler o livro corrigindo os erros, e me salvou de muitos dos mais clamorosos — os que por certo restaram são, claro, de minha inteira responsabilidade.

Minhas editoras na BBC Books, Sally Potter e Belinda Wilkinson, e meu editor na Harper Collins, Dan Halpern, foram exatamente aqueles colegas atentos, generosos, mas vigilantes, que todo autor desejaria. Também foram excepcionalmente compreensivos quando *Travessias difíceis* se mostrou um livro muito diferente do que tinham imaginado ou encomendado. Na BBC Books, agradeço também a Esther Jagger, Andrew Barron, Caroline Wood, Trish Burgess, Margaret Cornell e Henry Steadman; e também a Martin Redfern, que acompanhou o livro até a publicação, e a Claire Scott e Stephanie Fox, por sua maravilhosa colaboração ajudando a obra a chegar às lojas e ao público.

Minha família — Ginny, Chloe e Gabriel —, submetida a longos sofrimentos, foi quem teve de enfrentar a mais difícil travessia — a saber, sobreviver aos frequentíssimos humores tempestuosos do autor durante esta viagem literária, aos quais reagiram tentando acalmar as águas revoltas. Não tenho como lhes agradecer por me ajudarem a levar essa coisa até seu porto de chegada. Gus foi formidável.

Amigos de duas instituições — o Comitê de História e Literatura na Universidade Harvard e o Queen Mary College, Londres — gentilmente me convidaram para apresentar uma palestra sobre os temas e casos narrados neste livro. A reação deles, em especial os comentários de Homi Bhabha e Stephen Greenblatt, me ajudou a esclarecer melhor a história. E vários outros bons amigos e colegas — Alan Brinkley, Eric Foner, Deborah Garrison e Stella Tillyard — acharam que a história merecia um livro inteiro, em vez de um quarto de livro originalmente destinado a ela. Absolutamente inflexível a este respeito, além de muito franca e sincera, criteriosa e leal em quase todas as minhas singulares aventuras no ofício histórico, foi a estudiosa e querida amiga Lisa Jardine, que me convidou para uma palestra no Queen Mary College e cujo entusiasmo contagiante pelo projeto impossibilitou qualquer objeção covarde de minha parte; a ela dedico afetuosamente o livro, com minha tímida admiração por sua coragem, inteligência e total *menschlichkeit*.

Créditos das imagens

1. © National Portrait Gallery, Londres

2. Cortesia da National Portrait Gallery, Londres, e do Lloyd-Baker Trustees

3. Da coleção do Earl of Mansfield at Scone Palace, Perth, Reino Unido

4. © Library and Archives Canada. Reproduzido com permissão do Minister of Public Works and Government Services Canada (2010).
Fonte: Library and Archives Canada. Crédito: Mabel B. Messer/ Mabel Messer collection/ C-002833

5. John Murray, quarto conde de Dunmore, por Sir Joshua Reynolds, Scottish National Portrait Gallery, adquirido em 1992 com contribuições do Art Fund e do National Heritage Memorial Fund

6. © National Portrait Gallery, Londres

7. © National Portrait Gallery, Londres

8. © National Portrait Gallery, Londres

9. © The Bridgeman Art Library

10. © The Bridgeman Art Library

11. © The Bridgeman Art Library

12. Library and Archives Canada. Crédito: W. Booth/ W.H. Coverdale collection of Canadiana, Manoir Richelieu collection/e008438313. Domínio público

13. Nova Scotia Archives and Records Management, Canadá

14. © The British Library Board. Mapas 146.d.34. (10)

15. © The British Library Board. 1051.a.22

16. Coleção particular/ fotografado por John Parker

17. Negative # 77567. Coleção do The New-York Historical Society

18. Coleção particular

19 e 20. © The trustees of the British Museum. Todos os direitos reservados

21. © The British Library Board. P. P3904.h

22. © Bettmann/ Corbis (DC)/ LatinStock

Índice remissivo

Abernathy, Catherine, 21, 298
Abolição: comércio açucareiro, 278, 281; Estados Unidos, 115, 126, 205, 225, 226, 238, 422, 435; França, 277-80, 421; Granville Sharp, 224, 225, 226; Inglaterra, 421, 422, 423, 434; Thomas Clarkson, 275-77, 291, 433, 434; William Wilberforce, 275, 276, 277, 421
Actaeon, 102
Adams, Abigail, 25, 28
Adams, John, 10, 22, 79, 83, 99, 151, 152, 153, 181
Adams, Sam, 66
África: tráfico de escravos, 153, 203, 218, 219, 222, 223, 228, 231, 344, 349, 363, 364, 370
Afro-americanos: após a Independência, 13-21, 25-6, 28, 62, 64, 72, 126, 127; Brigada Negra, 129, 130, 171; combatendo pelos ingleses, 93, 127-30, 134-40; combatendo pelos Patriotas, 17, 114, 115, 116, 127; complô inglês para incitar revoltas, 78, 79, 80; crença na liberdade britânica, 15, 80, 366, 400, 408; debandada para Dunmore, 85, 86, 89-91, 100, 101; doenças entre os escravos fugidos, 100, 101, 121, 132, 133; Dragões Negros, 14, 19, 139, 254; educação, 21, 38, 111, 298, 299, 372; expulsos por ordem de Cornwallis, 137; Great Bridge, Virgínia, 94, 133; guerra de 1812, 426; Londres, 35-7, 66-8, 71, 191, 192, 197-200, 208, 211; partida para a Nova Escócia, 168-71; pedidos de indenização ao Governo britânico, 194, 195, 196, 197; Pioneiros Negros, 14, 120, 135, 164, 213, 236, 238, 242, 271, 284, 286; Regimento Etíope, 92, 96, 126, 197; religião, 21, 82, 108-10, 256-9, 266, 298, 299, 320, 321, 372; resistência armada após a Guerra, 137, 147-50, 164
Afzelius, Adam, 363, 368, 386, 401, 406
Alert, 138
Alexandre I, czar, 430
Alfredo, rei, 42

483

Allen, William, 426, 430
Alleyne, John, 60, 64, 65, 183
"Amazing Grace" (hino), 190, 404
Americanos nativos, 72, 74, 75, 99, 106, 109, 111, 141, 180, 272, 380, 404; catawbas, 141; cherokees, 119; creeks, 272; miskitos, 180; natchez, 110; shawnees, 84
Anderson, Isaac, 12, 371, 375, 394, 395, 397, 399, 403, 408, 410, 411, 413-5
Anderson, Peter, 197
André, major John, 160
Angerstein, John Julius, 199, 204
Anglicanismo, 298
Anglo-saxões, 42
Annis, John, 180, 181
Armstrong, Aaron, 54
Arnold, general Benedict, 127, 133, 143, 160
Asgill, capitão Charles, 156-61
Ashmore, Abraham, 232, 233
Ashton, magistrado, 67, 68
Attucks, Crispus, 20
Austrália, 207, 210, 403
Ayscough, sir William, 193

Babington, Thomas, 385, 431
Baltimore, 16, 124
Banbury, Lucy, 100, 340
Banks, sir Joseph, 49, 201, 380
Banks, sra. William, 49, 50, 53-9
Barber, Francis, 36, 37, 71
Barrett, Phoebe, 13
Barrington, almirante Samuel, 186
Batistas, 21, 257, 259, 266, 298, 304, 307, 309, 321, 339, 362, 363, 364, 380, 386, 394, 404
Beckett, John, 372
Beckford, William, 52
Beech, Thomas, 40
Bell, Towers, 16
Benezet, Anthony, 9, 23-6, 71, 103, 105, 181; Granville Sharp, 70, 103
Benson, Egbert, 160
Bestes, Peter, 26

Beverhout, Henry, 325, 358, 363, 365, 366
Bicknell, Charles, 70
Bicknell, John, 69, 70, 115, 116; "O negro à morte", 69
Birch, general de brigada Samuel, 154, 166, 258, 319
Bird, Mark, 90
Blackstone, William, 44, 45, 46, 51; *Commentaries*, 44, 46
Blair, Hannah, 86
Bland, Theodorick, 164
Blowers, procurador-geral Sampson, 261, 297, 318
Blucke, coronel Stephen, 10, 21, 130, 171, 252-4, 266, 303, 307, 327; John Clarkson, 300, 307, 327
Boddington, Thomas, 103, 104, 204
Bonaparte, Napoleão, 421, 423, 430
Boscawen, almirante Edward, 177
Boston, 15, 20, 22, 26, 66, 84, 103
Boswell, James, 35, 45
Bowie, James, 218, 220, 223, 228, 231, 232
Braidwood, Stephen, 204
Brandywine, 107, 446
Brigada Negra, 129, 130, 171, 252
Brissot, Jacques-Pierre, 278
Bristol, 61, 106, 173, 232
Bristol, 102
Brookes, 225, 277, 280, 311, 323
Brown, Abby e Dinah, 85, 170
Brown, coronel Thomas, 138
Browne, Thomas, 131, 196, 197
Bulkeley, Richard, 310, 321, 327
Bull, coronel Stephen, 99
Bunker Hill, 17, 79, 103, 114, 446
Burgoyne, general John, 107, 143, 446
Burke, Edmund, 106, 275, 281, 390
Burke, Samuel, 197
Bute, marquês de, 45

Cabo do Medo, Carolina do Norte, 81, 97
Cade, Elizabeth, 58, 63
Café, 406, 415

Cambridge, John, 208, 212, 222, 370
Cambridge, Massachusetts, 17, 19, 79, 97
Camden, presidente da Câmara dos Lordes, 52, 133
Campbell, lorde William, 10, 73, 75, 80, 102
Campbell, sir Neil, 432
Campbell, tenente-coronel Archie, 107, 140
Campbell, William (patriota), 81
Canadá, 79, 143, 248, 267, 286, 427, 441, 445, 446
Caribe, 16, 27, 37, 54, 58, 62, 133, 144, 148, 172, 176, 180, 185, 227, 278, 287, 289, 325
Carleton, sir Guy, 142, 161, 166, 169, 244, 366; escravos libertos, 153, 154; George Washington, 154-6, 159-63; Nova Escócia, 241, 247, 267; "Resumo referente aos Negros na América", 166; troca de prisioneiros, 154, 155
Carleton, Thomas, 259, 270, 271, 286, 294
Carlos II, rei da Inglaterra, 44
Carolina do Norte, 20, 81, 91, 133, 135
Carolina do Sul, 14, 19, 22, 72, 73, 75, 78, 87, 98, 431; Guerra de Independência americana, 116, 117, 118, 133, 139
Carter, coronel Landon, 86
Carter, Robert, 90
Casamento inter-racial, 211, 212, 213
Certificados de aprovação, 297
Certificados de concessões de terra, 328, 374, 402
Certificados de liberdade, 253
Cevils, Zilpah e Hannah, 85
Charleston, 14, 15, 38, 72, 80, 147, 150, 153, 166; dissensão colonial, 75, 77, 82; Guerra de Independência, 99, 102, 117, 118, 137, 138, 139
Chatham, William Pitt, conde, 79, 389, 390
Cheese, Anna, 19, 422
Cherokee, 99
Clarkson, John, 11, 191, 278, 287, 426, 430, 432; carreira naval, 287-90; chegada a Serra Leoa, 340, 341, 342, 343, 344, 345;

Companhia de Serra Leoa, 282, 312-3, 396, 403, 404; dispensado pela Companhia de Serra Leoa, 388-91; Freetown, Serra Leoa, 313, 350-80; negociações com chefes temnés, 349, 350, 372; Nova Escócia, 291-312, 316-28, 427; passagem para Serra Leoa, 330-7; William Dawes, 383, 384, 386
Clarkson, Thomas, 11, 188, 189, 191, 204, 225, 235, 276, 278, 279, 282, 285, 369, 380, 390, 423, 424, 427, 433, 434, 436, 437; abolição, 275, 276, 277, 291, 433, 434, 435, 436; *Essay on the slavery and commerce of the human species*, 190, 191; *History of the rise, progress and accomplishment of the abolition of the African slave trade by the British Parliament*, 423, 424; *On the ill treatment of the people of colour in the United States, on account of the colour of their skin*, 436; Revolução Francesa, 278, 279, 280, 389, 390; Serra Leoa, 282, 285, 313
Clinton, George, 160
Clinton, sir Henry, 10, 21, 96, 100, 114, 116, 135, 136, 144, 156, 192; entrada em Charleston, 119, 299; Pioneiros Negros, 97, 119, 236, 242, 272; tratamento dos escravos, 120
Cocks, James, 341, 365
Coffin, capitão Jonathan, 12, 332-5, 341
Coleman, Richard, 54
Coleridge, Samuel Taylor, 423
Collett, Violet, 171
Collingwood, capitão Luke, 10, 173-5
Comércio açucareiro, 27, 37, 39, 46, 61, 69, 106, 187, 285; abolição e, 278, 281; *Essay on the treatment and conversion of slaves in the British sugar colonies*, 186
Comitê para Efetivar a Abolição do Tráfico de Escravos, 224, 275
Common Law, 40, 44-6, 51, 55, 56, 59, 62, 64, 66, 69, 182, 206, 236, 409

Companhia da Baía de São Jorge, 11, 234, 235, 282, 284
Companhia de Serra Leoa *ver* Serra Leoa, 283
Companhia Flutuante Armada, 131
Companhia Real Africana, 23, 234, 283
Concessão de terras: Nova Escócia, 240-3, 251, 254, 255, 260, 267, 270, 304; Serra Leoa, 305, 357, 374, 386, 387, 393, 402
Concord, Massachusetts, 17, 75, 78, 80, 84
Condorcet, marquês de, 278
Confederação, 17
Congresso, 17, 74, 75, 78, 153, 155, 162
Connecticut, 17, 115, 126, 132
Contrato de aprendiz, 308
Conway, general, 144
Cook, capitão James, 49
Corankapone, Richard, 319, 380, 392, 393, 399, 411, 413, 416
Cornwallis, general Charles, 10, 18, 119-21, 130, 132-7, 140, 152, 153, 194, 446; derrota da campanha, 135, 136, 137, 138
Cowper, William, 190
Craftsman, 61
Cruden, John, 134, 138, 139, 148, 149
Crueldade, 60, 74, 87, 90, 121, 178, 183, 278, 375, 404, 409, 411, 436; no Caribe, 63, 186; *Zong*, 173, 174, 175
Cuffe, coronel, 165
Cuffe, Paul, 12, 424, 427, 430
Cugoano, Ottobah, 192, 206, 215, 271, 285, 325
Cunard, Abraham, 247, 437, 438, 442
Cuthbert, John, 252, 392, 410, 414

Daily Advertiser, 52, 68
Dalrymple, Henry Hew, 314, 315, 341
Dartmouth, William Legge, 2º conde de, 74, 77, 80
Davy, William "Bull", 60, 62, 63, 66, 69
Dawes, William, 12, 375, 376, 383, 384, 386, 391-5, 400, 403, 404, 409, 416
Day, Thomas, 69, 115; "O negro à morte", 69
De Mane, Harry, 206, 212, 223, 224, 235

Declaração de Independência, 15, 18, 22, 23, 106; Thomas Jefferson, 72
Dia da Independência, 16
Digby, almirante Robert, 144, 239-43, 251, 270, 304, 311, 357, 371
Dix, Cuffe, 90
Doenças, 36, 198, 215, 228, 314, 321, 344, 347, 407
Dolly, Quamino, 107, 118, 140
Douglass, Frederick, 12, 16, 436, 437-43
Dragões Negros, 14, 139, 254
Drayton, William Henry, 75, 78, 80
DuBois, Isaac, 12, 363, 368, 378, 382-8, 391, 392, 394-6, 417
Dundas, Henry, 283, 286, 291, 294, 304, 354
Dunk, William, 131
Dunmore, John Murray, 10, 78, 86, 87, 90, 92, 97, 138, 166, 244; abordado por escravos antes do início das hostilidades, 80; campanhas militares, 84, 85, 91-5; derrota em Great Bridge, 93, 94; fim da campanha, 100, 101; proclamação libertando escravos, 17, 88, 89, 119, 125; regimento Etíope, 92-7, 125, 197
Dunning, John, 55, 56, 61, 65, 66, 183
Duryea, Jacob, 165

Eardley Wilmot, sir John *ver* Wilmot, 195
Eduardo VI, rei da Inglaterra, 43, 51
Educação, 180, 250, 301, 315, 344
Edwards, Steven, 156
Egan, Pierce, 249
Elbert, Samuel, 140, 141
Elizabeth I, rainha da Inglaterra, 43, 51, 63
Elliot, Andrew, 159, 160
Emancipação, 117, 126; preocupações econômicas, 46, 65, 80, 278
Emmons, Lucretia, 130
Equiano, Olaudah, 11, 176-82, 185, 192, 206, 209, 210, 214-6, 223, 271, 285, 325
Escócia, 74
Escravidão, 16, 106, 148, 149, 150; Common Law, 40-4, 51, 55, 64, 69; na Inglaterra, 38, 41, 69, 285

Essex Journal and Merrimac Packet, 25
Estados Unidos: Guerra Civil, 16; Guerra de 1812 contra a Inglaterra, 426, 427
Estaing, Charles-Hector, conde d', 113, 114
Evangélicos, 225, 235, 285, 385, 387
Ewald, Johann, 137
Eyre, sir James, 40

Falconbridge, Alexander, 11, 212, 225, 235, 283, 295, 314, 315, 341, 344, 350, 362, 367, 368, 377, 386
Falconbridge, Anna Maria, 11, 212, 235, 283, 314, 315, 347, 348, 369, 372, 377; Isaac DuBois, 378, 382, 383, 386, 388, 392, 395, 396, 398
Fanning, coronel David, 197
Ferguson, Patrick, 340
Festa do Chá de Boston, 22, 84, 445
Filadélfia, 54, 78, 97, 105, 106, 412
Ford, Keziah, 171
Fordyce, capitão Charles, 94
Forte Johnston, 77, 81
Fortune, William, 126
Fowey, 80, 84, 85
Fox, Charles James, 275, 421
França: Revolução Francesa, 277-80, 383, 385, 390, 393, 434, 446
Franklin, Benjamin, 9, 23, 65, 71, 103, 105, 151, 181, 205, 225, 442; "Uma conversa entre um inglês, um escocês e um americano sobre o tema da escravidão", 23, 24
Frankpledge, 43, 205, 226, 227, 231, 235, 284
Fraser, Mary, 138
Fraser, Patrick, 216, 223
Fraunces, Samuel, 162, 167
Freeman, Sambo, 26, 28
Frey, Sylvia, 151
Furman, Shadrack, 194, 195

Gage, general Thomas, 25, 72, 78, 79, 84
Galphin, George, 110, 111, 404
Gâmbia, 202, 221
Garrick, David, 35, 59

Gates, general Horatio, 133
Gazette, 103
Gazetteer, 61
General Evening Post, 61
George II, rei da Inglaterra, 76
George III, rei da Inglaterra, 13, 15, 45, 49, 82, 84, 94, 162, 221, 354, 423
George, David, 10, 21, 108, 110-2, 122, 123, 255, 256, 259, 321, 357, 380, 381, 405; John Clarkson, 303, 307, 309, 311, 321, 325, 326, 404; Nova Escócia, 255-9, 266, 271, 298; Serra Leoa, 337, 340, 354, 357, 369, 380, 399, 407, 416
George, Phyllis, 10, 108, 110, 113, 122, 256, 257, 309, 340
Geórgia, 14, 18, 22, 79, 81, 82, 90, 98, 107, 111-4, 117-8, 140
Germain, lorde George, 96, 108, 139
Gibson, Mel, 19
Gilbert, Nathaniel, 340, 360, 369
Glynn, John, 60, 64
Gordon, lorde George, 211
Grasse, François-Joseph-Paul, conde de, 136, 144
Gray, Jesse, 264, 265
Gray, sir Charles, 155
Green, Jacob, 126
Greene, coronel Christopher, 115
Greene, general Nathanael, 138, 141, 148, 151
Greyhound, 142
Griffith, Abraham Elliott, 212, 216, 222, 226, 227, 283, 315, 364, 370
Guerra de Independência americana: derrota dos ingleses, 132-9; escravos fugidos, 17-9, 89-91; Geórgia, 108, 112-4, 117-8, 140; governo britânico, 104-6, 108-43; Great Bridge, Virgínia, 94, 133; medo da libertação dos escravos, 116, 117, 126; medo de revoltas escravas, 27, 80-83; Virgínia, 84, 87, 88, 93-5
Guerra dos Sete Anos (1756-63), 74, 445
Guilherme IV, rei da Inglaterra, 266, 434

Haiti, 280
Hamilton, Alexander, 117, 152
Hamilton, capitão Thomas, 262, 263
Hammond, Charlotte, 170, 295
Hancock, Jacob, 86
Handley, Scipio, 195
Hanway, Jonas, 11, 198, 199, 201, 203, 206-8, 221, 223, 290, 406
Hardcastle, Joseph, 342, 350
Hargrave, Francis, 59, 60, 64, 65, 66
Harris, Joseph, 91
Harrison, governador Benjamin, 19, 138, 164, 422
Harrison, William Henry, 19
Hart, Elnathan, 131
Hartshorne, Lawrence, 12, 294, 297, 317, 323, 328, 352, 427
Havana, 38, 53, 54, 246
Hawkins, John, 43
Hawksmoor, Nicholas, 36, 198
Henry, Patrick, 19, 24, 25, 79, 81, 84, 85
Henry, Ralph, 19
Herança Legalista Negra (Museu, Nova Escócia), 427
Herring, Simsa, 131
Hessianos, 107, 108, 111, 127, 144, 165, 242, 317
Highlanders, 108
Hipocrisia, 16, 23, 27, 53, 70, 71, 117, 187, 204, 433
Hoare, Samuel, 188, 199, 200, 225, 433
Holbrook, Felix, 26
Holt, presidente do Supremo Tribunal, 44, 51
Hopkins, reverendo Samuel, 205, 225, 236
Horne, reverendo Melville, 370, 383
Howe, general Richard, 18, 21
Howe, general Robert, 108
Howe, general sir William, 103, 105, 120, 125, 128, 143
Huddy, Joshua, 130, 131, 156
Hume, David, 188, 202, 384
Humes, Tobias, 354
Hutchinson, Thomas, 25, 47

Imposto do Selo, 22
Imposto territorial, 303, 305, 371, 402, 406, 408, 409, 415
Imprensa, 27, 45, 59-61, 69, 83, 90, 97, 126, 127, 186, 188, 210, 309, 439
Índios *ver* americanos nativos, 72
Inglaterra: classes trabalhadoras, 24, 442; guerra com a França, 177, 289, 390, 421; guerra com os EUA, 426, 427
Innes, Alexander, 120, 128
Instituição Africana, 423-6, 428, 443
Irving, dr. Charles, 179
Irwin, Joseph, 209, 210, 214, 215, 222
Izard, Sarah, 74, 120

Jackson, Hannah, 86
Jackson, James, 86
Jackson, Judith, 167
Jackson, Lydia, 317, 318
Jamaica, 27, 37, 38, 53, 58, 106, 147, 149, 171, 173-5, 289, 325, 385, 392; *maroons*, 27, 410, 413, 414, 415, 432; rebelião escrava, 27, 433
Jay, John, 151, 205, 225
Jefferson, Thomas, 27, 75, 84, 87, 90, 133, 188; Declaração de Independência, 15, 23, 72; perde escravos, 18; tráfico escravo, 422, 431
Jeremiah, Thomas, 9, 72-7
Johnson, dr. Samuel, 36, 37, 45
Johnson, Gabriel, 131
Joie, Chester, 26
Jones, Gabriel, 28
Jordan, Luke, 347, 375, 392, 403
Judkins, capitão Charles, 438, 439, 442

Kensal, James, 174, 175
Keppel, almirante Augustus, 152, 195
Kerr, James, 38, 39
King, Boston, 10, 121-7, 165, 166, 170, 267-71, 299, 325, 331, 340, 375, 404, 415
King, Robert, 178

King, Violet, 10, 165, 170, 252, 268-70, 332, 340, 346
Kingston, March, 139
Kite, sir Robert, 39, 40
Kizell, John, 320, 340, 380, 415, 425
Knowles, capitão, 58, 59, 61, 67
Kulikoff, Allan, 87

L'Abondance, 168-71, 252
Lafayette, Marie Joseph Gilbert du Motier, marquês de, 133, 278, 279, 280, 281
Lagree, James Liberty, 15
Lagree, Venus, 170
Laurens, Henry, 9, 70, 74, 75, 78, 99, 116, 117, 151-3, 244; Tratado de Paris, 152, 153
Laurens, John, 9, 70, 113, 115, 117, 118, 126, 137, 151-3; Milícia negra, 115-8
Lavendar, Jenny, 301, 302
Lawrence, Betsey, 170
Lee, Arthur, 74
Lee, Richard Henry, 97, 99, 134
Lee, sir John, 184
Lee, William, 134
Legalistas Associados, 131, 156, 157
Lei do Negro, 76
Lei Dolben, 216, 226, 232
Leile, George, 110, 112
Leilões, 38, 69, 261, 289
Leis Agrícolas, 51
Leonard, Joseph, 372, 379, 380
Leslie, capitão Samuel, 93, 94
Leslie, general Alexander, 132, 139, 148, 149, 194
Leslie, Mingo, 139, 254
Lewis, Thomas, 50, 53, 54, 55, 58, 180
Lexington, Massachusetts, 75, 78, 80, 84, 92, 105, 446
Liberdade Britânica, 13-8, 20, 28, 43, 51, 56, 66, 71, 79, 150, 169, 177, 181, 205, 234, 236, 238, 251, 259, 263, 271, 286, 298, 308, 326, 354, 365, 366, 379, 393, 409, 414, 416-7, 437, 442, 443

Liberdade, Dick, 17
Liberdade, Jeffery, 17
Libéria, 431, 447
Lincoln, Benjamin, 115
Lindsay, capitão John, 46
Lindsay, Dido Elizabeth Belle, 46, 184
Lisle, David, 36, 37
Liverpool, 61, 106, 173, 232, 285
Livingston, William, 126, 156
Livro dos Negros, 168, 169
Lloyd, John, 188
London Chronicle, 61
London, Black, 21
Long, Edward, 204
Loyal, Anthony e Hagar, 131
Luce, William, 131
Lucretia, 12, 130, 326-30, 332, 333, 336, 337, 341, 377
Ludlam, Thomas, 409-16
Lutwyche, capitão, 142, 159, 163
Lyttelton, William, 106

Macaulay, Thomas Babington, 12, 385, 434
Macaulay, Zachary, 12, 384, 385, 391, 399, 400, 407, 415, 416, 423, 426, 434
Macnamara, governador Matthew, 182
Macneill, Daniel, 262, 263, 265
Madison, James, 19, 79, 84, 164, 425, 427
Maitland, coronel James, 112, 113
Malcolm x, 19
Malony, John, 54
Mansfield, James, 60, 64
Mansfield, William Murray, presidente do Supremo Tribunal, 9, 29, 45, 57, 58, 60, 65, 66, 69, 71, 83, 152, 180, 184, 238, 399; James Somerset, 63-8, 71, 167, 409; Thomas Lewis, 55, 56; *Zong*, 182, 183
Marinha Real, 11, 16, 144, 164, 184, 193, 266, 288, 298, 323, 424, 431; proteção dos entrepostos negreiros, 203; registros do tráfico de escravos, 191
Marion, general Francis, 19, 139
Marrant, John, 119, 298

489

Marrian, Abraham, 19
Marsh, George, 209
Marston, Benjamin, 11, 247-55
Martin, capitão George, 20, 97, 236
Martin, Josiah, 78, 79
Maryland, 90
Mason, George, 84, 134
Massachusetts, 26, 28, 47, 236, 238
Massacre de Boston, 21, 445
Mathews, governador John, 141
Mayo, reverendo Herbert, 198, 200
McKenzie, capitão John, 114
Mercury, 88, 91
Merselis, Ahasuerus, 131
Metodistas, 10, 12, 21, 119, 123, 180, 258, 266, 269, 299, 304, 321, 339, 358, 362-4, 386, 394, 399, 404, 411, 425
Middleton, Arthur, 19, 100, 151, 340
Middleton, sir Charles, 11, 185, 186, 191, 204, 215, 216, 277, 421
Milícias, 17, 78, 85, 88-90, 108, 406; Carolina do Norte, 91; Carolina do Sul, 75; Condado de Monmouth, 130; Connecticut, 115; Culpeper, 93; Geórgia, 108; Rhode Island, 115; Virgínia, 85, 89, 92, 93, 101
Miller, John, 110
Millidge, Thomas, 243
Milligan, Jane e Maria, 170
Mirabeau, visconde de, 278-81
Moncrief, James, 112, 120, 139, 265
Monmouth, batalha de, 17, 126
Montagu, lorde, 38
Moody, Nancy, 170
Moore, Andrew, 406, 415
Moore, Daniel, 170
Morgan, John, 126
Morgann, Maurice, 159
Morning Chronicle, 68, 182
Morris, Charles, 243
Morris, Jacob, 164
Mosely, Patty, 86
Muhlenberg, Henry Melchior, 18
Mulatos, 27, 128, 279

Murphy, Decimus, 15
Murray, lady Elizabeth, 46

Naimbana, chefe, 11, 218, 220, 227, 233, 283, 315-6, 349-51, 363, 364, 368, 373, 383, 386; John Frederic, 315, 316, 349, 378
Napier, tenente, 94
Nash, Gary, 19, 20
Navios negreiros, 11, 16, 191, 225, 283, 324, 341, 424, 431
Negros *ver* Afro-americanos
Nelson, Thomas, 134
Nepean, Evan, 291, 294
New Brunswick, 124, 197, 201, 208, 238, 251, 259, 270-2, 297, 311, 319, 357, 366, 380
New Hampshire, 17, 117, 439
New York Journal, 97
Newcastle, duque de, 45
Newton, John, 190, 225, 404
Newton, Lydia, 170
Newton, Thomas, 86
Nibbs, George, 149
Nightingale, 74
Nordenskjold, Augustus, 363, 377
Norfolk, Virgínia, 91, 92, 93, 96
North, lorde Frederick, 28, 62, 70, 78, 107, 138, 144, 243
Nova Escócia, 13-4, 16, 19-21, 74, 127, 144, 161, 166, 171, 203, 207, 236; colonização, 244-6, 259-60; distúrbios, 255; escravidão, 237-8, 261-5, 267, 307, 308; injustiças, 237-43, 259, 260, 261, 262-4, 265, 270
Nova Jersey, 14, 17, 97, 125, 128, 130, 155, 193
Nova York, 15, 54, 90, 97, 106, 124, 125, 139, 144, 146, 155, 156, 164, 165, 167

O'Hara, general Charles, 137
Ogé, Vincent, 280
Oswald, Richard, 153
Otis, James, 22
Otter, 88, 91, 122
Ottobah Cugoano, 206

Page, John, 90
Palmer, irmão, 110, 111
Paris *ver* Tratado de Paris, 153
Parker, almirante Peter, 102
Parr, sir John, 11, 242-4, 247-8, 251, 255, 257, 260, 270, 286, 294, 295, 304, 307, 310, 311, 327, 337
Pascal, tenente Michael, 176, 177
Paterson, general de divisão James, 123, 256, 366
Patrick, Frank, 414, 415
Patrick, William, 85
Patriota, O (filme), 19
Peckard, dr. Peter, 188, 189
Pensilvânia, 18, 71, 90, 107, 156, 205, 238, 424
Pepys, Richard, 341, 355, 368, 372, 375, 376, 379, 383, 384, 386-8, 393, 401
Perkins, Cato, 12, 255, 304, 375, 394-8, 411
Perseverance, 142, 154, 163
Perth, Caesar, 252
Perth, Mary, 10, 85, 304, 392, 393, 401
Peters, Frank, 340
Peters, George, 199
Peters, Hector, 298, 380, 416, 432
Peters, Peter, 334, 341
Peters, Thomas, 10, 20, 81, 97, 171, 236, 237, 271-2, 352, 354, 356, 367, 387; Granville Sharp, 236, 237, 238, 261, 271; John Clarkson, 293, 294, 311, 322, 325, 352-7, 363, 364; New Brunswick, 243, 270, 271; Nova Escócia, 237-43, 251; Pioneiros Negros, 97; Serra Leoa, 282, 286, 352, 353, 361, 366
Phillips, general William, 133
Phillips, James, 190, 225
Piggie, Jeremiah, 13
Pinckney, Izabella, 138
Pioneiros Negros, 10, 14, 120, 135, 164, 213, 236, 238, 242, 271, 284, 286; depois da Independência, 164, 165, 194; Nova Escócia, 237, 238, 239, 243
Pitt, William, 191, 199, 235, 275, 390, 421

Pomona, 232, 233
Pope, Alexander, 45
Porteus, Beilby, bispo de Chester e Londres, 190
Posey, capitão Thomas, 101
Postell, Mary, 264, 265
Prevost, general Augustine, 112, 114, 122
Prince, Newton, 21
Príncipe de Gales (George IV), 42, 49
Proclamação de Philipsburgh, 154
Proof, Simon, 21, 359
Public Advertiser, 23, 52, 215, 216
Putnam, James, 297

Quakers, 12, 23, 42, 71, 103, 126, 178, 180, 188, 199, 209, 225, 285, 294, 297, 342, 424-7, 430
Quarles, Benjamin, 19
Quebec, 79, 143

Ramsay, dr. David, 117
Ramsay, reverendo James, 11, 185-8, 190, 204, 216, 277, 289, 421; *Essay on the treatment and conversion of slaves in the British sugar colonies*, 186
Ramsey, Cato, 166
Recrutamento forçado, 36, 290
Rei Jack, 110
Rei Jimmy, 229, 231-3, 235, 282, 284, 295, 315, 339, 349, 350, 362, 368
Rei Tom, 11, 217-8, 220, 228-9, 410, 413, 416, 425
Reid, James, 227, 234
Religião: conversão de escravos, 21, 82, 108, 109, 110, 185, 256-9, 266, 320, 321, 372
Repton, Humphry, 46
"Resumo referente aos Negros na América", 166
Revoltas escravas, 27, 80-3
Reynolds, sir Joshua, 35, 45, 59
Rhode Island, 17, 26, 115, 126, 128, 136, 171, 205, 225, 236, 238
Richardson, Ellen, 442

Richmond, Bill, 127
Richmond, Virgínia, 79, 133
Roberts, Simon, 171
Robinson, James, 410, 411, 414
Rochambeau, Jean Baptiste Vimeur, conde de, 136
Rockingham, Charles Waston-Wentworth, 2º marquês de, 140, 144, 155
Rodney, almirante George Brydges, 144, 186, 289, 290
Rose, George, 204
Roussell, Hagar, 138
"Rule Britannia", 42
Rush, Benjamin, 26, 103, 430
Rushwort: *Historical Collections*, 43
Russell, John, 130
Rutledge, Edward, 17, 19, 81, 99, 100
Rutledge, Flora e Pompey, 19, 100
Rutledge, John, 19

Saint Vincent, 27
Sal Azul, 109
Sancho, Ignatius, 37
Santa Cruz, 38, 53
Santo Domingo, 114, 136, 173, 279, 280, 281, 391, 422
Saratoga, 107, 446
Sarter, Caesar, 25, 26
Savage, capitão Henry, 232, 350
Savannah, 147, 148; Guerra de Independência americana, 107-8, 111-6, 119, 138
Scarborough, 98
Scorpion, 73, 74, 98, 119
Scott, John Morin, 160
Serra Leoa, 204, 210, 212, 217, 219, 226-31, 284, 285, 286, 294, 312, 315, 326, 343, 354, 385, 393, 409; anexada à Coroa, 416; carnaval, 432; chegada de novos-escoceses, 339-43; clima, 221, 348, 351, 358, 361, 363, 368; colonos brancos, 211-4, 222, 343-5, 351-2, 35-60; Companhia da Baía de São Jorge, 11, 234, 235, 282, 284; Companhia de Serra Leoa, 11, 12, 235, 283, 284, 290, 300, 308, 324, 338, 340, 345, 356, 360, 389, 393, 423; doenças entre os assentados, 222, 346, 369; fracasso de Granville Town, 223, 232, 233; fundação de Freetown, 309-13; lavouras, 228, 234, 372, 399, 406; ocupação francesa de Freetown, 400-2; petição dos assentados à Companhia, 394-8; Revolta de Freetown, 345-350; Thomas Clarkson, 190, 191; Thomas Lewis, 50, 53-6; Thomas Peters, 236, 237-8, 261, 271; tráfico escravo, 153, 203, 218-9, 222-3, 228, 231, 344, 349, 362, 364, 370; vida selvagem, 222, 348, 368; voto feminino em Freetown, 393, 408; *Zong*, 182, 183
Sharp, dr. John, 49, 104
Sharp, Eliza, 35, 49, 428
Sharp, Granville, 9, 23, 34, 39-40, 43-4, 52-4, 57-9, 71, 106, 176, 179-81, 190, 200, 204, 206, 210, 212, 219, 223, 225-6, 234-6, 261, 263, 272, 276, 285, 289, 313, 315, 325, 343, 353, 357, 370, 376, 385, 393, 409, 423, 428-9, 431, 443; *A representation of the injustice and dangerous tendency of tolerating slavery or even admitting the least claim of private property in the persons of men in England*, 50; *A short introduction to musick for the use of such children as have a musical ear and are willing to be instructed in the great duty of singing psalms*, 35, 39; abolição, 224-6; *Declaration of the people's natural right to share in legislature*, 105; estatuto jurídico dos escravos na Inglaterra, 41-4, 50-2, 66; Guerra de Independência americana, 70, 103-6; James Somerset, 59, 62, 68; Jonathan Strong, 39; Lorde North, 62; Mansfield, 47, 56-9, 68; "Observações sobre as invasões no rio Tâmisa perto de Durham Yard", 48; recrutamento forçado, 290; "Sobre a pronúncia da língua inglesa", 39
Sharp, James, 34, 39, 48, 104, 219, 234, 428

Sharp, John (escravo), 169
Sharp, Judith, 35
Sharp, William, 34, 36, 37; Jonathan Strong, 36, 37
Shaw, William, 262
Shelburne, Nova Escócia, 21, 239, 242, 249-51, 253-60, 263-4, 266, 300, 302-3, 306-11, 313, 317, 320, 326, 365, 404, 432
Shelburne, William Petty, 2º conde de, 144, 155
Shepherd, Elisha, 126
Shield, William, 35
Sierra Leone Gazette, 432
Signor Domingo, 350, 373, 380
Skinner, Stephen, 12, 253, 303, 307
Small, Sophia, 401, 406, 415
Smeathman, Henry, 11, 201-4, 206, 208-9, 219, 227, 282
Smith, Adam, 188, 202, 234
Smith, Caesar, 15, 318
Smith, Francis, 82
Smith, Sukey, 86
Smith, Thomas, 131
Smith, William, presidente do Supremo Tribunal, 142, 146, 160, 275
Smock, Barnes, 130
Snowball, Mary, 171
Snowball, Nathaniel, 252, 399, 403
Sociedade Antiescravista, 431, 433
Sociedade de Colonização Americana, 431
Sociedade Filadélfia, 105
Sociedade para a Promoção da Paz Perpétua e Universal, 430
Sociedade Promotora da Abolição da Escravidão, 205
Société des Amis des Noirs, 278
Somerset, James, 9, 29, 58, 59, 64, 65, 68, 71
Southey, Robert, 423
Squire, Matthew, 91
Stapylton, Robert, 53-6
Steele, Murphy, 10, 135, 171, 238
Steele, Thomas, 204
Stevens, Daniel, 138, 139

Stewart, Charles, 58, 61, 71
Stewart, coronel Allen, 239
Stewart, John *ver* Cugoano, Ottobah, 192
Strange, Thomas, 261, 297, 318, 327
Strong, Jonathan, 36-40, 50, 180, 428
Stuart, Charles, 431
Stubbs, Robert, 175
Sumter, general Thomas, 118
Suriname, 27, 90
Suriname holandês, 90
Swedenborguianos, 294

Talbot, procurador-geral, 41, 44, 51, 66, 67
Tamar, 75, 76, 78
Tarleton, Banastre, 129, 134, 277
Taylor, dr. Charles, 12, 300, 331, 332, 334, 335, 362
Taylor, William, 319
Tea Party de Boston, 22, 84
Temnés, 11, 153, 203, 206, 217, 218, 220, 284, 350, 401, 403, 410, 413, 416
Thomas, John, 55
Thomas, Juno, 169
Thomas, Phillis, 147
Thompson, capitão Thomas Boulden, 211, 214, 215, 218, 219, 220, 221, 228, 284
Thompson, Jane, 169
Thomson, Elizabeth e Betty, 169
Thomson, Grace, 171
Thornton, Henry, 11, 285, 312, 313, 316, 329, 342, 380, 385, 388, 391, 396, 402, 416, 423
Tifo, 100, 119, 127, 166, 197
Tilley, John, 218, 231, 232
Tomkin, Samuel e Mary, 86
Tomkins, Lydia, 131
Tratado de Paris, 140, 151, 152, 153
Trumbull, Jonathan, 160
Tucker, Robert, 86, 100
Tye, coronel, 126, 156, 171, 252

União, 17

493

Valley Forge, 115, 446
Van Sayl, Cathern, 170
VanderVeer, John, 131
Vaqueiros Refugiados, 129, 154, 161
Varíola, 14, 34, 100, 119, 121-3, 127, 132, 134, 166, 197, 267, 306, 321, 332, 404
Vassa, Gustavus *ver* Equiano, Olaudah, 176
Vergennes, conde, 157-9
Vermont, 115, 144, 162, 238
vilania, 43, 62
Virgínia: apoio a Boston, 84
Virgínia, 17, 20, 24, 74, 78, 98, 118, 133, 136, 139; escravos fugidos, 19, 90, 91; medo de revoltas escravas, 80, 422; *Virginia Gazette*, 28, 79, 85
Voluntários de Nova York, 108
Voluntários Refugiados Legalistas, 129
Wadstrom, Carl Bernhard, 282, 363

Wakerell, sr., 341
Walker, Chloe, 86
Walker, David, 16, 433; *Appeal to the colored citizens of the world*, 16; *One continual cry*, 433
Walker, Henry, 169
Walker, James, 19
Walker, Thomas, 391
Wallace, Michael, 11, 246, 263, 295, 320, 321, 328
Wallis, Margaret e Judith, 169
Wansey, Nathaniel, 399, 411, 413
Warde, Edmund, 131
Washington, George, 81, 115, 135, 142, 153, 159; capitão Charles Asgill, 156-9; Dunmore, 18, 83; escravos libertos, 164; Milícias negras, 17, 19, 115; nomeado Comandante, 79; sir Guy Carleton, 143, 145, 159-63
Washington, Henry, 19, 90, 252, 304, 414, 416
Washington, Lund, 18
Wayne, general Anthony, 130
Wearing, Scipio e Diana, 265

Weaver, Richard, 208, 227, 228
Wedgwood, Josiah: "Não Sou Homem e Irmão?", 225, 276
Weedon, general George, 138
Weedon, Judy, 170
Weekly Chronicle, 310
Welsh, juiz, 53
Wesley, John, 266
Whitbread, Samuel, 229, 235
Whitecuffe, Benjamin, 11, 192-4, 222
Whitefield, George, 119
Whitten, Hannah, 170, 171
Wickham, Samuel, 323, 329, 331, 334, 335
Wilberforce, William, 189-91, 204, 225, 236, 275-7, 282, 289, 291, 293-4, 312, 353, 369, 389-90, 410, 422-3, 426, 434; John Clarkson, 189, 204, 235, 276, 285, 291-3, 312, 342, 369, 389, 433; projetos de lei abolicionistas, 275-7, 421
Wilkes, John, 57, 60, 106
Wilkinson, Moses, 10, 86, 171, 258, 326, 346, 365, 374; John Clarkson, 304, 305, 321, 403; Serra Leoa, 340
Willes, juiz, 67, 68
William, 17, 28, 88
Williamsburg, Virgínia, 80, 83, 84, 87, 90
Willis, Thomas, 165
Willoughby, John, 85
Wilmington, Carolina do Norte, 20, 81, 82, 90, 97, 170, 346, 363, 387
Wilmot, sir John Eardley, 195, 197
Wilson, capitão, 359, 368, 370
Wilson, Ellen Gibson, 19
Winslow, Cato, 85
Winterbottom, dr. Thomas, 347, 368
Wolfe, James, 143, 244
Woodford, coronel, 94
Woods, Joseph, 188, 225
Wright, Joseph, 122
Wright, sir James, 79
Wyvill, Christopher, 57

Yearman, Scipio, 13
York, Duskey, 170

Yorke, lorde, 41, 44, 51, 66, 67
Yorktown, 13, 17, 80, 123, 130, 136-8, 143, 156, 197, 446
Young, sir George, 218

Zizer, Ansel, 399, 411
Zoffany, Johan, 47
Zong, 10, 173, 175-6, 181, 182, 184, 186, 188, 190, 205, 289

ESTA OBRA FOI COMPOSTA EM MINION PELO ESTÚDIO O.L.M./ FLAVIO PERALTA
E IMPRESSA EM OFSETE PELA GEOGRÁFICA SOBRE PAPEL PÓLEN SOFT DA SUZANO
PAPEL E CELULOSE PARA A EDITORA SCHWARCZ EM OUTUBRO DE 2011